Andreas Heusler
Lion Feuchtwanger

Andreas Heusler

Lion Feuchtwanger
Münchner – Emigrant – Weltbürger

Residenz Verlag

Bibliografische Information der Deutschen Nationalbibliothek
Die Deutsche Nationalbibliothek verzeichnet diese Publikation in
der Deutschen Nationalbibliografie; detaillierte bibliografische
Daten sind im Internet über http://dnb.dnb.de abrufbar.

www.residenzverlag.at
© 2014 Andreas Heusler
© 2014 Residenz Verlag
im Niederösterreichischen Pressehaus
Druck- und Verlagsgesellschaft mbH
St. Pölten – Salzburg – Wien

Umschlaggestaltung: Thomas Kussin / buero8
Umschlagbild: bpk / Gerda Goedhart
Grafische Gestaltung / Satz: buero8, Wien
Schrift: Minion
Lektorat: Stephan Gruber
Register: Susanne Peter
Gesamtherstellung: CPI Moravia Books

Abdruck der Zitate aus den Werken Feuchtwangers
mit freundlicher Genehmigung des Aufbau Verlags, Berlin.

Bildnachweis: alle außer Bild 13 & 19: © Feuchtwanger Memorial Library,
University of Southern California Libraries
Bild 13: © Scherl / Süddeutsche Zeitung Photo / picturedesk.com
Bild 19: © R. Berlau / Hoffmann

ISBN 978-3-7017-4460-2

Inhalt

Vorwort

Ich fühle mich geehrt, dass man mich um dieses Vorwort für Andreas Heuslers aufschlussreiche Biographie über meinen Onkel Lion gebeten hat.

Einer der wichtigsten Einflüsse auf Lion und seine Werke war seine Beziehung zum Judentum. Um diese Beziehung in ihrer ganzen Widersprüchlichkeit zu verstehen, muss man seinen elterlichen Hintergrund betrachten. Die Eltern waren orthodoxe Juden, aber sie waren auch mit den Lehren von Rabbi Samson Raphael Hirsch verbunden. Der Rabbi aus Frankfurt war, gemeinsam mit vielen anderen, der Überzeugung, dass das deutsche Judentum ohne strenges Festhalten an den traditionellen jüdischen Gesetzen aussterben und das Reformjudentum keine dauerhafte Zukunft haben würde. Hirsch war gleichwohl der Auffassung, dass die strenge Einhaltung der jüdischen Vorschriften mit der völligen Integration in die deutsche Kultur vereinbar sei.

Im Einklang mit Hirschs Lehren wurden Lion und mein Vater Ludwig, die ein Altersunterschied von knapp anderthalb Jahren trennte, auf das elitäre Münchner Wilhelmsgymnasium geschickt, wo sie unter anderem von Heinrich Himmlers Vater unterrichtet wurden. Beide empfanden den Schulalltag als sehr schwierig. Beispielsweise waren sie angehalten, koscher zu essen und am Schabbat keine Gegenstände zu tragen. Dies schuf eine Kluft zwischen ihnen und ihren Mitschülern. Aber es entfremdete sie auch in zunehmendem Maß vom elterlichen Umfeld. Gleichzeitig entwickelte sich durch die gemeinsame Erfahrung eine enge Beziehung der beiden Brüder. Sie hatten daher zu Beginn ihrer Karrieren vieles gemeinsam, aber bald trennten sich ihre Wege. 1914, vor dem Ausbruch des Ersten Weltkrieges, hatte Lion seine Bestimmung noch nicht gefunden und durchlebte gemeinsam mit seiner Frau Marta seine *Années de pèlerinage*.

Dagegen war mein Vater bereits ein Teil des intellektuellen Establishments in Deutschland. Noch vor seinem 30. Geburtstag war sein Leben geprägt von der Beziehung zu Gustav von Schmoller. Schmoller, der »Doktorvater« meines Vaters, veröffentlichte einige seiner Artikel in *Schmollers Jahrbuch*. Es ist auf Schmoller – einen der prominentesten *Kathedersozialisten* – zurückzuführen, dass mein Vater schon im frühen Alter von 28 Jahren die Position des wissenschaftlichen Leiters und Syndikus des Verlags Duncker & Humblot übertragen wurde. Er hatte diese Position bis zu seiner von den Nazis erzwungenen Demission im Jahr 1936 inne. Duncker & Humblot war gegen Ende des 18. Jahrhunderts gegründet worden. 1831 erschienen hier mit *Ueber das Daseyn* und *Phänomenologie des Geistes* einige Spätwerke Hegels; 1815 veröffentlichte der Verlag Goethes *Des Epimenides Erwachen*. Später erschien hier das Gesamtwerk Rankes. Im ausgehenden 19. Jahrhundert wurde Duncker & Humblot zum Hausverlag des *Vereins für Socialpolitik*, dem Mittelpunkt der *Kathedersozialisten*. Unter den Autoren waren Werner Sombart, Georg Simmel und Lujo Brentano.

Zwischen derart eng verbundenen Brüdern entstehen zwangsläufig auch geschwisterliche Rivalitäten. Zwischen Lion und Ludwig waren diese aber, wie man der Darstellung von Andreas Heusler entnehmen kann, zu keinem Zeitpunkt bitter oder anders als wohlwollend. Als mein Vater 1938 in Lebensgefahr geriet, zögerte Lion keinen Augenblick und rettete ihn und seine Familie.

Meine einzige persönliche Begegnung mit Lion fand 1927 statt, als er nach München kam, um meine Eltern zu besuchen. Ich war damals kaum drei Jahre alt. Später erzählte mir meine Mutter: »Ich habe Lion gefragt: ›Willst du nicht deinen Neffen sehen, der ist sehr nett?‹ Lion sagte, in seiner typisch leicht ironischen Weise: ›Ich habe für solche Gelegenheiten immer ein paar passende Worte auf Lager.‹« Nach dem Tod meines Vaters im Jahr 1947 entwickelte sich zwischen Lion und mir eine regelmäßige Korrespondenz. Er schickte mir seine Bücher, und es schien ihn zu freuen, wenn ich ihm mitteilte, dass und warum ich sie mochte. Ganz besonders erinnere ich mich in diesem Zusammenhang an das Buch *Narrenweisheit*. Ich war stolz, als er mich in seinem Testament als seinen natürlichen Erben benannte, falls Marta vor ihm sterben sollte. Rein rechtlich wäre ich dies womöglich ohnehin gewesen.

Edgar Feuchtwanger
Southampton, im Mai 2014

Was bleibt? (an Stelle einer Einleitung)

>»Wie leicht ist es, die Menschen glücklich zu
>machen. Eine Biographie. Was ist eine Biographie?
>Als ob etwas anderes zählte als das schöpferische
>Werk. Aber da kramt einer herum in den Abfällen,
>in der sogenannten Wirklichkeit, im Abgelebten,
>und ist glücklich.«[1]

Lion Feuchtwanger hat sich stets einem autobiographischen Diskurs
verweigert. Als Schriftsteller wollte er nicht in eigener Sache tätig werden, wollte über sich selbst vor allem durch sein Werk Auskunft geben.
Aus gutem Grund, wie er fand: »Eine Selbstbiographie schreiben, ist ein
heikles Unternehmen. Das Wort ›ich‹ ist gefährlich für den Schriftsteller. Läßt er sich nur ein wenig gehen, dann bekommen seine Sätze
sogleich einen wichtigtuerischen Klang; versucht er, kühl zu bleiben,
dann wirkt eine solche Kühle rasch wie falsche Bescheidenheit, und die
Ich-Erzählung wird doppelt unerträglich.«[2] Dieser Maxime der autobiographischen Diskretion ist Lion Feuchtwanger zeitlebens treu
geblieben. Es gibt nur wenige Texte aus seiner Feder, die das eigene
Werden und Leben reflektieren. Meist sind es kurze, summarische
Übersichten, mehr Notizen und Fragmente, die als unfertige Bausteine
und Module für eine Biographie dienen können, bisweilen aber auch
den Blick auf die Person Feuchtwanger mehr verstellen als erhellen.
Selbst die Tagebücher, als Fragmente für die Jahre 1906 bis 1940 überliefert, sind weder für literaturwissenschaftliche noch für biographische
»Ermittler« geschrieben. Es sind intime, oft im Telegrammstil abge-
fasste Zeugnisse, die eher den Charakter chronologischer Ereignispro-
tokolle haben und kaum einmal den Leser mit klugen, diskursiven Reflexionen über Literatur, Kunst, Philosophie und Politik erfreuen. Sie
sind erkennbar nicht mit Blick auf eine spätere, womöglich posthume
Veröffentlichung geschrieben. Es sind Zeugnisse der Selbstvergewisse-
rung, persönliche, bisweilen explizit intime Notizen, die in der geschützten Sphäre des Privaten bleiben sollen – andernfalls hätte Lion
Feuchtwanger diese nicht in der den meisten Lesern unzugänglichen

Kurzschrift verfasst. Da also Feuchtwanger mit Informationen und Daten über seine Person und sein Leben sehr sparsam war, müssen andere die Aufgabe des lebensgeschichtlichen Erzählers übernehmen. Germanisten und Historikern fällt die Aufgabe zu, Zeugnis abzulegen von einem Leben, dessen Verlauf wie wenige andere die Höhen und Untiefen, die Möglichkeiten und Unmöglichkeiten des »langen 20. Jahrhunderts« (Charles S. Maier) widerspiegelt.

Dieses Buch ist mehr als eine Biographie. Denn es verschränkt Lebensgeschichte mit sozialen, kulturellen, politischen Gegebenheiten. Fragt nach Bezugssystemen, Netzwerken, Abhängigkeiten, Bedingungen. Stellt den Protagonisten in einen Kontext, der – im Rang gleichwertig – die lebensgeschichtliche Erzählung einrahmt und stützt. Und doch ist dieses Buch auch viel weniger als eine Biographie. Denn: Die Geschichte eines kompletten Lebens zwischen zwei Buchdeckeln einzufangen, den Werdegang eines Menschen »von der Wiege bis zur Bahre« in all seinen unberechenbaren Windungen und letztlich doch folgerichtigen Entwicklungen zu erzählen, ist ein hoffnungsloses Unterfangen. Man möchte bekennen: Ein derartiges Projekt scheint von vornherein zum Scheitern verurteilt. Wie überhebliche Maßlosigkeit mutet es an, das Unmögliche zu wagen: zu schildern, wie sich Persönlichkeit und Charakter eines Menschen entwickeln, wandeln, festigen. Wie sich »Menschlichkeit« in einer Person verdichtet, wie sich Gefühlswelten, wie sich Hoffnungen, Ängste, Sehnsüchte, Leidenschaften und vieles mehr an emotionalen Befindlichkeiten mit Talenten und Begabungen mischen und so, stets in Wechselwirkung mit einem sozialen Umfeld, das Profil eines Individuums konturieren, seine Besonderheit formen und schließlich seine Einzigartigkeit unterstreichen.

Dieses Buch ist also vor allem: ein Versuch. Ein Versuch der Annäherung an einen Menschen, der einzig in schriftlichen Überlieferungen, in archivischen Fragmenten, in seinem poetischen, schriftstellerischen Werk fortlebt und schon längst nicht mehr in den Erinnerungen der Nachlebenden gegenwärtig ist. Denn auch die Generation der »Zeitzeugen«, die noch aus eigener Anschauung, eigenem Erleben und Mitleben über den Menschen und Schriftsteller Dr. phil. Lion Feuchtwanger berichten könnte, ist schon lange von uns gegangen. Dieses Buch ist demnach der Versuch einer Rekonstruktion. Und weil der Begriff Rekonstruktion auch den schöpferischen Aspekt der »Konstruktion« in sich trägt, gilt es einzuräumen, dass das Schreiben einer Biographie oft auch den Bereich des Spekulativen berührt. Wie etwas war, wie Ereignisse sich entwickelt und welchen Verlauf, ja, warum sie diesen Verlauf genommen haben, lässt sich nicht immer zweifelsfrei feststellen. Man kann Geschichte erschließen, deuten, andeuten. Beweisen lässt sie sich nicht. Nur Phänomene, deren spezifische Konfiguration in beliebig oft wiederholbaren Versuchsanordnungen überprüft werden kann, sind letztlich beweisbar. Geschichtswissenschaft ist hingegen eine Wissenschaft im Konjunktiv. Gleiches gilt auch für die Biographie. Erzählt wird in diesem Buch die Geschichte eines Mannes, dessen Leben – einem Brückenschlag vergleichbar – zwei Jahrhunderte miteinander verbindet, wie sie gegensätzlicher nicht sein können: Geboren und aufgewachsen ist er in der vermeintlich »guten alten Zeit«, in der jedoch das verklärte Idyll der bayerischen Prinzregentenära bereits machtvoll mit den Spannungen und Herausforderungen einer krisengeschüttelten Moderne konfrontiert wird. In die Lebenszeit von Lion Feuchtwanger fällt das unversöhnliche Aufeinanderprallen von Tradition und Fortschritt, er wird zum Zeugen (und zum Akteur) der zerstörerischen Konfrontation von bürgerlicher Selbstgefälligkeit und avantgardistischer Aufbruchstimmung. Das Leben von Lion Feuchtwanger ist gezeichnet durch die großen, die erschütternden Katastrophen der Epoche. Dieses Leben erfährt seine Zäsuren durch den Ersten Weltkrieg und in tiefgreifender, tragischer Form durch das Menschheitsverbrechen des nationalsozialistischen Judenmords. Im Leben des Protagonisten dieses Buches spiegelt sich die Vielschichtigkeit und die Tragik jener Jahrzehnte, die die Lebensentwürfe ganzer Generationen und Völker dauerhaft verändert, ja deformiert haben.

Dieses Buch über Lion Feuchtwanger verdankt den profunden Biographien von Joseph Pischel (1976), Volker Skierka (1984), Reinhold Jaretzky (1984) und Wilhelm von Sternburg (1991) viel. Sie geben die Koordinaten vor, legen das Fundament und setzen die Standards für diese Feuchtwanger-Biographie des Jahres 2014. Auch die Arbeiten von Heike Specht über »Die Feuchtwangers« (2006) und Manfred Flügge über Marta Feuchtwanger (2008) und Eva Herrmann (2012) sind grundlegend und haben ihre Spuren in der vorliegenden Darstellung hinterlassen. Damit sei gesagt, dass die Lebensgeschichte von Lion Feuchtwanger in diesem Buch nicht grundlegend neu erzählt wird, eben weil sie nicht grundlegend neu berichtet werden kann. Vieles ist bekannt, ausgeleuchtet, interpretiert und kommentiert. Dennoch beansprucht das Buch einen neuen Zugang. Die Lebensgeschichte von Lion Feuchtwanger wird hier anders akzentuiert, folgt modifizierten Leitfragen, nutzt bislang unbekannte Quellen und lenkt den Blick schließlich auf Aspekte von Leben und Werk, die in dieser Form bislang nicht die ihnen gemäße

Aufmerksamkeit gefunden haben. Die Aufmerksamkeit richtet sich einmal auf München, die Geburts- und Heimatstadt Feuchtwangers. Vier Jahrzehnte hat er in der bayerischen Haupt- und Residenzstadt verbracht. Mehr Lebenszeit verbindet ihn mit keinem anderen Ort. Dieser Befund ist evident und er bestimmt Kurs und Format des lebensgeschichtlichen Narrativs. Was hat das »Milieu München« dem Menschen und Schriftsteller gegeben, wo liegen die wechselseitigen Wirkkräfte und welche literarische Energie wurde durch Reibung an und Inspiration durch dieses spezielle »Milieu München« freigesetzt? Mit anderen Worten: Wie hat sich die kulturelle und politische Physiognomie Münchens in Leben und Werk des Schriftstellers Lion Feuchtwanger eingeschrieben?

Ein zweites Leitmotiv liegt dem Buch zugrunde. Die älteren Biographien richten bei der Rekonstruktion und Einordnung des Lebens von Lion nicht nur großes Augenmerk, sondern auch großes Vertrauen in die Berichte von Marta Feuchtwanger. Marta ist die besorgte Hüterin des Feuchtwanger'schen Erbes, die Treuhänderin von Lions Nachlass und die zentrale Figur der Feuchtwanger-Rezeption, der Feuchtwanger-Biographik nach dem Tod des Schriftstellers. Mit lakonischer Selbstverständlichkeit reklamiert Marta die Deutungshoheit über den Menschen Feuchtwanger. Als »Lions Königliche Kustodin« wird sie 1981 in einem Magazinbeitrag der »Frankfurter Allgemeinen Zeitung« bezeichnet – eine durchaus treffende Zuschreibung. Das Werk, das jedem zugänglich ist, in millionenfacher Auflage gedruckt vorliegt, interpretiert Marta, die »lebende Legende« (Thomas Bublacher), kaum. Das überlässt sie Lesern, Kritikern und Wissenschaftlern. Allenfalls gibt sie Hilfestellungen und Hinweise zur literaturgeschichtlichen Einordnung, zur philologischen Feinjustierung. Spricht gewissermaßen die bisweilen erforderlichen Zwischentexte zu einer Gesamtbetrachtung des heterogenen und weitläufigen Feuchtwanger'schen Œuvres. Anders dagegen, sobald die Deutung und Einordnung des Menschen Lion Feuchtwanger gefragt ist: Hier ist manche Auslegung schwierig, kommt man nicht um Martas Erzählungen, Interventionen und Interpretationen herum, die durch die jahrzehntelange Zeitzeugenschaft und Lebenspartnerschaft beglaubigt scheinen. Marta wird nach 1958 zur wichtigsten Gewährsperson der Feuchtwanger-Forschung. Sie ist die Hüterin des Schatzes in der Villa am Paseo Miramar in Pacific Palisades, der späteren »Villa Aurora«, der aus der Bibliothek des Schriftstellers und seinem Nachlass, vor allem aber aus den Erinnerungen Martas besteht. Diese Erinnerungen besitzen einen hohen Stellenwert für die Archäologie in Sachen Lion Feuchtwanger. Marta wird allmählich zur Ikone der deutschsprachigen Emigration nach 1933. Manche verklären sie gar zur »Grande Dame des Exils« – eine Rolle, die Marta gerne übernimmt und mit großer Überzeugungskraft ausfüllt. Dem ist das wichtigste methodische Instrument des Historikers entgegenzuhalten: die Quellenkritik. Das vorliegende Buch vermeidet eine allzu starke Anlehnung an die Deutungsangebote, die sich dem Biographen durch die vielfältigen Berichte von Marta Feuchtwanger geradezu aufdrängen. Das funktioniert nicht ohne Selbstkritik und Distanz. Und auch nicht ohne die Einsicht in den Befund, dass es nicht eine gültige Form, sondern viele Varianten von historischer Wahrheit gibt. Oder mit den Worten Lion Feuchtwangers: »Nichts gegen den Historiker, der auf der Basis der Hegelschen Philosophie an Hand von Fakten die Grundlinien der Entwicklung der Menschheit, die Gesetze dieser Entwicklung, ihre Dialektik, darzulegen sucht. Aber wer unter anderen Gesichtspunkten historische Fakten zusammenstellt, darf der den Anspruch erheben, ein Wissenschaftler zu sein? Gibt er nicht, wie immer er seinen Stoff anordnet, einfach durch seine Anordnung der Fakten ein subjektives Bild, gibt er nicht im besten Falle Kunst?«[3]

Was bleibt? Vor allem die Einsicht, dass über die Nacherzählung des individuellen Erlebens Einzelner auch die großen Züge der Geschichte in ihrer wundersam farbigen, tragischen, hoffnungsvollen, beklemmenden, lebensfrohen, mörderischen und lustvollen Vielseitigkeit erschlossen, greifbar und begreifbar werden können. Und der Wunsch, dass dieses Buch dazu beitragen möge, einen großen, einen bedeutenden epischen Erzähler des 20. Jahrhunderts neu zu entdecken. Über Feuchtwanger zu lesen, ist informativ. Aber Feuchtwanger zu lesen, ist lohnend.

München, im April 2014

Feuchtwangen – Fürth – München

> »Die ersten historischen Nachrichten, die wir
> von dem Daseyn der Juden in Baiern haben,
> sind zugleich die ersten Nachrichten von ihrer
> Mißhandlung.«[4]

Mit knappen Worten fasst Martin Feuchtwanger, der jüngere Bruder Lions, die Geschichte seiner Familie zusammen: »Ich wurde in München geboren, mein Vater wurde in Fürth in Bayern geboren, und sein Vater auch in Fürth und dessen Vater ebenfalls in Fürth. Wahrscheinlich auch der Urgroßvater und wahrscheinlich auch der Ururgroßvater.«[5] Die komprimierte Genealogie deutet die lange Geschichte der Feuchtwangers lediglich an und legt doch tiefliegende, über viele Generationen gewachsene bayerische Wurzeln frei. Wenn es im 19. und frühen 20. Jahrhundert so etwas wie ein bayerisch-jüdisches Establishment gab – die Feuchtwangers gehörten dazu. Sie waren tätige Gestalter des kulturellen Erbes dieses Landes. Sie beeinflussten Tradition und Überlieferung, waren als Juden und Bayern wirkungsstarke Impulsgeber für den Werdegang, für das Profil des Landes. Am Beispiel der Familie Feuchtwanger wird exemplarisch deutlich: Bayerische Geschichte war seit dem Mittelalter stets auch jüdische Geschichte. Soziale, kulturelle und ökonomische Entwicklungen wurden vom jüdischen Bevölkerungsteil über Jahrhunderte beeinflusst und mitgeprägt. Jüdische Lebenswelten waren allgegenwärtig und besonders stark, ja nachhaltig präsent im fränkischen Raum und im schwäbischen Teil Bayerns. Bayern ist ohne jüdische Einflüsse, ohne jüdische Gestaltungskraft nicht vorstellbar. Der Name Feuchtwanger wiederum ist vor allem mit den beiden Städten Fürth und München verbunden.

Will man den Menschen Lion Feuchtwanger erkennen und den Schriftsteller Lion Feuchtwanger verstehen, die bisweilen widersprüchliche Zerrissenheit zwischen den lebensgeschichtlichen Positionen des bayerischen Juden und des kosmopolitischen Intellektuellen begreifen, muss man die Chronologie seiner Vita in den spannungsreichen Kosmos bayerisch-jüdischer Lebenswelten einordnen. Denn die jüdische

Identität war dem Menschen und Schriftsteller Lion Feuchtwanger ebenso unverzichtbarer Lebensbegleiter wie die bayerisch-münchnerische Prägung. Die wichtigen Kindheits- und Jugendjahre, die Phasen der Persönlichkeitsbildung, die Momente des Entdeckens der eigenen Begabung, der konkreten Verortung von sinnlichen wie abstrakten Sehnsuchtsorten, des selbstbewussten Aufbruchs und des peinigenden Scheiterns, der ersten Erfolge – es sind Münchner Jahre. Und in der Biographie Lion Feuchtwangers vollzieht sich die Rückkoppelung jener in sich zerrissenen Stadt, die sich wie keine zweite in der unvereinbaren Gegensätzlichkeit von behaglicher Wirtshausfolklore und provokativer künstlerischer Geste, von konservativem Trachtencharme und unangepasster Bohème, von katholischer Selbstgerechtigkeit und rechtsextremem Chauvinismus gefallen hat. Es ist München, es sind die Bewohner der Stadt, die dem literarischen Entdecker und Aufdecker Feuchtwanger ein reiches, ein üppiges Tableau an Inspirationen, Themen und Geschichten anbieten.

Der Geschichtenschreiber Lion Feuchtwanger war gleichermaßen auch Geschichtsschreiber. Die Vergangenheit war ihm nicht nur Steinbruch aus Ideen, Ereignissen und Akteuren, sondern auch Resonanzraum für die kritische Analyse von Gegenwartsfragen, für die Befragung und Klärung von aktuellen Phänomenen. Er ist, so Volker Skierka in seiner voluminösen Bildbiographie, »ein Betrachtender, der die politische Gegenwart in seinen Büchern mit dem Mittel historischer Stoffe verarbeitete«.[6] Lion Feuchtwanger formuliert dieses Selbstverständnis noch prägnanter. In einem Interview mit dem amerikanischen Journalisten Ralph Friedmann bekennt er, nur wenige Monate vor seinem Tod: »Bei einem wirklich kreativen Schriftsteller ist es so: nicht er wählt seinen Stoff; es ist der Stoff, der ihn wählt. Wenn ich historische Romane schreibe, denke ich immer, dass es unsere Zeitgeschichte ist, über die ich schreibe.«[7] Bei einem Autor, der wie kaum ein anderer die Vergangenheit als Bezugssystem für eigene künstlerische Positionsbestimmungen benutzt, ist ein konzentrierter Blick in die Geschichte unvermeidbar. Erst durch die historische Kontextualisierung, durch die Einordnung in einen Wertekanon von religiöser Prägung und identitätsstiftenden jüdischen Traditionen werden Mensch und Schriftsteller Lion Feuchtwanger »erkennbar«, werden die Konturen einer widersprüchlichen Persönlichkeit sichtbar, in der sich scheinbare Gegensätze aufs Fruchtbarste begegnen: die bewusst gelebte Distanz zum tradierten Judentum und zur Religion »der Väter« einerseits und das tiefe Bewusstsein für den eigenen Standort in der jüdischen Überlieferung, in der kulturellen Tradition des Judentums andererseits. Mit anderen Worten: Wer die Geschichte von Lion Feuchtwanger glaubwürdig erzählen möchte, muss auch die Geschichte der Juden in Bayern und die Geschichte von Lions Vorfahren erzählen.

Die ersten gesicherten Hinweise auf die Anwesenheit von Juden in Bayern finden sich bereits im 10. Jahrhundert in Regensburg – einer Stadt, die sich in den folgenden Jahrhunderten wegen der dortigen Talmud-Schule zu einem Zentrum jüdischer Gelehrsamkeit im süddeutschen Raum entwickeln wird. Neben Regensburg bildeten die Städte Augsburg, Würzburg, Nürnberg und Fürth die mittelalterliche Achse jüdischen Lebens und jüdischer Kultur in Bayern. Die spätere Haupt- und Residenzstadt München hingegen hat im Mittelalter und in der Neuzeit keine nennenswerte Bedeutung für das süddeutsche Judentum. Regensburg mit dem einzigen jüdischen Friedhof in Bayern, mit einer repräsentativen Synagoge, mit einer weithin bekannten Talmud-Schule und einem rabbinischen Gericht ist der Zentralort für die jüdischen Niederlassungen in Bayern. Deren Leben wird im mittelalterlichen Bayern immer wieder gestört und zerstört durch heftige Gewalt, durch langandauernde Phasen der Ausgrenzung und gewaltsamen Vertreibung. Gleichwohl deutet Ludwig Feuchtwanger, ein jüngerer Bruder Lions und namhafter Historiker jüdischen Lebens in Bayern, die mittelalterliche Lebenswirklichkeit nicht nur negativ. Es sei falsch, sich das Leben der Juden »in Bayern in älterer Zeit als einen grausigen Wechsel von Gefahren, Bedrückungen, Austreibungen und Wiederzulassungen vorzustellen. Vielen Generationen war auch in den bayerischen Gebieten im Mittelalter (…) ein friedliches, geschlossenes jüdisches Leben beschieden. Der jüdische Stamm lebte wie überall im christlichen Abendland in diesen Epochen auch in Bayern für sich und hatte sein eigenes vielgestaltiges geistiges und soziales Dasein.«[8] Unstrittig ist freilich, dass die restriktive und von wirtschaftlichen Eigeninteressen geleitete Politik der bayerischen Herzöge den Juden im Mittelalter eine dauerhafte Bleibe in Bayern nicht ermöglicht. Erst für das ausgehende 17. Jahrhundert ist in Bayern die Entstehung neuer kleiner jüdischer Gemeinschaften belegt. Noch unterliegen diese Neuankömmlinge weitreichenden Einschränkungen in rechtlicher und wirtschaftlicher Hinsicht, so dass man bis weit ins 18. Jahrhundert hinein festhalten muss: Juden sind in Bayern geduldet, aber nicht willkommen.

Lion Feuchtwangers Vorfahren stammen aus einem kleinen malerischen Städtchen in Mittelfranken. Feuchtwangen, an der Sulzach zwischen Rothenburg ob der Tauber und Nördlingen gelegen, ist seit dem

13. Jahrhundert als freie Reichsstadt nur dem König verpflichtet und vorerst keiner fürstlichen Landesherrschaft unterworfen. Wann die ersten Juden nach Feuchtwangen kommen, ist ungewiss. Doch sind in der Stadt bereits für das Spätmittelalter jüdische Gemeinschaften nachweisbar. Für die kleine jüdische Gemeinde ist das Leben im christlich geprägten Feuchtwangen indessen nicht einfach. Auch hier kommt es immer wieder zu antisemitischen Pogromen, gewaltsamen Verfolgungen und brutalen Vertreibungen der Minderheit. Juden werden als »Brunnenvergifter« und »Hostienschänder« beschimpft und im Jahr 1555 endgültig aus Feuchtwangen ausgewiesen. Es ist die konfliktgeladene Zeit der Reformation. Die Juden gehören zu den Hauptleidtragenden der konfessionellen Wirren, die auch im fränkischen Land für Unsicherheit und Orientierungslosigkeit sorgen. Viele Vertriebene retten sich an Orte, wo man den Juden noch wohlgesinnt ist, etwa nach Schwabach, Sulzbürg oder Pappenheim. Zwar werden die Heimatlosen auch hier nicht mit offenen Armen empfangen, aber immerhin vorläufig geduldet. Eine Gruppe lässt sich im mittelfränkischen Fürth nieder. Die von der alten Heimat etwa eine Tagesreise entfernt liegende Stadt gilt als vergleichsweise tolerant und zieht daher viele Juden an. In der Folgezeit entwickelt sich in Fürth ein reiches jüdisches Leben mit einer gut funktionierenden religiös-rituellen Infrastruktur. Friedhof und Synagoge entstehen, ein Bet- und Lehrhaus wird eingerichtet, ein Spital sorgt für die Versorgung der Kranken. Insbesondere die weitbekannte Fürther Talmud-Schule genießt hohes Ansehen. Anfang des 18. Jahrhunderts zählt man etwa 400 jüdische Familien in der Stadt. Damit ist annähernd ein Fünftel der Fürther Bevölkerung jüdisch. So kommt es, dass man die Stadt – nicht immer mit den besten Absichten – gelegentlich als »bayerisches Jerusalem« bezeichnet. Im 19. Jahrhundert gehören auch die ursprünglich aus Feuchtwangen stammenden Juden zu den eingesessenen Fürther Bewohnern. Den offiziellen Namen »Feuchtwanger« nehmen sie aufgrund eines königlichen Dekrets zur Führung von Familiennamen im Jahr 1813 an. Er ist vom Ort ihrer Herkunft abgeleitet und hält die Erinnerung an eine wechselvolle Familiengeschichte wach.

Die Feuchtwangers sind eine große Familie. Der genealogisch Interessierte wird mit einer weitläufigen Dynastie konfrontiert, die sich ganz im Sinne der Thora entwickelt hat. »Seid fruchtbar und mehret Euch«, lautet die erste *Mitzwah*, der erste Auftrag Gottes an die Menschen aus dem Buch Genesis (1,28). Das Wort ist Verpflichtung, Gebot, Gesetz – gerade für streng observante, für fromme Juden. Fromm und den Worten der Thora gehorsam sind die orthodoxen Feuchtwangers. Viele

Kinder zeugen Lions Urgroßeltern Fanny und Seligmann Feuchtwanger, alle geboren zwischen 1819 und 1841 in Fürth. Sechs Mädchen und neun Jungen sind der Stolz des angesehenen Kaufmanns, sichtbares Zeichen und Beglaubigung der göttlichen Gnade, die auf seinem Geschlecht ruht. Glückliche Eltern sind es zudem, denn nur drei Kinder sterben im ersten Lebensjahr, die anderen überleben, werden alt, manche für damalige Verhältnisse sogar uralt. Dass es den Feuchtwangers zu jener Zeit gelingt, viele Kinder »durchzubringen«, ist ein Hinweis auf die soliden wirtschaftlichen Verhältnisse der Familie, auf gehobene bürgerliche Lebensstandards. Hygiene, medizinische Versorgung, gesunde und ausreichende Ernährung sind damals keine Selbstverständlichkeiten, sind nicht für jedermann zugänglich und verfügbar. Das 19. Jahrhundert kennt keine öffentliche medizinische Vorsorge und Daseinsfürsorge. Noch sind Gesundheit und Lebenserwartung untrennbar an die finanziellen Möglichkeiten und wirtschaftlichen Verhältnisse jedes Einzelnen gebunden und Sterblichkeit ist auch eine Bedingung von Armut und Wohlstand.

Der Silberhändler Seligmann Feuchtwanger, Lions Fürther Urgroßvater, wird zum Stammvater, zum Patriarchen eines Geschlechts, dessen Name in jüdischen Kreisen und weit über Fürth hinaus einen guten, einen respektvollen Klang besitzt. Gottgefälligkeit, Bildung, Unternehmererfolg, Wohlstand und Bescheidenheit sind die Koordinaten, die den fränkischen Kosmos der Familie Feuchtwanger umschreiben und begrenzen. Seligmanns Braut Fanny, im schwäbischen Wallerstein aufgewachsen und aus dem überregional tätigen, hochrenommierten Privatbankhaus Wassermann stammend, ist eine »gute Partie«. Sie bringt 1818 eine beträchtliche Mitgift mit in die Ehe, was dem ambitionierten Seligmann den Ausbau seines bereits erfolgreich laufenden Geschäfts ermöglicht. Dieser Seligmann Feuchtwanger ist als Unternehmer zwar an weltlichen Geschäften und an profanem Handel interessiert, und doch lebt und wirkt er in erster Linie als Jude, stellt er sich ganz in den Dienst der jüdischen Gemeinschaft. Als *Mohel*, als Beschneider der Fürther Juden, bekleidet er eine zentrale rituelle Funktion. Die Beschneidung gilt im Judentum als die Manifestation des Bundes mit Gott. Die *Brit Mila* muss am achten Tag nach der Geburt eines Knaben vollzogen werden; erst dann tritt der »abrahamitische Bund« in Kraft, ist das wichtigste göttliche Gebot durch den Menschen erfüllt. In seiner Doppelrolle als Kaufmann und *Mohel* verkörpert Seligmann Feuchtwanger das Spannungsfeld der jüdischen Orthodoxie in einer mehrheitlich christlich geprägten Welt. Zwar ist ihm im Säkularen, im weltlichen Bereich, die Bewältigung des Alltags und die Existenzsicherung der Familie aufgetragen, dieser Verpflichtung ist jedoch unbedingt im Rahmen der strengen Gesetze der jüdischen Religion nachzukommen. So verdichtet sich im Leben Seligmann Feuchtwangers der Konflikt zwischen Tradition und Glaubenstreue einerseits und Behauptung im Profanen, Teilhabe am gesellschaftlichen Leben andererseits.

Innerhalb der Familie orientiert sich die Rollenverteilung zwischen Mann und Frau an den gängigen Mustern der jüdischen Tradition. Diese sind in vielerlei Hinsicht den Binnenstrukturen christlich-bürgerlicher Haushalte vergleichbar. Die Töchter werden auf ihre spätere Rolle als Hausfrau und Mutter vorbereitet. Mithilfe im familiären Haushalt, Betreuung der kleinen Geschwister und Unterweisung in allen Bereichen der Hauswirtschaft sind auch für die Feuchtwanger-Töchter obligatorisch. Um eine sichere Zukunft der Töchter zu gewährleisten, versuchen die Eltern frühzeitig die Weichen für adäquate Eheschließungen zu stellen. Anders jedoch als in der christlichen Welt kommen gemischtkonfessionelle Verbindungen in den jüdisch-orthodoxen Milieus unter keinen Umständen in Frage. Der Wahl des richtigen Ehepartners wird entscheidende Bedeutung beigemessen. Dabei geht es nicht nur um Eheglück, sondern auch um eine adäquate wirtschaftliche Symmetrie der beiden Partner und nicht zuletzt um die Sicherung, den Fortbestand orthodoxer Lebenswelten. Als Ehepartner kommt nur in Frage, wer den Kategorien der eigenen religiösen Observanz genügt. In ihren Erinnerungen beschreibt die Münchnerin Rahel Straus, eine Urenkelin von Seligmann Feuchtwanger, wie jüdische Ehen angebahnt und geschlossen werden: »In jüdischen Häusern war es damals (…) Sitte, dass Eltern, Verwandte und Freunde der Familien oder auch berufsmäßige Heiratsvermittler kamen, um den oder jenen jungen Mann für dies oder jenes junge Mädchen vorzuschlagen. Passten dann die äußeren Bedingungen wie Familie, Beruf, Vermögen, Gesundheit, so gaben die Eltern des Mädchens die Zustimmung, dass der junge Mann zur ›Beschau‹ kam. Selten fuhr der junge Mann unverlobt wieder fort. Das galt als große Beleidigung, denn eigentlich heiratete man ›in eine Familie‹, nicht das individuelle Mädchen. Dass man nachher zusammenpasste, dafür sorgten schon Sitte und Tradition.«[9]

Das Problem der geeigneten Partnerwahl stellt sich für die neun männlichen Nachkommen im Hause Feuchtwanger nicht in gleicher Schärfe. Für die Zukunft der Söhne ist vor allem eine solide und zukunftsweisende Berufsausbildung relevant. Hier können die Feuchtwangers auf vielfältige verwandtschaftliche Verbindungen zurückgreifen. Zwei

Söhne, Jakob Löw und Moritz, werden bei Fannys Bruder Samuel im renommierten Bankhaus Wassermann ausgebildet. Auch die anderen Feuchtwanger-Söhne gehen ins Geschäftsleben, etablieren sich im Bankwesen, nutzen die innovativen Potentiale der noch jungen, aber aufstrebenden Lebensmittelindustrie oder machen sich in der Textilbranche selbstständig. Aber auch für die Söhne und die gedeihliche Entwicklung ihrer jeweiligen Unternehmungen wird eine glückliche Partnerwahl entscheidend sein.

Mitte des 19. Jahrhunderts werden nicht nur die männlichen Feuchtwanger-Nachkommen unter »die Haube« gebracht. Nun wird auch das Münchner Kapitel der Feuchtwanger-Geschichte aufgeschlagen. Jakob Löw (geboren 1821), der älteste Sohn von Seligmann und Fanny, ist entschlossen, in der aufstrebenden Haupt- und Residenzstadt sein Glück zu wagen. Nach der soliden Ausbildung im Bankhaus seines Onkels fühlt er sich reif und ausreichend vorbereitet, ein eigenes Geschäft auf die Beine zu stellen. Seine jüngeren Brüder Elkan (geboren 1823), Moritz (1828) und David (1832) folgen ihm wenig später nach München. Die Zeit für ein unternehmerisches Wagnis ist günstig. Bayern ist 1806 durch den Frieden von Pressburg zum Königreich von Napoleons Gnaden geadelt worden, und München ist das administrative und kulturelle Zentrum dieser noch jungen, aber ambitionierten süddeutschen Monarchie, die im Konzert der Großen ein Wort mitreden möchte. Trotz der politischen Wirren der Zeit – Vormärz und Revolution von 1848 beeinträchtigen auch die Selbstzufriedenheit des beschaulichen Bayern – ist die erste Hälfte des 19. Jahrhunderts eine Phase des wirtschaftlichen Aufbruchs, dank der es geschäftstüchtige Unternehmer zu erheblichem Wohlstand bringen können. Die in Schwung kommende Industrialisierung, der Ausbau des Schienennetzes und die extensive Nutzung neuer Technologien und Fertigungsverfahren sorgt für eine wirtschaftliche Boomphase, von der vor allem der Sektor der Finanzdienstleistungen profitiert. Denn der Aufbau von Fabriken und der Ausbau einer Verkehrsinfrastruktur müssen finanziert werden. Jetzt schlägt die große Stunde der Bankiers, die investitions- und expansionsfreudigen Unternehmern entsprechende Kredite zur Verfügung stellen.

Zwischen 1840 und 1850 finden wir Jakob Löw Feuchtwanger in München als Mitarbeiter einer »Geldverwahrungsrechnungsstube« am Promenadeplatz, die von einem gewissen Isidor Neustätter geführt wird. Gegenstand des Betriebs ist der Geldwechsel, möglicherweise werden auch schon kleinere Kredite ausgereicht. In diesen Jahren wird Jakob Löw bereits als »Insasse«, dann auch als »Bürger« nach München aufgenommen. Elkan Feuchtwanger, der seinem älteren Bruder in die Haupt- und Residenzstadt gefolgt ist, wird 1852 Münchner Bürger. Die Verleihung des Bürgerrechts ist keine belanglose Formalie, sondern ein seltenes Privileg, das vom Stadtmagistrat zurückhaltend vergeben und streng reglementiert wird, das eine penibel-genaue Prüfung voraussetzt. Dies gilt besonders für Juden, die das Münchner Bürgerrecht erlangen möchten. Entscheidend ist vor allem die wirtschaftliche Lage des Antragstellers. Die Feuchtwanger-Brüder erfüllen alle Kriterien: Trotz ihrer Jugend verfügen beide bereits über stattliche Vermögen und Geschäftserfahrung und bieten daher hinreichend Gewähr, nicht der städtischen Armenpflege anheimzufallen. Die erfolgreiche Ansässigmachung wiederum ist Voraussetzung und Grundstein für die Errichtung eines eigenen Geschäfts. Begünstigt werden Jakob Löws Ambitionen durch eine geschickte Heiratspolitik. Die Eheschließung mit einer aus einem angesehenen Frankfurter Bankhaus stammenden orthodoxen Jüdin im Jahr 1850 ist deckungsgleich mit dem Gründungsakt der Münchner Feuchtwanger-Bank. Dass die Braut Auguste Hahn »die Hässlichkeit in die Familie brachte«[10], spielt in Anbetracht der stolzen Mitgift von 18 000 Gulden eine nachgeordnete Rolle. Gemeinsam mit seinem Bruder Moritz, der ebenfalls in eine Frankfurter Bankiersfamilie eingeheiratet hat, gründet Jakob Löw im Mai 1857 das Bank- und Wechselgeschäft J. L. Feuchtwanger, das sich innerhalb kürzester Zeit zu einem renommierten Haus mit überregionalen Geschäftsbeziehungen entwickeln wird.

Seit Anfang der 1850er Jahre sind auch Elkan und David Feuchtwanger als Einwohner in München nachweisbar. Im Gegensatz zu ihren beiden Brüdern schlagen sie einen anderen beruflichen Weg ein. Elkan macht zunächst mit Textilien Geschäfte und firmiert einige Zeit als Tuchhändler, verlegt sich dann aber auf den Handel mit »Landesprodukten« – damit sind vor allem Waren aus dem Bereich der regionalen Landwirtschaft wie Saatgut, Futtermittel, Dünger gemeint. Der an Erfindungen, wissenschaftlichem Fortschritt und technischer Innovation interessierte Elkan erkennt bald die enormen Möglichkeiten, die in der noch jungen, aber höchst entwicklungsfähigen Lebensmittelindustrie schlummern. Zu Beginn der 1880er Jahre baut er mit David in der Bergam-Laim-Straße 24 im Münchner Stadtteil Haidhausen eine Kunstbutterfabrik auf. Es ist die erste Fabrik dieser Art in München, womöglich in Bayern. Die Idee zur Herstellung von Butterersatz kommt aus Frankreich und erlebt in den 1870er und 1880er Jahren auch in Deutschland eine regelrechte Blüte, an der die Feuchtwangers mit ihrer Münchner

Fabrik erfolgreich partizipieren können. Wachsende Bevölkerungszahlen und die hohen Fertigungskosten von Butter führen zu einer steigenden Nachfrage nach Kunstbutter, die später die amtlich vorgeschriebene Bezeichnung »Margarine« tragen muss. 1885 gibt es im Deutschen Reich bereits 45 Kunstbutterfabriken; 1895 werden rund 95 Millionen kg Margarine vor allem für den einheimischen Markt hergestellt. Der Vorteil des Butterersatzprodukts liegt auf der Hand: Neben der vergleichsweise preiswerten Herstellung spricht auch eine längere Haltbarkeit als bei handelsüblicher Butter für die Margarine. Für die streng religiösen Feuchtwangers kommt noch ein wesentlicher Pluspunkt hinzu: Die jüdischen Speisegesetze verbieten den gemeinsamen Verzehr von Fleisch bzw. Wurst mit Milchprodukten. Die aus Kuhmilch hergestellte Butter kann daher in einer koscheren Küche nur sehr eingeschränkt verwendet werden. Anders dagegen Margarine, die vor allem aus pflanzlichen Ölen gewonnen wird. Die Fertigung von Kunstbutter besitzt daher für streng religiöse Juden wie die Feuchtwangers nicht nur eine nüchterne betriebswirtschaftliche Komponente, sondern hat auch den großen Vorteil, dass sie im Einklang mit den strengen jüdischen Speisegesetzen steht. Die Einhaltung der rituellen Vorschriften besitzt innerhalb der Familie Feuchtwanger einen hohen, ja den höchsten Stellenwert. So bleibt etwa die Feuchtwanger-Bank im Gegensatz zur allgemein üblichen Praxis am Schabbat und an den jüdischen Feiertagen geschlossen. Geschäft und Profit müssen sich dem göttlichen Gebot vom Ruhetag beugen. Und auch für die Margarinefabrik wird eine geschickte Konstruktion gefunden, um nicht gegen das samstägliche Arbeitsverbot zu verstoßen. Wegen produktionstechnischer Besonderheiten kann die Herstellung von Margarine nicht ohne weiteres für einen Tag unterbrochen werden. Daher wird das Unternehmen regelmäßig am Freitag für einen symbolischen Preis an einen christlichen Treuhänder »verkauft«, der es nach Ende des Schabbat wieder zurückveräußert – eine Praxis, die später von dem jungen Lion scharf kritisiert werden wird. Er wirft der Familie Scheinheiligkeit vor und moniert nicht ganz unberechtigt, dass auf diese trickreiche Weise Gott und das göttliche Gebot hintergangen werden.

Das von den Fürther Feuchtwangers etablierte familiäre Muster der Unübersichtlichkeit setzt sich in abgeschwächter Form in den nächsten Generationen fort. Auch die Nachkommen von Fanny und Seligmann Feuchtwanger haben kinderreiche Familien. Die Söhne und Töchter des Patriarchen setzen 32 Kinder in die Welt, die ihrerseits selbst kinderreiche Familien gründen. Lions Vater Sigmund Aaron Meir wird am

2. März 1854 in München als erstes der fünf Kinder von Elkan und Sarah Feuchtwanger, geb. Fürther, geboren. Mit seinen Geschwistern Hermine, Jakob Louis, Elisabeth, Hedwig und Adolf (der 1877 geborene Max stirbt kurz vor seinem ersten Geburtstag) wächst Sigmund in der Salvatorstraße 14 1/2 unweit der Frauenkirche auf, wo die Familie seit Oktober 1863 lebt. Über seine Kindheit und Jugend ist kaum etwas bekannt. Als ältester Sohn ist er für die Nachfolge des Vaters an der Spitze der Margarinefabrik vorgesehen. Er lernt daher in der väterlichen Firma als *Commis* das Kaufmannshandwerk, absolviert einen Teil seiner Lehrzeit bei ägyptischen Geschäftspartnern des Vaters in Kairo und steigt im Frühjahr 1882 zum Prokuristen des Unternehmens auf. Im Mai 1884 wird er als Teilhaber am elterlichen Betrieb beteiligt, dessen Geschäftsführung er später ganz übernimmt. Im Juli 1883 heiratet Sigmund die 1864 in Darmstadt geborene Fabrikbesitzerstochter Ida Bodenheimer, die allgemein nur Johanna gerufen wird. Kurz darauf nimmt sich das jungvermählte Paar eine Wohnung in der Thierschstraße 9/II. Johanna stammt wie Sigmund aus einem orthodoxen Elternhaus und bringt als Tochter eines reichen Kaufmanns im Getreidegroßhandel und im Kaffee-Im- und Export eine beträchtliche Mitgift in die Ehe. Dieser Ehe, einer arrangierten Verbindung, fehlt es freilich an Herzenswärme und liebevoller Zuwendung. Johanna wird als dominant und herrisch beschrieben, Wesenszüge, unter denen Sigmund offenbar gelitten hat. Im Haus führt Johanna ein hartes Regiment: »Mutter war an und für sich schon streng, den Dienstmädchen gegenüber aber doppelt streng, und sie ließ ihnen keine Kleinigkeit durchgehen. Der ›Abstand‹ zu den Dienstmädchen mußte immer gewahrt werden. Das war eine Selbstverständlichkeit der guten alten Zeit, die noch wenig soziales Verständnis hatte. Notgedrungen mußte auch mein Vater den Abstand wahren, aber wenn unsere Mutter gar zu sehr zankte, dann sah man doch am Zucken seiner Augenlider, wie er unter dem Zanken litt«, erinnert sich Martin, Lions jüngerer Bruder, an das gespannte Verhältnis seiner Eltern.[11] Ein Foto zeigt das Paar – aufgenommen vermutlich Mitte der 1880er Jahre – in einer zeittypischen Ateliersituation: Sigmund in einer bemüht selbstbewussten Haltung, den linken Arm in die Hüfte gestützt, die rechte Hand im Revers eines knielangen Überrocks verborgen. Johanna im hochgeschlossenen Kleid, mit leicht ironischem Gesichtsausdruck die Kamera fixierend. Offensichtlich ist die Distanz zwischen beiden, man berührt sich nicht, weder physisch noch emotional. Durch die Atelier-Situation wird Nähe konstruiert, nicht durch den Lebenszusammenhang Ehe. In der Erinnerung von Marta Feuchtwanger erscheint ihre Schwiegermutter

Johanna als Frau, die »in der Lage war, die ganze Familie zu beherrschen, ohne ein Wort zu sagen. Wenn sie ärgerlich war, konnte man dies nicht in ihrer Stimme hören, sondern aus ihren Augen ablesen. Sie presste ihre Lippen zusammen und das war wie ein Schrei. Dieses Schweigen rief in der Familie eine größere Furcht hervor, als dies ein Schrei vermocht hätte. Auch der Vater hatte einen großen Respekt vor ihr. Ich glaube nicht, dass zwischen beiden eine große Liebe herrschte.«[12]

Lions Vater Sigmund entspricht nicht dem Typ des klassischen Geschäftsmannes. Er übernimmt die Leitung der elterlichen Firma vor allem aus Pflichtbewusstsein, weniger aus professioneller Neigung. In jungen Jahren hat er einen Ruf als Lebemann, mit unverhohlenem Interesse für das weibliche Geschlecht. Auch später liegen seine eigentlichen Interessen nicht im kaufmännischen Bereich, sondern konzentrieren sich auf die schönen Künste. Neben dem Briefmarkensammeln – einem Steckenpferd, das er mit Leidenschaft betreibt – gehört seine Liebe der Literatur. Er schätzt, natürlich, die Klassiker, liest aber auch zeitgenössische Autoren wie Paul Heyse und Gerhart Hauptmann. Zur literarischen Avantgarde pflegt er hingegen kühle Distanz. Die atemlose Aufgeregtheit moderner Autoren wie Wedekind, die literarischen Experimente, die Grenzüberschreitungen und der grelle Expressionismus sind nicht die Welt des Bildungsbürgers Feuchtwanger. Hinzu kommt ein Faible für jüdische Literatur. Sigmund Feuchtwanger trägt eine wertvolle Sammlung althebräischer Werke zusammen. Die literarische Liebe des Vaters, die große und reichhaltige, wertvolle Bibliothek im Hause Feuchtwanger prägen das Familienleben und stimulieren die Interessen der Kinder. Der Umgang mit Büchern gehört zu Lions frühesten Kindheitserfahrungen; die Auseinandersetzung mit Literatur ist selbstverständliche Alltagspraxis. Der Gang ins Kontor der Margarinefabrik ist für Sigmund Feuchtwanger eine leidige Pflichtaufgabe. Er hat, so auch die Erinnerung seines Sohnes Martin, »äußerst wenig Interesse für die Fabrik und für die Wirtschaft (…). Dagegen hing er mit großer Liebe an seiner Briefmarkensammlung, die für heutige Begriffe ungeheure Werte umfaßte. Ebenso liebte er seine Bibliothek (…). Er konnte uns Kindern am Mittag von der Verschiedenheit der Auslegungen von Hillel und Schamai erzählen und fünf Minuten später von der Tücke der Elisabeth gegenüber der Maria Stuart oder von den Schönheiten der versunkenen Glocke. Altjüdische Gelehrsamkeit und neue deutsche Literatur in einem Topf«.[13]

Sigmund Feuchtwangers Generation kann bereits die ersten Früchte eines jahrzehntelangen Kampfes um Gleichstellung und volle bürgerliche

Rechte ernten. Die Emanzipation der bayerischen Juden erreicht gegen Ende des 19. Jahrhunderts einen Höhepunkt. Bereits um 1820/30 ist der Geist der Ächtung und Ausgrenzung der Juden erkennbar in Auflösung begriffen. Durch die Anwesenheit höchster königlicher Repräsentanten bei den Einweihungsfeierlichkeiten der neuen Münchner Synagoge im April 1826 wird erkennbar, dass die bayerische Politik gegenüber den Juden mehr beinhaltet als die huldvolle Duldung. Neben König Ludwig I. und seiner Gattin Therese nehmen auch hochrangige Hof- und Staatsbeamte an der Zeremonie teil und machen die Einweihung zu einem gesellschaftlichen Ereignis. Es ist ein Zeichen monarchischen Wohlwollens, aber auch ein unübersehbarer Indikator für eine zunehmende Akzeptanz der jüdischen Gemeinschaft. Das Entgegenkommen der in Bayern regierenden Wittelsbacher, das für das Selbstbewusstsein der Münchner Juden von unschätzbarer Bedeutung ist, wird von der Kultusgemeinde wiederum mit dauerhafter Loyalität belohnt. Nach 1848 sind schließlich auch in Bayern die bislang eher zaghaften Bemühungen der Juden um rechtliche Gleichstellung, um bürgerliche Anerkennung und Emanzipation erfolgreich. 1849 zieht mit David Morgenstern der erste jüdische Abgeordnete in den bayerischen Landtag ein. Zug um Zug erreichen Juden eine rechtliche Besserstellung, wenngleich die volle staatsbürgerliche Gleichberechtigung erst durch die Reichsverfassung von 1871 realisiert wird.

Wie weit inzwischen auch in München die Akzeptanz der jüdischen Bürger vorangeschritten ist, wird im Jahr 1870 deutlich. Als erster Jude wird der angesehene Unternehmer Moritz Guggenheimer mit großer Mehrheit zum Vorsitzenden des Kollegiums der Gemeindebevollmächtigten gewählt. Noch zwei Jahrzehnte zuvor war Guggenheimer die Anwesenheit in der Stadt lediglich über das demütigende Matrikelverfahren zugestanden worden. Für das Selbstverständnis der jüdischen Münchnerinnen und Münchner ist die jetzt erkennbare öffentliche Wertschätzung Guggenheimers ein entscheidendes, ja, ein aufsehenerregendes Signal. Auch viele nichtjüdische Zeitgenossen messen der Wahl große Bedeutung bei. Denn Guggenheimers Position an der Spitze des bürgerschaftlichen Wahlgremiums ist eine der einflussreichsten, aber auch verantwortungsvollsten in München. Dem liberalen Politiker und Unternehmer wird das Amt zugetraut; er gilt als einer der fähigsten politischen Köpfe der Stadt. Über ein Jahrzehnt wird er die Geschicke Münchens mitbestimmen und wichtige kommunale Infrastrukturprojekte realisieren bzw. auf den Weg bringen – etwa die Errichtung des Schlacht- und Viehhofes, des Wasserwerks und den Ausbau der Kanalisation.

Aufwertung jüdischen Lebens und rechtliche Gleichstellung haben freilich ihren Preis. Die vielversprechenden Optionen des »Judenedikts« von 1813, das erstmals die Rechtsstellung der Juden auf bayerischem Staatsgebiet vereinheitlicht, verleiten, ja nötigen viele Juden, ihre hergebrachte Lebensweise, ihr religiös-kulturelles Selbstverständnis entsprechend der von christlich-bürgerlichen Werten geprägten nichtjüdischen Umwelt zu modifizieren, vielfach sogar ganz aufzugeben. Dies entspricht durchaus den Zielsetzungen der bayerischen Staatsführung, werden doch die Juden aufgrund ihres Festhaltens an eigentümlichen religiösen Traditionen und Lebensgewohnheiten vielfach als gesellschaftliche Außenseiter, »als Staat im Staate« wahrgenommen. Mit einem modernen Staatsgedanken und Gesellschaftsverständnis ist die fremd anmutende jüdische Lebenswelt nicht vereinbar. Durch die schrittweise Liberalisierung der restriktiven Judengesetzgebung soll eine Eingliederung der jüdischen Bevölkerungsgruppe in die Gesamtgesellschaft erreicht werden. Jüdisches »Wohlverhalten« ist demnach der Preis für die Akzeptanz durch die staatlichen Autoritäten und die nichtjüdischen Eliten. So entwickelt sich im deutschen Judentum eine Kultur der Anpassung, die zum Motor für die religiöse Reformbewegung wird und als Auslöser für den innerjüdischen Konflikt zwischen Orthodoxie und Reform anzusprechen ist. Die Anpassung an die nichtjüdische Umwelt, die Übernahme christlich-bürgerlicher Sitten und Gebräuche, die wachsende Zahl von Übertritten zum Christentum, die zunehmende Bereitschaft zur Heirat eines nichtjüdischen Partners bringen auch in Bayern einen nachhaltigen Verlust an jüdischer Identität, der von Anhängern der religiösen Observanz heftig beklagt wird.

Bereits in der ersten Hälfte des 19. Jahrhunderts kommt es in den jüdischen Gemeinden Bayerns zu heftigen Dissonanzen und zu einem Richtungsstreit zwischen reformorientierten und orthodoxen Gemeindemitgliedern. Häufig geben Form und Verlauf des Gottesdienstes Anlass zum Konflikt. Der Wunsch der Orthodoxen, streng am traditionellen Ritus festzuhalten, stößt bei jenen auf Unverständnis und Kritik, die erkennen, dass auch religiöses Leben mit der Zeit gehen und eine gewisse Anpassungsbereitschaft zeigen muss. Sogar Traditionalisten wie der »hochkonservative« frühere Oettinger Rabbiner Meyer Feuchtwang nehmen angesichts der innerjüdischen Zerreißprobe eine moderate Haltung ein und plädieren für eine Öffnung, für eine bedachtsame Modernisierung des Gottesdienstes. Die Münchner Familie Feuchtwanger hat sich in diesem Grundsatzkonflikt eindeutig positioniert. Man steht, wo sonst, auf Seiten der Orthodoxie.

In den 1870er Jahren eskalieren die Auseinandersetzungen zwischen Bewahrern und Erneuerern. Heftige Erschütterung bringt den Gemeinden insbesondere die geplante Einführung des Orgelspiels im Gottesdienst. Damit soll nach Auffassung der Liberalen eine »Verbesserung des Gottesdienstes« erreicht werden. Man will, so Ludwig Feuchtwanger, »bei der steigenden allgemeinen religiösen Indifferenz und der immer mehr Platz greifenden Beschränkung religiöser Teilnahme bei seltenen Gelegenheiten und an wenigen ausgezeichneten Tagen dem Gottesdienst eine besondere Würde, Weihe und Schönheit geben, nachdem die jüdische Religion als totale, ihre Bekenner von der Aussenwelt abtrennende Lebensordnung bei den Meisten keine Macht mehr ausübte«.[14] Allerdings wird die Orgel von einer großen Fraktion innerhalb der Gemeinden vehement abgelehnt. Für orthodoxe Juden ist Instrumentalmusik im Gottesdienst eine unannehmbare, geradezu blasphemische Neuerung. Dennoch setzen sich in München, Fürth, Nürnberg und anderen bayerischen Städten die liberalen Orgelbefürworter durch. In der Residenzstadt erklingt das Instrument erstmals am Vorabend des Pessachfestes am 8. April 1876 in der Synagoge an der Westenriederstraße. Die Aufspaltung der Gemeinde in einen liberalen und einen orthodoxen Flügel scheint unvermeidbar. Mit bemerkenswerter Schärfe verurteilt ein Anhänger des traditionellen Ritus im Jahr 1887 die Verhältnisse in Bayern: »Den orthodoxen Gemeindemitgliedern ist es zur Unmöglichkeit geworden, ihren Kultus auszuüben und eine Befriedigung für ihre religiösen Bedürfnisse zu finden. Die für den orthodoxen Kultus eingerichtete Synagoge ist der Reform überantwortet und dadurch den Orthodoxen unzugänglich gemacht worden.«[15] Die Feuchtwangers können diese Klage eines anonymen Berichterstatters zweifellos unterschreiben. Um Abhilfe zu schaffen, bilden sich überall in Bayern orthodoxe Fraktionen, die mit der liberalen Mehrheit um Teilhabe an der rituellen Infrastruktur ringen. Wie in München – wo 1891 die orthodoxe Synagoge »Ohel Jakob« eingeweiht wird – kämpft man um die Errichtung eigener Gotteshäuser und Schulen, in denen die Gläubigen unter der Führung orthodoxer Rabbiner ihre religiösen Bedürfnisse nach der »Tradition der Väter« befriedigen können. In München sind es – neben der Familie Fraenkel – vor allem die Feuchtwangers, die mit hohem persönlichen und finanziellen Engagement die Orthodoxie stützen und zu den wichtigen Protagonisten jüdischer Glaubensstrenge und jüdischen Traditionsbewusstseins zählen. Dies ist das Milieu, in das Jakob Lion Feuchtwanger am 7. Juli 1884 hineingeboren wird.

1884: Jakob Lion

»Wiewohl ich mich mit meinen Schulkameraden
gut vertrug und wiewohl wir zu Hause unser
Deutsch mit dem gleichen breiten, kräftigen
bayrischen Akzent sprachen wie alle anderen und
am bayrischen Leben teilnahmen, soweit das die
jüdischen Bräuche eben zuließen, fand ich mich
von früh an gründlich verschieden von den anderen.
Von meinen Eltern trennten mich tiefe und
jugendlich hochmütige Zweifel an ihren Bräuchen
und Meinungen, von meinen Lehrern und
Kameraden trennte mich meine Vertrautheit mit
allem, was jüdische Theologie anging.«[16]

Der 7. Juli 1884, ein Montag, ist ein bewölkter, vergleichsweise kühler
und trockener Sommertag. Die Thermometer in München steigen
kaum über 18 Grad. In der Stadt gehen die Menschen ihren üblichen
Geschäften nach. Es ist die Zeit, in der elektrisches Licht noch Selten-
heitswert hat und Mobilität meist Fortbewegung zu Fuß bedeutet. Die
Straßen der Stadt sind schmal, gepflastert und nicht immer sauber.
Klapprige Handkarren und Pferdefuhrwerke dienen dem Transport
von Waren. Wer es sich leisten kann, benutzt eine der zahlreichen
Droschken. Ansonsten geht man zu Fuß oder investiert ein paar Mün-
zen in ein Billet der Dampftrambahn, die seit dem Vorjahr die bis dahin
üblichen Pferdestraßenbahnen ersetzt. An heißen Tagen hängt ein un-
guter, bisweilen beißend-abstoßender Geruch über den Häuserzeilen,
denn noch ist nicht überall eine funktionsfähige Kanalisation vorhanden. Es ist eine Zeit, in der Männer sich auf der Straße respektvoll mit
einem Griff an den Hut begrüßen und die Tageszeitungen zweimal am
Tag erscheinen. Besuche bei Freunden, Bekannten und Geschäftspartnern werden per Postkarte oder durch Visitenkarten mit kleinen Notizen angekündigt. Der Briefträger kommt mehrmals am Tag. Die großen
Brauereien der Stadt kühlen ihr Bier noch in gemauerten Gewölben
unter der Erde. Der 7. Juli 1884 ist ein Tag ohne besondere Vorkomm-

nisse, und daher berichten die Münchner Zeitungen umso ausführlicher über die wenigen Sommerereignisse in Deutschland und Europa.

Mit großer Sorge blickt man nach Frankreich, wo der Ausbruch der Cholera für Verunsicherung sorgt. In einigen südfranzösischen Städten hat die Epidemie bereits Opfer gefordert, und es gibt Anlass für die Befürchtung, dass sich die todbringende Seuche flächendeckend und grenzüberschreitend ausbreitet. Die Münchner, die ihrerseits in den 1830er und 1850er Jahren von verheerenden Cholera-Epidemien heimgesucht worden sind, verfolgen das erneute Erscheinen der Seuche im Nachbarland zwar mit Sorge. Das Interesse der meisten Stadtbürger wird jedoch von einem spektakulären lokalen Ereignis gefangen genommen, das willkommenen Gesprächsstoff liefert: die Hinrichtung eines Raubmörders im Hof der Angerfrohnfeste im Stadtteil Au. Der arme Sünder hört auf den Namen Benno Ziegelgänsberger. Er hatte vor einigen Monaten bei Rosenheim einen ihm bekannten Omnibuskutscher wegen dessen Habseligkeiten erschlagen und war daraufhin vom Schwurgericht zum Tode verurteilt worden. Nun wird das Urteil vollstreckt und Ziegelgänsberger haucht in den frühen Morgenstunden des 5. Juli 1884 unter dem Fallbeil sein junges Leben aus. Ergriffene Schaulustige lauschen vor dem Anwesen dem schaurigen Klang der Armesünderglocke, mit dem die letzten Atemzüge des Mörders angekündigt werden. Unmittelbar nach der Exekution wird der Leichnam in die Anatomie überführt und dient noch am selben Vormittag Münchner Medizinstudenten als Studienobjekt – und zwei Tage später den Münchnern als Zeitungslektüre mit Gänsehautgarantie.

Allerdings notiert die Agenda des 7. Juli 1884 auch weniger schaurige Ereignisse. Am Nachmittag veranstaltet die Kleinkinderbewahranstalt Oberwiesenfeld ein Kinderfest. Und am Abend zeigt das Theater am Gärtnerplatz »Rip-Rip«, eine bald vergessene phantastisch-komische Operette des französischen Komponisten Robert Planquette. Alltag am 7. Juli 1884 in der Haupt- und Residenzstadt München, einer Stadt mit 260 000 Einwohnern, zwei Universitäten, vier Gymnasien, 14 katholischen, drei protestantischen und zwei Simultan-Schulen, sechs Friedhöfen, 18 Kirchen, neun Klöstern und einer Synagoge.

Am Dienstag, den 8. Juli 1884 betritt ein aufrecht gehender, mittelgroßer Mann mit Brille und glatt gescheiteltem Haar das Münchner Standesamt am Petersplatz unweit des Viktualienmarkts. Der Besucher – er ist etwa 30 Jahre alt und trägt ausgesuchte, seriöse Kleidung – ist zum ersten Mal in dem Gebäude, und er braucht einige Zeit, bis er sich in den dunklen und verwinkelten Gängen des neogotischen Hauses mit den zahlreichen Amtszimmern Orientierung verschafft hat. Endlich findet er den für ihn zuständigen Beamten, klopft, bittet respektvoll um Audienz, wird vorgelassen. Der Besucher spricht münchnerisch und stellt sich als Kaufmann Sigmund Feuchtwanger vor, der erschienen ist, um seiner gesetzlich vorgeschriebenen Meldepflicht zu genügen und anzuzeigen, dass er nunmehr Vater eines gesunden Sohnes ist, dass dieser um 10 Uhr vormittags am 7. Juli 1884 in seiner Wohnung in der Thierschstraße 9 (und zwar auf der zweiten Etage) geboren wurde und die Vornamen Jakob Lion erhalten soll. Der Standesbeamte, der den in München sinnfälligen Namen Bayer trägt, begegnet dem jungen Vater mit der gebotenen Distanz einer königlich-bayerischen Amtsperson. Dennoch gratuliert er zum Erstgeborenen, wünscht der Familie Glück, Gesundheit und Gottes Segen, bevor er mit akribischer Genauigkeit und fehlerlos-klarer Kanzleischrift die Geburtsurkunde ausfüllt, die er abschließend dem jungen Vater zur Unterschrift vorlegt.

Jakob Lion Feuchtwanger wird also am 7. Juli 1884 im Altmünchner Stadtteil Lehel, nur wenige Schritte abseits der Isar, geboren. Dies ist das amtliche, das offizielle Datum, das sich auf der Geburtsurkunde und auf allen späteren Dokumenten findet. Nach der jüdischen Zeitrechnung, die für den Jahreslauf der frommen Familie Feuchtwanger einen ebenso wichtigen Bezugsrahmen darstellt, ist Lions Geburtstag jedoch der 14. Tammus des Jahres 5644 – ein unscheinbarer, ja normaler Tag ohne besondere historische Konnotationen oder rituelle Verpflichtungen im jüdischen Kalender. Pessach, das an den Auszug der Israeliten aus Ägypten erinnert, liegt bereits einige Wochen zurück, und das jüdische Neujahrsfest mit Jom Kippur, dem höchsten aller Feiertage, ist erst im Herbst zu erwarten. Jakob Lion soll der Knabe heißen, und man darf annehmen, dass Sigmund Feuchtwanger die Wahl der Vornamen für seinen Erstgeborenen genau bedacht hat. Im Judentum besitzt die Namensgebung programmatische Qualität, sie steht ganz im Kontext symbolisch-historischer Bedeutungen und ist ein bewusster Akt der Zuschreibung. Lion steht für den Löwen, das Symbol des Stammes Juda, des mächtigsten der zwölf israelitischen Stämme. Dagegen verkörpert Jakob eine ambivalente Figur. Der biblischen Überlieferung nach hat dieser seinen älteren Zwillingsbruder Esau um den väterlichen Erstgeburtssegen betrogen. Trotz des verwerflichen Handelns ist Jakob ein unverzichtbarer Teil des göttlichen Heilsplans und wandelt sich zum Guten, so dass viele Jahre später auch die Versöhnung der verfeindeten Brüder möglich wird. Der Sohn Isaaks wird schließlich zum Vater jener zwölf Söhne, aus denen die Stämme Israels hervorgehen. Der Name

Jakob Lion beruft sich demnach nicht nur auf eine eher diffuse göttliche Gnade, sondern explizit auf die wuchtige Kraft und mutige Entschlossenheit der alttestamentarischen Überväter.

Acht Tage nach der Geburt erfolgt Lions *Brit Mila*, wird der im Judentum für männliche Neugeborene obligatorische »Bund der Beschneidung« geschlossen. Die im Buch Genesis verordnete Zeremonie gilt als höchstes Gebot und als wichtigste religiöse Pflicht, wird doch mit ihrem Vollzug der Bund des Menschen mit Gott beglaubigt. Kein Zweifel, die *Brit Mila* des Erstgeborenen ist ein großes Fest im Hause Feuchtwanger, das gemeinsam im Kreise des weitläufigen Familien- und Freundeskreises und zahlreicher Honoratioren und Würdenträger aus der jüdischen Gemeinde gefeiert wird. Derartige Festlichkeiten sind berauschende und willkommene Abwechslungen im Jahreslauf der Familie, der hauptsächlich von den jüdischen Feiertagen rhythmisiert wird: »War ein großes Fest im Haus, etwa eine Bar-Mizwa-Feier oder eine Berit-Mila-Feier, dann nahmen an dem Festmahl bis zu hundert Familienmitglieder teil. Auf den langen Tischtafeln sah man Weinkaraffen, Silber, Kristall, Blumen und Torten, Schalen mit Obst und Konfekt. Salm und Geflügel und Makronentorte, die Männer im Frack, die Frauen in großer Toilette, die Kinder in Matrosenanzügen. Ich habe als Kind immer gedacht, selbst der König könne seine Hoftafel nicht so schön, vornehm und feierlich gestalten wie meine Mutter unsere Festtafeln«, erinnert sich Martin Feuchtwanger, Lions jüngerer Bruder, an spätere Höhepunkte.[17]

Es ist eine unübersichtliche und letztlich doch kleinteilige, kompakte Münchner Welt, in die Lion Mitte der 1880er Jahre hineingeboren wird. Das Bürgertum hat es sich bequem eingerichtet in der selbstzufriedenen Behaglichkeit der bayerischen Haupt- und Residenzstadt. Der Phänotyp des erdenschweren und phlegmatischen Altbayern dominiert das Personal des »krachledernen Athen an der Isar«. Ernst von Wolzogen, der spätere Gründer des Berliner »Überbrettl«, lobt ironisierend die »zünftige Breitgesäßigkeit der bierfrommen Ureinwohner«, die ab 1900 die Statisterie für die Bürgerschreck-Aktionen einer frechen Schwabinger Bohème abgeben, jenes »faschinghafte Zigeunertreiben seiner aus den verschiedensten Nationalitäten und Temperamenten bunt zusammengewürfelten Künstlerschar«.[18] Noch ist München kaum mehr als eine Provinzmetropole, eine Stadt, die verzagt den verwirrenden Verwerfungen der Moderne und des Industriezeitalters trotzt und sich dennoch bereits auf den ungeliebten Weg in das nahe 20. Jahrhundert gezwungen sieht. Im Juni 1886, kurz vor Lions zweitem Geburtstag, stirbt im Starnberger See unter bis heute nicht geklärten Umständen Ludwig II., der bayerische »Märchenkönig«, der mit einem extravaganten Lebensstil und aberwitzigen Bauprojekten das Land beinahe in den Staatsbankrott führt. Sein Bruder Otto, seit Jahren bereits wegen Geisteskrankheit in ärztlicher Obhut, kann die Thronfolge nicht antreten, sodass Luitpold, der Onkel der beiden Brüder, die Regierungsgeschäfte übernehmen muss. Der leutselige und volkstümliche Prinzregent gibt der Epoche, die am Vorabend des Ersten Weltkriegs endet, ihren Namen. Während dieser »Prinzregentenzeit«, von vielen auch als »goldenes Zeitalter« idealisiert und zur »guten alten Zeit« verklärt, verdichten sich die politischen und wirtschaftlichen Spannungsfelder, erfährt die urbane Entwicklungsdynamik der Provinzmetropole eine enorme Beschleunigung. Zuzug aus den Regionen und anhaltendes Bevölkerungswachstum, Industrialisierung und rasante Stadtentwicklung sind die äußeren Kennzeichen dieser Veränderungen. Hinter den bürgerlichen Fassaden der Stadtpalais und Geschäftshäuser, in den rauchgeschwängerten Bierkellern, Weinlokalen und Künstlerateliers etabliert sich indessen der Kernkonflikt der Epoche: die energetisch aufgeladene Kollision von Tradition und Moderne, die Unvereinbarkeit von Bewahren und Verändern, von Regression und Revolte. Die »Prinzregentenzeit« ist eine gespaltene, eine zerrissene Phase, in der sich die Spannungen zwischen politischer und kultureller Stagnation einerseits und emanzipatorischem Aufbruch und künstlerischer Avantgarde andererseits manifestieren. In diesen Jahren erfährt der junge Lion Feuchtwanger entscheidende Prägungen.

Die Feuchtwangers sind gut situiert; die Familie lebt in sicheren Verhältnissen. Man leistet sich eine repräsentative Wohnung mit ausreichend Platz für alle Familienmitglieder in einem respektablen Münchner Viertel. Es gibt Bedienstete, die den Alltag erleichtern. Am Nachmittag sorgt ein Hauslehrer regelmäßig für zweifelhafte Freude unter den Kindern. Anders als seine Geschwister ist Lion ein eher stilles Kind, was sicherlich auch auf seine gesundheitlich angegriffene, ja schwächliche Konstitution zurückzuführen ist. Obwohl der Älteste, ist er schmächtiger als seine Geschwister, körperlich nicht so robust und durchsetzungsfähig wie die anderen. Beim Sport und auch bei den zahlreichen Bergwanderungen vermag er nicht so gut mitzuhalten. Bei einem dieser Ausflüge bleibt er, so Marta Feuchtwanger, »gar in einer Sumpfwiese stecken und wurde unbarmherzig ausgelacht. Er rächte sich, indem er hochmütig jede Unterhaltung ablehnte, die ihm oberflächlich oder vulgär erschien.«[19] Während sich seine Geschwister zu groß gewachsenen und attraktiven Jugendlichen entwickeln, bleibt Lion eher klein, unscheinbar, äußerlich unauffällig. Die Geschwister lassen ihn die Unzulänglichkeiten spüren, und Lion hat unter Spott und Hänseleien zu leiden. Auch die von den Eltern praktizierte und den Kindern auferlegte streng orthodoxe Lebensführung trägt nicht zu einer unbeschwerten und fröhlichen Kindheit bei. Als Erstgeborener ist Lion fester in den Kanon der religiösen Aktivitäten der Familie eingebunden, stärker mit den Zwängen der jüdischen Tradition belastet als seine jüngeren Geschwister: »Meine Eltern hielten darauf, daß ich die umständlichen, mühevollen Riten rabbinischen Judentums, die auf Schritt und Tritt ins tägliche Leben eingreifen, minutiös befolgte. Die strenge Einhaltung der Speisegesetze und der Sabbatgesetze, die vielen langen, täglich zu verrichtenden Gebete, der sehr häufige Synagogenbesuch, die zahllosen, umständlichen Gebräuche spannten das Leben in einen verzweifelt engen Rahmen. Auch mußte ich unter der Leitung eines Privatlehrers täglich mindestens eine Stunde dem Studium der hebräischen Bibel und des aramäischen Talmuds widmen. Da die Anforderungen des Gymnasiums streng und hoch und da meine Eltern für mich ehrgeizig waren, hatte ich es nicht leicht.«[20]

Die verhärmte Frömmigkeit und bigotte Trostlosigkeit ist auch für die Außenwelt kaum zu übersehen. Marta Feuchtwanger erinnert sich an samstägliche Begegnungen mit den Feuchtwangers im Hofgarten, einer der königlichen Residenz angegliederten Parkanlage. Hier absolvieren die frommen jüdischen Familien nach dem Gottesdienstbesuch in der nahegelegenen orthodoxen Synagoge Ohel Jakob noch einen Spaziergang. Und hier begegnet Marta erstmals und dann immer wieder dem jungen Lion und seinen Geschwistern. »Wir erkannten die Feuchtwangers immer an ihrer schlechten Kleidung. Stets so grau mit groben Schuhen. Dabei wusste jedermann, dass sie reich waren. Aber sie taten dies, weil sie als orthodoxe Juden am Samstag nichts tragen durften. Nicht einmal einen Regenschirm. Falls es also am Samstag regnete – und es regnete häufig in München – trugen sie immer diese wasserabweisenden Kleider. Schon aus der Ferne konnten wir die unmöglich angezogenen Mädchen und Jungen erkennen. Und es waren immer die Feuchtwangers.«[21] Lion leidet unter der rigiden Strenge der religiösen Observanz. Und er ist hin- und hergerissen zwischen den abstoßenden Zwängen jüdischer Religiosität und dem gemeinwohlorientierten Handeln, das frommen Juden aufgegeben ist. Nicht nur in der Orthodoxie bildet der Fürsorgegedanke ein wichtiges Leitmotiv jüdischer Lebensführung. Die Unterstützung Schwacher und Bedürftiger wird als religiöse Verpflichtung gesehen, dient freilich auch dem sozialen Zusammenhalt der kleinen jüdischen Welt. Bei den Feuchtwangers hat sich die Aufnahme eines bedürftigen jüdischen Studenten als Kostgänger eingebürgert. Dieser nimmt an den gemeinsamen Mahlzeiten teil, was an sich nicht ungewöhnlich ist für einen jüdischen Haushalt, da dieser häufig viele Gäste kennt. Peinlich berührt ist Lion aber von der Tatsache, dass bei diesen Essen und in Gegenwart des fremden Gasts auch immer wieder private Themen angesprochen und intime Familienstreitigkeiten ausgetragen werden. Beschämt erträgt er diese unangenehme Brechung innerfamiliärer Diskretion.

In religiösen Dingen werden die Feuchtwanger-Kinder von einem eigens angestellten Hauslehrer unterrichtet: Moses Tobias Wetzlar. Der 1847 geborene Sohn eines bekannten Rabbiners ist eigentlich Silberschmied, verdient jedoch in Ermangelung von Erwerbsmöglichkeiten in seinem Beruf den Lebensunterhalt für sich und seine vielköpfige Familie als Kantor und Vorbeter für die orthodoxe Gemeinschaft. Und weil auch dieses kümmerliche Salär nicht ausreicht, verdingt er sich als privater Religionslehrer in wohlhabenden jüdischen Haushalten. Dieser Broterwerb ist ein mühsames Geschäft, doch nach und nach gelingt es Wetzlar, ein eigenes Silberwarengewerbe in München zu etablieren. Aus den bescheidenen Anfängen entwickelt sich mit der Zeit ein gut frequentiertes Geschäft mit zahlreichen betuchten Kunden aus den besseren Münchner Kreisen. Am Ende wird sogar der Münchner Stadtmagistrat das Ratssilber der Stadt, das bei Einladungen, Banketten und anderen repräsentativen Anlässen aufgelegt wird, bei dem inzwischen angesehenen Hause Wetzlar ordern. Doch die Münchner Anfänge Wetzlars sind mühsam, zumal der Silberschmied und Kantor nicht zu den verträglichsten Zeitgenossen zählt und mit manchem seiner Glaubensgenossen im Streit liegt. Im Hause der Feuchtwangers ist der verschrobene Hauslehrer über Jahre geduldet, vielleicht auch aus familiärer Solidarität, denn Moses Tobias Wetzlar ist über einige Umwege mit dem weitläufigen Feuchtwanger-Clan verwandt. Den Feuchtwanger-Kindern haben sich die nachmittäglichen Unterrichtseinheiten mit »Herrn Wetzlar« tief eingeprägt: »Eine ständige Erscheinung in unserem Haus war Herr Wetzlar, der jüdische Hauslehrer, von uns Kindern insgeheim respektlos der Wetzilum genannt. (…) Ich glaube, er war keine pädagogische Leuchte; auf der anderen Seite muß zu seiner Entschuldigung gesagt werden, daß der jüdische Unterricht der damaligen Zeit allgemein äußerst dürftig war. Er unterrichtete folgendermaßen: Bereschit – im Anfang – boro – schuf – Elohim – Gott … ein stumpfsinniges und langweiliges Übersetzen von Wörtern. Angenehm war nur, daß ihm der ganze Unterricht ebenso langweilig war wie uns Kindern und daß er sich daher gerne ablenken ließ. Du, Herr Wetzlar, sagte man im Unterricht, heute hat mir der Heinrich Borscht zwei sehr schöne Raupen vom Seidenspinner gegeben, und ich habe ihm dafür zwei Briefmarken Altsachsen gegeben. Und dann unterhielt man sich eine Stunde lang über Schmetterlinge und Raupen und Briefmarken. Und zum Schluß sagte Herr Wetzlar aus seinem schlechten Gewissen heraus: Man kann sich über alles unterhalten, man kann aus allem lernen. In Hebräisch, jüdischer Literatur, jüdischer Geschichte habe ich jedenfalls in zehn bis fünfzehn Jahren äußerst wenig gelernt. Vielleicht lag es an mir und meiner Verträumtheit. Meine Brüder Lion und Ludschi und meine Vettern Igo und Siegbert, die vielfach mit mir Unterricht hatten, sammelten allmählich reiche Kenntnisse.«[22] Es ist also der längst vergessene skurrile Hauslehrer Wetzlar, der Lion die Grundzüge jüdischer Geschichte und Theologie vermittelt, der sein Interesse weckt an jüdischer Überlieferung und der eigenen Herkunft, der womöglich das Samenkorn einpflanzt, aus dem später die literarische Blüte der »Josephus-Trilogie«, der »Jüdin von Toledo« oder des »Jefta« hervorsprießen wird.

Dass Lion schließlich aus der Engführung einer eigentlich vorbestimmten Lebensentwicklung ausbrechen und die aus der Familientradition sich ableitende Laufbahn eines Kaufmannes, zumindest aber eines Anwalts oder Arztes, erfolgreich vermeiden kann, ist vor allem seiner starken Persönlichkeit, seiner Willenskraft und entschiedenen Zielstrebigkeit zuzuschreiben. Fremdbestimmtes Handeln und devote Unterwürfigkeit sind Lion zuwider. Schon früh wird er sich seines Talents für Sprache bewusst und entdeckt, ja kultiviert die Leidenschaft für die Literatur. Diese kreative Begabung zu nutzen, sie zu vervollkommnen und in den Mittelpunkt der eigenen Lebensplanung zu stellen, lässt bereits den Jugendlichen nicht mehr los. So wird die Schule, die von vielen Kindern und Jugendlichen als gemäßigte Form der modernen Sklaverei empfunden wird, für Lion gewissermaßen zum sukzessiven Befreiungsschlag aus dem Korsett der religiösen Engstirnigkeit, zu einem langsam, aber unaufhaltsam sich öffnenden Tor in eine ersehnte säkulare Freiheit. Viele Jahre später wird Lion mit einer umfangreichen Auflistung fataler Widrigkeiten seine Schulzeit ironisieren. Demnach wurde der Schriftsteller L. F. »von insgesamt 98 Lehrern in 211 Disziplinen unterrichtet, darunter waren Hebräisch, angewandte Psychologie, Geschichte der oberbayerischen Fürsten, Sanskrit, Zinseszinsrechnung, Gotisch und Turnen, nicht aber waren darunter englische Sprache, Nationalsökonomie oder amerikanische Geschichte. Der Schriftsteller L. F. brauchte 19 Jahre, um von diesen 211 Disziplinen 172 vollständig in seinem Gedächtnis auszurotten. Es wurde im Laufe seines Unterrichts der Name Plato 14 203 mal, der Name Friedrich der Große 22 641 mal, der Name Karl Marx keinmal genannt.«[23] Und doch beginnt für den kleinen Jungen aus dem Lehel mit dem Eintritt in die Schule die entscheidende Lebensphase der Loslösung vom zwanghaften Verhaltenskodex der Familie. Der Unterricht in der nahegelegenen St.-Anna-Volksschule und später am traditionsreichen Wilhelmsgymnasium wird zum Wegbereiter eines selbstbestimmten und freien Lebens.

Seit Mai 1889, Lions fünfter Geburtstag steht kurz bevor, bewohnt die Familie Feuchtwanger eine geräumige Erdgeschosswohnung in einem gediegenen, 1888 errichteten Bürgerhaus am St.-Anna-Platz 2 – direkt gegenüber der großen Pfarrkirche, gewissermaßen im Herzen eines tiefkatholischen Stadtmilieus. Der einstmals ärmliche Münchner Stadtteil Lehel, im 19. Jahrhundert auch St.-Anna-Vorstadt genannt, entwickelt sich seit der Gründerzeit zunehmend zu einem bürgerlichen, ja großbürgerlichen Wohnviertel. Prägend für die Sozialstruktur und die besondere Atmosphäre des zwischen Altstadt und Isar gelegenen Quartiers sind zwar nach wie vor zahlreiche Gastwirtschaften, Handwerksbetriebe und kleine Gewerbetreibende. Die an zeitgemäßer Eleganz ausgerichteten Repräsentationsbedürfnisse wohlhabender Stadtbürger lassen sich jedoch auch im Straßenbild des Lehel ablesen. Gebaut werden weniger die aus der Maxvorstadt bekannten exklusiven, an einem aristokratischen Lebensstil orientierten Palais. Die bürgerliche Architektur des Lehel trägt vielmehr einem neuen urbanen Zeitgeschmack, aber auch den begrenzten stadtplanerischen Möglichkeiten im Innenstadtbereich Rechnung. So findet man hier seit den 1880er Jahren vor allem vornehme mehrgeschossige Stadthäuser, die mit großzügig bemessenen Eigentums- und Mietwohnungen aufwarten. Mittelpunkt des Viertels ist der große Platz um die katholische St.-Anna-Pfarrkirche, die zwischen 1887 und 1892 nach Plänen Gabriel von Seidls als dreischiffige Pfeilerbasilika im damals angesagten neoromanischen Stil errichtet wird. Von weit größerer kunsthistorischer Bedeutung ist freilich die erheblich ältere, unmittelbar benachbarte St.-Anna-Klosterkirche. Diese erste Rokoko-Kirche Altbayerns wird um 1730 errichtet und weist eine für die damalige Zeit aufsehenerregende Besonderheit auf: Der Innenraum verzichtet gänzlich auf rechte Winkel. Ihren außerordentlichen Rang erfährt die Klosterkirche nicht nur durch den ungewöhnlichen Baustil, sondern auch durch den Umstand, dass in dem Sakralraum eine wertvolle Reliquie des heiligen Antonius von Padua verwahrt und verehrt wird. Lion und seinen Geschwistern ist die tagtägliche, geradezu sinnliche Begegnung mit dem Katholizismus auf dem St.-Anna-Platz ein andauerndes Faszinosum. Die Feuchtwanger-Kinder wissen, so Martin Feuchtwanger, genau, »wann der Gottesdienst begann und wann er aufhörte, wir wußten, zu welchen Messen nur wenige Leute kamen und zu welchen viele. Das war eine unserer wichtigsten Vergnügungen, dem Kommen und Gehen der Kirchenbesucher zuzuschauen. Viele ständige Besucher, meist alte Männlein oder Weiblein, kannten wir genau. Wir beobachteten vom Fenster aus, wie die einzelnen Kirchgänger den heiligen Raum betraten. Es gab Männer, die den Hut vom Kopf nahmen, wenn sie noch zwanzig Schritte vom Kircheneingang entfernt waren, und es gab junge Burschen, die den Hut erst dann abnahmen, wenn sie den einen Fuß schon auf der Schwelle hatten. Für sie und ihre Taktlosigkeit schämten wir uns in der Seele. Und wie inbrünstig oder oberflächlich sich die einzelnen beim Betreten der Kirche bekreuzten, das war ungemein interessant.«[24]

Dass sich die jüdischen Feuchtwangers ausgerechnet in einem Stadtviertel niederlassen, das wie kaum ein anderes in München von katholischer Repräsentation und Glaubenstradition geprägt ist, erstaunt nur auf den ersten Blick. Die scheinbar grundverschiedenen katholischen und jüdischen Lebenswelten schließen sich nicht aus. Von Abgrenzung, gar Ausgrenzung kann zu jener Zeit keine Rede sein. Bayerisch-katholisches und bayerisch-jüdisches Leben finden nicht nur im Lehel, sondern auch in anderen Münchner Stadtvierteln zu einer bemerkenswerten Symbiose. Man ist zuerst Münchner, dann Bayer, zuletzt Jude oder Christ. Die Religionen unterscheidet vor allem das Datum der Feiertage und der Zeitpunkt der Gottesdienste. Toleranz, Respekt und städtische Weltoffenheit sind die Zentralkoordinaten eines religiös-liberalen Bezugssystems, in dem man gerne lebt. Und leben lässt. Die Münchner Juden sind mehr als eine selbstbewusste Minderheit. Sie sind Teil der Münchner Stadtgesellschaft und vielfach fest integriert in die sozialen und kulturellen Milieus der Stadt: »Gab es unter uns Kindern Unterschiede zwischen Jud und Christ?«, fragt sich Martin Feuchtwanger. Und gibt eine eindeutige Antwort: »Ich glaube nicht. Alle Kinder im Haus wußten, daß die Feuchtwangerbuben am Freitagnachmittag nur bis drei oder vier Uhr spielen durften, denn um diese Zeit mußten sie sich für die Synagoge rüsten. Das war weder etwas Lächerliches oder

Komisches, weder etwas Verächtliches noch etwas Absonderliches. Das mußte eben so sein. Oder der Hugo hatte jeden Mittwoch von zwei bis vier Konfirmationsunterricht. Oder die Walli ist jeden Montag im Katechismuskränzchen. Alles selbstverständliche Dinge, über die es kein Nachdenken und keine Diskussionen gab. So selbstverständlich wie das Frühstück am Morgen oder das Schlafengehen am Abend.«[25]

Im Lehel zu leben bietet den jüdisch-orthodoxen Feuchtwangers eine Reihe von praktischen Vorteilen. Am wichtigsten ist sicherlich, dass die orthodoxe Synagoge Ohel Jakob in der nahegelegenen Herzog-Rudolf-Straße innerhalb kürzester Zeit zu Fuß zu erreichen ist. Dadurch nötigen die obligatorischen Gottesdienstbesuche am Schabbat und an den Feiertagen nicht zu zeitraubenden Wanderungen quer durch die Stadt. Denn dem frommen Juden ist das Fahren am Schabbat untersagt, sei es mit der Straßenbahn, dem Pferdefuhrwerk oder – später – dem Automobil. Wichtig ist aber auch, dass die Wohn- und Lebensqualität sowie das nachbarschaftliche Umfeld im Lehel dem sozialen Status der Unternehmerfamilie entspricht. Und die schulischen Bildungsangebote befriedigen die ambitionierten Vorstellungen der Eltern. Gerade das Wilhelmsgymnasium gilt jüdischen Familien, in denen traditionell ein hohes Bildungsideal gepflegt wird, als exzellente Schule. Hier wird nicht nur jüdischer Religionsunterricht angeboten, der Lehrplan sieht auch Hebräisch-Unterricht vor. So kommt es, dass der Anteil jüdischer Schüler am Wilhelmsgymnasium überdurchschnittlich hoch ist.

Wie Lion werden vermutlich die meisten dieser jüdischen Schüler von den für einen orthodoxen Jungen obligatorischen Thora-Studien geplagt. Die Unterweisungen in den talmudischen Schriften und der damit einhergehende Hebräisch-Unterricht sind unerlässlich, eine heilige Pflicht gewissermaßen, von der die Eltern nicht abrücken wollen, nicht abrücken können. Zwar konstatiert Lion später milde, dass ihm »die frühe Erlernung des Hebräischen geholfen hat, vielfältig zu denken und zu reden, und daß das frühe Studium des fremdartigen Lebens, das sich in der Bibel und im Talmud entfaltet, mir Verständnis gab für viele Lebensäußerungen, die mir sonst unverständlich geblieben wären«.[26] Für den Jugendlichen sind es freilich lästige und ungeliebte Pflichten – zumal diese meist noch morgens vor dem regulären Schulbesuch absolviert werden müssen. So kann es nicht ausbleiben, dass Lion für die religiösen Unterweisungen regelmäßig um fünf Uhr morgens aufsteht und oft noch bis elf Uhr abends mit den schulischen Hausaufgaben beschäftigt ist. Die Heiligung des Schabbat bringt zusätzliche Erschwernisse. Das strenge samstägliche Arbeitsverbot verhindert, dass Lion seine Schulbücher selbst zum Wilhelmsgymnasium tragen darf. Er wird daher stets von einem Hausmädchen begleitet, das seine Schulsachen transportiert – eine peinigende und demütigende Situation, auch wegen des nicht ausbleibenden Spotts anderer Schüler.

Ein Übriges tut die beklemmend-autoritäre Atmosphäre am Wilhelmsgymnasium, von Lions jüngerem Bruder Martin anschaulich beschrieben und ergänzt um ein präzises Charakterbild des damaligen Schulleiters Dr. Bernhard von Arnold: »Im Gymnasium herrschte eine eiserne Disziplin. Der Rektor war ein uraltes Männchen mit einem zerfurchten Gesicht und einer gewaltigen Höckernase, ein Adliger, ein getaufter Jude, angetan mit einem vornehmen Gehrock und einem spiegelblanken Zylinder. Zu Schulbeginn versammelte er alle Professoren und die tausend Gymnasiasten in der Aula. Er betrat den Saal und sagte mit einer krächzenden Fistelstimme: Ruhe! Dann ließ er eine Pause von zwei Minuten eintreten und weidete sich an der lautlosen Stille in der Aula, an der Regungslosigkeit der tausend Köpfe und Körper.«[27] Immerhin verdankt Lion dem Schulbesuch auch methodische und organisatorische Unterweisungen, etwa das Einüben arbeitstechnischer Fertigkeiten, die ihm später zugutekommen sollen. Denn am Wilhelmsgymnasium wird die »Freude am genauen Ausdruck und am genauen Wort [gefördert], und wir lernten einen lateinischen oder griechischen Satz an einem deutschen messen. Was ich dieser Schule verdanke, war die rechte Wertung und Würdigung des Methodischen, der gründlichen Planung bei jeder geistigen Arbeit.«[28]

Trotz vieler Widrigkeiten ist der Gymnasiast Lion Feuchtwanger ein guter Schüler, der seinen Eltern und den strengen Lehrern Freude macht. Anders als seine jüngeren Brüder Friedrich und Berthold, die ebenfalls das Wilhelmsgymnasium besuchen, muss er kein Schuljahr wiederholen. Lion kann – zumindest in den ersten Schuljahren – mit ausgezeichneten Noten aufwarten. Er ist kein widerspenstiges Kind, keiner der aufbegehrt, Widerworte gibt, sich den rigiden Schulnormen und der Autorität der Lehrer verweigert. Im Gegenteil: Der schüchterne kleine Junge passt sich an, so gut es geht, versucht unauffällig durch den Schulalltag zu kommen und erntet für sein braves und vorbildliches Betragen in den ersten Schuljahren durchweg lobenswerte Beurteilungen. Dieses Muster setzt sich fort. Auch der pubertierende Jüngling neigt nicht zum Rebellentum. Zufrieden bescheinigt der Klassenlehrer dem 15-Jährigen: »Der Schüler bethätigte großen häuslichen Fleiß, folgte mit Aufmerksamkeit dem Unterricht und erzielte in fast allen Fächern wohl

befriedigende Leistungen. Seine Führung war tadellos.«²⁹ Die zwischen
den Zeilen formulierte Kritik hat mit Lions sportlichen Defiziten zu
tun. Im Turnen erreicht er während der gesamten neunjährigen Schulzeit am Wilhelmsgymnasium regelmäßig nur eine 3 – was bei insgesamt
vier Notenstufen einer mäßigen bis schlechten Beurteilung entspricht.
Zwar gelten die Zensuren im Turnen bei Weitem nicht so viel wie etwa
die Noten in den alten Sprachen. Aber Lion wächst auf in einer Zeit, in
der individuelle Leibesertüchtigung als nationale Aufgabe definiert
wird. »Mens sana in corpore sano« – »Ein gesunder Geist in einem gesunden Körper« – wird zahllosen Schülergenerationen als leitmotivi-
sches Credo eingeimpft. Und der Übergang von der Leibesertüchtigung
zur Wehrertüchtigung ist in jenen Jahren fließend. Das bekommen
auch die Unbeholfenen zu spüren, die wie Lion an Reck oder Barren nur
klägliche Übungen zustande bringen oder gänzlich scheitern. Sie werden rasch ins Abseits gestellt und dem Spott der anderen preisgegeben.

Lion kompensiert die körperlichen Unzulänglichkeiten mit emotionalen und intellektuellen Talenten, wobei gerade Letztere auf manchen
Lehrer befremdlich wirken. Im Jahreszeugnis 1899/1900 stößt man auf
die vielsagende Mahnung »nach verschiedenen Proben in deutschen
Aufsätzen scheint man ihm mehr ›moderne‹ Lektüre zu gestatten, als für
sein Alter geeignet sein dürfte« – ein Hinweis nicht nur auf den Lese-
hunger des 16-Jährigen, sondern auch auf seine intellektuelle Reife.³⁰ Er
entdeckt seine literarische Begabung, die er in ersten Fingerübungen
erprobt. Lion wird mutiger, selbstbewusster, spürt wohl auch eine verhaltene Bewunderung der anderen. In den schulischen Beurteilungen
wird der Reifeprozess durchaus zur Kenntnis genommen und schlägt
sich im Zeugnis nieder: »Der Schüler ist im Laufe des Schuljahres mehr
und mehr aus sich herausgegangen und zutraulicher geworden, nicht
zum Nachteil für seine Leistungen und deren Beurteilung. Er hat ein
tiefangelegtes Gemüt und feinbesaitete Gefühlsnerven. Zu Weihnachten
legte er dem Ordinarius ein dickes Heft eigener Gedichte und zu Ostern
ein selbst verfaßtes Trauerspiel ›Athaulf‹ zur Begutachtung vor. In allen
seinen dichterischen Produkten – auch das Lustspiel für den 80. Geburtstag des Prinzregenten ist größtenteils sein Werk – zeigt sich eine große
Gewandtheit in der Form und ein reicher Gedankeninhalt, die zu schönen Erwartungen für die Zukunft berechtigen. Dabei vernachlässigte er
auch seine Klassenarbeiten in keiner Weise; besonders zur Übersetzung
der lat. u. griech. Klassiker lieferte er manchen treffenden Beitrag.«³¹

Im Gegensatz zur Lehrerschaft sieht Lion die gemeinsam mit einem
Klassenkameraden, Paul Drey aus dem renommierten Münchner

Antiquitätenhaus A. S. Drey, verfasste »Auftragsarbeit« zu Ehren des Prinzregenten Luitpold in der Rückschau nicht unkritisch. »Ich schrieb. Ich war damals 13 Jahre alt [sic!]. Ich hatte eine leichte Hand, und es geriet ein schönes, allegorisches Spiel. (...) Das Spiel gefiel allen ausnehmend, die Zeitungen berichteten darüber ernsthaft und anerkennend, der Rektor des Gymnasiums überreichte mir im Auftrage des Regenten eine Auszeichnung, eine Krawattennadel oder so etwas. Auch erschien das Spiel in einer Zeitschrift, und ich bekam ein richtiges Honorar.«[32] Das mit so viel Wohlwollen aufgenommene Stück stürzt den jungen Schriftsteller in seine erste, als äußerst schmerzhaft empfundene Sinnkrise. Lion erlebt den spannungsreichen Widerspruch zwischen dem eigenen, unbedingten Anspruch auf Wahrhaftigkeit und der Erwartungshaltung des Publikums, das den jungen Dramatiker ob seiner wohlfeilen Heuchelei über die Person des Prinzregenten mit Lorbeeren überschüttet und »mit einer Krawattennadel oder so etwas« auszeichnet. Die erschreckende Erkenntnis der eigenen Korrumpierbarkeit um des Beifalls willen treibt den sensiblen Schüler in tiefe Verzweiflung. Diese erste peinigende Schaffenskrise versucht er wiederum schriftstellerisch zu bewältigen. Lion fertigt »ein kleines Stück«, in dem er die »äußerst unangenehmen Erlebnisse eines jungen Menschen darstellte, der die fixe Idee hat, zu sagen, was ist. Da er das Gott, seiner Familie, seinen Kollegen, seiner Freundin, seinen Vorgesetzten gegenüber unablässig sagt, geht er natürlich wie ein Hund zugrunde.«[33] Über dieses jugendliche Frühwerk mit dem Namen »Philalethes« (Freund der Wahrheit), das er in einem Schreibheft mit schäbigem blauen Papiereinband niederlegt, urteilt Lion Feuchtwanger später dankbar, es sei »erfreulicherweise nicht erhalten«.[34]

Inzwischen besucht der 17-Jährige die 12. Klasse des Wilhelmsgymnasiums und zeigt im familiären Bereich zunehmend Distanz zu den religiösen Verbindlichkeiten. Lion provoziert den frommen Vater immer öfter mit Glaubenszweifeln und einer zugespitzten Kritik am Alltag, der so stark von rituellen Vorschriften, Gebeten und Gottesdienstbesuchen zergliedert ist. »Von meinem zehnten Lebensjahr an tauchten mir Zweifel auf, ob es Sinn habe, jene Riten zu befolgen, die das Leben so ungeheuer erschwerten und mich zum Gespött meiner Mitschüler machten. Mein Vater war interessiert an Geschichte, an klassischer Literatur, am Theater, an bibliophilen Dingen, und es war ihm recht, daß ich schon sehr früh entschlossen war, kein Brotstudium zu wählen, sondern Literaturgeschichte zu treiben. Aber sein strenges Festhalten an den Bräuchen und sein unerbittliches Verlangen, daß auch ich sie befolgte, führte zu ständigen Zwistigkeiten.«[35] Das Hadern mit dem familiären Alltag, die Glaubenszweifel und die Konflikte mit dem Vater haben Folgen. Lions Resultate in den Lernfächern lassen immer wieder zu wünschen übrig. Dagegen kann er in den kulturwissenschaftlichen Disziplinen mit seiner eindrucksvollen Begabung punkten. Zwar moniert das Jahreszeugnis 1901/02 eine gewisse Impulsivität und übereifriges Argumentieren, dennoch ist die Bilanz noch einigermaßen zufriedenstellend: »Feuchtwanger Lion ist gut begabt und besitzt eine durch große Belesenheit genährte reiche Phantasie sowie die Fähigkeit, seine Gedanken leicht und geschmackvoll zum Ausdruck zu bringen, und so hat er auch schon recht hübsche Gelegenheitsdichtungen verfaßt. Dagegen ist er nicht besonders stark, wenn es darauf ankommt, ein Thema in streng logischer Gedankenentwicklung durchzuführen, wie er auch in der Mathematik durchaus nicht Hervorragendes leistet. Die Geschichte hat er wiederholt mehr oder weniger vernachlässigt.«[36] Ein erstaunlicher Befund: Ausgerechnet jener Schüler, dessen Name später zum Inbegriff des literarisch anspruchsvollen historischen Romans werden wird, zieht im Geschichtsunterricht explizit Tadel auf sich. Lions Nachlässigkeit in dieser für ihn eigentlich so bedeutsamen »Disziplin« ist freilich allein durch die formalistische Abwicklung des Unterrichts erklärbar, der über ein lähmendes Auswendiglernen als wichtig erachteter Geschichtsdaten hinaus keinerlei Attraktion und Inspiration zu bieten hat. »(…) wir mußten jederzeit alle Daten der bayrischen Fürsten gegenwärtig haben, von den Agilolfingern bis zum Prinzregenten Luitpold«, so Lions ernüchternde Bilanz des Unterrichts.[37] Die Leidenschaft für die Vergangenheit und das sensible Verständnis für historische Prozesse, für Akteure in ihrer Zeit, vermag Lion erst später zu einer besonderen Blüte zu bringen. Im Schulunterricht wird ihm die Lust an der Geschichte nicht vermittelt, vorläufig sogar ausgetrieben.

Auch andere Aspekte der menschlichen Natur bleiben am Wilhelmsgymnasium unterbelichtet: »Die Ausbildung in jenem Gymnasium, das man bis zum 19. Lebensjahr besuchte, war sehr prüde. Die Klassiker wurden in sehr sorglich gereinigten Ausgaben gelesen. Alles was mit Sexus zusammenhing, wurde ängstlich herausgeschnitten und vermieden. Es herrschte Disziplin, Würde, gipserne Antike, Heuchelei.«[38] Inzwischen lebt Lion mit seinen Eltern und den jüngeren Geschwistern in einem repräsentativen Neorenaissance-Haus in der Galeriestraße 15, wohin die Familie im September 1900 gezogen ist. Hier, im Herzen des königlichen München an der Nord-West-Ecke des Hofgartens, bewohnt man im ersten Stock eine geräumige 8-Zimmer-Wohnung. Lions täglicher Weg ins Wilhelmsgymnasium ist durch den Umzug etwas länger geworden; möglicherweise benutzt er gelegentlich die Straßenbahn, die von der Staatsoper zum Max-II-Denkmal fährt. Dort ist das Schulgebäude bereits in Sichtweite. Auch die universitären Lehrveranstaltungen, die der Student ab Herbst 1903 besucht, sind von der elterlichen Wohnung aus gut zu erreichen. Zu Fuß benötigt Lion kaum eine Viertelstunde, um die Strecke von der elterlichen Wohnung zum Universitätshauptgebäude zu bewältigen.

1903 verlässt Lion das Gymnasium mit einem Reifezeugnis, das seine Begabung in einer Weise würdigt, die eine weitere, eine eingehendere Beschäftigung mit literarisch-philologischen Themen geradezu zwingend erscheinen lässt: »Sein gehaltvoller und zweckmäßig gegliederter deutscher Aufsatz zeugte von geistiger Reife, von seltener Belesenheit in neuerer Literatur und von großer Gewandtheit im sprachlichen Ausdruck. Auch seine übrigen Leistungen in der schriftlichen Prüfung waren zumeist sehr gut.«[39] In der konzisen Beurteilung spiegelt sich bereits *in nuce* die künstlerische Persönlichkeit, zu der der Jugendliche in den folgenden Jahren heranreifen wird: Der Dreiklang »Seltene Belesenheit«, »geistige Reife« und »große Gewandtheit im sprachlichen Ausdruck« ist als Grundakkord des literarischen Schaffens von Lion Feuchtwanger in nahezu allen späteren Werken hörbar – sei es in den Theaterkritiken, den Buchrezensionen, den Essays, Dramen, den Romanen oder der literarischen Kleinform, den Erzählungen. Als Lion seine Abiturprüfungen absolviert, weiß er vermutlich nicht, dass am Wilhelmsgymnasium zwei Jahre zuvor eine gewisse Katharina Pringsheim als erste Frau in München die Reifeprüfung abgelegt hat. Anders als ihre Brüder, die öffentliche Schulen besuchen, wird die 1883 in Feldafing am Starnberger See geborene Katharina, gerufen Katia, vom siebten Lebensjahr an von einem Privatlehrer unterrichtet und später nur als Externe zur Abiturprüfung zugelassen. Noch immer haben Mädchen und Frauen in Bayern nicht die gleichen Bildungschancen wie junge Männer. Der Besuch eines Königlich-Bayerischen Gymnasiums ist selbst für hochbegabte Mädchen nicht vorgesehen und wird vielfach von den Eltern auch nicht angestrebt. Der Erfolg von Katia, die mit einem »glänzenden Abitur« die weibliche Befähigung zu höheren Bildungsweihen eindrucksvoll unter Beweis stellt, ist demnach auch ein wichtiger Schritt auf dem langen und steinigen Weg zur Emanzipation der Frau. Dennoch verläuft Katias Leben bald in den üblichen, konventionellen Bahnen. Das attraktive junge Mädchen wird nur wenige Jahre später als »Frau Thomas Mann« den literarischen Aufstieg ihres Gatten fürsorglich und selbstlos begleiten und für eine kinderreiche Familie Alltag und Haushalt organisieren. Nicht nur die Schnittstelle Wilhelmsgymnasium verbindet die Lebenslinien von Katia Pringsheim und Lion Feuchtwanger. Auch später kreuzen sich die Wege der beiden Münchner immer wieder. Im südfranzösischen Exil und in der neuen Heimat Kalifornien ist Lion nicht nur Nachbar und stetiger Begleiter, sondern auch intellektueller Gesprächspartner und Freund der Manns. Mit Katias Schwager Heinrich Mann, der ebenfalls in Kalifornien »strandet«, verbindet ihn eine intensive persönliche, die Jahrzehnte überdauernde Freundschaft. Die erste Begegnung Lions mit dem älteren Mann-Bruder datiert aus dem Jahr 1908.

Der Name Pringsheim ist Lion ein Begriff. Die wohlhabende Familie, die ein herrschaftliches Palais unweit der Päpstlichen Nuntiatur in der vornehmen Maxvorstadt bewohnt, zählt zu den ersten Familien der Residenzstadt. Hier trifft sich alles, was Rang und Namen besitzt: »In dem gastlichen Hause in der Arcisstraße«, so der Dirigent Bruno Walter, »konnte man an großen Abenden ›ganz München‹ treffen.«⁴⁰ Katias Vater Dr. Alfred Pringsheim ist Mathematikprofessor an der Universität München und Mitglied der Akademie der Wissenschaften; das väterliche Erbe aus einem Eisenbahnunternehmen und ein solides Professorengehalt ermöglichen der Familie ein großbürgerliches Leben. Die Mutter Hedwig Pringsheim ist, ohne Feministin zu sein, eine entschiedene Verfechterin der Gleichberechtigung von Frauen. Dementsprechend legen die Eltern auch großen Wert darauf, der Tochter Katia alle schulischen und universitären Wege zu ebnen. Ihre jüdischen Wurzeln hat die Familie schon längst abgeschnitten, alle Kinder der Pringsheims sind evangelisch getauft. Geradezu euphorisch, beinahe geblendet, beschreibt Thomas Mann in einem Brief an seinen Bruder Heinrich die Atmosphäre im Palais Pringsheim, die er 1904 kennenlernen darf: »Ich bin gesellschaftlich eingeführt, bei Bernsteins, bei Pringsheims. Pringsheims sind ein Erlebnis, das mich ausfüllt. Tiergarten mit echter Kultur. Der Vater Universitätsprofessor mit goldener Cigarettendose, die Mutter eine Lenbach-Schönheit (…) Kein Gedanke an Judenthum kommt auf, diesen Leuten gegenüber; man spürt nichts als Kultur.«⁴¹ Wohl auch deshalb gelten die Pringsheims in der kleinen Welt der orthodoxen Münchner Juden als Abtrünnige. Dass auch bei den Feuchtwangers gelegentlich die Sprache auf die verlorenen »Kinder Gottes« kommt und der Name Pringsheim als besonders abschreckendes, verwerfliches Exempel für Glaubensferne und Assimilation genannt wird, ist durchaus naheliegend.

1900: München

> »Festfreudiger vielleicht als jede andere in deutschen
> Landen ist die Stadt: aber fürs Theater hat sie nicht
> viel übrig. Die Oper schließlich läßt sie sich noch
> gefallen, hat sogar starke Passionen für die Operette:
> aber fürs Schauspiel ist sie zu träg. Da soll man
> denken, wägen, Partei nehmen, da wirbelt alles
> und stürmt, und der arme Zuschauer wird bald hier-
> hin gezerrt und bald dorthin: nein, das Theater ist
> ein zu anstrengendes Vergnügen für die behaglichen
> Bürger unseres Capua.«[42]

In München verbringt Lion Feuchtwanger mehr als die Hälfte seines
Lebens. Von seiner Geburt 1884 bis ins Jahr 1925 wird er die Stadt nur
zweimal für längere Zeit verlassen: 1905/06 für ein knappes Studienin-
termezzo in Berlin und ab 1912 für eine zweijährige Reise, die ihn und
seine frisch angetraute Frau Marta über Südfrankreich und Italien bis
nach Tunesien führt. Kindheit und Jugend, Schule und Studium, die
schriftstellerischen Gehversuche, die demütigenden Erfahrungen des
Scheiterns wie auch der ersten literarischen Erfolge sind unmittelbar
und ursächlich mit dem politischen, dem sozialen und dem kulturellen
Klima der bayerischen Haupt- und Residenzstadt verknüpft. Mit anderen
Worten: Das Milieu »München« ist aus der Feuchtwanger-Vita nicht
wegzudenken. Ohne Blick auf die Wirkungsmacht des literarisch-künst-
lerischen Umfelds der Prinzregentenzeit, ohne das gereizte, spannungs-
volle Kulturklima der Zeit vor und nach der Jahrhundertwende, wo eine
grobmotorische altbayerische Mentalität auf die konventionenspren-
gende Kraft der Schwabinger Bohème trifft, wo katholisch-bürgerlicher
Dünkel voller Abscheu eine Verwahrlosung der Sitten durch eine
fremdartige künstlerische Avantgarde beklagt, ist der Werdegang des
jungen Juden aus dem Lehel zu einem der bedeutendsten deutschen
Schriftsteller des 20. Jahrhunderts nicht hinreichend erklärbar. Die per-
sönlichkeitsformenden und stilprägenden Kräfte der Stadt, das zornige
Reiben und schmerzhafte Leiden Lion Feuchtwangers an dieser vielfach

selbstgefälligen, satten urbanen und gleichermaßen provinziellen Welt, am behaglich-chauvinistischen »Mia san mia«, das keinen Selbstzweifel kennt und kaum eine Bewegung zulässt – es sei denn, diese führt an den Stammtisch in einer der zahllosen Bierhallen –, sind für das Verständnis der künstlerischen Sozialisation des Schriftstellers Lion Feuchtwanger unabdingbar.

Wenn Lion später Gericht hält und seine Kindheit und Jugend in München bilanziert, wird er über seine Heimatstadt wenig Positives zu sagen wissen: »Ich wuchs heran in einer katholischen, süddeutschen, mittelgroßen Stadt. Es war nicht viel echt an dieser Stadt, eigentlich nur die Umgebung, die schönen staatlichen Bilder- und Büchersammlungen, der Karneval und wahrscheinlich auch, aber davon verstehe ich nichts, das Bier. Die Stadt hielt damals noch viel auf ihre Tradition als Kunststadt. Es war aber nicht weit her mit dieser Kunst. Vielmehr war sie eine akademische, wichtigmacherische, spießbürgerliche Institution, von einer zähen, dumpfigen und geistig nicht gut gelüfteten Bevölkerung im wesentlichen aus Gründen des Fremdenverkehrs beibehalten. In dieser Stadt also wurde ich groß.«[43] Dennoch, das Milieu »München« ist der Nährboden, auf dem der Mensch Lion Feuchtwanger heranwächst, auf dem die literarische Persönlichkeit, der eigenwillige Denker und selbstbewusste Schriftsteller, heranreift. Und es ist »der Münchner«, an dem sich der junge Autor immer wieder gerne reibt, manchmal empört und voller Zorn, manchmal lustvoll und mit scharfer rhetorischer Klinge. Sobald es um diesen diffusen Typus des Stadtbewohners geht, greift Lion gerne zur Hilfskonstruktion des »Thebaners«, der ihm deckungsgleich mit »dem Münchner« ist. Doch hinter dieser vermeintlich harmlosen Analogie verbirgt sich eine intellektuelle Boshaftigkeit Feuchtwangers, gelten doch die Thebaner als einfältig und in ihrer geistigen Reichweite als beschränkt. Lion Feuchtwanger steht kurz vor seinem 41. Geburtstag, als er 1925 das »Theben« an der Isar, die zwischenzeitlich verblasste süddeutsche Kulturmetropole verlässt. Er vermag Abscheu und Ekel vor der deprimierenden Entwicklung der Heimatstadt kaum zu verhehlen. München hat sich nach der gescheiterten Revolution, nach dem unter hohem Blutzoll zerschlagenen Experiment der Räterepublik mit entfesselter Straßengewalt, Polizeiwillkür und Unrechtsjustiz einen zweifelhaften Ruf als rechtsextreme, antidemokratische »Ordnungszelle« erworben. Die Stadt erklärt sich zum erzreaktionären und sittenstrengen »Gegen-Berlin«, in den Bierkellern und Versammlungshallen schickt sich ein charismatischer Schreihals an, München zur »Hauptstadt der Bewegung« zu machen, in der der Grundstein für eine beklemmende »nationale Revolution« gelegt wird, die schließlich in die größte Katastrophe der Menschheitsgeschichte münden wird. In seinem Roman »Erfolg« wagt Lion den Versuch, den Werdegang der Stadt vom »leuchtenden München« zur »Hauptstadt der Bewegung« zu beschreiben. »Erfolg« ist ein Erklärungsversuch, der nicht nur an ein breites Publikum adressiert ist, sondern wie in einem inneren Dialog auch den eigenen nagenden Fragen, dem eigenen verzweifelten Hadern mit dem Milieu »München« nachspürt: warum ausgerechnet die heiß geliebte Heimatstadt zur Kapitale dekadenten Spießertums und politischer Verkommenheit degenerieren musste. »Erfolg« stützt sich dabei auf ganz besondere, persönliche Erfahrungen und liefert die Quintessenz von Überlegungen und Analysen, die bereits vor dem Ersten Weltkrieg das Denken und literarische Schaffen von Lion Feuchtwanger bestimmen.

Ganz anders dagegen die Zeit der Jahrhundertwende, während der München im Ranking der europäischen Kulturmetropolen einen Spitzenplatz einnimmt und auch das Judentum der Stadt in voller Blüte steht. Zwar kommt das Wachstum der jüdischen Gemeinschaft nach 1900 zum Stillstand. Im Hinblick auf die wirtschaftlichen und kulturellen Einflüsse von jüdischer Seite kann von Stillstand jedoch keine Rede sein. Im Gegenteil: Namen wie Aufhäuser, Ballin, Bernheimer, Feuchtwanger, Schülein oder Uhlfelder kennzeichnen die herausragende Bedeutung jüdischer Unternehmerpersönlichkeiten für das Münchner Wirtschaftsleben. Und der Kunststadt München geben Persönlichkeiten wie Hermann Levi, Heinrich Porges, Lehmann Bernheimer, David Heinemann, Jacques Rosenthal oder Heinrich Thannhauser wirkungsstarke Alleinstellungsmerkmale. An den Universitäten und Instituten wirken herausragende, international renommierte Wissenschaftler und Gelehrte wie Richard Willstätter (Chemie), Alfred Pringsheim (Mathematik), Gottfried Merzbacher (Geographie), Michael Bernays (Literaturwissenschaft) und Josef Perles (Philosophie und Judaistik). Wenn es je so etwas wie eine alltägliche Normalität des Zusammenlebens, eine weitgehend selbstverständliche Zugehörigkeit der bayerischen Juden zur bayerischen Mehrheitsgesellschaft gegeben hat, dann in dem kurzen Zeitabschnitt um die Jahrhundertwende. Als deutsche Staatsbürger jüdischen Glaubens denkt und handelt ein Großteil der bayerischen Juden seit dem Ausgang des 19. Jahrhunderts in nationalen Kategorien. Jüdischer Glaube, deutsches Nationalbewusstsein und bayerischer Patriotismus sind miteinander verschränkte Überzeugungen. Die Mitgliedschaft von Juden in vaterländisch ausgerichteten Organisationen und studentischen Verbindungen ist keine Seltenheit. Und auch der »Dienst am Vaterland« ist bei Ausbruch des Ersten Weltkrieges für jüdische Bayern eine Selbstverständlichkeit.

Schulabschluss und Reifezeugnis konfrontieren den 19-jährigen Lion Feuchtwanger im Frühsommer 1903 mit dem Problem, wie es weitergehen soll in seinem Leben. Es geht, natürlich, um die berufliche Zukunft, um Format und Ziel der Ausbildung. Gefragt ist eine Grundsatzentscheidung. Zur Debatte stehen zwei Varianten: der Gang an die Universität oder der Weg ins elterliche Kontor. Auch dazwischen ist vieles denkbar. Im Raum stehen zudem die Erwartungen der Eltern an den Erstgeborenen; die Nachfolge in der Firma will gesichert sein. Sigmund Feuchtwanger zählt inzwischen fast 50 Jahre; keine Lebensphase, die ans Aufhören denken lässt. Aber doch ein Alter, das immer wieder die Nachfolgeregelung in Erinnerung ruft. Und es geht um Lions eigene Wünsche und Perspektiven. Um seine persönlichen Begehrlichkeiten und Sehnsüchte, seinen Lebensplan, der im Grunde noch diffus ist, aber bereits eine markante Konstante erkennen lässt: Lions Welt besteht vor allem aus Literatur und Philosophie, es ist eine Welt der Bücher und der fiktiven Gedanken, der Phantasie also, die jedoch an eine sinnlich erfahrbare Realität gebunden ist. Eine Welt von unendlicher Weite, deren Umgriff von den Zentralkoordinaten der Dichtung, den drei großen Gattungen der Literatur definiert ist: Drama, Prosa, Lyrik. Dass die Liebe des Sohnes zur Lektüre und zum eigenen Schreiben keine oberflächliche, rasch abkühlende Leidenschaft ist, steht für Sigmund Feuchtwanger bald fest. Die Ernsthaftigkeit, mit der Lion seine literarische Ambition verfolgt, kann der Vater unmittelbar beobachten. Angespannt und fleißig arbeitet der Sohn 1903 an einem Erstlingswerk, das noch ganz im Zeichen der schwerblütigen Gedankenwelt Friedrich Nietzsches steht. Der Text »Wenn Menschen Götter werden« erzählt von der atemberaubenden, im Wahnsinn endenden Karriere des fiktiven, genialischen Philosophen Hans Schulerer, der freilich mühelos als *Alter Ego* des von Lion zu dieser Zeit bewunderten Nietzsche entschlüsselt werden kann: »Mit wuchtigen Hieben zerschmetterte er die alten Götzen. Krachend sanken sie unter seinen Streichen. Und an Stelle der Lügen, die ein Jahrtausende altes Vorurteil, der Menschheit eingeimpft, setzte er das neue Ideal: die Wahrheit.« In einem zweiten Text mit dem pathetischen Titel »Und die Schwingen, die Schwingen gebrochen« wird dagegen ein Protagonist eingeführt, der in einer bedauernswerten sozialen Isolation sein Leben fristet, emotional verkümmert und zum Prototypen des Menschenhassers mutiert, sich zum boshaften Misanthropen entwickelt. Noch im gleichen Jahr erscheinen beide Prosa-Skizzen unter dem Titel »Die Einsamen« in kleiner Auflage im Münchner Monachia-Verlag – es sind die ersten gedruckten, die ersten öffentlich zugänglichen Worte des angehenden Schriftstellers Lion Feuchtwanger. Für Aufhorchen oder gar Aufregung in der literarischen Welt sorgt die schmale Publikation jedoch nicht.

Über den Weg der Entscheidungsfindung, über die Debatten im Hause Feuchtwanger zur Zukunft des Sohnes wissen wir nichts. Aber deren Ausgang ist bekannt. Zum Wintersemester 1903/04 immatrikuliert sich Lion an der Kgl. Bayerischen Ludwig-Maximilians-Universität zu München in den Fächern Deutsche Philologie, Geschichte, Philosophie und Anthropologie. Die Entscheidung fällt nicht gegen den Willen des Vaters. Wie Sigmund Feuchtwanger über Wünsche und Entscheidung seines Erstgeborenen denkt, ist unbekannt. Immerhin ermöglicht er Lion, den ihm gemäßen Weg einzuschlagen. Dies gilt auch für Ludwig und Martin, die jüngeren Brüder Lions, die ebenfalls keine Begeisterung für einen kaufmännischen Brotberuf zeigen. Ludwig studiert in München Jura, wird in Berlin promoviert und arbeitet später als Rechtsanwalt, Publizist und Verleger. Martin entscheidet sich nach dem Abitur für ein Patchworkstudium (das er ohne Abschluss beendet), hört nach Neigung literaturwissenschaftliche, philosophische und nationalökonomische Vorlesungen und wird sich später als Kulturjournalist und Verleger einen Namen machen. Erst der viertgeborene Sohn Fritz tritt in die väterlichen Fußstapfen und übernimmt die Leitung der Margarinefabrik in Haidhausen. Die Studien- und Berufsentscheidungen der ältesten Feuchtwanger-Söhne werden von den Eltern toleriert und mitgetragen; auch als Studenten bleiben die Söhne im elterlichen Haushalt und werden vom Vater finanziell unterstützt. Lion selbst stilisiert sich viele Jahrzehnte später zwar als Abtrünniger, behauptet in einem autobiographischen Fragment einen Befreiungsschlag von den elterlichen Fleischtöpfen, eine Unabhängigkeit vom väterlichen Konto – und generiert damit einen Mythos, der einer seriösen Nachprüfung nicht standhält: »Um die Qualen des ›orthodoxen‹ Lebens los zu sein, lehnte ich, sowie ich die Universität bezog, die Monatsrente ab, die mein wohlhabender Vater mir anbot, und zog es vor, mir meinen Lebensunterhalt durch Stundengeben und dergleichen zu verdienen.«[44] Tatsächlich wohnt Lion aber weiterhin in der Galeriestraße, wird vom Vater alimentiert, der nicht nur für den Lebensunterhalt des ältesten Sohnes sorgt, sondern auch die Bezahlung der Studiengelder garantiert, die im damaligen akademischen Ausbildungsbetrieb üblich sind. Noch im Frühjahr 1910 – Lion Feuchtwanger ist längst ein angesehener Theaterkritiker und ein in München stadtbekannter Bohemien – wird in einem amtlichen Vermerk festgehalten, dass Lion Feuchtwanger »ohne Vermögen« sei. Er habe »als Redakteur der ›Schaubühne‹ ein monatliches Einkommen v. c. 60 M. Und erhält v. Vater eine Unterstützung von monatlich 120–150 M.«[45] Die regelmäßigen Besuche in der »Torggelstube« und die keineswegs seltenen Kontakte mit »Venuspriesterinnen« werden demnach zu einem nicht unerheblichen Teil über die väterliche Schatulle finanziert. Womöglich wird dieses Arrangement von beiden Seiten als eine Art »Geschäft« gesehen, muss Lion Konzessionen machen, sind die Erfüllung des Studienwunsches und die regelmäßigen väterlichen Schecks an Bedingungen geknüpft, die im Kontext des orthodoxen Selbstverständnisses der Familie Feuchtwanger stehen: keine Missachtung der göttlichen Gebote, Heiligung des Schabbat, regelmäßige Synagogenbesuche. Tatsächlich bequemt sich der verlorene Sohn vor allem an den hohen Feiertagen zähneknirschend zum ungeliebten Synagogenbesuch. Entnervt notiert er während des jüdischen Neujahrsfests 1906 in sein Tagebuch »Rosch-Haschana. Schrecklich! Den größten Teil des Tages in der Synagoge verbracht.«[46] Auch die nächsten Tage sind geprägt von rituellen Verrichtungen: »Fasttag. Ekelhaft.«[47] Und: »Widerlich das frühe Aufstehen tagtäglich.«[48] Erst Lions Heirat im Sommer 1912 und die zwei Jahre andauernden Flitterwochen, die das frischvermählte Paar bis an die tunesische Küste führen, befreien Lion endgültig von den verhassten Gottesdienstbesuchen.

Von den im Oktober 1903 beginnenden Lehrveranstaltungen an der nahegelegenen Universität interessieren Lion vor allem die Angebote von Professor Franz Muncker. Neben einer vierstündigen Grundlagenvorlesung über die »Geschichte der deutschen Literatur« ist es insbesondere Munckers Übung zu »Heines Werken«, die den jungen Studenten beeindruckt und nachhaltig prägt. Interessant ist zweifellos auch ein von dem Privatdozenten Friedrich Gustav von der Leyen *privatim*, im engen Kreis, angebotenes Seminar über Henrik Ibsen. Die Auseinandersetzung mit dem Schöpfer des naturalistischen Gesellschaftsdramas ist für den an Fragen des Theaters besonders interessierten Lion überaus reizvoll. Aber von der Leyen, der Münchner Experte für altgermanische Dichtung, ist Mitglied einer schlagenden Verbindung und gilt als reaktionär und deutsch-national – kurz: Sein Profil bildet keine zwingende akademische Attraktion für einen jungen Studenten mit jüdischem Hintergrund. Im Wintersemester 1904/05 nimmt Lion an einer Lehrveranstaltung von der Leyens teil und muss nach der Präsentation eines nachlässig geschriebenen Papiers über Franz Grillparzer heftige Kritik des Dozenten einstecken. Die Philippika über seine Ausarbeitung trifft Lion tief. In einem Gespräch unter vier Augen entschuldigt er sich bei dem Dozenten und bedankt sich für die unverblümte Kritik. Auch von der Leyen erinnert sich später an die einprägsame Begegnung: »Ich denke gerne an den jungen Studenten, an seine ungewöhnliche Begabung und an seine tapfere und ehrliche Aufrichtigkeit zurück.«[49]

Über das akademische Heranwachsen Lions ist wenig bekannt. Vermutlich praktiziert er ein ähnlich lockeres Studentendasein wie sein jüngerer Bruder Martin. Der erinnert sich an viele entspannte Tage im Universitätsviertel der Münchner Maxvorstadt: »Wenn es die Vorlesungen zuließen, ging man vormittags zum Frühschoppen, nachmittags ging man ins Café und saß dort stundenlang (…). Im Café Orlando di Lasso, Europa, Luitpold, in den vielen Cafés im Schwabinger Viertel saßen die Studenten und spielten Karten, Tisch an Tisch.«[50] Die Folgen dieser Freizeitbeschäftigung sind oft zerstörerisch, und es ist denkbar, dass Martin bei der Schilderung der Konsequenzen der studentischen Spielsucht auch seinen Bruder Lion vor Augen hat, der dem Faszinosum Kartenspiel verfallen ist. »Häufig hatte der Spielteufel die armen Kerle in seinen Krallen. Die Einsätze wurden immer höher. Man spielte um Riesenbeträge, die in keinem Verhältnis standen zu den schmalen Monatswechseln des Studenten.«[51] Lion selbst ist sich seiner Obsession und der fatalen Folgen der Spielsucht durchaus bewusst. Es gibt Wochen, in denen er nahezu jeden Abend am Spieltisch verbringt. Nur selten ist ihm das Kartenglück gewogen. Regelmäßig finden sich in seinem Tagebuch Eintragungen über demütigende Erfahrungen beim Kartenspiel: »Geldmangel. – Abends gespielt und verloren.« Oder: »Nachmittags tarockt. Verloren. Großer Geldmangel.«[52] Die Folge sind erniedrigende Bittgesuche beim Vater, der seinen Ältesten mit finanziellen Zuschüssen wiederholt aus größter Geldnot retten muss. In einem Gedicht verarbeitet Lion 1909 die Verzweiflung, die ihn ob seiner desolaten Lebenssituation, die oft auch in eine Schaffenskrise mündet, wiederholt überfällt:

> »Immer müder wird mein Glaube,
> Immer mehr am Werk verzag ich,
> immer haßerfüllter trag ich
> Die zuerst willkommne Last.

Durch die langen Nächte klag ich
Meines Alltags dumpfe Schwere,
Meiner Feste eitle Leere
Fort und fort
Und mein feindlich Ohr versag ich
Meiner Freunde Trosteswort.«[53]

Es ist eine Lebensphase, in der Lion erste literarische Gehversuche unternimmt, eine Zeit, in der er das im Reifezeugnis bescheinigte literarische Talent ernsthaft zu erproben beginnt. Bereits seit 1902 engagiert sich der 18-Jährige mit anderen Gleichgesinnten in einem literarischen Verein namens »Phoebus«. Die Bezeichnung ist durchaus programmatisch zu verstehen; schließlich entstammt das Wort der antiken Mythologie und gilt als Beiname von Apollon, dem Gott des Lichts, aber auch der Künste, der Musik, der Dichtung. Der Münchner Phoebus-Kreis beruft sich auf ein weiteres Vorbild: Eine 1808 von Heinrich von Kleist und Adam Heinrich Müller gegründete kurzlebige Literaturzeitschrift hatte den gleichen Namen getragen. Gründungsvorstände des »Phoebus« sind die beiden Kaufleute Max Monheimer und Siegfried Gift. Monheimer, ein enger Freund Lions, ist es vermutlich auch, der den Abiturienten aus der Galeriestraße mit dem »Phoebus« in Verbindung bringt. Siegfried Gift ist der Bruder von Therese Gift, die später unter dem Künstlernamen Therese Giehse eine eindrucksvolle Schauspielkarriere starten wird und von 1926 bis zur Emigration 1933 als Ensemblemitglied an den Münchner Kammerspielen unter Otto Falckenberg engagiert ist. 1903 übernimmt Lion beim »Phoebus« das Amt des 2. Vorsitzenden und wird schließlich am 3. Mai 1904 von der Mitgliederversammlung zum 1. Vorsitzenden gewählt. Drei satzungsgemäße Aufgaben sind für den »Phoebus« konstitutiv: »1. die Pflege der alten Dichtkunst; 2. die Pflege der neueren Dichtkunst und nebenher auch die 3. der Musik.« Diese Ziele sollen durch regelmäßige Vorträge von Mitgliedern, anschließende Diskussionen und durch Aufführungen mit Rollenverteilung erreicht werden. Das Vereinsleben wird, zumindest der Papierform nach, geradezu hyperaktiv gestaltet. Von jedem Mitglied wird mindestens ein Vortrag pro Geschäftsjahr erwartet. Man trifft sich jeden Donnerstag um 20:30 Uhr im Vereinslokal, das sich seit Oktober 1904 im Silbersaal des Café Luitpold an der Brienner Straße befindet. Fehlzeiten und unentschuldigtes Fernbleiben werden nicht toleriert. Wer ohne berechtigten Grund die Sitzungen schwänzt, muss eine Strafe von einer Mark in die Vereinskasse entrichten. Phoebus-Mitglied kann jeder »junge Mann über 16 Jahre« werden, »der unbescholtenen Rufes ist«. Von Frauen ist nicht die Rede. Um Konflikte mit den Behörden, insbesondere mit der aufmerksamen Polizei, zu vermeiden, werden religiöse und politische Themen vom Vereinsleben satzungsgemäß ausgeschlossen.

1902 ist die Gründung eines Kulturvereins keine spektakuläre Aktion, fällt sie doch in eine Zeit, in der literarische Zirkel und Künstlervereinigungen wie Pilze aus dem Boden schießen. Auch München ist voll davon, die Stadt wird zu einem kulturellen Schmelztiegel ambitionierter Intellektueller, die sich häufig in lockeren, informellen Vereinen zusammenschließen. Um 1900 verfügt die bayerische Hauptstadt über hinreichend künstlerisch-intellektuelle Ressourcen, über Potential und Personal für ein Zentrum der künstlerischen Moderne. Neben einem gesellschaftlich breit akzeptierten, verhalten fortschrittlichen Mainstream – repräsentiert von omnipotenten und selbstbewussten »Malerfürsten« wie Franz von Lenbach oder Franz von Stuck – können sich hier auch unzeitgemäße Kunstströmungen etablieren, die auf der Suche nach neuen Ausdrucksmöglichkeiten respektlos den biederen Wertekanon des Establishment sprengen. Wassily Kandinsky und andere rufen die »Neue Künstlervereinigung München« ins Leben, die in den verstörenden Bildkonzepten des »Blauen Reiter« kulminieren wird. In Dichtung und Literatur entstehen kraftvolle Epizentren, die mit spektakulärer Wucht Schneisen in einen betulichen Literaturbetrieb schlagen: die bizarr-provokanten, antibürgerlichen und blasphemischen Streitschriften eines Oskar Panizza; die von erotisierender Sehnsucht nach heilsbringenden Metawelten getragenen Dichtungen eines Karl Wolfskehl und Stefan George; die sensiblen und lyrischen Sprachwunder eines Rainer Maria Rilke; schließlich die wortgewaltige, vielschichtige und bildungsbürgerliche Prosa eines Thomas Mann. Nicht zu vergessen das bissige Kabarett der »Elf Scharfrichter« oder die Respektlosigkeit des »Simplicissimus«, dessen boshaft-treffende Karikaturen die kleingeistige altbayerische Selbstgefälligkeit, aber auch den von Kanzleistaub und Autoritätsgläubigkeit durchsetzten preußischen Militarismus aufs Korn nehmen.

In den antibürgerlichen Milieus aus künstlerischem Aufbruch und gesellschaftlicher Renitenz reklamieren libertinäre Lebensentwürfe ihren Platz: etwa die bizarren Reformkonzepte eines Karl Wilhelm Diefenbach, der als barfüßiger Prophet in Sackleinen seinen Jüngern Vegetarismus und Nacktbaden als Weg zum Seelenheil predigt. Oder Franziska Gräfin zu Reventlow, die attraktive und sinnliche »Königin von Schwabing«, die mit offen gelebter Sexualität die engen Moralvorstellungen des Münchner Bierspießers provoziert. Und in den Cafés der Vorstadt Schwabing und der Maxvorstadt, in der »Torggelstube«, im »Alten Simpl«, im »Café Stefanie« oder im »Café Leopold«, treffen sich Literaten (und solche, die es werden wollen), Künstler und Weltverbesserer, die engagiert am Projekt der eigenen Bedeutsamkeit arbeiten oder ihre ganz persönliche Theologie der Moderne entwerfen. Der inzwischen arrivierte und von seinem reichen Schwiegervater Alfred Pringsheim unterstützte Schriftsteller Thomas Mann distanziert sich zwar mit kühler Abscheu von dieser Szenerie: »Ich bin ein Mensch von Erziehung, ich trage saubere Wäsche und einen heilen Anzug und finde schlechterdings keine Lust dabei, mit ungepflegten jungen Leuten an absinthklebrigen Tischen anarchistische Gespräche zu führen.«[54] Und doch ist es dieser rebellisch-optimistische, gleichwohl auch diffuse »Geist von Schwabing«, der die künstlerische Aufbruchstimmung jener Jahre um 1900 charakterisiert, der den Mythos von München als Stadt der Avantgarde, der revolutionären Modernisierer und der respektlosen Anarchisten begründet.

Erich Mühsam, gewissermaßen der Prototyp des Schwabinger Bohemien, konstatiert in seinen »Unpolitischen Erinnerungen«, dass das München jener Jahre »zur Pflege kultureller Geselligkeit vielerlei Gärten« brauchte. »Das Klüngel- und Cliquenwesen war reich entfaltet (…). Alle Zentren des geistigen Lebens strahlten in benachbarte und verwandte Zirkel aus, waren durch mancherlei Fäden mit ihnen verknüpft, unterhielten zueinander zahlreiche persönliche Verbindungen und Interessenverwebungen und bildeten so ein Netz, das – als Muster föderativer Gesellschaftsstruktur verwendbar – die Selbständigkeit von Wirkungsart und Daseinszweck jedes Zusammenschlusses wahrend, dennoch die Gemeinsamkeit der Lebensbeziehungen aller derer, die das Vorkriegs-München trotz Grillparzer mehr als Wien zum Capua der Geister machten, zu schöner Geltung brachte.«[55] Durch den selbstbewussten Aufbruch der Moderne, die sich seit 1890 aus den Fesseln einer staatstragenden Kunstförderung und des bürgerlichen Mainstream befreit, wird München zu einer mit Berlin und Wien gleichrangigen Kunststadt. Mitinitiator, Teilhaber und Profiteur des kulturellen Booms der Jahrhundertwende ist auch die literarische Szenerie, die sich um prominente Protagonisten wie den Münchner »Dichterfürsten« und späteren Literaturnobelpreisträger Paul Heyse oder den Kulturhistoriker und Begründer der modernen Volkskunde Wilhelm Heinrich Riehl zentriert. In diesem fruchtbaren Umfeld entfalten sich um 1900 Schriftsteller wie Max Halbe, der Schöpfer des erfolgreichen Theaterstücks »Jugend«, der Gründer des »Intimen Theaters für dramatische Experimente« (gemeinsam mit Oskar Panizza und Josef Ruederer) und der »Münchner Volksbühne« (mit Ludwig Thoma).

Einen entscheidenden Akzent zur Öffnung von Kultur und Gesellschaft für die Akzente der Moderne setzt die 1890 gegründete »Gesellschaft für modernes Leben«, die unter der Ägide des Schriftstellers Michael Georg Conrad eine organische Synthese der maßgeblichen neuzeitlichen Entwicklungen in Wissenschaft und Technik mit dem kulturellen Leben anstrebt und als Treuhänder des aufkommenden Naturalismus in der Literatur auftritt. Der konservative Antisemit Ernst von Wolzogen ruft in den 1890er Jahren mit dem populären Heimatschriftsteller Ludwig Ganghofer die »Freie Literarische Gesellschaft« ins Leben, eine Künstlervereinigung, die sich anschickt, auf der Bühne den prekären Spagat zwischen bürgerlichem Mainstream und erneuerndem Bildersturm zu realisieren. In der bildenden Kunst neigt sich die Epoche der »Malerfürsten« dem Ende zu; mit der 1892 entstandenen »Secession« schaffen sich moderne Bildsprachen und künstlerische Ausdrucksformen eine öffentlichkeitswirksame Plattform abseits des Diktats der etablierten Platzhirsche Franz von Lenbach, August Kaulbach und Wilhelm Leibl. Frank Wedekind und andere bringen mit den »Elf Scharfrichtern« das erste literarische Kabarett Deutschlands auf die Bühne. Im legendären »Alten Simpl« an der Türkenstraße gibt das hochkarätige Ensemble spitzzüngig formulierte Moritaten mit musikalischer Untermalung zum Besten. Vielversprechende Dichter wie Hans Carossa und Thomas Mann verleihen dem literarischen München Glanz. Zunehmend gewinnt die bayerische Hauptstadt ein eigenständiges kulturelles Profil, dessen Ambivalenz der Lübecker Mann 1902 in der Novelle »Gladius Dei« – allerdings mit subtil-entlarvender Kritik an der pseudointellektuellen Attitüde, der dekorativen und oberflächlichen Fassade der Stadt durchsetzt – auf den Punkt bringt: »Die Kunst blüht, die Kunst ist an der Herrschaft, die Kunst streckt ihr rosenumwundenes Zepter über die Stadt hin und lächelt. Eine allseitige respektvolle Anteilnahme an ihrem Gedeihen, eine allseitige, fleißige und hingebungsvolle Übung und Propaganda in ihrem Dienste, ein treuherziger Kultus der Linie, des Schmuckes, der Form, der Sinne, der Schönheit obwaltet (…). München leuchtete.«[56]

Um 1891/92 wird von Studenten der »Akademisch-dramatische Verein« gegründet. Er etabliert um 1900 die Moderne auf den Münchner Bühnen und sorgt für die Aufführung von Hauptmann- und Ibsen-Stücken im »Volkstheater« und im »Orpheum« an der Sonnenstraße. Der Verein hat es sich zur Aufgabe gemacht, »dem literarisch tiefer interessierten Publikum alle epochemachenden Dramen der neueren und neuesten Weltliteratur vorzuführen«.[57] Nach der erzwungenen Auflösung des »Akademisch-dramatischen Vereins« ruft Max Halbe 1903 die »Dramatische Gesellschaft« ins Leben. Gewissermaßen als Konkurrenzveranstaltung übernimmt der mit Halbe zerstrittene Schriftsteller Josef Ruederer die Federführung des »Neuen Vereins«. Folgt man dem Münchner Theaterkritiker Hanns von Gumppenberg, so wollen diese Vereine »die junge Literatur pflegen und namentlich neuauftauchende, noch vergeblich um die Eroberung des Theaters ringende bühnendichterische Begabungen fördern (…). Freilich aber drängten sich hüben und drüben auch allerlei unberufene Poetlein vorgeblich nur aus selbstloser Begeisterung für den edlen Zweck an den Ratstisch, um dann, sobald sie dort einigermassen festsassen, ihre eigenen Stücke als wichtigste Tat durchzusetzen.«[58] Die literarischen Vereine sind demnach auch Kalkül, dienen sie doch der Selbsterhöhung ihrer Protagonisten und geben die Bühne, auf der sich vielversprechende Talente und unverstandene Arrivierte zeigen und ihre Produkte an den Mann bringen können. Aber sie sind doch mehr als das, mehr als nur klug arrangierte Durchlauferhitzer für literarische Talente und Emporkömmlinge. Mit ihrem provokanten Selbstverständnis stellen sie die etablierte Tradition bürgerlicher Behaglichkeit massiv in Frage und werden so zu Protagonisten eines politischen Anspruchs auf Veränderung.

Freilich, die kulturellen Eruptionen und lodernden Provokationen der Münchner Szenerie, die von jungen, ambitionierten Beobachtern wie Lion Feuchtwanger mit atemloser Spannung mitverfolgt und vielfach in das noch unfertige Repertoire der eigenen Kreativität eingebaut werden, verlieren schnell wieder an Schwung und Kraft. Das Phänomen der Moderne ist letztlich kurzatmig, sei es, weil die grobkörnige Reibungsfläche der gegenläufigen Tradition effektvoll bremst, sei es, weil die Protagonisten der neuen Zeit, von den hochfrequenten eigenen Impulsen angetrieben, überhitzt verglühen. Die Folge ist eine kulturelle Krise, die nach 1902 in leidenschaftlichen Diskussionen um »Münchens Niedergang als Kunststadt« kulminiert. Ein Hemmschuh der Moderne ist zweifellos eine fortschrittsfeindliche, am Traditionellen ausgerichtete offizielle Kunstpolitik. Aber auch verbreitete gesellschaftliche Mentalitäten und kollektive Werthaltungen spielen eine Rolle. Ist es nicht auch eine aus selbstgerechter Beharrlichkeit und biergetrübtem Phlegma zusammengesetzte intellektuelle Bewegungsstarre des bürgerlichen München, durch die das kulturelle Mittelmaß beatmet und dem avantgardistischen Impetus der Schwung geraubt wird? Lion Feuchtwanger, der aufmerksame Beobachter und strenge Diagnostiker der Zeitläufte, wird diesen Befund über den traurigen Zustand seiner Heimatstadt wiederholt formulieren, mal analytisch präzise, mal mit zorniger Polemik. Und er steht nicht allein mit dieser Sicht der Dinge; auch andere Zeitgenossen haben das Phänomen »München« erkannt, durchschaut und schonungslos benannt: »Abgesehen von Bier ist hier höchstens lebhaftes Interesse für Theater und Kunst – und auch dies nur auf Seiten der Eingewanderten und Fremden. Die einheimische Rasse ist etwas entschieden Kulturfeindliches, deshalb auch dem Untergang Geweihtes – ähnlich wie die Sioux in Nordamerika«, so die ätzende München-Kritik des liberalen Nationalökonomen Lujo Brentano.[59]

Die pointierten Analysen und Zustandsbeschreibungen von Brentano und vielen anderen werfen ein bezeichnendes Licht auf Münchner Befindlichkeiten in den Jahren zwischen 1890 und 1910, zeigen ein beklagenswertes Faible für kulturelles Mittelmaß, für uninspirierten künstlerischen Durchschnitt. Die zeitgenössische Außenwahrnehmung formuliert ähnlich: »München ist keine Weltstadt«, kann man 1905 in einem Kunstführer lesen. »München ist höchstens die weltstädtischste unter den Landstädten«.[60] Kann dieser zugespitzte Befund der Mediokrität auch auf politische Wertorientierungen und Einstellungen übertragen werden? Dagegen spricht ein überraschend hoher Grad der stadtgesellschaftlichen Politisierung und ideologischen Sensibilisierung. Zwischen den antagonistischen Milieus katholisch-klerikaler, konservativ-monarchischer und liberaler Bürgerlichkeit sucht (und findet) eine starke und zunehmend selbstbewusst agierende Sozialdemokratie ihren Platz im politischen Koordinatensystem. Mit einem vergleichsweise hohen gewerkschaftlichen Organisationsgrad wird München um 1900 gar zum Zentrum der bayerischen Arbeiterbewegung. Unter der Ägide des reformorientierten Parteiführers Georg von Vollmar behauptet sich die bayerische Sozialdemokratie mit wechselnden Koalitionen erfolgreich gegen ein undemokratisches Wahlsystem. Dank der Zusammenarbeit mit bürgerlichen Kräften, zunächst mit dem Zentrum, später mit den Liberalen, kann die Partei ihre Positionen stärken und Mandate im Bayerischen Landtag, aber auch im Münchner Kollegium der Gemeindebevollmächtigten gewinnen. Unangefochten dominiert im Wahlkreis München II der »weiß-blaue Sozialdemokrat«

von Vollmar die Reichstagswahlen zwischen 1890 und 1912. Die politische Uneindeutigkeit einer Taktik wechselnder Koalitionspräferenzen mit dem »Klassenfeind«, die den Wahlerfolg über die »reine Lehre« stellt, sorgte jedoch innerhalb der Partei und bei der Anhängerschaft für Irritationen und führt zum Stigma der »königlich-bayerischen Sozialdemokratie«. Dem Münchner Bürgertum macht diese antirevolutionäre Aura die Sozialdemokratie dennoch nicht genießbarer. Trotz ihres Reformkurses und einer verhaltenen Systemloyalität gilt die Vorkriegs-SPD diesen Kreisen – von Adel und Kirche ganz zu schweigen – als besorgniserregende Gefahr. Zumal diese nun auch noch erfolgreich zum Sturm auf die politischen Gremien ansetzt, die letzte Bastion einer durch sozio-ökonomischen und demographischen Wandel ohnehin zutiefst verunsicherten Stadtgesellschaft. Was die Sozialdemokratie auf der politischen Ebene anprangert, ist im wirtschaftlichen und sozialen Leben der Stadt längst traurige Realität. Mit dem Umbau Münchens von der beschaulichen Residenzstadt zur Großstadt haben auch die mit beschleunigten Urbanisierungsprozessen verbundenen bitteren Begleiterscheinungen in der Stadt Einzug gehalten. Die »Soziale Frage« wird zu einem zentralen Anliegen auf der politischen Agenda. Gleichzeitig geben sozio-ökonomischer Wandel und demographische Veränderungen durch massenhaften Zuzug neuer Stadtbewohner den tiefsitzenden Modernisierungsängsten von Mittelstand und Bürgertum neue Nahrung.

Dies sind die Zentralkoordinaten des kulturellen, politischen und sozialen Lebens der Haupt- und Residenzstadt München, die nicht nur den künstlerischen Reifeprozess, sondern ganz grundsätzlich auch die persönlichkeitsbildende Sozialisation des jungen Lion Feuchtwanger begleiten. In diesem Klima wird im Februar 1902 der literarische Verein »Phoebus« gegründet, der nach Erinnerung von Marta Feuchtwanger von Friedrich Krafft von Crailsheim, dem früheren Vorsitzenden des bayerischen Ministerrats, wohlwollend, aber diskret unterstützt wird. An der Gründung des »Phoebus« ist Lion Feuchtwanger maßgeblich beteiligt, man könnte ihn sogar als treibende Kraft des Unternehmens bezeichnen, als *Spiritus Rector*, der in den nächsten Jahren im Vorstand als Inspirator und Organisator wirkt. »In diesem Verein galt mein Wort«, wird sich Lion später erinnern.[61] Der »Phoebus« möchte vor allem junge, unbekannte, aber auch umstrittene Autoren abseits des literarischen Mainstream fördern und deren Theaterstücke zur Aufführung bringen. Dramen von Wedekind, Strindberg und Hauptmann werden in München dank »Phoebus« auf die Bühne gebracht. Es werden Lesungen organisiert und renommierte Autoren eingeladen, darunter der Publizist Siegfried Jacobsohn und der Kritiker Alfred Kerr, die eigens aus Berlin anreisen. Eine der ersten öffentlichen »Phoebus«-Aktivitäten erfolgt in Lions ureigener Sache: Für den 22. Oktober 1904 wird im Schlachtensaal des Café Luitpold ein »Recitationsabend« annonciert, bei dem als Hauptattraktion Lions einaktiges Renaissancedrama »Donna Bianca« auf dem Programm steht. Das Etablissement ist neben dem aufwendig eingerichteten Café Tambosi am Odeonsplatz das vornehmste Café der Residenzstadt, dem der Prinzregent höchstselbst die Führung des respektablen Namens gestattet hat. Viele prominente Literaten verkehren in den kostbar und üppig ausgestatteten Räumen des Cafés, darunter Stefan George, Ludwig Thoma und Ludwig Ganghofer. Die Lesung im Oktober 1904 ist, soweit erkennbar, das erste Mal, dass sich der 20-jährige Dramatiker Feuchtwanger mit einem eigenen Werk einer breiten Öffentlichkeit stellt. Lion betrachtet dies keineswegs als Wagnis. Er präsentiert sich selbstbewusst, mit zweifelsfreier Zuversicht auf ein positives Votum des Publikums und mit hoffnungsfroher Erwartung auf erfreuliche Kritiken in den Zeitungen. Vorausgesetzt, ein Kritiker findet überhaupt den Weg ins Café Luitpold, um sich mit dem kleinen Opus des unbekannten Dichters zu beschäftigen. Da nicht damit zu rechnen ist, dass die lokalen Feuilletons den Auftritt als Pflichttermin betrachten, ergreift Lion die Initiative. Mit einem persönlichen Schreiben versucht er, den bekannten Theaterkritiker der »Münchner Neuesten Nachrichten« Hanns von Gumppenberg an den Veranstaltungsort zu locken und verspricht: »Für eine durchaus würdige Besetzung der einzelnen Rollen haben wir Sorge getragen. Die Titelrolle wird Frl. Swoboda lesen; auch die Herren Basil, Salfner u. a. haben ihre Mitwirkung zugesagt. – Die Recitation beginnt um 9 Uhr. Genehmigen Sie bitte, hochverehrter Herr Baron, im Voraus den Ausdruck unseres verbindlichsten Dankes für Ihr Erscheinen. In steter Hochachtung und Verehrung! Literarischer Verein Phoebus. i. A. Lion Feuchtwanger.«[62] Der Name des Verfassers von »Donna Bianca« ist unbekannt, aber immerhin besitzen die Namen der Schauspieler in München einen guten Klang. Vor allem Friedrich Basil gehört bereits zur arrivierten Bühnenprominenz des Hoftheaters. Dass Lion ihn für den Abend im »Schlachtensaal« gewinnen kann, zeigt zweierlei: Die »Phoebus«-Aktivitäten sind nicht auf windiges Hinterzimmer-Format ausgelegt. Man möchte die Öffentlichkeit und auch die Kritik erreichen. Der »Phoebus« strebt nach Aufmerksamkeit, weil man der festen Überzeugung ist, etwas zu sagen zu haben. Und: Es wird eine strategische Intelligenz der

Phoebus-Organisatoren erkennbar, die mit den komplizierten Instrumenten des Wettbewerbs um Aufmerksamkeit umzugehen versteht. Eine kluge Wahl von Namen, Orten und Themen ist entscheidend, um in diesem Wettbewerb zu bestehen und dem eigenen Nimbus eine Nachhaltigkeit zu verleihen, das eigene Wollen und Können mit einem dauerhaft tragfähigen Erinnerungswert auszustatten. Lion verfügt bereits in jungen Jahren über solide Grundfertigkeiten auf der Klaviatur der Selbstinszenierung. Er ist sicher kein begnadeter Selbstdarsteller, kein Virtuose der Ego-Performance. Aber er weiß, wie man – nicht nur literarisch – Wirkung erzielt. Und daher mietet der »Phoebus« den bestimmt nicht billigen Schlachtensaal des feinen Café Luitpold und geht in Vorleistung für die Gage eines prominenten Schauspielers wie Fritz Basil. All dies ist eine Investition in die Zukunft. Die materielle wie ideelle Kapitalverzinsung des Unternehmens ist unsicher. Ob wenigstens ein Rückfluss in Form von feuilletonistischer Anerkennung und kultureller Rendite die Anstrengung und das Risiko lohnen, ist ungewiss. Immerhin, ein Anfang ist gemacht. Über den Erfolg des 20. Oktober 1904 schweigen die Quellen. Ob von Gumppenberg den Rezitationsabend besucht, ist genauso wenig überliefert wie die Zahl der Besucher. Der Abend geht, wie es scheint, sang- und klanglos über die improvisierte Bühne des »Schlachtensaals«, und weder in den »Münchner Neuesten Nachrichten« noch in anderen Tageszeitungen findet sich auch nur eine Zeile würdigender Berichterstattung.

Neben all den Aktivitäten und der Ressourcenverteilung zwischen Universität, »Phoebus«, Familie und Synagoge findet Lion auch noch Zeit und Kraft zum Schreiben. Der Ausstoß an literarischen Produktionen aus der Schreibwerkstatt des Studenten und späteren Kulturredakteurs Feuchtwanger kann sich durchaus sehen lassen. Das Renaissancedrama »Donna Bianca« ist Teil eines größeren Zyklus dramatischer Einakter, die zwischen 1904 und 1906 – teilweise in Berlin – entstehen: »Joel«, »König Saul«, »Das Weib des Urias«, »Der arme Heinrich« und »Die Braut von Korinth« lauten die Titel der anderen Stücke, und diese lassen erahnen, welche Themen und Fragen den jungen Feuchtwanger in dieser Zeit besonders beschäftigen: Es sind vor allem biblische und antike Vorbilder, auf die er sich bezieht. Wird »Donna Bianca« 1904 lediglich als szenische Lesung präsentiert, kann Lion im Folgejahr die Wirkung seiner Dichtung bereits auf einer echten Theaterbühne beobachten. Im September 1905 – Lion ist gerade einmal 21 Jahre alt und sein Schaffen steht zu jener Zeit stark unter dem Eindruck von Oscar Wilde – wird er im Rahmen der »Phoebus«-Arbeit zwei Einakter am Münchener Volkstheater an der Sonnenstraße, das eigentlich volkstümliche und Mundart-Aufführungen im Repertoire hat, unterbringen. Ein Einakter beschäftigt sich mit dem alttestamentarischen »König Saul« und reflektiert dessen Konflikt mit dem jungen David und die Rolle von Sauls Frau Jezabel. Das zweite Stück hat den Titel »Prinzessin Hilde« und ist von Wildes 1891 veröffentlichter »Salome« beeinflusst. Die Aufführung der beiden Stücke, bei der auch die gesamte Feuchtwanger-Familie nebst Großmutter anwesend ist, gerät jedoch zur aberwitzigen Katastrophe und sorgt, wie sich Marta Feuchtwanger erinnert, im Publikum für unfreiwillige, peinliche Heiterkeit, bei Lions Familie hingegen für versteinerte Mienen. Der unerfreuliche Theaterabend macht der Familie klar, dass der Sohn, der sich zum Dichter berufen fühlt, für das Ansehen der Familie auch zum Problem werden kann. Denn unvermittelt wird der Name Feuchtwanger zum Gegenstand öffentlicher Aufmerksamkeit, wird das Debakel auf der Bühne des »Volkstheaters« zum Objekt einer medialen Berichterstattung, das in den wichtigen Tageszeitungen der Haupt- und Residenzstadt, den »Münchner Neuesten Nachrichten« und der »Münchener Post«, über mehrere Spalten seziert wird. Und die Verrisse sind eindeutig. In ihrem Votum sind sich die Kritiker einig – obwohl »rote Post« und bürgerliche »MNN« politisch doch weit auseinanderliegen. In den »Nachrichten« nimmt der angesehene Theaterkritiker Hanns Freiherr von Gumppenberg, seines Zeichens selbst Verfasser von Dramen, Autor der Zeitschrift »Jugend« und Gründungsmitglied des legendären Kabaretts »Die Elf Scharfrichter«, kein Blatt vor den Mund und konstatiert »schreckliche Redseligkeit, ermüdende Wiederholungen, gewaltsame Übertreibungen und viel unfreiwillige Komik«. Das Publikum, so von Gumppenbergs Beobachtung, nimmt »die erste Gabe des Abends noch mit freundlichem Beifall hin, die zweite fiel aber bald der Lachlust zum Opfer und wurde schließlich von den Nichtmitgliedern des Vereins ausgezischt.«[63] Noch härter geht der Rezensent der »Münchener Post« mit dem jungen Dramatiker ins Gericht, er beklagt die »lärmende Grausamkeit des Autors (gegen das Publikum nämlich)« und verweist scheinheilig auf eine vermeintliche innovative Qualität der Stücke: »Etwas Neues hat Lion Feuchtwanger aber doch gegeben. Es gab bis jetzt Repetiergewehre, Repetieruhren usw. Er hat das Repetierdrama erfunden. Das Drama, in dem ein kleiner Gedanken und ein paar klingende Phrasen endlos repetiert werden.«[64] Immerhin sieht Hanns von Gumppenberg Lion Feuchtwangers literarisches Potential in einem vielversprechenden, einem positiven Licht. Die eklatanten Schwächen der Erstlingswerke schreibt er der

Jugend und Unerfahrenheit ihres Verfassers zu. Er zeigt Sympathie für den talentierten jungen Autor.[65] Und so bleibt von Gumppenberg, wie Lion ein Absolvent des Wilhelmsgymnasiums, dem angehenden Autor gewogen und unterstützt dessen literarisches Schaffen in der Folgezeit mit wohlwollenden Kommentaren. Feuchtwanger dankt es dem »Einflussreichen« und daher »Vielgehassten« nicht mit gleicher Münze. Als sich von Gumppenberg im Sommer 1909 aus der Redaktion der »Münchner Neuesten Nachrichten« zurückzieht, findet Lion zwar milde Abschiedsworte für den strengen Kritiker, den er als unbestechlichen »Märtyrer seiner Überzeugung« lobt. Aber er gibt von Gumppenberg kein besonders gutes Abschlusszeugnis mit auf den Weg. Dessen Rezensionen seien »objektiv, frostig, verstimmend in ihrer fahlen Nüchternheit. Sie stellen immer fest und werten selten. Sie sind gewöhnlich richtig und fast nie überzeugend. Kein warmes Lob vom Herzen, kein frischer Tadel von der Galle. Alles kühl, gelassen, langweilig. Altbacken. Die Großen werden matt, grämlich, schuhuhaft abgeurteilt. Und nur fürs Mittelmaß, für die Ludwig Thoma und Fritz von Ostini, findet sich hie und da ein Wörtlein würzigen Lobs.«[66]

Wie geht der junge Lion Feuchtwanger im Herbst 1905 mit dem Desaster auf der Bühne des »Volkstheaters« um, wie reagiert er auf die Verrisse in der Presse? Gekränkter Rückzug aus dem Theaterbetrieb, beiläufiges Ignorieren oder entschlossenes Weitermachen? Für sensible Gemüter wäre die schonungslose, teilweise gehässige Kritik wohl das Ende der literarischen Aktivitäten. Wer möchte schon einem breiten Publikum unter voller Namensnennung als unfähiger und dilettierender Nichtskönner präsentiert werden? Lions Reaktion auf das Debakel ist bemerkenswert. Der junge Student zeigt Eigenschaften, ja Persönlichkeitsmerkmale, die ihn auch in schwierigen Lebensphasen späterer Jahre mit solider Tragkraft komplizierte Abwägungen und Entscheidungen meistern lassen. Lion vertraut in die eigene schriftstellerische Begabung; er glaubt an seine literarische Berufung. Er schöpft Kraft aus einer inneren Zuversicht, lässt sich von seiner Willenskraft leiten. Hinzu kommen Hartnäckigkeit und Durchsetzungsfähigkeit. Zweifel, Mutlosigkeit, Zagen und Zaudern haben keinen Platz im Eigenschaftsportfolio von Lion Feuchtwanger. Vor allem aber zeigt er eine gehörige Portion praktischer Intelligenz, denn er erkennt: Um die Ignoranz der Kritik zu korrigieren, um der öffentlichen Meinung etwas entgegenzusetzen, bedarf es einer wirkungsvollen Gegenöffentlichkeit. Als Reaktion auf die Ablehnung der Münchner Feuilletons gründet Lion Ende 1905 mit seinem jüngeren Bruder Martin, der ebenfalls stark an Literatur und Theater interessiert ist, die »Münchener Schauspiel-Premièren«, ein Periodikum, hinter dem wiederum der literarische Verein »Phoebus« steht. Das erste Heft, das Mitte November 1905 erscheint, steht ganz im Zeichen der Auseinandersetzung mit der arrivierten Theaterkritik und wartet mit programmatischen Texten auf, die an der Kompetenz der etablierten Feuilletons kein gutes Haar lassen. Leitmotiv der »Münchener Schauspiel-Premièren« ist eine »Kritik der Kritik«, um – wie der von Otto Julius Bierbaum gescholtene Kritiker Hanns von Gumppenberg es ausdrückt – »den schuldlos misshandelten Dramatikern auf diese Weise das letzte Wort in der Oeffentlichkeit zu sichern.«[67] Der Schriftsteller Gustav Adolf Müller übernimmt in diesem strategischen Gefecht die Advokatur für den jungen Autor Feuchtwanger und bemüht sich mit einer feurigen Verteidigungsrede um dessen Rehabilitation: »Feuchtwanger hat trotz alledem Talent und es wird für jede Versuchsbühne eine dankbare Aufgabe sein, dieses Talent durch aufmunternde Proben zu bekräftigen.«[68] Lion selbst nutzt die »Schauspiel-Premièren« als Plattform für eine couragierte Gegenrede zu den Verrissen von »Prinzessin Hilde« und »König Saul«: »Im Ernst! Beide Stücke mögen an vielen Gebrechen kranken; aber diese Gebrechen liegen auf ganz anderem Gebiet als da, wo die Kritik sie zu finden glaubte. Und die Art, wie die Kritik mich behandelte, die Verständnislosigkeit, die sie meinen Absichten entgegenbrachte, ließ mich die bösen Rezensionen, soweit sie nicht schon durch persönliche Ausfälle von vornherein hinfällig wurden, nicht allzu tief nehmen.«[69] Welche Resonanz die »Schauspiel-Premièren« in der interessierten Öffentlichkeit finden, ist unklar. Vermutlich bleibt die Leserschaft des Journals, das als halbwegs prominenten Autor lediglich den österreichischen Journalisten, Kritiker und Übersetzer Franz Blei gewinnen kann, überschaubar. Bereits nach der ersten Ausgabe werden die »Schauspiel-Premièren« wieder eingestellt.

Das publizistische Scheitern nimmt Lion Feuchtwanger indessen kaum etwas von seinem schöpferischen Impetus. Unverdrossen setzt der literarische Verein »Phoebus« unter Lions Ägide seine Aktivitäten fort und veranstaltet in den folgenden Monaten eine Reihe von Vortragsveranstaltungen und Rezitationsabenden, bei denen immer wieder auch Lion Feuchtwanger als zentraler Akteur in Erscheinung tritt. Im Festsaal des Hotels »Russischer Hof« findet am 12. Mai 1906 ein Rezitationsabend mit der Hofschauspielerin Margarete Swoboda statt, die Lions dramatische Studie »Das Weib des Urias« liest. Lion greift in dem während seines Berlin-Aufenthalts entstandenen Stück die Geschichte des alttestamentarischen Königs David auf, der die von ihm begehrte

Batseba, die Frau eines seiner Feldherren, schwängert und – um den Ehebruch zu verschleiern – Batsebas Ehemann Urias bei einer Schlacht den Feinden ausliefert. Im Anschluss an das Stück präsentiert der am Schauspielhaus engagierte August Weigert die thematisch passende einaktige Bühnendichtung »Der Pharisäer und die Ehebrecherin« von Karl von Felner. Ein Erfolg ist der Abend nicht. »Der Saal war schrecklich leer, das Publikum unruhig«, notiert Lion noch am selben Tag enttäuscht in sein Tagebuch. Er freut sich zwar über die Anwesenheit von Freunden und Bekannten. Aber: »Die meisten gingen nach meinem Stück. Die Swoboda las schlecht, der Beifall war recht freundlich. Ich zeigte mich nicht.«[70]

Zu den Höhepunkten der kurzen Aktivphase des »Phoebus« gehört sicherlich die Aufführung des schlesischen Glashüttenmärchens »Und Pippa tanzt« im Münchner Künstlerhaus am 31. Dezember 1906. Bereits im Januar 1906 kann Lion im Berliner Lessingtheater eine Vorstellung des gerade erst uraufgeführten Stücks von Gerhart Hauptmann besuchen. Leiter des Theaters ist zu jener Zeit der legendäre Otto Brahm, ein rückhaltloser Vertreter des Naturalismus und ein Förderer von Max Reinhardt. Geradezu hymnisch bilanziert der ansonsten sehr strengkritische Lion den Theaterabend: »Die Darstellung war ausgezeichnet. Es war ein echter, froher Genuß!«[71] Und er bemüht sich erfolgreich bei Hauptmann um die Übertragung der Aufführungsrechte für das Stück an den »Phoebus«. Die Möglichkeit, das Stück des berühmten Autors von »Die Weber«, »Der Biberpelz« und »Hanneles Himmelfahrt« in München zur ersten Aufführung zu bringen, ist eine besondere Chance und anspruchsvolle Herausforderung. Gemeinsam mit der »Dramatischen Gesellschaft« organisiert man für den Silvestertag einen Theaterabend im Künstlerhaus, das mit seinem Festsaal und einer Bühne geeignete Räumlichkeiten für eine Aufführung im »intimen Rahmen« zur Verfügung stellt. Die Regie übernimmt der in München beliebte Schauspieler und Regisseur Fritz Basil, der dem »Phoebus« freundschaftlich verbunden ist. In der Rolle des italienischen Glastechnikers Tagliazoni, der seine zerbrechlich-schöne Tochter Pippa dem Begehren einer groben Männergesellschaft ausliefert, ist Alexander Roda Roda, für den Lion wenig Sympathie empfindet (»Typus des unangenehmen Wiener Juden«), zu sehen.[72] Wegen der üblichen Silvesterfeierlichkeiten ist der Beginn der Aufführung auf 19 Uhr terminiert. Das Wagnis einer Theateraufführung wird für den »Phoebus« zwar zu einem künstlerischen Erfolg, stürzt den Verein aber tief in die roten Zahlen. In seinem Tagebuch hält Feuchtwanger am 31. Dezember 1906 fest: »Abends Aufführung der

›Pippa‹ im Künstlerhaus. Die Aufführung gut, das Publikum glänzend, das Defizit riesig.«[73] Trotz der nur teilweise befriedigenden Ergebnisse des »Pippa«-Abenteuers stürzt sich Lion unvermittelt in ein weiteres Theaterprojekt. Schon Mitte Januar 1907 sollen im »Lustspielhaus« die Fasnachtsspiele »Der Bauer im Fegefeuer« und »Der lebendige Tote« von Hans Sachs auf die Bühne gebracht werden. Erstmals führt Lion nun auch Regie. Und die Aufgabe reizt ihn, macht ihm Freude, obwohl die Probenarbeiten mit »Scherereien« verbunden sind. Zufrieden vertraut er seinem Tagebuch an: »Ich glaube Talent zum Regisseur zu haben.«[74]

In der ersten Dekade des neuen Jahrhunderts entwickelt sich der »Phoebus« zu einer unübersehbaren Größe abseits des etablierten Theater- und Literaturmainstreams der Haupt- und Residenzstadt München. Die immer wieder überraschenden Themensetzungen, Veranstaltungen, Lesungen und Aufführungen stoßen bei Teilen des kulturinteressierten Publikums auf Resonanz. Das Programm des Vereins birgt gewisse Risiken, denn der »Phoebus« präsentiert nicht nur leicht verdauliche kulturelle Gebrauchsware, sondern setzt auch auf Brechungen und Irritationen. Man möchte vertraute Rezeptions- und Sehgewohnheiten stören, strebt als Treuhänder der Moderne und des künstlerischen Fortschritts in neue Richtungen und verweigert sich einer allzu willfährigen Anpassung an breite Geschmäcker. Zu einem Bürgerschreck entwickelt sich der »Phoebus« freilich nicht; grelle, skandalträchtige Provokationen sucht man im Programm vergeblich. Die nicht nur von einer strengen Zensur, sondern ebenso von einer im Grunde konservativen Bürgerlichkeit formulierten Grenzen des Zumutbaren werden von den jungen Männern um Lion Feuchtwanger nicht so weit überschritten, dass es zum Eklat kommen könnte. Die Zielgruppe des »Phoebus« ist das bürgerliche Segment; hier möchte man sich etablieren, und selbst Ausflüge ins unübersichtliche Terrain der Avantgarde dürfen den Anschein von Seriosität nicht in Frage stellen. Vom »Phoebus«-Publikum wird Zahlungskraft erwartet. Falls sich auch Interessierte aus den unbeheizten und billig möblierten Dachbodenzimmern der Schwabinger Bohème zu den Veranstaltungen verirren (und das Geld für ein Billett erübrigen können), ist das kein Problem. Aber die eigentliche Klientel des »Phoebus« bewohnt elegante Stadtpalais in der Maxvorstadt oder im Lehel.

Der Spagat zwischen der Treuhänderschaft für die Moderne und der Anbiederung an das Bürgertum ist bisweilen schmerzhaft. Aber bei genauerer Betrachtung handelt es sich eher um einen Phantomschmerz. Andernfalls würde die Vorstandschaft des »Phoebus« nicht so weit gehen, die Nähe zum Königshaus zu suchen, sich um allerhöchst-königlichen Beistand zu bemühen. Für eine Benefizveranstaltung zugunsten des »Pensionsfonds der Genossenschaft deutscher Bühnenangehöriger«, die mit großer Geste für März 1907 im Hotel »Bayerischer Hof« angekündigt wird, erstrebt der »Phoebus« die Schirmherrschaft der Wittelsbacher. Ludwig Ferdinand, Prinz von Bayern und Infant von Spanien, soll das Protektorat des Festabends übernehmen. Der Wittelsbacher ist den Künsten gewogen, er ist selbst Musiker und Komponist und kann, so das Kalkül, dem Vorhaben des Vereins mit seiner Wertschätzung und Prominenz zu größerer Strahlkraft verhelfen. Die Münchner Polizeidirektion, vom Innenministerium um eine entsprechende gutachterliche Stellungnahme zu Sachverhalt und Leumund der Antragsteller gebeten, ist jedoch anderer Auffassung und rät von der Übernahme einer Schirmherrschaft dringend ab. Die polizeilichen Bedenken sind aufschlussreich: »Die meist jugendlichen Mitglieder des Vereines (…) gehören fast durchweg dem Kaufmannstande und der mosaischen Religion an. (…) Die dramatischen Erstlingswerke des Mitgliedes Lion Feuchtwanger, welche vor Jahresfrist im Volkstheater dahier zur geschlossenen Aufführung kamen, gaben daselbst zu kleinen Skandalszenen Veranlassung; von der Kritik wurde ihnen Geschmack und Bühnenwirkung völlig abgesprochen. Die gesamte Stellung des Vereines und seine literarische Bedeutung reichen zu einer Befürwortung der Übernahme des Protektorates über den beabsichtigten Festabend durch Seine Kgl. Hoheit den Prinzen Ludwig-Ferdinand nicht hin.«[75] Die antisemitischen Untertöne in der polizeilichen Empfehlung sind unüberhörbar. Weit schwerer wiegt jedoch das abfällige Urteil über die Aktivitäten des Vereins und die literarische Qualität »des Mitgliedes Lion Feuchtwanger«, über die sich der polizeiliche Berichterstatter offenbar sachkundig gemacht hat. Beim »Phoebus« lässt man sich indessen nicht entmutigen. Der Benefizabend im »Bayerischen Hof« findet statt, nur ohne die Schirmherrschaft eines bayerischen Prinzen. Und wird trotzdem zu einem Erfolg. Ein »Glückshafen«, eine Tombola, bei der »verschiedenartige von Gönnern gespendete Gegenstände« verlost werden, erbringt einen Reinertrag von 665 Mark für den »Pensionsfonds der Genossenschaft deutscher Bühnenangehöriger«.

Der Betätigung als Kulturmanager an der Spitze eines literarischen Vereins verdankt Lion eine Menge praktisch-organisatorischer Erfahrungen und wertvolle Erkenntnisse aus dem vielschichtigen Kosmos zwischenmenschlicher Beziehungen. Er handelt sich mit dieser Rolle aber auch immer wieder Ärger und Konflikte ein. Es gibt Zeiten, in denen er den »Phoebus« und manches Vereinsmitglied verflucht. Seinem Tagebuch vertraut er die Unannehmlichkeiten des Vereinslebens vielsagend unter dem Stichwort »Quereleien« an. Im November 1906 notiert Lion: »Abends ›Phöbus‹ Sitzung. Großer Klimbim«. Am nächsten Tag lesen wir von vielen »›Phöbus‹-Quereleien«. Auch einen Tag später wird die Sache nicht besser: »Wiederum ›Phöbus‹-Quereleien. Vergeblich.« Und kurz darauf klagt Lion: »Scheußliche Plackereien wegen des ›Phöbus‹.« Unter diesen Umständen machen die Vereinstreffen keinen Spaß mehr: »Abends ›Phöbus‹. Widerlich.«[76] Trotz der Unannehmlichkeiten und des Ärgers, die das »Vereinsgemeiere« mit sich bringt, ist und bleibt Lion ein Aktivposten für den »Phoebus«. Immer wieder bringt er neue Ideen ein, gibt Impulse, regt Veranstaltungen an, pflegt vielfältige Kontakte in die Welt der Literatur und Kultur, spannt und kultiviert Netzwerke. Die Beschäftigung mit Heine während seiner Arbeit an der Dissertation bringt ihn auf die Idee, auch in München an den Dichter zu erinnern, den seit seinem Aufenthalt 1827/28 ein gespanntes Verhältnis mit der Stadt verband. Heine hatte sich bekanntlich Hoffnungen auf eine Außerplanmäßige Professur an der hiesigen Universität gemacht. Auf Intervention des katholischen Theologen Ignaz von Döllinger verweigerte Ludwig I. dem getauften Juden Heine jedoch die angestrebte Berufung. Gewissermaßen als Wiedergutmachung soll jetzt, 1907/08, der Plan für ein deutsches Heine-Denkmal auch von München aus Kreise ziehen. Auf Initiative des »Phoebus« konstituiert sich ein hochkarätig besetztes Komitee, das sich das Projekt eines derartigen Denkmals zu eigen macht. Neben Thomas Mann, Max Halbe und Ludwig Ganghofer setzen sich auch Ludwig Quidde und Alfred Kuhlo, ein prominenter Vertreter der bayerischen Wirtschaft, für ein öffentlich sichtbares Erinnerungszeichen für Heine ein. »Alle Münchener (…) denen deutsche Dichtung am Herzen liegt« werden aufgefordert, »ein deutsches Werk zu wirken. Helft eine alte Schuld abzutragen«, so der pathetische Appell.[77] Das Unterfangen wird im gewohnten »Phoebus«-Stil mit großem Aplomb in die Öffentlichkeit getragen. Ein Festabend in sämtlichen Sälen des Hotels »Vier Jahreszeiten« soll Außenwirkung bringen und dem Projekt entsprechenden Schwung verleihen. Prominente Zugpferde sind der Berliner Literaturkritiker Alfred Kerr, der frühere Intendant des Münchner Hoftheaters Ernst von Possart und die berühmte Sopranistin Irene Abendroth. Beim Münchner Publikum stößt der Festabend auf großen Zuspruch und nimmt, wie man in den »Münchner Neuesten Nachrichten« lesen kann, einen »glänzenden Verlauf« – offenbar ist die Heine-Verehrung in der Stadt, die den Dichter einst so brüsk zurückgewiesen hat, inzwischen gesellschaftsfähig.[78] Womöglich wird die stadtbürgerliche Bewunderung für Heine aber auch nur vom Unterhaltungswert eines geselligen Programms mit Kabarett-Darbietungen, Musik- und Tanzeinlagen überlagert, das nach den offiziellen Würdigungen durch Kerr und von Possart die feierfreudigen Münchner bis in die frühen Morgenstunden erfreut. Denn eigentlich ist in Deutschland die Zeit für ein Heine-Denkmal noch lange nicht reif. Antisemiten und vaterländisch gesinnte Rechte machen für Jahrzehnte alle Versuche zunichte, den Dichter skulptural zu ehren. So hebt auch in München sogleich das »gesunde Volksempfinden« sein Haupt und gibt in einer vaterländisch-völkischen Tageszeitung zu bedenken: »Denn nur eine winzige Minderheit im weiten deutschen Reiche, die zudem noch fast durchweg das Prädikat ›deutsch‹ zu Unrecht führt, da sie mit Heinrich Heine, der in erster Linie Jude und halb Franzose war, die Rassengemeinschaft theilt, vermag die phänomenalen Bestrebungen des Vereins ›Phoebus‹ zu billigen und zu fördern, während das große deutsche Volk aus patriotischen und Reinlichkeitsgründen der denkmalsüchtigen Heine-Bewegung nicht etwa nur apathisch gegenübersteht, sondern bisher in sehr positiver Weise mit der ganzen Wucht seiner nationalen Einheit dafür gesorgt hat, daß diesem Dichter kein Denkmal auf deutschem Boden erstehe.«[79] An dieser borniertin Haltung wird sich auch in den nächsten Jahrzehnten kaum etwas ändern, was den Zyniker Kurt Tucholsky noch 1929 zu der giftigen Bemerkung veranlasst: »Die Zahl der deutschen Kriegerdenkmäler zur Zahl der deutschen Heine-Denkmäler verhält sich hierzulande wie die Macht zum Geist.«[80]

Der glanzvolle Erfolg des Heine-Festabends ist letztlich nur ideeller Natur, denn der monetäre Saldo des Abends ist deprimierend. Die ohnehin schwindsüchtige Vereinskasse des »Phoebus« wird mit einem Defizit von 287 Mark belastet – ein schmerzlicher Verlust, der nur mit Hilfe von Sigmund Feuchtwangers Großzügigkeit ausgeglichen werden kann. Trotz dieser ernüchternden Erfahrungen bleiben die Organisatoren des »Phoebus« leichtsinnig und übermütig, fast möchte man sie als kulturpolitische Hasardeure bezeichnen. Gerne möchte man eine Traditionslinie von Festen schaffen, die dem literarischen Verein Renommee und den Verantwortlichen Ansehen und Ehre einbringt. Und so denkt man über weitere repräsentative Aktivitäten nach.

Ende Februar 1908 annonciert der »Phoebus« in den Prinzregentensälen des eleganten Café Luitpold einen Vortragsabend, der unter dem etwas irrlichternden Motto »Humor der aufdämmernden Neuzeit« steht. Eingeleitet wird der Abend von »in aller Eile präparierten und beifällig aufgenommenen Vorbemerkungen« Lions zur »Überlegenheit des Humors von ehe über den Humor von heute«.[81] Die Kritik vermag der junge Redner mit seinen Ausführungen nicht restlos zu überzeugen; moniert wird insbesondere die Humorlosigkeit des Referenten, aber auch seine Respektlosigkeit gegenüber einem arrivierten Dramatiker wie Frank Wedekind: »In Herrn Dr. Feuchtwanger freilich vereint sich die Lust, humorlos zu kritisieren, mit einer nicht zu unterschätzenden Naivität. Als er die große Reihe der üblen Heiterkeiten unserer Bühnenerscheinungen – so die Sünden der modernen Operettenmanufaktur – aufzählte, stellte er mit Elan Frank Wedekinds Werke neben – die ›Lustige Witwe‹, was die Hörer in lächelnden Aufruhr versetzte. Schlimmer noch als Wedekind kam der Münchener Karneval davon. Er behauptete, daß außer Backfischen und Ballberichterstattern kein Mensch an den Münchener Veranstaltungen Freude empfinden könne. Oho! Mehr sage ich nicht. Im übrigen fanden Dr. Feuchtwangers Ausführungen freundlichen Beifall.«[82] Nach den eher philosophischen Aperçus des Phoebus-Vorstands, die auch als kulturkritische Klage über die kühle Rationalität einer unsinnlichen Moderne gelesen werden können, freut sich das überwiegend weibliche Auditorium auf die Hauptattraktion des Abends: eine Rezitation »aus humoristischen Werken« von Boccaccio, Rabelais und anderen, zu der sich der bekannte und vor allem gutaussehende Schauspieler und Regisseur Fritz Basil bereit erklärt hat. Basil, der seit 1894 am Kgl. Hoftheater engagiert ist, hat sich nicht nur als Schauspieler der großen Shakespeare- und Goethe-Dramen sowie als Regisseur einen Namen gemacht. Auch als Schauspiellehrer genießt der Mime einen hervorragenden Ruf. Basils Ansehen als Lehrer ist sogar so gut, dass sich bei ihm Anfang der 1920er Jahre ein aufstrebender, aber noch weitgehend unbekannter Politiker immatrikulieren wird, um professionell an seiner Performance als Redner und massenwirksamer Agitator zu arbeiten: Adolf Hitler. Wie bei konzentrischen Kreisen entsteht hier, bei der keineswegs bahnbrechenden Literaturveranstaltung im Café Luitpold, in der Person Fritz Basil erstmals ein Berührungspunkt zweier Leben, die im Grunde keine gemeinsame Mitte haben, die aber dennoch für einen der beiden Beteiligten auf tragische Weise aufeinander bezogen sind. Lion wird Hitler einige Jahre später im Münchner Hofgarten auch noch persönlich begegnen, ein bizarres Zusammentreffen, das von Lions Freund Bert Brecht Jahre später eingehend beschrieben wird.

Ein im Februar 1909 realisiertes Großprojekt leitet das tragische Ende des »Phoebus« ein; für die jungen Aktivisten des Vereins weitet sich das Unternehmen zu einem Desaster aus. Mit einem Schlag werden der Verein und diejenigen, die seine Geschicke leiten, zum Münchner Stadtgespräch – allerdings in einem unerfreulichen Zusammenhang. Im Raum steht der Vorwurf der Misswirtschaft und des Betrugs. Unvermittelt wird die bescheidene Erfolgsgeschichte des »Phoebus« durch unglückliche Umstände, aber auch durch die Ungeschicklichkeit des Vereinsvorstandes in Frage gestellt. Auf die weitgehend positive Vereinsbilanz, beglaubigt durch eine erfolgreiche Reihe kulturpolitischer Aktiva, fällt der lange Schatten eines peinlichen Eklats. Als »Phoebus-Skandal« wird dieser in die Münchner Annalen eingehen. Was ist geschehen? In München haben große Faschingsbälle eine lange und bestens eingeführte Tradition. Den Münchnerinnen und Münchnern bieten die zahlreichen Maskenbälle und geselligen Veranstaltungen, die im Frühjahr gleichermaßen Höhe- und Schlusspunkt des Faschings markieren, willkommene Gelegenheiten zum ausgelassenen Feiern und zu moderaten Regelübertretungen abseits bürgerlicher Moral und sittenstrenger Konventionen. Von der Unterhaltungskonjunktur des Münchner Faschings möchte auch der »Phoebus« profitieren. So plant man zum Ausklang der Faschingssaison 1909 einen großen Ball im Löwenbräukeller. Es findet sich auch ein vermeintlich großzügiger Sponsor, der anbietet, das unter einem antiken griechischen Motto stehende Fest zu Werbezwecken mit der Bereitstellung einer geeigneten Saaldekoration auszustatten. Die begeisterten »Phoebus«-Aktivisten sind jedoch auf einen Betrüger hereingefallen, der sich nur zum Schein als erfolgreicher Unternehmer ausgibt: Der Mann ist zahlungsunfähig (oder zahlungsunwillig). Bereits während des Balls kommt es zum Eklat, als plötzlich Handwerker und Arbeiter auftauchen, die ihre unbezahlten Rechnungen und Löhne einfordern und drohen, bei Nichtbezahlung die Saaldekoration herunterzureißen. Das Fest ist bereits im Gange und die Organisatoren wissen sich nicht anders zu helfen, als die Schutzmannschaft zu rufen. Die erscheint mit einem Großaufgebot auf der Bildfläche – zum Entsetzen der entgeisterten Ballgäste, die scharenweise den Ort des Geschehens verlassen. Viele verlangen ihr Eintrittsgeld zurück. In der lokalen Presse liest sich das Ereignisprotokoll so: »Vorsicht ist der bessere Teil der Tapferkeit, dachten sich die Herren vom Phöbus und requirierten die Schutzmannschaft, die sonst nur in ›Ball-Lokalen‹ im ›Tal‹ einrückt. Wehe, wehe, wehe! Der Phöbus zahlte zwar, gab auch den unverbesserlichen Nörglern das Eintrittsgeld zurück, – aber an dem gesellschaftlichen und ästhetischen Bankerott ändert dieses Tatsache nichts mehr. Die Lektion ist grausam, aber – verdient!«[83] Das Ereignis beschäftigt selbst überregionale Zeitungen wie die seriöse »Frankfurter Zeitung«, vor allem aber die Münchnerinnen und Münchner und schließlich auch die örtlichen Gerichte. Von der Presse und auch von der Justiz wird Lion Feuchtwanger als Hauptverantwortlicher der unschönen Situation ausgemacht. Von den Zeitungen werden die Aktivisten des »Phoebus« mit Hohn und Spott übergossen. Auf den jungen Feuchtwanger schießt sich vor allem die sozialdemokratische »Münchener Post« ein, bezeichnet ihn unverhohlen als Schwindler und Betrüger. Die auflagenstarke Münchner Tageszeitung hat es bereits seit geraumer Zeit auf den vermeintlichen Kapitalisten-Sohn abgesehen und lässt keine Gelegenheit aus, die schriftstellerischen Produkte Lions zu diskreditieren und ihn als verwöhntes Millionärs-Bürschchen mit mittelmäßigem literarischen Talent zu verspotten. Von Kurt Eisner, dem späteren bayerischen Ministerpräsidenten, der als Politik- und Kulturjournalist für die »Post« schreibt, wird Lion im Hinblick auf seine Herkunft gar als »Margarine-Barönchen« geschmäht.[84] Der Ball selbst habe so viel »mit Apollon zu tun, wie Herr Lion Feuchtwanger mit der Literatur oder sein Vater mit der Naturbutter«.[85] Der Skandal um den »Phoebus« besitzt keinerlei karnevaleske Leichtigkeit, sondern wird mit verbissener Ernsthaftigkeit ausgefochten. Denn beim Geld hört auch für die Berufshumoristen und Leistungsträger des Münchner Faschings der Spaß auf. Und im vorliegenden Fall geht es um eine nicht unerhebliche Summe. Es verwundert daher nicht, dass Lion später nur ungern über die Ereignisse vom Februar 1909 sprechen wird.

Innerhalb des weitläufigen Feuchtwanger-Clans sorgt der Skandal dafür, Lion endgültig als schwarzes Schaf der Familie abzustempeln; seine Aktivitäten werden mit wachsendem Argwohn beobachtet. Ein entfernter Verwandter verlangt gar von Lions Vater, Lion möge öffentliche Auftritte unter dem Namen Feuchtwanger künftig unterlassen und sich für derartige Unternehmungen einen anderen Namen zulegen. Lion selbst sieht die Umstände des »Phoebus-Skandals« begreiflicherweise in einem anderen Licht. Mit der Münchner Kulturszene geht er hart ins Gericht. Nicht allein der kriminelle Bankrotteur sei verantwortlich für das Desaster des Vereins, sondern auch die Oberflächlichkeit des Münchner Publikums, das in der Angebotspalette des »Phoebus« nicht »Geist und Stil«, sondern »Gaudi und Gemütlichkeit« erwartet habe. Dies müsse der »Phoebus« nun büßen und auch, dass er sich einer breitenwirksamen Verflachung der künstlerischen Ambitionen stets verweigert, »daß er sich Jahre hindurch von dem

Cliquenwesen ferngehalten hatte, das in München Literatur, Theater und Gesellschaft regiert.« Unmittelbar nach dem Skandal, im März 1909, wird der »Phoebus« aufgelöst und Lion stellt die rhetorische Frage:»Kann man es da dem Verein verdenken, wenn er, des widrigen Gezänkes, der undankbaren Arbeit müde, andern das steinige Feld überließ und an den Iden des März seine Auflösung beschloß?«[86]

Zwischen 1903 und 1908 versucht Lion mit großem Elan und kaum nachlassendem Enthusiasmus, sich in der literarischen Szenerie seiner Heimatstadt einen Platz zu sichern. Diese halbe Dekade wirkt auf den Studenten und noch unfertigen Schriftsteller wie ein persönlichkeitsbildender Durchlauferhitzer, in dem sich das Erleben erster Erfolge und peinigenden Scheiterns, wachsender Reputation und schmerzender Ignoranz durch die Arrivierten zu einer Erfahrungsmelange verdichten, die für den Reifeprozess Lions essentiell ist. Aber auch Selbstzweifel plagen den jungen Mann:»Merkwürdig meine kindische Befangenheit und Unbeholfenheit, die sich überall wieder und wieder zeigt. Im Seminar, wenn ich zu irgendeiner Frage etwas beitragen könnte und nur aus Verlegenheitsgefühl schweige, im Laden, wenn ich was kaufe, im Omnibus, überall.«[87] Die inneren Nöte, verbunden mit einer schonungslosen Analyse der eigenen Schriftstellerpersönlichkeit, der quälenden Suche nach einer eigenständigen künstlerischen Position, vertraut er jedoch nur seinem Tagebuch an. Immer wieder ist er hin- und hergerissen zwischen schöpferischer Zuversicht und nagenden Unsicherheiten über sein literarisches Vermögen. Nach dem Besuch einer Berliner Aufführung von Wildes »Florentinischer Tragödie« gibt er sich euphorisch und verkündet selbstgewiss:»Das kann ich auch! Und ohne solche gewaltsam herbeigezogene Schlußpointe.«[88] Kaum eine Woche später hat sich das künstlerische Selbstbewusstsein wieder verflüchtigt. Der junge Dramatiker steht erneut auf schwankendem Boden:»Ich wollte so gerne ein gesundes zeitgenössisches Stück schreiben. Aber mir fehlt das Erlebnis!«[89] Trotz des Wechselbads der Selbstwahrnehmung, trotz der peinigenden Gefühle zwischen Können und Unvermögen scheint Lions Energie in jenen Jahren geradezu unerschöpflich. Neben der eigenen schriftstellerischen Produktion, der Leitung des »Phoebus«, der Organisation und Finanzierung von Lesungen und Vorträgen, der Publikation der »Schauspiel-Premièren« (verbunden mit dem Einwerben fremder und dem Abfassen eigener Texte) ist Lion zudem als Student eingeschrieben – auch dies, bei ernsthaftem Bemühen, eine durchaus zeitraubende, kraftzehrende Betätigung.

An der Universität sind es vor allem die Begegnungen mit Franz Muncker, dem Spezialisten für neuere Literaturgeschichte, der sich ausgiebig mit den Werken Klopstocks, Lessings und Richard Wagners beschäftigt hat, die wichtige Erfahrungen für Lion werden. Bereits das im Wintersemester 1903/04 von Muncker angebotene Thema »Heinrich Heine« wird für den jungen Lion zu einem roten Faden durch das Studium, der ihn bis zur Promotion führen wird. Und Franz Muncker, der die Begabung und das literarische Talent von Lion erkennt, wird zum Förderer und väterlichen Freund, später auch zum Doktorvater des Studenten. Zum Wintersemester 1905/06 verlässt Lion vorübergehend seine Heimatstadt, um das Studium in Berlin fortzusetzen. Die Motive für diesen Schritt liegen im Dunkeln. Dennoch darf man vermuten, dass der Orts- und Studienplatzwechsel auch der Versuch einer Befreiung aus der »geistig nicht gut belüfteten« bayerischen Provinzmetropole ist. Vielen Zeitgenossen gilt Berlin als »Gegen-München«, als Hauptstadt der Avantgarde, des künstlerischen Experiments und des urbanen Fortschritts, aber auch als Zentralort der moralischen Verworfenheit und des sittlichen Niedergangs. Für einen lebenshungrigen jungen Menschen, auf der Suche nach Erfahrungen und sinnlichen, ja erotischen Abenteuern, ist das vermeintliche Sündenbabel ein einziges grandioses Versprechen. Für Lion ist die Attraktivität der grellen Metropole zweifellos groß, auch weil er sich durch diesen Umzug endlich, zumindest temporär, dem Klammergriff des elterlichen und familiären Umfelds entziehen kann. Und wer weiß, ob nicht schon die Beziehung des 20-Jährigen zu seiner Heimatstadt von denjenigen Spannungen durchzogen war, die später in dem Roman »Erfolg« so prägnant und wuchtig zum Ausdruck gebracht werden. Mit diesem Buch, das Lion Ende der 1920er Jahre in Berlin abschließt, wird er seine ganze Enttäuschung und Verbitterung über das moralische Versagen der Münchner und über deren abstoßende Kumpanei mit den reaktionären und chauvinistischen Akteuren der 1920er Jahre »herausschreien«.

In Berlin, das im Gegensatz zum behäbigen München die Aura einer rastlosen, lauten und sich ununterbrochen wandelnden Metropole hat, studiert Lion bei dem Germanisten und Literaturhistoriker Erich Schmidt, dem früheren Direktor des Goethe-Archivs in Weimar und Herausgeber des »Urfaust«. Der Lessing-Experte und Förderer Wedekinds hat eine Professur für deutsche Sprache und Literatur an der Friedrich-Wilhelms-Universität (der späteren Humboldt-Universität) inne und gehört zu den prominentesten Repräsentanten der Germanistik in Deutschland. Lion charakterisiert ihn als »sehr effekthaschend«.[90]

Zahlreiche Publikationen weisen ihn als engagierten Förderer der literarischen Moderne aus. Mit bekannten Zeitgenossen wie Theodor Storm, Paul Heyse und Theodor Fontane pflegt er freundschaftlichen Umgang. Zum Kreis seiner namhaften Schüler zählen Friedrich Gundolf, Alfred Kerr und Siegfried Jacobsohn, für dessen »Schaubühne« ab Januar 1909 auch Lion Feuchtwanger schreiben wird. Jacobsohn gründet seine auf Theaterfragen spezialisierte Zeitschrift 1905 in Berlin, und es ist keineswegs abwegig, dass der bühnenbegeisterte junge Student Lion Feuchtwanger schon jetzt erste Kontakte zu Jacobsohn knüpft. Als sicher kann angenommen werden, dass er die »Schaubühne« kennt, liest und dass ihm das Periodikum als Inspirationsquelle für eigene publizistische Projekte dient. Ein zweiter wichtiger akademischer Lehrer ist Richard Moritz Meyer, der sich als Herausgeber von Werken Lessings, Goethes und Heines einen Namen gemacht hat. Von dem jüdischen Literaturhistoriker stammt der Grundsatz »Gründlichkeit ist Respekt vor den Tatsachen«, ein wissenschaftlicher Leitgedanke, den Lion aufgrund seines eigenen Selbstverständnisses als Philologe *und* Dichter zweifellos unterschreiben kann.[91] Meyer widmet sich in seinen Lehrveranstaltungen vor allem Fragen der deutschen Grammatik, der Metrik und der Runenlehre sowie der altgermanischen, neuhochdeutschen und neueren Literaturgeschichte. Er nimmt, ähnlich wie sein akademischer Kollege Erich Schmidt, regen Anteil am literarischen Leben seiner Zeit, führt einen eigenen literarischen Salon, beteiligt sich engagiert an aktuellen Debatten und verfasst zahlreiche Besprechungen und Feuilletons. Aufgrund seiner jüdischen Herkunft bleibt Meyer jedoch eine angemessene akademische Laufbahn versagt, an der Universität wird ihm lediglich der nachrangige Status eines Außerordentlichen Professors zuerkannt. Womöglich ist es die für Lion ernüchternde Beobachtung dieser durch Herkunft und Religionszugehörigkeit behinderten Wissenschaftlerlaufbahn, die seine eigene Entscheidung gegen einen Weg als Hochschullehrer und für eine freie Schriftstellerkarriere beeinflusst.

Eine weitaus größere Faszination als der Besuch von gelehrten universitären Veranstaltungen übt auf den jungen Studenten das Berliner Großstadtleben aus. Vor allem die Bühnen mit ihren aufregenden Inszenierungen ziehen Lion mit geradezu magnetischer Kraft an. Unter den Modernisierern des Theaters elektrisiert ihn besonders die Arbeit des Erneuerers Max Reinhardt, dessen aufsehenerregende Aufführungen für eine Revolution auf deutschen Bühnen sorgen. In Reinhardt, der stark auf die künstlerische Gesamtwirkung von Schauspielerführung, Bühnenbild und Lichtregie in Kombination mit Musik- und Tanzelementen setzt, vermutet Lion einen Geistesverwandten, dessen ästhetische Visionen ihn inspirieren. Was er in Berlin sieht, ist freilich nichts absolut Neues für ihn. Bereits im Juni 1904 lernt er die innovative Kraft des Reinhardt'schen Regietheaters kennen, als das Ensemble des »Neuen und Kleinen Theaters Berlin« in München weilt. Es ist Reinhardts erstes Gastspiel in der bayerischen Hauptstadt; viele weitere werden folgen. Vermutlich wirkt die Begegnung mit Reinhardt in München auf den jungen Lion Feuchtwanger wie ein Erweckungserlebnis für die eigene dramatische Arbeit, eine tief berührende Erfahrung, die Lions Entscheidung für ein akademisches Intermezzo 1905/06 in Berlin beeinflusst. Es ist eine Zeit, in der er intensiv an eigenen Theaterstücken arbeitet. Sechs Einakter entstehen in diesen Monaten. Dennoch kehrt Lion im Februar 1906 gleichermaßen inspiriert wie ernüchtert nach München zurück. Sicher sind die Erwartungen an die Möglichkeiten in der Reichshauptstadt zu groß. Und die anfängliche Euphorie wird durch den ausbleibenden »Karriereschub« als Dramatiker empfindlich getrübt. Am 21. Februar 1906, dem letzten Tag in Berlin, protokolliert Lion in sein Tagebuch: »Der letzte Tag in Berlin! Ich lasse hier nicht viel zurück: ich lasse hier nichts zurück. Ich verlasse Berlin kühler, reifer, erfahrener und kritischer als ich gekommen bin. Ohne Respekt vor mir und vor den anderen. Ich habe viel Abschied genommen. Ohne rechte Herzlichkeit.« Und geradezu euphorisch wirkt die Vorfreude auf die Heimatstadt: »Morgen um 7h20 fahr ich in den Münchener Fasching hinein!!!«[92]

Lions Vorfreude auf München ist auch die Vorfreude auf ein Wiedersehen mit seiner wohl ersten großen Liebe. Seit 1905 hat er eine nicht unkomplizierte Affäre mit der fünf Jahre älteren Else Fernau-Feldhammer. Die 1879 in Brünn geborene Schauspielerin ist mit dem aus Spalato (Split) stammenden Grafen Rudolf von Cavedoni verheiratet, lebt aber allein in der Münchner Öttingenstraße. Nach Engagements an den Stadttheatern von Troppau und Marienbad ist sie seit 1905 am Münchner Schauspielhaus verpflichtet. Von der Kritik wird das »einfache, ungezierte, natürliche Spiel« der Fernau gerühmt, ihr »frisches und resolutes Wesen, ihre angenehme Sprechweise und nicht zuletzt ihr sympathisches Exterieur« – eine Qualität, die den jungen Lion besonders anzieht.[93] Auf der Bühne des Münchner Schauspielhauses sieht Lion erstmals die mädchenhafte Else, verliebt sich und sucht Kontakt. Erfolgreich, denn in der Folgezeit entwickelt sich zwischen beiden eine Art von Beziehung, die von Else Fernau eher spielerisch, von Lion Feuchtwanger durchaus ernst genommen wird. Vermutlich fühlt sich die Gräfin von den unbeholfenen Avancen Lions geschmeichelt, genießt sie die Verehrung des jungen Mannes. Eine tiefergehende, ernsthafte Beziehung zu dem in mancherlei Hinsicht noch unreifen Studenten steht für sie aber wohl kaum zur Disposition. Lion spürt natürlich die Zurückhaltung und wiederkehrende Distanz der älteren Frau. Und leidet darunter. Obwohl die Erinnerungen an gemeinsame Momente nicht ungetrübt sind, vermag er sich auch während seiner Berliner Zeit nicht aus der Beziehung zu lösen. In seinem Tagebuch bekennt er:»Es ist merkwürdig, daß ich mich von dieser Frau, die außer ihrer graziösen Leichtigkeit und der liebenswürdigen Herzlichkeit (…) keinerlei gute Eigenschaften besitzt, nicht losmachen kann. Ich sehe deutlich den Mangel jeglichen feineren Kunstgefühls und jeglicher Tiefe. Auch liebt sie mich nicht, und ich liebe sie nicht. Nur weil sie eine Frau ist, auf die ich trotz allem den tiefsten Eindruck gemacht zu haben scheine, häng' ich an ihr.«[94] Die Verneinung der eigenen Verliebtheit wirkt halbherzig und gezwungen. Tatsächlich spielt Else Fernau im Gefühlsleben des jungen Studenten eine weit größere Rolle, als dieser sich eingestehen will. Auch in den folgenden Monaten kann sich Lion nicht von der Sehnsucht nach Else freimachen und leidet schmerzhaft unter der unerfüllten Liebe, unter einem letztlich unbefriedigten Begehren. Schon unmittelbar nach der Rückkehr aus Berlin besucht er die Angebetete in ihrer Wohnung. Und trotz einer eher ernüchternden Begegnung (»Sie nahm mich sehr liebenswürdig auf: aber es war doch nicht so, wie ich erwartet hatte.«[95]) wird er in den nächsten Wochen keine Gelegenheit auslassen, um Else Fernau nah zu sein. Am 7. Mai 1906 vertraut er seinem Tagebuch an:»Von den Gedanken an Else kann ich nicht loskommen. Gestern nach der Nachmittagsvorstellung schlich ich um das Schauspielhaus, um ihr zufällig zu begegnen.«[96] Im Frühjahr 1906 kommt es wiederholt zu intimen Begegnungen. Sie geben Lion jedoch keine Sicherheit. Immer wieder quält er sich mit Überlegungen, die Beziehung zu beenden. Mit einem bitter-pathetischen Trennungsgedicht setzt er im Mai 1906 alles auf eine Karte und versucht, von Else ein Bekenntnis zu erzwingen. Oder einen Schlusspunkt zu provozieren:

>»Jetzt endlich durchschau' ich Deine Lüge,
> seh' endlich Deine wahren Züge.
> Die Schminke zerstäubt, der Puder zerstiebt:
> Adieu, madame! Ich hab' Sie geliebt.«[97]

Das Gedicht führt wenige Tage später zu einer heftigen Aussprache mit gegenseitigen Schuldzuweisungen und Vorwürfen. Es kommt zum

Krach und schließlich zum Abbruch der Beziehung. Die letzten Begegnungen mit Else Fernau protokolliert Lion fast erleichtert im September 1906 in sein Tagebuch:»Die ›Liebe‹ zu ihr ist wirklich erloschen.«[98] Das eigene schmerzhafte Erleben dieser unerfüllten Liebe, das Leiden an der Beziehung, aber auch an der Verständnislosigkeit einer kleinbürgerlichen Umwelt, die Probleme mit dem Vater und der Familie, verarbeitet Lion in einem ersten großen Drama, das stark autobiographische Züge trägt. Im Juni 1906, die Beziehungskrise mit Else Fernau hat gerade ihren Höhepunkt erreicht, beginnt er mit der Arbeit an»Ich«, das er später»Fetisch« nennen wird. In dem Stück geht es um den Theaterdirektor Artur Friedländer und dessen Sohn, den jungen Schriftsteller Leon (!) Friedländer. Zu den *Dramatis Personae* zählt auch die Schauspielerin Else Varnhusen, mit der Leon eine schwierige Beziehung verbindet. Else,»etwas unter Mittelgröße, schlank und beweglich. Offenes Gesicht, dunkelbraune Haare, große, graue Augen. Ihr Auftreten ist sicher und klar, maßvoll und durchaus natürlich«, ist zweifellos der Schauspielerin Else Fernau nachempfunden. Ähnlich realistisch formt der Autor den Protagonisten Leon nach dem lebenden Vorbild. Dabei schont er sich nicht und vermittelt einen aufschlussreichen Blick auf sein Selbstbild:»24 Jahre alt, klein, nervös, hastend und ungeschickt. Er kann seine weichen, fast knabenhaften Züge – volle Lippen, unentwickeltes Kinn – durchaus nicht beherrschen und erscheint infolgedessen häufig verlegen. Der semitische Typus ist nicht auf den ersten Blick erkennbar. Er liebt es, seiner Stimme einen klagenden Tonfall zu geben. Er trägt einen Kneifer, den er während des Sprechens auf- und abzusetzen pflegt. – Die Kleidung elegant und geschmackvoll, aber unordentlich angelegt – offene Knöpfe, herabhängende Schuhriemen und dergleichen.«[99] Die intensive Arbeit am »Fetisch« während der Sommermonate 1906 ist im Grunde der Befreiungsschlag aus der unglücklichen Beziehung mit Else Fernau. Als diese im Juli 1907 an das Theater in Graz engagiert wird und München verlässt, ist dies Lion keine Notiz in seinem Tagebuch wert.

1907 wird Lion sein Studium in München bei Franz Muncker mit der Promotion abschließen. Das Thema für seine Dissertation hat er selbst ausgewählt. Schon in Berlin hat er intensiv an einer Studie über Heinrich Heines »Rabbi von Bacherach« gearbeitet, womöglich bereits mit dem Vorsatz, dieses Projekt zu einer Dissertation auszubauen. Muncker lässt sich von dem Vorschlag, Heines Fragment zum Gegenstand einer philologischen Studie zu machen, überzeugen. In der Entscheidung für ein jüdisches Thema spiegelt sich die Bereitschaft des Doktoranden,

Herkunft und jüdische Lebenswelt als Teil der eigenen Persönlichkeit anzunehmen, aber auch der Wunsch, das Judentum als Gegenstand wissenschaftlicher Analyse aus einer gewissen Distanz heraus zu betrachten. Die 117 Seiten starke »Kritische Studie« über »Heinrich Heines Fragment, ›Der Rabbi von Bacherach‹« wird im Frühjahr 1907 von der Ludwig-Maximilians-Universität angenommen und von Muncker mit *magna cum laude* beurteilt. Bei Heines Text handelt es sich um ein 1840 veröffentlichtes Erzählfragment, das sich der Autor in nahezu fünfzehnjähriger, immer wieder unterbrochener Schreibarbeit abgerungen hat. Konzipiert als historisches Sittengemälde, entspricht es weitgehend dem literarischen Genre, in dem sich später auch Lion Feuchtwanger zu Hause fühlen wird: dem historischen Roman. Erzählt wird die Geschichte eines mittelalterlichen Rabbiners, der mit seiner Frau wegen eines Pogroms aus seiner Heimatstadt Bacherach fliehen muss. Ziel des Philologen Feuchtwanger ist es, den »Torso« Heines in dessen Gesamtwerk einzuordnen, nach den Motiven des Autors zu fragen und die Stellung des Textes in Heines Wirken zu bestimmen. Dabei geht der Doktorand Feuchtwanger nicht nur mit großem sprachlichen Feingefühl zu Werke. Auch die analytische Kraft, mit der er sein Sujet durchleuchtet, ist beachtenswert. Die Heine-Forschung profitiert von der Studie, und noch viele Jahrzehnte später wird man die wissenschaftliche Qualität des Wissenschaftlers Lion Feuchtwanger rühmen, wird betonen, mit welch »staunenerregender philologischer Akribie« der »Assimilant und Kosmopolit« Feuchtwanger den Text Heines untersucht hat.[100] Am 11. Mai 1907 besteht Lion sein *Examen rigorosum* im Hauptfach Deutsche Philologie mit den Nebenfächern Philosophie und Anthropologie.

Franz Muncker schlägt seinem begabten Studenten eine Universitätskarriere vor. Auch Sigmund und Johanna Feuchtwanger fordern den Sohn auf, diesen Schritt zu wagen. Lions Vater führt in dieser Sache sogar ein Gespräch mit Muncker, ohne dass Lion davon weiß. Dieser ist zunächst keineswegs abgeneigt, sich weitere akademische Meriten zu verdienen. Ein Habilitationsthema ist erforderlich und Lion entscheidet sich 1909 für ein Sujet mit aktuelleren Bezügen als in seiner Dissertation; ein Thema, das vermutlich auch jenseits des universitären Elfenbeinturms Interesse finden wird: Er forscht über »Die Anfänge des deutschen Journalismus«. Im Laufe der nächsten Monate werden erste Recherchen durchgeführt, Bibliotheken konsultiert, Vorstudien erstellt, Entwürfe und Manuskriptteile erarbeitet. Am 11. November 1909 vertraut er dem Tagebuch an: »Nachmittags bei Muncker. Er war sehr liebenswürdig. Die Habilitation scheint schwer, aber nicht unerreichbar.«[101] Doch das Werk bleibt Fragment. Zwar ist Lions Leidenschaft für die wissenschaftliche Arbeit groß, aber die Chancen für eine erfolgreiche Laufbahn an einer deutschen Universität sind für jüdische Akademiker nach wie vor schlecht. Gerade in Bayern tendieren die Aussichten von Juden auf eine Universitätskarriere gegen null. Vor 1900 wird keine einzige Professur im geisteswissenschaftlichen Bereich an Juden übertragen. Ernsthafte Aussichten auf einen Lehrstuhl hat nur, wer sich taufen lässt. Eine Konversion kommt aber für Lion Feuchtwanger nicht in Frage: »Ich lachte schallend über diese Anregung, nahm es hin, daß ich es als Jude höchstens zum außerordentlichen Professor bringen konnte«.[102] Doch schon bald schmälert die Perspektive, als Privatdozent jede Woche zu festgelegten Zeiten bestimmte Vorträge halten zu müssen, die Attraktivität der akademischen Laufbahn beträchtlich. 1910 verwirft Lion seine Habilitationspläne und konzentriert sich von nun an auf sein berufliches Profil als Kulturjournalist und Theaterkritiker. Parallel dazu intensiviert er die Arbeit an eigenen literarischen Produktionen.

Von Marta Feuchtwanger ist überliefert, wie sich der kluge und gebildete Lion schon in jungen Jahren mit kühler Hochnäsigkeit für den Spott seiner sportlich aktiven, gutaussehenden Geschwister revanchiert. Auf Fragen der Jüngeren reagiert der belesene Schöngeist bisweilen mit der demütigenden Bemerkung »Das verstehst Du ja doch nicht«[103] und formuliert so ein intellektuelles Alleinstellungsmerkmal im Kreis der Brüder und Schwestern, das ihm über manche körperliche Unzulänglichkeit hinweghilft. Dieses Verhaltensmuster abzulegen, fällt Lion nicht leicht, und selbst der frisch promovierte Dr. phil. ist seinen Geschwistern gegenüber nicht frei von Arroganz und Dünkel. Das muss im September 1907 der 19-jährige Fritz erfahren, als er auf der Suche nach einem eigenen Standort in der Unübersichtlichkeit der theologischen, philosophischen und ideologischen Deutungs- und Sinnangebote ratsuchend den älteren Lion konsultiert. Die Antwort, handgeschrieben auf frisch gedrucktem Briefpapier, eindrucksvoll geschmückt mit dem eben erst erworbenen Doktortitel, lässt wenig Zweifel an Lions Abneigung, ausgerechnet mit dem kleinen Bruder tiefschürfende philosophische Fragen zu erörtern: »Erst heute komme ich zur Beantwortung Deines Briefes, der mir offen gestanden nicht eben viel Freude gemacht hat.«[104] Dann wird dem Jüngeren gönnerhaft ein Seminar in Bibelexegese gelesen und ein Kanon einschlägiger Publikationen empfohlen, eine Anregung, mit der zwischen den Zeilen die

Erwartung formuliert wird, dass der frisch promovierte Bruder nach diesen Lektüreempfehlungen nicht weiter mit naiven Fragen zu alttestamentarischen Banalitäten und sonstigen Gemeinplätzen behelligt werden möge:»Was Deinen Bildungshunger anlangt, so rate ich Dir, lies gute Bücher langsam, nicht nur stofflich. Benütze Kommentare dazu! Lies wissenschaftliche Werke. (…) Und vor allem vertrau nicht zu viel auf andere, laß Dich nicht von schönen Phrasen überrumpeln, sondern versuche, selbstständig zu denken und die großen Probleme auf die Art zu lösen, die Deinem Wesen entspricht! Denn die Wahrheit ist nichts Feststehendes, sondern für jeden Menschen gibt es eine eigene Wahrheit.« Der Brief endet mit einem frostigen »Ich grüße Dich. Lion«. Der hartnäckige Fritz gibt dennoch keine Ruhe mit seinen Fragen, so dass sich Lion zu einem weiteren brieflichen Diskurs genötigt sieht. Wieder erteilt er dem Jüngeren zunächst eine gereizte Abfuhr: »Ich komme erst jetzt dazu, Deinen Brief zu erwidern, und offengestanden: ich tu es nicht gern.«[105] Trotz dieser Brüskierung erläutert Lion dann in einem mehrseitigen Brief dem Bruder verschiedene Auslegungen des göttlichen Prinzips, behandelt prekäre Aspekte des Pantheismus sowie des Monotheismus und skizziert eine eigene philosophische Haltung aus einer Fülle ungeklärter, diffuser Sinnfragen. Es gehe darum, »daß man möglichst vieles begreift, begreifend in sich aufnimmt und so die eigene Persönlichkeit bereichert. Nicht der Genuß, sondern gesteigertes, verstehendes, intensives Gefühl des Lebens, wie große Freude, aber auch großer Schmerz es vermittelt, ist das Höchste, was der Mensch erreichen kann. Kunst und Wissenschaft weisen den Weg zu diesem Ziel. Dies ist meine Lebensanschauung in nuce. Ich betone nochmals, dass es mir ganz ferne liegt, für meine Ansichten Propaganda zu machen. Was Dir von meinen Gedanken gefällt, magst Du Dir aneignen. Im allgemeinen aber gilt die Regel: Eine Weltanschauung, die der eigenen Persönlichkeit entspricht, läßt sich nicht an 1 Tag erlernen, sie will in jahrelangem Ringen erkämpft sein.« Dass die ausführlichen Unterweisungen erhalten sind, ist ein Glücksfall, blieb Lion Feuchtwanger doch mit selbsterklärenden Reflexionen zeitlebens zurückhaltend. Hier nun offenbart der 23-Jährige einen Einblick in sein frühes Denken und in seine Weltsicht. Die im späteren literarischen Schaffen stets erkennbaren dialogischen, ja dialektischen Bemühungen um eine Harmonisierung von Vernunft und Emotion, der literarische Versuch, die gegensätzlichen Geschwister Wissenschaft und Kunst mit ihren streng formalisierten Kriterien einerseits und den kreativen Freiräumen andererseits in einen produktiven Einklang zu bringen, wird hier als schöpferisches Programm erstmals explizit formuliert.

Im Frühjahr 1908, ein Jahr nach der Promotion und noch vor seinem 24. Geburtstag, verlässt Lion das Elternhaus. Es ist eine Trennung, die sowohl von Marta Feuchtwanger wie auch von Lions späteren Biographen als radikale Lebensentscheidung, als folgerichtige Loslösung eines freiheitlichen Geistes aus einer beklemmenden familiären Enge geschildert wird. Ob es im Zuge der Loslösung und Verselbständigung des jungen Erwachsenen Lion Feuchtwanger wirklich zu dem vielfach kolportierten harschen Bruch mit den Eltern kommt, darf bezweifelt werden. Kein Zweifel besteht jedoch daran, dass sich der reife Schüler vom väterlichen Diktat inzwischen emanzipiert, dass sich der erwachsene Student über die Jahre von seinem Elternhaus entfremdet hat. Die am St.-Anna-Platz und in der Galeriestraße herrschende Atmosphäre des Misstrauens und des Unverständnisses hat den jungen Mann bereits seit Jahren bedrückt und gequält. Die zeitraubenden religiösen Übungen, ein der orthodoxen Lebensweise geschuldeter streng reglementierter Alltag, der in den Rhythmus der Gebets- und Gottesdienstzeiten eingebunden ist, können mit dem leidenschaftlichen Interesse an der Literatur und am Theater, an der Begeisterung für ein lebenspralles, künstlerisches Randdasein nicht in Einklang gebracht werden. Auch die anderen Geschwister entfernen sich zur Enttäuschung des Vaters vom Elternhaus, flüchten sich in unterschiedlicher Intensität und Dynamik in ein neues, säkulares Umfeld, sagen sich von der strengläubigen Orthodoxie als sinnstiftende Orientierung, als Kompass des Lebens los. Bei den anderen erfolgt der Abschied sanfter, ist er ein länger dauernder Prozess, der sich nicht so unvermittelt vollzieht wie bei Lion. Dieses Zerbrechen der familiären Strukturen, des religiös definierten Beziehungs- und Milieugeflechts ist freilich keine Feuchtwanger'sche Besonderheit, kein exklusives Phänomen der kleinen und überschaubaren orthodoxen Welt, sondern ein in der Breite zu beobachtendes bürgerliches Phänomen der Zeit um die Jahrhundertwende. Die Emanzipation und Verselbständigung der Kinder erfolgt mit einer beschleunigten Dynamik, anders als in den vorangegangenen Generationen, und ist eine Folge des sozialen und kulturellen Wandels, mit dem eine machtvoll wirkende Moderne die Gesellschaft überzieht. Es ist eine Epoche, in der das Individuum verstärkt von neuen Formen der Innerlichkeit bestimmt wird: Lebensreformbewegung, Psychoanalyse, Anthroposophie, künstlerische Avantgarde sind verstörende Komponenten der neuen Zeit, die die vermeintliche Verbindlichkeit überlieferter

Autoritäten aus der vertrauten Balance bringt. So ist auch für den strenggläubigen Vater Sigmund Feuchtwanger die Entfremdung seiner Kinder eine bittere Enttäuschung, von der Lions Bruder Martin berichtet:»Mein Vater war tief traurig, aber er machte nicht den Versuch, uns zu bekehren.«[106] Wenngleich Lions Auszug aus dem Elternhaus als Absage an ein als beklemmend und einengend empfundenes Umfeld zu werten ist, ist er eines sicher nicht: ein Bruch mit der eigenen Herkunft, eine Kampfansage an die eigene jüdische Identität. »Jüdischer Selbsthass«, ein 1930 von Theodor Lessing beschriebenes Phänomen der autoaggressiven Abkehr vom Judentum, der »Verhäßlichung des Verhaßten«[107], ist Lion zeit seines Lebens fremd.

An dieser Stelle drängt sich die Frage auf, ob der Abschied Lions tatsächlich ein derart brüsker ohne Wiederkehr war, wie dies in der Feuchtwanger-Literatur bereits seit Jahrzehnten mantrahaft behauptet wird. Marta Feuchtwanger, die durch ihr meinungsbildendes biographisches Treuhändertum einen wesentlichen Anteil am Format unseres Feuchtwanger-Bildes hat, behauptet einen kompletten Bruch mit der Familie. Mit den Worten:»Ich möchte nicht länger zu Hause leben. Ich möchte auch Euer Geld nicht weiter annehmen« habe Lion die Wohnung in der Galeriestraße 15 verlassen und sich, weitgehend mittellos, in ein bescheidenes Mansardenzimmer unweit der elterlichen Wohnung eingemietet. Seinen Lebensunterhalt habe er mit Nachhilfe und Unterrichtsstunden für lernschwache Schüler finanziert. Hinter dieser theatralischen Version, die Lion zu einem um seiner künstlerischen Freiheit und seiner persönlichen Autonomie willen entwurzelten, ja förmlich verstoßenen Bohemien stilisiert, ist ein Fragezeichen zu setzen.

Genährt werden die Zweifel schon durch die Tatsache, dass sich Lion in den folgenden Jahren meist in der Nähe der elterlichen Wohnung einmietet und insbesondere das ihm vertraut gewordene Lehel als Lebensmittelpunkt bevorzugt. Eine emotionale Trennung würde indessen auch eine räumliche Distanzierung nahelegen. Tatsächlich können zwischen 1908 und 1916 alle Wohnadressen von seinem Elternhaus bequem zu Fuß erreicht werden. Auffällig ist überhaupt, wie sehr das Lehel, der Stadtteil von Lions Kindheit, auch später eine Art lebensräumliches Zentrum bildet. So zieht er nach 1915 mit seiner Ehefrau Marta ausgerechnet in ein Haus an der Thierschstraße 14, wo auf der dritten Etage schon seit Jahren Dr. Heinrich Chanoch Ehrentreu lebt, seines Zeichens Privatgelehrter und seit 1885 Rabbiner der orthodoxen Gemeinde »Ohel Jakob« (der auch die Feuchtwangers zuzurechnen sind). Der strenge Rabbiner wiederum ist mit Ida Feuchtwanger verheiratet, der Tochter von Julius Feuchtwanger aus Fürth, einem Großonkel Lions. Dass nun Lion und Marta Feuchtwanger ausgerechnet mit dem orthodoxen Rabbiner, der zudem noch ein Verwandter ist, unter einem Dach wohnen, ist durchaus bemerkenswert. In welchem Kontext steht also der Auszug aus dem Elternhaus tatsächlich? Wie ist die Trennung von der Familie letztlich einzuordnen?

Lions familiäre Ablösung, seine Schritte in die Selbständigkeit eines eigenen Hausstandes fallen zusammen mit neuen beruflichen Zielen und Bemühungen, wirtschaftlich eigenständig, ja unabhängig von väterlichen Alimentationen zu werden. Zwar bemüht sich der Verein »Phoebus«, dessen Aktivitäten nach wie vor weitgehend auf Lions Person und seine Projekte zugeschnitten sind, verstärkt um die Aufmerksamkeit einer literarisch interessierten Öffentlichkeit. Aber eine einigermaßen stabile Existenzgrundlage kann aus dem unregelmäßigen Programm nicht abgeleitet werden, zumal jede Veranstaltung stets auch ein unwägbares wirtschaftliches Risiko darstellt. So wird die Idee einer Münchner Literaturzeitschrift wiederbelebt – trotz des kläglichen Scheiterns der »Münchener Schauspiel-Premièren« einige Jahre zuvor. Ermutigendes Vorbild ist wohl Siegfried Jacobsohns »Schaubühne«. Das Berliner Blatt ist inzwischen zu einer festen Institution der Reichshauptstadt geworden und besitzt einen guten Ruf. Warum sollte in München scheitern, was in Berlin so erfolgreich etabliert werden konnte? Anfang 1908 meldet Lion dem Münchner Amtsgericht die Gründung eines Verlagsgeschäfts. Als Inhaber des »Spiegel-Verlags« wird »Dr. Lion Feuchtwanger, Schriftsteller in München« in das Gewerberegister eingetragen. Das Büro des Verlags befindet sich in der Reitmorstraße 19, wo ein enger Freund Lions und Phoebus-Mitstreiter, Max Monheimer, als Geschäftsführer eine Fenster-Firma betreibt. Monheimer gewährt dem heimatlosen »Spiegel« Asyl. Bereits Ende April 1908 erscheint die erste Ausgabe der neuen Zeitschrift, die den Untertitel »Münchener Halbmonatschrift für Literatur, Musik und Bühne« trägt. Selbstbewusst kündigt der Herausgeber in einem programmatischen Geleitwort das ambitionierte Profil und die Besonderheiten des neuen Periodikums an: »Diese Blätter wollen die Erscheinungen der Literatur, der Musik und der Bühne in einem klarlinigen, klartönigen Bild widerspiegeln. Ein solches Bild zu zeugen, mögen zwei Lichtquellen sich einen, die Strahlen wissenschaftlich-forschender, rein verstandesmäßiger Kritik und die Strahlen künstlerisch-impressionistischen, intuitiven Erkennens.«[108] Für die Qualität der neuen Zeitschrift garantiert ein Tableau renommierter Mitarbeiter: Neben Thomas Mann, Max Halbe,

Waldemar Bonsels, Hermann Bahr und Jakob Wassermann werden Lions Doktorvater Franz Muncker sowie Lou Andreas-Salomé, die Muse von Nietzsche und Rilke, genannt. Auch Siegfried Jacobsohn zählt zum Stab des »Spiegel«. Es versteht sich von selbst und ist auch mit der Würde das »Amtes« kaum vereinbar, dass der Herausgeber und Verleger Dr. phil. Lion Feuchtwanger die Geschicke des »Spiegel« nicht vom elterlichen Herd aus lenken kann. Allein schon um der Außenwirkung willen muss er sich vom Zuhause lösen, muss er die repräsentative Visitenkarte des Verlegers mit einer eigenen Adresse schmücken. Und daher verlässt Lion Feuchtwanger im April 1908 die elterliche Wohnung. Seit Anfang des Monats finden wir ihn als Bewohner der Hackenstraße 5, wo er im zweiten Stock ein Zimmer bei einer gewissen Margarete Menzel angemietet hat, einer Kammerdienerswitwe, die sich mit Untervermietungen an »möblierte Herren« ein bescheidenes Zubrot verdient. Unklar ist, wie der »Spiegel« finanziert wird, woher die erforderliche Liquidität für das Unternehmen kommt. Denn die Anlaufkosten für ein derart ambitioniertes Projekt sind beträchtlich. Eine Zeitschrift ist kein singuläres Ereignis, Herausgeber und Redaktion brauchen einen langen Atem – auch in finanzieller Hinsicht. Der »Spiegel« soll in kurzen Abständen erscheinen; für die Sommermonate ist alle 14 Tage, im Winter jede Woche ein neues Heft vorgesehen. Vorschüsse und Honorare sind zu leisten, Satz- und Druckkosten zu begleichen, Vertriebswege zu organisieren, Werbemaßnahmen zu lancieren, die Miete für das Büro in der Reitmorstraße zu begleichen. Der Verein »Phoebus« ist kein zahlungskräftiger Finanzier, und auch eine kostendeckende Akquise von Inseraten für die Zeitschrift muss erst noch realisiert werden. Es ist daher zu vermuten, dass die Deckungslücken des Unternehmens »Spiegel« letztlich nur mit Zuschüssen aus der väterlichen Kasse geschlossen werden können. Sigmund Feuchtwanger hat große Sympathie für die Literatur, er besitzt ein Theaterabonnement und selbst den kulturellen Interessen und Aktivitäten des Sohnes begegnet er mit freundlichem Wohlwollen. Auch Marta Feuchtwanger bekennt in ihren Erinnerungen, dass Sigmund stolz ist auf seinen Sohn, den erfolgreichen Akademiker, der sein Studium mit einer weithin beachteten Promotion abgeschlossen hat. Wahrscheinlich kommt also die Anschubfinanzierung für die neue Münchner Literaturzeitschrift aus der Familie des Herausgebers.

Die Euphorie Lions wird jedoch enttäuscht. Denn auch dieses Mal bleibt der wirtschaftliche Erfolg des Projekts aus. Anscheinend hat der Herausgeber den Münchner Markt zu optimistisch eingeschätzt. Selbst einer im Annoncenteil versteckten Reklame in eigener Sache (»Bekannter Schriftsteller erteilt Unterricht in deutscher Sprache und Literatur. Stundenhonorar 5 Mk.«) bleibt die erhoffte Resonanz versagt. Wie ein böses Omen erscheint ein Ereignis vom 21. Oktober 1908, als in den Redaktionsräumen in der Reitmorstraße ein Feuer ausbricht, das glücklicherweise keine Verletzten fordert, aber einen großen Teil der »Spiegel«-Auflage vernichtet. Max Monheimer gelingt es, das Feuer zu löschen, den komatösen »Spiegel« kann er nicht wiederbeleben. Nach nur 15 Ausgaben wird das Blatt eingestellt und mit der »Schaubühne« von Siegfried Jacobsohn fusioniert. Das erfolglose »Spiegel«-Intermezzo hat für Lion auch im privaten Bereich unerfreuliche, ja beinahe demütigende Folgen. Er kann noch nicht auf eigenen Beinen stehen, substantielle Erträge aus Schriftstellerei und Verlagsgeschäft bleiben aus. Im Gegenteil: Das riskante Abenteuer »Spiegel« kann vermutlich nur um den Preis eines nicht unbeträchtlichen Schuldenbergs beendet werden. So bleibt auch der eigene Hausstand in der Hackenstraße Episode. Anfang August 1908 zieht der mittel- und erwerbslose Lion Feuchtwanger kleinlaut wieder bei den Eltern ein. Immerhin kann er in der Rückschau der glücklosen »Spiegel«-Episode einen wichtigen Erfolg gutschreiben: »Es wurde damals in München mit ziemlich viel Geld und sehr viel Reklame eine recht prätentiöse Bühne gegründet, das ›Münchner Künstlertheater‹, um der ›germanisch-christlichen Kunst zum Sieg zu verhelfen über die jüdisch-berlinische‹, über Reinhardt und Brahm. Mein ›Spiegel‹ griff diese ›Germanen‹ mit wahrem Furor Teutonicus an und nicht ohne Witz, und wenn der Feind, Max Reinhardt, die Bühne, die ihm den Garaus zu machen bestimmt war, schon im Jahr darauf selbst übernehmen konnte, so hatte ich mein weniges dazu beigetragen.«[109]

Im Herbst 1908 ist Lion erneut in der Lage, sich ein eigenes Quartier zu suchen. Hintergrund ist ein Arrangement mit der »Schaubühne«, wonach Lion künftig aus München über das hiesige Theaterleben berichten wird. Diese Absprache ist zwar einem ungedeckten Wechsel auf die Zukunft vergleichbar, aber die Vereinbarung erweist sich als tragfähig und Lion wird in den nächsten Jahren zahlreiche Beiträge für die Berliner Zeitschrift verfassen. Ja, er wird zu einem der fleißigsten und wichtigsten Mitarbeiter Siegfried Jacobsohns avancieren und sich auf diese Weise ein zwar bescheidenes, aber solides Auskommen sichern. Ermutigt von dieser Perspektive verlässt er am 1. Oktober 1908 erneut sein Elternhaus und zieht wieder ins Münchner Lehel. Im dritten Stock eines heruntergekommenen Hauses in der Gewürzmühlstraße 3 kann er von dem Tapezierer Ernst Gallinger und seiner »schwatzhaften« Frau ein Zimmer anmieten. Im Erdgeschoß des Hauses befindet sich der »St. Anna-Hof«, eine etwas zweifelhafte Spelunke der Spaten-Brauerei. Anschaulich beschreibt Marta Feuchtwanger das ärmliche und doch pittoreske, bohemienhafte Leben Lions zu jener Zeit: »Er lebte in einer kleinen Straße, direkt unter dem Dach im Speicher. Neben dem Hauseingang war eine Wirtschaft, ein sehr schäbiges Gasthaus, und es roch nach Bier und Urin. Das war schrecklich. Und dann musste man diese außerordentlich steilen Stufen hinaufsteigen. Doch je höher man stieg, je weiter man nach oben kam, umso sauberer wurde die Luft. Und dort lebte er. (…) Dort hatte er also dieses kleine Zimmer ohne Wasser. Um sich zu waschen, musste er das Wasser aus der rechten Wohnung holen.«[110] Doch bei dieser Schilderung ist Vorsicht angebracht. Denn es ist fraglich, ob Marta tatsächlich der Rang einer in jeder Hinsicht glaubwürdigen Zeugin zukommt. Die blumige Beschreibung von Lions Ambiente erinnert doch sehr an Spitzwegs ikonographisches Genrebild vom »armen Poeten« und passt sich geradezu idealtypisch ein in die romantisierende Vorstellung des verarmten Bohemien, des wahren Künstlers, der zwar unter erbärmlichen Verhältnissen lebt, aber gerne diesen Preis für eine unangepasste, dafür aber authentische Randexistenz zahlt. Die Randexistenz verfügt indessen über einen Telefonanschluss mit der Nummer 1232 und firmiert im Münchner Stadtadressbuch als »Feuchtwanger, Lion Dr. phil. Redakt. Gewürzmühlstraße 3/3«. Der »arme Poet« mit Telefonanschluss? Schwer vorstellbar.

Nach gut anderthalb Jahren verlässt Lion das Lehel und seine Bude, die ihm »unsäglich ärmlich erscheint«, und zieht in die Stadtmitte.[111] Ab Mitte Juli 1911 findet er ein bescheidenes Quartier in der Burgstraße 10, unweit des Marienplatzes. Im ersten Stock stellt ihm eine Angestellte seines Stammlokals »Torggelstube« ein Zimmer zur Verfügung, das er auch dann bewohnen kann, wenn er vorübergehend das Geld für die Mietzahlung nicht aufbringen kann. Im Erdgeschoß des Hauses befindet sich ein Wollgeschäft. Die Adresse ist geschichtsträchtig, denn im gegenüberliegenden Haus Burgstraße 6 hat Wolfgang Amadeus Mozart 1780/81 große Teile seiner Oper »Idomeneo« komponiert. Nach wie vor ist es für den jungen Lion nicht einfach, auf eigenen Beinen zu stehen. Er ist immer wieder gezwungen, sich Geld zu leihen, sei es von Verwandten oder Fremden. Seine naiven Versuche, das Geld zur Rückzahlung der Schulden beim Kartenspielen zu gewinnen, erweisen sich als Illusion. Um alte Verpflichtungen zu tilgen, müssen neue Verpflichtungen eingegangen werden – eine Schuldenspirale, aus der sich Lion einstweilen nur mit väterlichen Zuschüssen befreien kann.

Das Jahr 1909 wird zu einem besonderen, einem wichtigen Jahr für Lion Feuchtwanger. Dieses Jahr wird in der biographischen Chronologie zu einer einschneidenden Zäsur, die dem beruflichen Weg des noch lange nicht arrivierten Kritikers eine neue Richtung gibt und auch die private Lebenswelt des jungen Mannes spürbar verändert. Beruflich ist der Status des 24-jährigen Theaterkritikers nicht besorgniserregend, aber eben auch nicht vielversprechend. Zwar hat sich Lion in München einen Bekanntheitsgrad, mehr noch: einen Ruf erarbeitet. Er ist aber – noch – kein Alfred Kerr, dessen Urteil nationales Gewicht hat, dessen Votum Karrieren anstoßen, entwickeln oder zerstören kann. Dennoch: Lion ist einer, der in München mitredet, mitmischt, mitgestaltet, der Ideen hat und für diese Ideen auch Umsetzungsmöglichkeiten und Öffentlichkeiten sucht. Doch außerhalb der bayerischen Hauptstadt kennt wohl kaum jemand seinen Namen. Innerhalb der Münchner Kulturszene ist der Name Lion Feuchtwanger freilich auch nicht immer mit Wohlklang gekoppelt. Als einer der Hauptbeteiligten sorgt er im »Phoebus-Skandal« für erhebliches Aufsehen. Andererseits hat er mit ambitionierten Projekten wie den »Schauspiel-Premièren« und dem »Spiegel« unter Beweis gestellt, dass er entschlossen, lautstark und selbstbewusst seiner Stimme Gehör verschaffen kann, sobald es um Literatur und Theater geht. Er hat aber auch das Scheitern dieser Projekte hinnehmen müssen. Er hat sich als hoffnungsvoller Dramatiker präsentiert und mit ansehen müssen, wie seine ersten Bühnenstücke vom Publikum verlacht und von der Kritik verrissen worden sind. Noch kann niemand wissen, dass dieser Lion Feuchtwanger in den Jahren 1916 bis 1932 zu einem der erfolgreichsten deutschsprachigen Bühnenschriftsteller werden wird, dessen Stücke in dieser Zeit rund 5000 Aufführungen erleben. Um die Jahreswende 1908/09 beginnt ein neues Kapitel in Lions Leben. Und bald wird sein Name auch außerhalb Münchens bekannt sein. Lion erweitert den Resonanzraum seiner Stimme beträchtlich, als er von Siegfried Jacobsohn als ständiger Mitarbeiter für die »Schaubühne« engagiert wird. Marta Feuchtwanger erinnert sich, dass diese Zusammenarbeit auf Initiative Lions zustande kommt, der unverlangt und auf gut Glück eine Besprechung an die Redaktion sendet und daraufhin entsprechende Aufträge erhält. In den nächsten Jahren wird Lion unzählige Beiträge für die angesehene »Schaubühne« verfassen, er wird Münchner Theateraufführungen und Premieren besprechen, er wird programmatische Artikel über das

Wesen, die Defizite und die Zukunft des Theaters schreiben. Zu den Kollegen bei der »Schaubühne« gehören namhafte Autoren wie Alfred Polgar, Hermann Bahr, Theodor Lessing oder Julius Bab. Am Rang dieser Namen und an der Qualität ihrer Beiträge wird Lion gemessen – und er wird sich mit einer ganz eigenen Handschrift im illustren Kreis der Edelfedern behaupten und durchsetzen. Sein Ruf als stilsicherer, unbestechlicher Beobachter des Theaterlebens wächst ebenso wie das Interesse an seiner Mitarbeit. Neben der »Schaubühne« schreibt Lion bald auch für die »Vossische Zeitung«, für die »Frankfurter Zeitung« und für das »Berliner Tageblatt«.

Lions erster Beitrag für Siegfried Jacobsohns Periodikum ist eine Besprechung der Shakespeare-Aufführung »Maß für Maß« am Münchner Residenztheater. Die etwas schwerfällige Inszenierung findet gleichwohl Gnade vor den strengen Augen des Kritikers, obwohl er nicht verhehlen kann, dass die Leistung der Schauspieler »nur braver Durchschnitt war«. Immerhin zieht Lion eine insgesamt wohlwollende Bilanz, wobei er sich eine scharfe Spitze gegen das ungeliebte »Künstlertheater« nicht verkneifen kann: »Das Ganze war mit Liebe und Sorglichkeit einstudiert (…) und verstärkte den Eindruck, daß man im Hofschauspiel fleißig, ehrlich und, in wohltuendem Gegensatz zum ›Künstlertheater‹, ohne Lärmen arbeite«.[112] Nahezu alle Texte Lions, die in der »Schaubühne« veröffentlicht werden, haben mit Theater und Bühne zu tun; es sind meist Besprechungen von Aufführungen, bisweilen auch programmatische, theoretische Diskurse, die sich mit den Möglichkeiten und den verpassten Möglichkeiten des Theaters – insbesondere in seiner Heimatstadt München – auseinandersetzen. Siegfried Jacobsohn lässt seinen Münchner Autor dabei schon im ersten Jahr der Zusammenarbeit an prominenter Stelle und immer wieder als Aufmacher einzelner Hefte zu Wort kommen; zweifellos ein Zeichen von Wertschätzung. Nicht wenige der Beiträge Lions machen deutlich, dass hier einer spricht, der nicht nur kritisiert, der nicht nur den formalen, technischen Aspekt des »Theatermachens« versteht und analysiert, die Abläufe und Verläufe auf der Bühne bewertet und für die Schauspielkunst der Akteure Zensuren verteilt. Hier spricht auch einer, der selbstbewusst zum Ausdruck bringt, dass er es besser weiß. Und: dass er es – zweifellos – besser machen könnte.

Die Arbeit für die »Schaubühne« verändert Lions Tonlage, modifiziert seinen Stil unverkennbar. Schon die Statements im »Spiegel« sind geprägt von einer strengen Urteilskraft, von Theaterkompetenz, vom Wissen um die Einordnung und Deutung sowohl der Klassiker wie auch der Moderne, schließlich: von einer bemerkenswerten sprachlichen Souveränität beim Argumentieren und Kritisieren. Und doch bleiben die Texte des »frühen Feuchtwanger« zurückhaltend im Jargon, verbindlich in der Kritik, versöhnlich auch im Dissens. Jetzt, 1909, werden die Texte angriffslustiger, bissiger, in gewisser Weise auch rücksichtsloser. Lion Feuchtwanger zeigt sich in der »Schaubühne« als unbestechlicher Treuhänder des Theaters, als leidenschaftlicher Gewährsmann einer Theaterphilosophie, dem die Wahrhaftigkeit und die unverstellte Sinnlichkeit des Genres über alles geht. Daher akzentuiert er bereits in seinem ersten Beitrag für die »Schaubühne« wortgewaltig – und gewiss auch ein gutes Stück selbstgerecht – ein anspruchsvolles Anforderungsprofil für den Theaterautor: »Schauspieler im eigentlichen Sinn des Wortes muß der Bühnendichter sein. Tausend Leben in sich haben. Alles Leben in sich haben, um es in jedem Augenblick, achtlos der Fülle, unversiegbar verströmen zu lassen. (…) Der nicht alles erlebt hat, alles hinter sich geworfen, der ist kein rechter Dramatiker.«[113] Das schreibt ein 24-Jähriger, gerade dem wohlbestellten Elternhaus entwachsen, dessen Lebenserfahrung räumlich hinter dem Münchner Burgfrieden endet.

Konfliktscheu und harmoniesüchtig ist der junge Lion Feuchtwanger nicht. Streitbarkeit, Mut zur Wahrheit und ein unverstellter, klarer Ton in der Aussage sind zentrale Tugenden im Pflichtenheft sowohl des Theaterkritikers wie auch des Feuilletonjournalisten. Lion erfüllt diese Anforderungen hinreichend; er weicht Auseinandersetzungen nicht aus. Später geht er auf selbstkritische Distanz zu dem scharfzüngigen Kritiker der Vorkriegszeit, entschuldigt sich für manche schmerzhafte Verletzung, die sein Ton verursacht hat: »Ich schrieb auch ziemlich viele Rezensionen in jenen Jahren. In einem reichlich brillanten, fechterischen Stil, ziemlich bösartig. Ich habe manchem Manne wehgetan damals; denn ich wußte viel, ich war in den Ästhetiken mancher Epochen gut beschlagen, ich konnte, wenn ich wollte, recht scharf treffen. Heute verstehe ich nicht mehr recht, warum ich treffen wollte.«[114] Eine der öffentlichen, über die »Schaubühne« ausgetragenen Fehden des Jahres 1909 gilt dem Münchner Lokalmatador Otto Falckenberg, der unter dem Titel »Die Dramaturgie Schillers« die theoretischen Schriften des Dichters herausgegeben hat – eine Publikation, die vor den Augen Lion Feuchtwangers jedoch keine Gnade findet. Der 1873 in Koblenz geborene Geisteswissenschaftler Falckenberg ist in der Münchner Kulturszene prominent. Bis 1903 gehört er unter dem Pseudonym »Peter Luft« dem von ihm mitbegründeten literarischen Kabarett »Die Elf Scharfrichter« als Akteur, Autor und

Regisseur an. Auch mit eigenen Bühnenstücken (»Doktor Eisenbart«) und Inszenierungen hat er sich einen Ruf als talentierter Dramatiker und Regisseur erworben. Falckenberg wird in den folgenden Jahren der Münchner Theaterlandschaft durch aufregende Inszenierungen und Uraufführungen nachhaltig seinen Stempel aufdrücken. Die von Falckenberg besorgte Schiller'sche Textsammlung wird jedoch von Lion Feuchtwanger in der Berliner »Schaubühne« übel gescholten, als »überheblich« und »dilettantisch« scharf abqualifiziert.[115] Was folgt, ist ein publizistisches Fernduell aus Rede und Gegenrede, in dem Falckenberg mit halbherzigem Widerspruch und kleinlauten Rechtfertigungen gegen Feuchtwangers Angriffslust und stringente Beweisführung den Kürzeren zieht. Das Pikante an der Angelegenheit ist, dass man sich natürlich kennt. Die Münchner Theaterwelt ist klein und die Wege der Herren Falckenberg und Feuchtwanger haben sich wiederholt gekreuzt. Diese persönliche Bekanntschaft ist es wohl, die Lion am Ende veranlasst, den Disput mit einem versöhnlichen Wort über Falckenbergs Qualität als Dramatiker zu beenden. Dessen »Doktor Eisenbart« bleibt »ein ganzer Kerl, auch wenn er in der Geschichte der Medizin keine Rolle spielt«.[116] Und auch Falckenberg spielt den Ball, nicht weniger geschickt, flach zurück. In seinem Schlusswort deutet er zwar weitere überzeugende Argumente an, aber er bekennt hinterlistig: »Wem in aller Welt könnte es nützlich oder wem daran gelegen sein, daß ich Sie, Herr Feuchtwanger, ins Unrecht setzte?«[117]

Einen anderen, ungleich wortmächtigeren Gegner macht sich Lion mit ätzenden Kritiken am Oberammergauer Passionsspiel, die im Jahr 1910 in der »Schaubühne« veröffentlicht werden. Die alle zehn Jahre stattfindenden Aufführungen in dem kleinen, zwischen Murnau und Garmisch gelegenen Bauerndorf stehen seit jeher unter notorischem Antisemitismusverdacht und verkörpern ein Stück volkstümlich-brave Bühnenkultur, die mit dem modernen Theaterbegriff des jungen Lion Feuchtwanger nicht zu vereinbaren ist. Im Frühjahr 1910 begibt sich der Kritiker nun an den Fuß der Ammergauer Alpen, um das rustikale Spektakel, an dem nahezu das gesamte Dorf als Laienspielschar mitwirkt, in Augenschein zu nehmen. Und er wird nicht enttäuscht. Zwar strömen die Massen, auch aus dem Ausland, zur Passion und bescheren dem Dorf internationale Aufmerksamkeit und eine prall gefüllte Gemeindekasse. Im scharfen Gegensatz zur Geschäftstüchtigkeit der Oberammergauer steht jedoch deren schauspielerisches Talent: »Armselig eingelernt sind die Gesten dieses Jesus und seiner Jünger, und Pilatus und die Vornehmen Jerusalems erreichen bestenfalls die Würde bayerischer Landtagsabgeordneter. Fürchterlich werden sie, wenn sie den Mund auftun. Ach, wenn sie ihr geliebtes Oberbayrisch sprächen! Aber sie kauen mühsam an einem breiten, breiigen, zerhackten, zerquälten, vergewaltigten Schriftdeutsch, so daß alle ihre Reden den Eindruck von etwas unsagbar Hölzernem, Unverstandenem, Automatischem, Marionettenhaftem machen. Man findet nicht die Spur von einem Geist, und alles ist Dressur.«[118] In München wird die »Schaubühne« ebenfalls gelesen und nicht jeder freut sich über die scharfe Polemik, mit der die Passion verrissen wird. Als offizieller Passions-Berichterstatter der »Münchner Neuesten Nachrichten« hat der durch seine derb-provokanten Texte bekannte Volksschriftsteller Georg Queri sogar eine eigene Kolumne, die regelmäßig unter dem Titel »Aus dem Passionsdorfe« erscheint. Queri reagiert überaus gereizt auf die Feuchtwanger'sche Kritik. Und er erinnert an den »Phoebus-Skandal« und Lions bislang dürftige eigene dramatische Produktion, um die kritische Kompetenz des »Jung-Phoebus« in Frage zu stellen. In seiner Erwiderung konstatiert Lion zwar, »der ganze Fall lohnt kaum der Worte«, dennoch reagiert er wortreich auf Queris schmalbrüstige Replik und erinnert boshaft daran, dass Queri dem »Phoebus« seinerzeit eine selbstgeschriebene Komödie eingereicht habe, »die sich leider zur Aufführung nicht eignete«.[119]

Die Falckenberg- und Queri-Episoden machen deutlich: Der kulturelle Kosmos Münchens ist letztlich doch klein, überschaubar und – provinziell. Um die attraktiven Logenplätze für all die ambitionierten Aktivisten, aufgeregten Intellektuellen, lebensdurstigen Bohemiens wird heftig gerangelt, sie gelten als ein knappes Gut. Um von der eigenen Kunst überhaupt leben zu können, bedarf es besonderer Talente. Zu diesen gehört nicht nur eine naturgegebene künstlerische Begabung, sondern auch die Fähigkeit, die potentiellen Wettbewerber auf dem Marktplatz der Eitelkeiten überzeugend zu diskreditieren und dauerhaft schlecht aussehen zu lassen, ihren Nimbus rasch zum Verglühen zu bringen. Nur wenige Fixsterne leuchten hell und dauerhaft, sind (scheinbar) über jeden Anfangsverdacht eifersüchtiger Kleingeisterei und aufgeregten Futterneids erhaben. Frank Wedekind, Max Halbe und Stefan George sind solche unangefochtenen Großfürsten der Münchner Vorkriegsszenerie. In ihren Stammlokalen und privaten Salons halten sie Hof, verteilen Gunst und Zuneigung nach Gutdünken und momentaner Laune, sorgen mit strategischer Klugheit für wenig Licht und viel Schatten. Und gewährleisten mit subtiler Intelligenz, dass die eigene Sonne umso heller erstrahlt. Und das Fußvolk, die kulturellen Kärrner und Wasserträger, die teils namenlosen und teils halbprominenten lokalen Akteure aus Literatur und Theater, aus Feuilleton und Kritik, die sich aus unzähligen Begegnungen in den kleinteiligen Milieus der Weinstuben und Bierkeller vertraut und in wechselseitiger Sympathie und tiefempfundener Abneigung verbunden sind, fechten entschlossen die Kämpfe um die guten Plätze im Dunstkreis der Großen, im Wettlauf um Aufmerksamkeit, Aufträge und Honorare für das große Welttheater aus. Es gilt auch hier das Prinzip: Gefangene werden nicht gemacht! In dieser Arena absolviert der junge Lion Feuchtwanger seine Lehrjahre.

Sobald es um Zustand, künstlerisches Niveau und Zukunft des Theaters geht, nimmt Lion Feuchtwanger kein Blatt vor den Mund. Seine Auffassung von der Interpretation und Inszenierung dramatischer Werke auf der Bühne vertritt er leidenschaftlich und kompromisslos. So nimmt es nicht Wunder, dass Lion in den Jahren 1908/09 zu einem zentralen Akteur in einer heftigen kulturpolitischen Auseinandersetzung um das Profil der Theaterstadt München wird. Der junge Redakteur und Dramatiker mischt sich ein, argumentiert meinungsstark und kann am Ende der konfliktgeladenen Debatte immerhin einen deutlichen Punktsieg für seine Sache verbuchen. Die lautstark und pronunciert vor allem über die Zeitungen ausgetragene Kontroverse bewegt sich zwischen zwei konträren Polen: dem Renommierprojekt »Münchner Künstlertheater« auf der einen und dem Bühnenerneuerer Max Reinhardt auf der anderen Seite. Die Anfänge des Konflikts datieren zurück in den Mai 1907, als sich unter der Schirmherrschaft des Wittelsbacher Kronprinzen Rupprecht der Verein »Münchner Künstlertheater« konstituiert. Der Impuls für dieses Unternehmen kommt von dem Theaterleiter Georg Fuchs, der seit 1904 als Schriftsteller und Bühnentheoretiker in München wirkt. Er postuliert ein Theater, das nicht nur elitär agiert, sondern – als »echte Volksbühne« – den Ansprüchen einer »breiten Masse« Rechnung trägt. Das Theater ist ihm nicht nur ein Reflex gesellschaftlicher Realität, sondern auch ein stilbildendes Instrument, das beklagenswerte gesellschaftliche Realitäten verändern hilft. Fuchs' Bemühungen um eine eigene Bühne zur praktischen Umsetzung und Erprobung seiner Philosophie nehmen mit der Gründung des Vereins »Münchner Künstlertheater« konkrete Formen an. Den Vorsitz übernimmt der angesehene Malerfürst Franz von Stuck, unter den Mitgliedern finden sich die illustren Namen zahlreicher prominenter Künstler von Rang. Der Bildhauer Adolf von Hildebrand, der Jugendstil-Architekt Richard Riemerschmid und auch der Maler Fritz von Uhde unterstützen das Vorhaben.

Das von dem renommierten Münchner Baumeister Max Littmann mit Jugendstil-Anmutungen entworfene »Künstlertheater« öffnet am 17. Mai 1908 im Rahmen der imposanten Einweihungsfeierlichkeiten des neuen Ausstellungsparks seine Pforten. Natürlich wird das im Stil eines Amphitheaters errichtete Haus nicht mit irgendeinem Stück, sondern mit dem deutschen Schicksalsdrama schlechthin, mit Goethes »Faust«, eingeweiht. Die Theaterarchitektur folgt einem fortschrittlichen Ansatz: Die vertraute, mit der Tiefe des Raumes arbeitende Bühne mit möblierten Inszenierungen und Realität imitierenden Kulissen ist passé. Stattdessen präsentiert das Haus einen halbrund angelegten Zuschauerraum mit gut 600 Plätzen und eine an diesen Zuschauerraum angedockte Bühne. Die Aufführungen werden vor allem durch einen zurückhaltenden Prospekt im Hintergrund und durch Schiebeelemente optisch unterstützt. Dieses Reformtheater, das sich weigert, »ehrgeizigen Regisseuren zum Zirkus ihrer Ausstattungslaunen zu dienen«[120], ist noch Experiment und findet vor allem bei Frank Wedekind und dem Münchner Theaterprofessor Artur Kutscher Beifall. Bei Lion Feuchtwanger und anderen jungen Modernisierern des Theaters stößt das Projekt »Künstlertheater« freilich auf wenig Gegenliebe, wird gar als eine der »verfehltesten Bühnenschöpfungen der letzten Jahrzehnte« abgestraft.[121] Von Innovation vermag Lion Feuchtwanger im Spielplan des »Künstlertheaters« nichts zu entdecken; er sieht vielmehr »die schallend angepriesenen neuen, guten Wege, an denen nicht Neues gut und nicht Gutes neu war«.[122] Das Repertoire des neuen Hauses wird als langweilig und dringend renovierungsbedürftig empfunden: »Außer dem ›Faust‹ und ›Was ihr wollt‹ hat man nur relativ belanglose Miniaturen gewählt: an dem Grundstock der dramatischen Produktion des neunzehnten Jahrhunderts (…), an Hebbel, Kleist und Ibsen, an Schnitzler, Hauptmann und Hofmannsthal geht der Spielplan des Künstlertheaters geflissentlich vorbei«, so Lion in einem programmatischen Plädoyer.[123] Er scheut sich nicht, diese Position auch öffentlich zu vertreten. Im Rahmen eines Phoebus-Vortrags im Café Luitpold äußert er sich am 23. September 1908 mehr als kritisch zum »Künstlertheater« und ruft dabei Goethe als Kronzeugen auf, aus dessen »Zahmen Xenien V« er eine Polemik über verfehlte Kunstpolitik zitiert:

Das Schlechte kannst du immer loben,
Du hast dafür sogleich den Lohn!
In deinem Pfuhle schwimmst du oben
Und bist der Pfuscher Schutzpatron.

Die Ausführungen des jungen Redners sind sogar für den dem »Künstlertheater« durchaus kritisch gegenüberstehenden Redakteur der »Münchener Zeitung« starker Tobak: »Nicht recht aber ist es, so maßlos persönlich zu werden, wie es dem Herrn Vortragenden beliebte. Und nicht recht ist es auch, ein Pflänzchen zu zertreten, kaum, daß es aus dem Boden gekrochen ist.«[124] Was Lion während seiner Philippika wider ein schlafmütziges und großväterliches Theater nicht bemerkt und erst viel zu spät erkennt: Im gespannt lauschenden Publikum sitzt mit Kronprinz Rupprecht nicht nur einer der höchsten Repräsentanten der Wittelsbacher Monarchie, sondern auch der Schirmherr des »Künstlertheaters« höchstselbst. Ein Eklat droht, und die höchst unangenehme Situation treibt dem geschockten Redner Schweißperlen auf die Oberlippe – ein Phänomen, das Lion stets in peinlichen Momenten heimsucht. Rupprecht jedoch überspielt die Peinlichkeit, sucht am Ende der Veranstaltung das Gespräch mit Lion und bekennt freimütig: »Wenn ich geahnt hätte, wie dieses Theater geplant war, hätte ich niemals die Schirmherrschaft übernommen.«[125] Tatsächlich wird das Theater den hochgespannten Erwartungen nicht gerecht. Noch im Eröffnungsjahr und nach nur 96 Vorstellungen löst sich der Trägerverein »Münchner Künstlertheater« auf, das Haus wird geschlossen. Erst im Folgejahr kommt es zu einer Wiederbelebung des ursprünglich als »Modelltheater« hochgelobten Hauses. Der Retter des gescheiterten Reformtheaterexperiments kommt, ausgerechnet, aus Berlin. Im Juni 1909 gastiert Max Reinhardt mit seinem Ensemble des Deutschen Theaters Berlin am »Künstlertheater« – und feiert Triumphe.

Die »Reinhardt-Festspiele« 1909 werden vom Münchner Publikum mit aufgeregter Vorfreude erwartet. Hugo von Hofmannsthal, der gegenüber der einflussreichen Münchner Verlegersgattin Elsa Bruckmann die Sorge äußert, dass Reinhardt »in München, von mehr als einer Seite, Widerstände entgegenstehen werden«, erhält von seiner Freundin die beruhigende Auskunft: »Von den verschiedenen Seiten, die hier in Betracht kommen, höre ich überall das Gleiche: man ist Reinhardt's Hierherkommen nicht im geringsten ›feindlich‹ gesinnt; man freut sich auf ihn ›wenn er hält, was man sich von ihm verspricht‹; man ist überzeugt, daß er volle Häuser erzielt«.[126] Dieser Überzeugung ist auch Lion Feuchtwanger, der nicht erst während seines Berlin-Aufenthalts 1905/06 ein Anhänger der Theaterphilosophie des genialischen Erneuerers Reinhardt geworden ist. Lion weiß um die wegweisende, wirkungsstarke Bedeutung des Berliner Theatermanns für das deutsche Bühnenleben. Reinhardt, in der ersten Dekade nach der Jahrhundertwende bereits ein erfolgreicher, wenngleich auch umstrittener Regisseur in Berlin, hat erstmals während eines München-Gastspiels mit seinem Ensemble im Jahr 1904 die hiesige Bühnenlandschaft heftig durcheinandergewirbelt. Im Volkstheater an der Sonnenstraße präsentiert Reinhardt erfolgreiche Klassiker aus seinem Berliner Repertoire, darunter »Kabale und Liebe« und »Minna von Barnhelm«, aber auch moderne Stücke wie etwa Gorkis »Nachtasyl« und Wedekinds »Erdgeist« – dies womöglich als Tribut an den *Genius Loci*, denn Wedekind, einer der bekanntesten, freilich auch umstrittensten Dramatiker seiner Zeit, hält sich häufig in München auf. Das Gastspiel der Berliner wird zu einem umjubelten Erfolg. Und die Münchner erleben eindrucksvoll, was Bernhard Diebold, der Theaterkritiker der »Frankfurter Zeitung«, später als Reinhardt'sches Markenzeichen definieren wird: Bei dem Berliner Regisseur feiert das Auge »Orgien«. Das Münchner Theaterpublikum lernt die spätere Schauspielerlegende Tilla Durieux kennen und feiert ein Wiedersehen mit der wunderbaren Gertrud Eysoldt, die 1890 am Münchner Hoftheater ihr Debüt gegeben hat. Auch bei Lion Feuchtwanger hinterlässt das Reinhardt-Gastspiel eine starke, nachhaltige Wirkung. Tief beeindruckt, ja geradezu euphorisch beschreibt er seine Theatererlebnisse mit Max Reinhardt und notiert noch Jahre später: »Kein Fünkchen Staub lag noch auf seinem frischen Ruhm, auf seiner jungen Tat. (…) München jubelte ihm zu.«[127] Mit Max Reinhardt, dem »Magier«, wie er von Bruno Frank in einer 1929 erschienenen Novelle bezeichnet wird, emanzipiert sich der Regisseur vom theatralischen Dienstleister zu einer dem Dramatiker ebenbürtigen Rolle. Mit Reinhardt begegnen sich der literarische Urheber und der künstlerische Interpret auf Augenhöhe. Nicht Intention und Gedankenwelt des Autors stehen im Mittelpunkt von Reinhardts Interesse, sondern die Umsetzung und Ausdeutung von dessen Werk auf der Bühne. Der Dramatiker wird zum Stofflieferanten des Regisseurs, dessen künstlerisch-kreativer Umgang mit dem Material die Transformation von der abstrakten Schriftform in eine Sphäre der sinnlichen Interpretation erst ermöglicht.

Nach dem Desaster des »Künstlertheaters« ist Max Reinhardt 1909 der Retter in der Not. Er soll das künstlerisch und wirtschaftlich gescheiterte Theater im neuen Ausstellungspark konsolidieren und neu ausrichten. Und Reinhardt widmet sich dieser Aufgabe mit dem Anspruch, aus dem sommerlichen München nichts weniger zu machen als »ein Zentrum des deutschen Theaterlebens«[128]. Sein Programm wird dominiert von Shakespeare. »Hamlet«, »Was ihr wollt« und »Ein

Sommernachtstraum« stehen auf dem Spielplan. Als Hamlet präsentiert sich dem staunenden Publikum ein grandioser Alexander Moissi, der an der Schwelle einer Weltkarriere steht und in den nächsten Jahren zum berühmtesten und bestbezahlten Bühnenschauspieler Europas werden wird. Kein Wunder, dass das Interesse in der Stadt enorm ist. Fast dankbar mutet die Begeisterung der Münchner Bürgerschaft für den Regisseur Reinhardt und sein Ensemble an. Am 20. August 1909 erfreut Reinhardt die Münchner mit einer zweiten Premiere: Ebenfalls im »Künstlertheater« präsentiert er Nestroys »Revolution in Krähwinkel«, ein durchschlagender Erfolg beim Publikum, der »dem Regisseur und seiner Künstlerschar stürmische Ovationen« einbringt.[129] Auch in den folgenden Jahren gastiert Reinhardt immer wieder an der Isar. Das fulminante Theatererlebnis Reinhardt gehört zweifellos zu den wichtigen und nachhaltigen Impulsen für den weiteren künstlerischen Werdegang des jungen, noch immer etwas orientierungslosen Feuchtwanger. Der hat am Ende der ersten Dekade des neuen Jahrhunderts seinen eigentlichen Platz noch nicht gefunden. Er ist seiner Bestimmung womöglich näher gekommen, aber noch befindet er sich auf der Suche nach seiner Rolle in der Welt der Literatur. Mit Theaterkritiken und klugen Feuilletons vermag er seinen Lebensunterhalt mehr schlecht als recht zu verdienen. Intellektuell ist diese Profession auf Dauer unbefriedigend. Denn im Grunde versteht sich Lion Feuchtwanger als Schöpfer und nicht als Rezensent. Trotz der desaströsen Aufnahme der ersten Einakter will er von dieser Berufung nicht lassen. Er arbeitet als Journalist, versteht sich aber als Dramatiker, und das Verfertigen von Literatur, von Theaterstücken soll von nun an in den Mittelpunkt seines Schaffens, seines Lebens rücken.

Die Liebe zum Theater hindert Lion nicht daran, sich auch als Romanautor zu versuchen. 1909/10 widmet er sich dem epischen Genre und verfasst »einen wirksamen, hochmütigen und sehr artistischen Roman, darstellend das reiche, spielerische und gewissenlose Leben eines jungen Mannes aus der Gesellschaft«.[130] Der Roman steht unter dem vielsagenden Motto »Se laisser voir avec un grand désir non satisfait, c'est laisser voir soi inférieur« – »Eine große ungestillte Sehnsucht offenbaren heißt, eine Niederlage eingestehen« –, das auf den französischen Dichter Stendhal zurückgeht. Dieser erste Roman Feuchtwangers über Verbrechen, Eitelkeit und genusssüchtige Hybris steht ganz im Zeichen einer nihilistischen Zeitstimmung. Es begegnen jedoch immer wieder auch biblische Bezüge und Querverweise. Schon der Titel »Der tönerne Gott« erinnert an ein Motiv aus dem Buch Daniel – das auf tönernen Füßen stehende symbolträchtige Standbild im Traum des Nebukadnezar. 1910 erscheint das Buch im Münchner Verlag von Waldemar Bonsels; Lion ist mit dem Verlagsleiter befreundet. Später möchte er den Roman über einen jungen jüdischen Großstadtintellektuellen, der in Teilen vermutlich auch als selbstreflexiver Diskurs des Verfassers gelesen werden kann und an der Grenze zum trivialen Kitsch steht, am liebsten vergessen machen. Schon die zeitgenössische Kritik geht auf Distanz zu dem Buch. Es sei »keine hervorragende Leistung, aber gewährt eine ganz spannende Lektüre«, so der Germanist und Kulturhistoriker Ludwig Geiger in der »Allgemeinen Zeitung des Judentums«, der auch einige eklatante Schwächen hinsichtlich der Handlungsführung konstatiert. So könne man an dem Buch, »das eine gewisse Begabung verrät, keine rechte Freude finden (...) weil der Verfasser es nicht verstanden hat, die Tatsachen, die er berichtet, wahrscheinlich, und die Menschen, die er darstellt, glaubhaft zu machen«.[131] Gewidmet ist der Erstling über den genialen, aber moralisch verwahrlosten Dichter Heinrich Friedländer »Meiner Freundin«. Man darf hinter der geheimnisvollen Anonyma Marta Löffler vermuten, eine attraktive Münchnerin, die Lion seit 1909 kennt und umwirbt. Sicher ist diese Zuschreibung freilich nicht, denn der Schriftsteller hat auch ein Faible für andere junge Damen; vor allem Theaterschauspielerinnen passen ins Beuteschema, und nicht wenige erliegen dem subtilen Charme und dem gebildeten Humor Lion Feuchtwangers, der sich in der Theaterszene als regelmäßiger Premierengast und scharfzüngiger Kritiker einen Namen gemacht hat. Es kann also für angehende und auch etablierte Schauspielerinnen nicht schaden, sich mit dem jungen Mann, dessen Einfluss wächst, gutzustellen.

1909: Marta

> »Mein Leben begann mit dem Tag,
> an dem ich Lion das erste Mal traf.«[132]

Marta Feuchtwanger ist die Tür, die man öffnen muss, um zur Persönlichkeit jenseits des öffentlich sichtbaren Schriftstellers Lion Feuchtwanger vorzudringen. Sie ist die besorgte Hüterin des Feuchtwanger'schen Erbes, die Treuhänderin von Lions Nachlass und die wichtigste Person der Feuchtwanger-Rezeption, der Feuchtwanger-Biographik nach dem Tod des Schriftstellers im Dezember 1958. Mit lakonischer Selbstverständlichkeit reklamiert Marta die Deutungshoheit über den Menschen Feuchtwanger. Das Werk, das jedem zugänglich ist, in millionenfacher Auflage gedruckt vorliegt, interpretiert sie kaum; das überlässt sie Lesern, Kritikern und Wissenschaftlern. Allenfalls gibt sie Hilfestellungen und Hinweise zur literaturgeschichtlichen Einordnung, zur philologischen Feinjustierung. Anders dagegen, sobald die Deutung und Einordnung des Menschen Lion Feuchtwanger gefragt ist: Hier kommt man nicht aus ohne Martas Intervention, die durch die jahrzehntelange Zeitzeugenschaft und Lebenspartnerschaft an der Seite Lions beglaubigt ist. Marta wird nach 1958 zur wichtigsten Gewährsperson der Feuchtwanger-Forschung. Sie ist die Hüterin des Schatzes in dem Anwesen am Paseo Miramar in Pacific Palisades, der späteren »Villa Aurora«, der aus der Bibliothek des Schriftstellers und seinem Nachlass, vor allem aber aus den Erinnerungen Martas besteht. Diese Erinnerungen besitzen einen hohen Stellenwert für die biographische Archäologie in Sachen Lion Feuchtwanger, was vermutlich schon zu Lebzeiten Lions erkennbar ist. Hat sich doch der Schriftsteller Feuchtwanger stets einer umfassenden autobiographischen Reflexion verweigert und nur wenige Texte mit ausgesprochener Ego-Qualität hinterlassen. Und auch eine konzise biographische Annäherung noch zu Lebzeiten ist unterblieben. Ein Biograph zu Lebzeiten hätte zweifellos von der Zugänglichkeit und Dialogbereitschaft seines »Forschungsgegenstandes« profitiert. Denn Lion Feuchtwanger war ein Mensch, der sich kaum einmal einem Gespräch verweigert hat; dies gilt auch für Gespräche die eigene Person betreffend. Die biographische Annäherung wurde versäumt, und daher muss sich die posthume Deutungshoheit in Sachen Lion Feuchtwanger zwangsläufig auf die Person verlagern, die dem Gegenstand des Interesses über viele Lebensjahre am nächsten stand.

Marta Feuchtwanger wird über die Jahre auch zur Ikone der deutschsprachigen Emigration nach 1933; manche verklären sie gar zur »Grande Dame des Exils« – eine Rolle, die Marta gerne übernommen und mit großer Überzeugungskraft ausgefüllt hat. Der Grund für die seit den 1960er Jahren erkennbare wundersame Metamorphose Marta Feuchtwangers zur zentralen Symbolfigur der exilierten Literaten und Künstler ist offenkundig. Die wichtigsten Protagonisten jener hochkarätigen Vertriebenenkolonien, die sich in Südfrankreich, in Kalifornien oder an anderen sicheren Plätzen der Welt formiert hatten, sind inzwischen verstorben, ihre Stimmen verstummt: Max Reinhardt stirbt 1943, Franz Werfel 1945, Bruno Frank 1945, Heinrich Mann 1950, Arnold Schönberg 1951, Thomas Mann 1955, Bertolt Brecht 1956, Arnold Zweig 1968, Ludwig Marcuse 1971. Mit allen haben die Feuchtwangers enge Bekanntschaften, mit manchen sogar tiefe Freundschaften gepflegt. Die kleine und erzwungenermaßen doch weite Welt der Emigranten, ihre komplexen Netzwerke und intimen Milieus erschließen sich nur über die Akteure selbst. Marta Feuchtwanger ist in den 1970er und 1980er Jahren eine der Letzten, die authentisch über die Emigration und ihre Protagonisten berichten kann.

Lion ist 25 Jahre alt, als er am 19. Januar 1909 erstmals seiner künftigen Ehefrau begegnet. Die attraktive Marta Löffler, Tochter des jüdischen Textilkaufmanns Leopold Löffler und seiner Frau Johanna, genannt »Hannchen«, steht kurz vor ihrem 19. Geburtstag. Während Lion das junge Mädchen zum ersten Mal bewusst wahrnimmt, ist Marta bereits wiederholt über den Namen Lion Feuchtwanger gestolpert. Nicht immer fällt der Name in einem erbaulichen Zusammenhang. In der überschaubaren Welt der Münchner Juden hat der Erstgeborene der orthodoxen Feuchtwangers bereits eine zweifelhafte Prominenz erlangt, gilt als das »schwarze Schaf« der angesehenen Familie. Marta, die behütete Tochter aus gutem Haus, ist vielleicht gerade deshalb brennend neugierig auf den in München bereits leidlich bekannten, bisweilen auch gefürchteten Theaterkritiker. Sie ahnt, dass Lion ein interessanter, ein ungewöhnlicher Mensch sein muss: einer, der sich anscheinend erfolgreich vom Diktat und den Zwängen der gewohnten bürgerlichjüdischen Lebenswege befreit hat. Der das phlegmatische Alltagseinerlei zwischen Kaufmanns-Kontor, Arztpraxis oder Anwaltskanzlei, familiärem Schabbat und regelmäßigem Synagogenbesuch hinter sich gelassen und gegen die Unberechenbarkeit einer freien Künstlerexistenz eingetauscht hat. In der kleinen jüdischen Welt der Haupt- und Residenzstadt München gilt Lion als einer, der den sakrosankten Wertekanon eines in sich geschlossenen orthodox-jüdischen Milieus in ketzerischer Weise negiert und nun als bekennender Teil einer anrüchigen Parallelwelt Schande nicht nur über den Namen Feuchtwanger, sondern über das gesamte rechtgläubige jüdische München bringt. Von dem man sagt, dass er die Tage in fragwürdigen Weinlokalen, die Abende im Theaterparkett und die Nächte mit frivolen Schauspielerinnen verbringt. Marta sollte also vor dieser ersten Begegnung hinreichend gewarnt sein. Für das junge Mädchen bedeutet das Zusammentreffen mit dem diskreditierten Phantom jedoch keine Grenzüberschreitung. Im Gegenteil. Lion steht für den elektrisierenden Gegenentwurf zur faden Spießigkeit des wohlbehüteten Münchner Stadtbürgers. Und diese bohemienhafte Antithese lässt ihn in den Augen der unangepassten Marta außerordentlich interessant erscheinen. Aus der ersten Begegnung wird – nach Anlaufschwierigkeiten – eine dauerhafte Beziehung: Marta und Lion werden ihr ganzes weiteres Leben zusammenbleiben. Zwei verwandte Seelen, die sich finden und – auch unter widrigen Verhältnissen – nicht voneinander lassen.

Wie die Mehrheit der Münchner Juden – und anders als die Feuchtwangers – sind die Löfflers liberal eingestellt. Liberalismus im deutschen Judentum meint: eine Großzügigkeit bei der Auslegung der strengen rituellen Vorschriften, eine Harmonisierung des Alltags mit den Gewohnheiten und Praktiken der Mehrheitsgesellschaft. In der Konsequenz führt der jüdische Liberalismus zum Dilemma der religiösen Indifferenz, der rituellen Uneindeutigkeit. Denn trotz der offenkundigen Distanz zur observanten Frömmigkeit der Orthodoxie wird der Alltag, wird das Familienleben der Löfflers vom wöchentlichen Schabbat, von den obligatorischen Synagogenbesuchen und vom Jahrkreis der Feiertage rhythmisiert. Auch auf die Einhaltung der Speisegesetze und eine koschere Küche legt man Wert. Religiöser Anknüpfungspunkt ist dennoch nicht die 1891/92 im neoromanischen Stil errichtete Synagoge »Ohel Jakob« (Zelt Jakobs), wo der geachtete Rabbiner Heinrich Ehrentreu die orthodoxen Gottesdienste »nach Art der Väter« leitet. Die Löfflers leben ihr Judentum pragmatisch, gewissermaßen alltagspraktisch, und besuchen die große Hauptsynagoge an der Herzog-Max-Straße.

Hier hat sich der Ritus Versatzstücke der katholischen Liturgie geborgt: Eine große Orgel unterstützt die Gemeinde beim Gesang der Gebete. Überregional bekannte Kantoren wie der renommierte Emanuel Kirschner fesseln die Gläubigen mit geschultem Gesang und Synagogalmusik, die sich, beeinflusst durch die Romantik, von der osteuropäischen Tradition liturgischer Gesänge gelöst hat. Die Löfflers wohnen in der Münchner Altstadt, nicht weit vom liberalen Gotteshaus entfernt. Die Windenmachergasse 4, wo man in der 3. Etage eine Wohnung gemietet hat, gehört zum Kreuz-Viertel, einem der ältesten Münchner Stadtteile. Die Frauenkirche liegt in Sichtweite. Das altbayerisch-katholische Umfeld ist allgegenwärtig, und ähnlich wie die Kinder der Feuchtwangers im Lehel ist auch die kleine Marta Löffler fasziniert von der charismatischen Kraft der katholischen Inszenierungen und beeindruckt von der repräsentativen Architektur der Kirchen.

Martas Vater ist, was man einen tüchtigen Geschäftsmann nennt. Der 1855 geborene Leopold Löffler stammt aus einer Augsburger Viehhändlerfamilie. Durch Fleiß und Hartnäckigkeit, nicht zuletzt auch durch die Geschicklichkeit seiner Frau Johanna (1859–1930) als Schneiderin, bringt er es mit einem Weiß- und Kurzwarengeschäft »en gros et en detail« in der Maffeistraße 4 zu bescheidenem Wohlstand. Obwohl er viel unterwegs ist, um seine Ware im Münchner Umland feilzubieten, und kurzzeitig mit seinem Kompagnon Hermann Landauer sogar noch einen Kaffeehandel betreibt, schafft er es nicht, in die erste Reihe des jüdischen Establishments der Haupt- und Residenzstadt vorzudringen. Die spätere Ehe seiner Tochter Marta mit Lion Feuchtwanger ist daher – zumindest aus der Sicht der Feuchtwangers – problematisch, weil unstandesgemäß. Im Wohlstandsranking begegnen sich die Feuchtwangers und die Löfflers nicht auf Augenhöhe. Und auch die religiöse Observanz der beiden Familien passt nicht zusammen. Orthodoxe Familien betreiben eine Heiratspolitik, die ausschließlich Partnerschaften im eigenen religiösen Milieu toleriert. Vermutlich finden sich in dieser Unvereinbarkeit zweier jüdischer Lebenswelten die Gründe für die befremdliche Intervention von Lions Vater, der angesichts der drohenden Verlobung seines Sohnes mit Marta an deren Vater die boshafte Warnung richtet: »Mein Sohn ist ein Lump, und wenn Ihre Tochter ihn heiratet ist sie auch nicht besser.«[133]

Marta ist das dritte Kind des Ehepaares Löffler. Die erste Tochter Emilie kommt Anfang Dezember 1883 auf die Welt und stirbt zwei Monate nach der Geburt. Die zweite Tochter Ida wird im August 1885 geboren. Ida ist ein stilles und gutmütiges Kind, das unter einer Lernbehinderung leidet, die von einer frühen Typhuserkrankung herrührt. Im Juni 1896, Marta hat gerade ihren fünften Geburtstag hinter sich, stirbt die ältere Schwester an Hirnhautentzündung. Der erneute Tod eines Kindes stürzt Martas Mutter in eine tiefe Depression. Eine liebevolle Mutter-Kind-Beziehung zu Marta entsteht aus der Katastrophe freilich nicht, eher eine zwanghafte Überbehütung. Gleichwohl erfährt Marta wenig elterliche Wärme und Zuwendung. Aus Sorge, die einzige Tochter könne sich in der Schule anstecken, wird sie später bei einem privaten Institut angemeldet, wo sie mit höheren Töchtern aus reichen Familien und aus der Münchner Aristokratie unterrichtet wird. Anders als die wohlerzogenen Mädchen aus den gehobenen Schichten ist Marta jedoch ein ungestümes und bisweilen wildes Kind, das keiner Auseinandersetzung aus dem Weg geht: »Ich war ziemlich kräftig, weil ich so jungenhaft war. Ständig kämpfte ich mit anderen Jungen und probierte alles aus.«[134] Aus den Schimpfwort-Duellen und Raufereien geht sie dank ihrer Geschicklichkeit und überraschenden Körperkraft nicht selten als Siegerin hervor. Sie ist ein selbstbewusstes und mutiges Mädchen, das mit einer gehörigen Portion Neugier und Entschlossenheit die kleine und doch geheimnisvoll abenteuerliche Welt der Münchner Altstadt erobert.

Im August 1906 zieht die Familie in eine größere Eigentumswohnung in der Gewürzmühlstraße 10/II. Der St.-Anna-Platz, wo Lion Feuchtwanger aufgewachsen ist, liegt gleich um die Ecke. Auch die orthodoxe Synagoge Ohel Jakob ist nicht weit. Die gelegentlichen Besuche im Gotteshaus an der Herzog-Rudolf-Straße und die schlichte Andersartigkeit des Gottesdienstes vermitteln Marta zwar einen spannenden Blick auf orthodoxe Rituale und Glaubenstiefe. Ihr von Zweifeln durchsetztes Interesse an der Religion wird dadurch aber nicht nennenswert befruchtet. Von größerer Bedeutung sind für sie ohnehin die säkularen Bezugssysteme. Die Eingebundenheit in die akademischen und intellektuellen Milieus der Stadt wird auch im familiären Zusammenhang erkennbar. Ein Cousin von Johanna Löffler ist etwa der Chefarzt Siegfried Oberndorfer, der zu den angesehensten Medizinern der Stadt zählt. Ein anderer Cousin ist Siegfried Lichtenstaedter, einer der wenigen ranghohen jüdischen Beamten in der bayerischen Staatsverwaltung, wie sich Marta erinnert: »Vom königlichen Hofe wurde ihm der Posten des Finanzministers angeboten, falls er konvertieren würde. Er lehnte das ab. (…) Es war keine Frage der Religion, sondern eine Frage der Zugehörigkeit.«[135] Beide werden später Opfer des Holocaust. Oberndorfer, 1933 aus München nach Istanbul vertrieben, baut an der dortigen Universität medizinische Forschungsabteilungen auf. Lichtenstaedter geht am 6. Dezember 1942 im Ghetto Theresienstadt an Hunger, Entkräftung und Krankheit zugrunde.

Marta Löffler ist eine aufsehenerregende Erscheinung, ein schönes Mädchen, fast schon eine begehrenswerte Frau. In den zahllosen Avancen und Angeboten junger Männer, von denen Marta später nicht ohne Stolz berichtet, spiegelt sich die Attraktivität der jungen Münchnerin. Auf Fotografien begegnet dem Betrachter jedoch eine ernst blickende, sich verschlossen, geheimnisvoll gebende Frau. Manche Aufnahmen wirken inszeniert, folgen einer vermutlich wohldurchdachten ästhetischen Dramaturgie. Kleidung, Haltung, Blick – nichts scheint dem Zufall überlassen zu sein. Die strenge Ernsthaftigkeit schafft eine Form von Unnahbarkeit, die Martas Anziehungskraft auf Männer, ihre Attraktivität vermutlich noch steigert. Dies ist aber nur eine Seite einer vielschichtigen Persönlichkeit. Im Alltag zeigt sich Marta auch als lebenslustige, sinnliche und humorvolle Frau. Sie liebt körperliche Aktivitäten, ist außergewöhnlich sportlich, Turnen, Gymnastik, Ballspiele sind ihr Metier. Später wird sie eine ausgezeichnete Skifahrerin sein, die regelmäßig auf den gefährlichen Pisten der österreichischen und französischen Hochalpen unterwegs ist. Es ist die Ambivalenz aus verschlossener Ernsthaftigkeit und unverstellter Lebensfreude, verbunden mit einer Erscheinung von betörender exotischer Schönheit, die die ganz außergewöhnliche Wirkung dieser Frau ausmacht. Und der auch der anfänglich arrogant auftretende Lion Feuchtwanger irgendwann erliegt. Freilich, hinter der Arroganz versteckt sich die Unsicherheit eines schüchternen jungen Mannes, der um sein wenig einnehmendes Äußeres weiß. Eines Mannes, der die Frauen liebt wie kaum etwas anderes in seinem Leben. Und dem doch bewusst ist, dass er die sehnsuchtsvoll erhoffte Aufmerksamkeit des anderen Geschlechts nicht mit körperlichen Attributen gewinnen kann, sondern mit anderen Qualitäten – und sei es überhebliche Arroganz.

Dass das erste Zusammentreffen von Marta und Lion zu einer intimen Beziehung, ja zu einer dauerhaften Lebenspartnerschaft führt, wirkt zunächst wie ein Missverständnis. Da trifft ein äußerlich unscheinbarer, körperlich kleiner, kurzsichtiger, unsportlicher und eher schüchtern-introvertierter *Homme de Lettres* mit einer kauzigen, viel zu hohen Stimme auf ein atemberaubend schönes, von zahlreichen Verehrern angehimmeltes, lebenslustiges und selbstbewusstes junges Mädchen. Und wenige Monate später sind beide ein Paar, heiraten und teilen annähernd fünf Jahrzehnte gemeinsamen Lebens. Wir dürfen eine emotionale Faszination um den jeweils anderen vermuten, eine unerklärliche Anziehungskraft und körperlose Attraktivität, die für Außenstehende unverständlich bleiben muss, für die Protagonisten jener bemerkenswerten Liebesgeschichte jedoch offenkundig und unmissverständlich war. Alternativlos. Die Geschehnisse im Januar 1909, die zu dieser so besonderen Liebe führen, sind erzählenswert.

Im Hause Feuchtwanger wird an jenem Abend ein Ball ausgerichtet – in bürgerlichen Kreisen ein wichtiges gesellschaftliches Ereignis, dient es doch nicht nur der eigenen standesgemäßen Repräsentation, sondern ist es auch wegen der ansonsten eher spärlichen Möglichkeiten zur geselligen Unterhaltung, Vergnügung und Zerstreuung äußerst beliebt. In der jüdischen Welt kommt derartigen Festivitäten noch eine weitere, nicht zu unterschätzende Bedeutung zu. Hier können sich junge Leute kennenlernen, legen wohlmeinend-beflissene Eltern manchen Grundstein für spätere Lebenspartnerschaften. Das Lebensziel Hochzeit gilt viel, vor allem im orthodoxen Judentum, und es ist für Eltern eine stetige, bisweilen kaum zu bewältigende Herausforderung, auf dem heftig und vor allem von Müttern und potentiellen Schwiegermüttern leidenschaftlich umkämpften jüdischen Heiratsmarkt eine »gute Partie« für den eigenen Nachwuchs zu sichern. Lions Schwester Franziska hat für den fraglichen Abend ihre Bekannte Marta Löffler eingeladen. Auch Lion, der sich zu jener Zeit nicht gerade im besten Einvernehmen mit seiner Familie befindet, nimmt zögernd die Einladung an. Er erscheint mit einem Freund, dem Geiger Adolf Hartmann-Trepka, im Haus der Eltern. Dort kommt er mit Marta ins Gespräch. Dieses erste Zusammentreffen verläuft spröde, denn Lion zeigt sich uncharmant, brüskiert sein Gegenüber, indem er freimütig erklärt, dass er für die dunkelhaarige Marta kein Interesse empfindet, da er eher Frauen mit blondem Haar vorziehe. Er hat vermutlich Spaß an seiner Unverschämtheit, genießt die atemlose Überraschung, die seine Erklärung bei Marta auslöst und erhofft sich von der frechen Provokation womöglich sogar eine kleine Eroberung, legt es an auf eine sportliche Herausforderung, um dem biederen Festabend im Elternhaus noch ein prickelndes Abenteuer abzuringen. Der Eintrag im Tagebuch, mit dem Lion die Ereignisse des Abends dokumentiert, zeigt jedenfalls wenig emotionale Zuwendung an die neue Bekanntschaft: »Mich gut amüsiert. Mit Hartmann und einem Fräulein Marta Löffler, einer nicht eben gescheiten, aber recht temperamentvollen jungen Jüdin. Sie hernach ins Café geschleppt und schließlich tüchtig abgeküßt.«[136] In Martas Erinnerung liest sich der Verlauf des Abends anders. Lion versucht das junge Mädchen zu überzeugen, ihn und Hartmann-Trepka gegen alle Konvention in ein Weinlokal zu begleiten – auf dem Ball sei es doch viel zu langweilig. Für das junge Mädchen eigentlich undenkbar, mit zwei fremden Männern ein zweifelhaftes gastronomisches Etablissement aufzusuchen. Auslöser, dass Marta die Einladung dennoch annimmt, ist Lions provokative Bemerkung, sie sei wohl zu spießig, um diesen Grenzgang über die Konventionen zu wagen. Sie stiehlt sich also davon und begleitet die beiden jungen Männer, die so erwachsen und wichtig tun. Im Lokal ist es vor allem der etwas derbe Hartmann-Trepka, der sich um Marta bemüht. Er versucht eine tölpelhafte Annäherung, was dazu führt, dass Marta empört das Lokal verlässt und nach Hause eilt, nicht ohne Lion noch vorzuwerfen, dass er offenbar nicht in der Lage sei, sie vor den plumpen Annäherungsversuchen seines Freundes zu schützen. Um sich für den Eklat zu entschuldigen, arrangiert Lion ein besonderes Blumengeschenk zu Martas 18. Geburtstag. Er lässt ihr seltene und teure Veilchen aus dem italienischen Parma schicken. Die Geste versöhnt Marta mit dem vermeintlich hochnäsigen Schriftsteller. In einer kurzen Notiz bedankt sie sich bei Lion. Bis zum nächsten Zusammentreffen vergehen jedoch Monate. Erst im Herbst 1909 sehen sich Marta und Lion wieder. Als Lion ihr erneut Blumen schickt, ist das der Beginn einer bemerkenswerten Liebesbeziehung. Es ist Jom Kippur, der höchste jüdische Feiertag, und die Eltern erwarten, dass sowohl Marta wie auch Lion diesen »Tag der Versöhnung« fastend und ins Gebet vertieft verbringen. Stattdessen, so Marta, »gingen wir ins Isartal, dann auf sein Zimmer. Dort begann unsere Ehe.«[137]

Die beiden versuchen nun, so viel Zeit wie möglich miteinander zu verbringen. Man unternimmt gemeinsame Spaziergänge und Ausflüge ins Münchner Umland. Es kommt sogar zu einem gemeinsamen Besuch der »Torggelstube«, einem der Mittelpunkte der Münchner Bohème, den Lion regelmäßig aufsucht, um dort mit Frank Wedekind, Erich Mühsam und anderen Schwabinger Geistesgrößen über den Zustand der literarischen und übrigen Welt zu räsonieren. Die behütete Marta nutzt die Gelegenheit eines Theaterbesuchs für diesen ihr eigentlich nicht erlaubten Besuch. Sie wird zwar von einer Bediensteten zum Theater begleitet und nach der Vorstellung auch von dort abgeholt. Aber sie verlässt das Theater vorzeitig, um mit Lion die »Torggelstube« aufzusuchen.

1910 sind Lion und Marta ein Paar. Lions Unterkunft in der Gewürzmühlstraße wird zum regelmäßigen Treffpunkt für intime Stunden. Im Frühjahr 1912 stellt Marta fest, dass sie von Lion ein Kind erwartet.

Für Lion, der sich trotz seiner bewusst antibürgerlichen Lebensführung als Ehrenmann sieht, steht außer Frage, dass er Marta nun heiraten wird – trotz seiner nach wie vor schlechten wirtschaftlichen Lage und einer ungewissen Zukunft als Kritiker und Schriftsteller. Fast wirkt es, als sei Lion erleichtert angesichts der unerwarteten Entwicklung seiner Beziehung zu Marta. Denn nun, mit der Schwangerschaft, gibt es hinreichend Grund, die Schöne und von zahlreichen Verehrern Umschwärmte endgültig zu binden und zu einem Teil des eigenen Lebens zu machen. Auch Marta kann sich eine Ehe mit Lion vorstellen. Lion sucht daraufhin das Gespräch mit Martas Mutter. Er rechnet mit einer schwierigen, konfliktreichen Begegnung; Johanna Löffler gilt als hart und streng. Aber erstaunlicherweise besteht sofort Sympathie zwischen dem jungen Literaten und seiner künftigen Schwiegermutter. Lion hält um Martas Hand an und die Eltern der Braut stimmen bereitwillig zu. Kein Wunder, denn für die Löfflers ist die Einheirat in die reiche, weithin angesehene Feuchtwanger-Familie eine gute Partie. Die elterliche Sorge um Martas Zukunft ist damit erst einmal obsolet. Durch Martas Schwangerschaft sind zudem vollendete Tatsachen geschaffen, ist eine Heirat unausweichlich. Allerdings orientieren sich die folgenden Ereignisse nur zum Teil an den gängigen Mustern und gesellschaftlichen Konventionen der Zeit. Aus der Hochzeit wird kein Freudenfest, sondern ein verschämt und im Stillen absolvierter Verwaltungsakt.

Neben den Eltern der Brautleute reklamiert auch der Staat ein Mitspracherecht in Hochzeitsangelegenheiten. Noch ist im vordemokratischen Bayern ohne Zustimmung der Behörden keine Heirat möglich. Der Bräutigam muss beim jeweiligen Bürgermeisteramt untertänig ein Gesuch um Ausstellung eines »Verehelichungs-Zeugnisses« stellen und geduldig abwarten, ob die Prüfung zu seinen Gunsten ausfällt. So wird Lion am 1. Juni 1912 beim Münchner Stadtmagistrat vorstellig und erhält, nachdem die Behörde ermittelt hat, dass die Brautleute straffrei sind, dass keine steuerlichen Außenstände bestehen und der künftige Ehemann offenbar auch wirtschaftlich zur Gründung und zum Unterhalt einer Familie in der Lage ist, wenige Tage später die hoheitliche Genehmigung zur Heirat. Das Aufgebot wird jedoch nicht in München bestellt. Die standesamtliche Trauung findet am 28. Juni 1912 am Bodensee statt – ein Umstand, der Fragen aufwirft. Es ist eine kleine, sehr überschaubare Gruppe, die an diesem Tag das ehrwürdige Rathaus von Überlingen betritt. Marta trägt Schwarz, ein mondän wirkendes Kleid mit Schleppe und einen breitkrempigen Hut mit Straußenfedern; sie neigt dazu, das Gegenteil von dem zu tun, was erwartet wird. Neben den Eltern der Brautleute ist lediglich der 29-jährige Opernsänger Max Monheimer anwesend, ein enger Freund Lions. Martas Vater Leopold Löffler fungiert als Trauzeuge, Monheimer macht den zweiten. Die Trauung wird vom Überlinger Bürgermeister vollzogen. Nach den pflichtgemäßen Absichtserklärungen der Brautleute, den beurkundenden Unterschriften und erbaulichen Worten des Bürgermeisters ist die Zeremonie auch schon vorbei, ist die Trauung amtlich. Eine derartige Eheschließung fernab des Heimatorts der beiden Familien ist für damalige Verhältnisse ungewöhnlich. In jüdischen Kreisen wird häufig am Wohnort der Braut bzw. der Brauteltern geheiratet; stammen beide Partner aus derselben Stadt, heiratet man üblicherweise dort. Die Verlegung der Zeremonie an den Bodensee, von München immerhin gute 230 km entfernt, und die schlichte Gestaltung der Feier im intimsten Familienkreis, bei der lediglich ein mit Lion befreundeter Trauzeuge anwesend ist, deutet darauf hin, dass man die ganze Sache bei den Feuchtwangers (und womöglich auch bei den Löfflers) als unerfreuliche Angelegenheit betrachtet, die man geräuschlos und unter Ausschluss – zumindest der jüdischen – Öffentlichkeit hinter sich bringen möchte. Tatsächlich ist die Verbindung von Marta und Lion nach damaligem Verständnis eine Mesalliance, eine unglückliche Verbindung, die insbesondere für die orthodoxen Feuchtwangers eine herbe Enttäuschung darstellen muss. Die Braut ist unübersehbar bereits »in froher Erwartung«, der Bräutigam ein Bohemien ohne sicheres Einkommen und mit ungewisser Zukunft, der sich von seiner Familie distanziert hat und dessen Lebensführung den geltenden jüdischen Wertmaßstäben eklatant widerspricht. Daher nur ein »externer« Trauzeuge, auf dessen Verschwiegenheit man wohl setzt. Fast verschämt mutet die Verlegung der Trauung nach Überlingen an. Auch von einer im Judentum obligatorischen rituellen Trauung in der Synagoge ist nichts bekannt. Dabei gilt im traditionellen Judentum der Schritt in die Ehe und die damit verbundene Gründung einer Familie als ähnlich bedeutsame Lebenszäsur wie die Beschneidung des Neugeborenen oder die Bar Mitzwa, die Einführung des Knaben in den Kreis der Synagogengemeinschaft. Die Familie ist der Mittelpunkt des jüdischen Lebens und gilt als wichtigste Institution der Gemeinschaft. Demnach besitzen auch alle Rituale, die in diesem Kontext stehen, insbesondere Hochzeit und Geburt, einen außergewöhnlich hohen Stellenwert. Die Feuchtwangers und Löfflers setzen diese zeremonielle Selbstverpflichtung außer Kraft. Die Eheschließung wird im Abseits, weit entfernt von München, vollzogen. Im

Anschluss an die standesamtliche Trauung findet lediglich eine kleine Feier im »Insel-Hotel« auf der sogenannten Konstanzerinsel statt. Hier, auf einem der Stadt Konstanz vorgelagerten kleinen Eiland, hat man Ende des 19. Jahrhunderts in einem ehemaligen Klostergebäude des Dominikanerordens ein luxuriöses Hotel eingerichtet. Nach der eher pflichtschuldig absolvierten Feier kehren Brauteltern und Trauzeuge zurück nach München. Marta und Lion bleiben noch für ein paar Tage am Bodensee, um danach für einige Wochen in die Schweiz aufzubrechen. Martas Schwangerschaft ist inzwischen kaum noch zu verbergen und man möchte unerfreulichem Gerede in München, vor allem wohl in der jüdischen Gemeinde, keine neue Nahrung liefern.

Nach der Abreise der Eltern beginnen die Flitterwochen des jungen Paares. Sie sollen wider Erwarten mehr als zwei Jahre dauern. Eine derart lange Hochzeitsreise haben weder Marta noch Lion im Sinn. Geplant sind lediglich einige Wochen in der Schweiz. Danach möchte man rechtzeitig zur Entbindung nach München in die vertraute Umgebung und in den sicheren Kreis der Familie zurückkehren. Lion hat vor seiner Abreise an den Bodensee entsprechende Kurzzeit-Arrangements mit seinen Auftraggebern getroffen. Bei Siegfried Jacobsohns »Schaubühne« lässt er sich von Erich Mühsam vertreten. Mühsam wiederum geht davon aus, dass sein Interregnum bei der renommierten Zeitschrift lediglich einige Monate dauern wird. Doch es kommt anders. Im Juli 1912 verlassen Lion und Marta das Konstanzer Insel-Hotel in Richtung Schweiz, »auf unbekannten Waldwegen (…) vorbei an tiefgrünen Seen, meist mit einem Pferdefuhrwerk«, so Marta in der Erinnerung.[138] In den Berner Alpen genießt man die sommerliche Natur beim Wandern. Lion stellt die Touren zusammen. Das Paar überschreitet auch den mehr als 2300 Meter hohen Gemmi-Pass bei Leukerbad. Offensichtlich unterschätzt Marta die körperlichen Anstrengungen im Gebirge und die Gefahren der dünnen Höhenluft. Unvermittelt treten Schmerzen auf, es droht eine Frühgeburt. Mit einem der damals üblichen Gemmi-Wägeli wird das Paar eilig ins Tal gebracht. Man erreicht Lausanne, wo die kranke Marta in das traditionsreiche Krankenhaus »La Source« an der Avenue Vinet eingeliefert wird. Hier kommt am 11. September 1912 ihre Tochter auf die Welt. Das Mädchen erhält den Namen Elisabeth Marianne. Die Niederkunft kostet Marta beinahe das Leben. Im Krankenhaus steckt sie sich mit dem damals weitverbreiteten Kindbettfieber an und kann nach mehreren Wochen schwerster Krankheit nur mit Mühe gerettet werden.

Inzwischen sind Martas Eltern aus München angereist. Lion ist mit der Situation heillos überfordert, er ist von einer verzweifelten Angst um seine Frau gelähmt. Johanna Löffler kümmert sich um das Enkelkind und engagiert ein Schweizer Kindermädchen mit dem klangvollen Namen Hortense Schneuvoli. Als die geschwächte Marta das Krankenhaus endlich verlassen darf, empfiehlt der Arzt zur Erholung ein milderes Klima und einen Aufenthalt am Meer. Die Wahl fällt auf Pietra Ligure, ein kleines Fischerdorf an der italienischen Riviera di Ponente. Die finanzielle Situation der kleinen Familie hat sich etwas entspannt, Marta kann auf eine kleine Erbschaft zurückgreifen. Und auch Lion verfügt inzwischen über eigene Mittel. Er hat seine unvollendete Habilitationsschrift über »Die Anfänge des deutschen Journalismus« für gutes Geld an die »Frankfurter Zeitung« verkauft. Man ist daher in der glücklichen Lage, in Pietra Ligure ein kleines, dunkles Haus ohne Heizung und sanitäre Einrichtungen anzumieten. Immerhin gibt es einen Kamin, und beide empfinden ihren Aufenthalt als »poetisch und sehr pitoresque«.[139] Doch die Zeit an der Riviera endet tragisch. Die Tochter Elisabeth Marianne ist zwar »ein robustes kleines Ding, doch weder die Sorge meiner Mutter noch die sachgemäße Pflege des Mädchens konnten dem schwachen Kind genügend Widerstandskraft geben. Ich hatte es zunächst selbst genährt, das war sicher nicht gut, auch war ich bald zu kraftlos, um irgend etwas zu begreifen. Lions Sorge um mich machte ihn gleichgültig gegen alles andere.«[140] Elisabeth Marianne stirbt am 17. November 1912. Das Kind wird auf dem Friedhof von Pietra Ligure bestattet. Auf den Grabstein lassen die trauernden Eltern den Spruch »Aliena in terra – sub terra aliena« (Fremd auf Erden – in fremder Erde) anbringen. Die tragischen Ereignisse, der schmerzliche Verlust des Kindes und die lebensbedrohliche Krankheit Martas bringen das Paar zwar näher zusammen, führen aber auch zu Momenten der Sprachlosigkeit und des Verstummens. Die tragische Krise wirkt sowohl auf Marta wie auch auf Lion traumatisierend. Er wird diese schmerzhafte Erfahrung später literarisch verarbeiten. Immer wieder taucht das Motiv der verlorenen Tochter in Lions Werken auf, in »Jud Süß«, in der »Jüdin von Toledo« oder in »Jefta und seine Tochter«. Marta hingegen behält die innere Verkrampfung für sich, zieht sich zurück und schweigt. Zur Ablenkung unternimmt das Paar Wanderungen und Ausflüge. Aber noch sind die körperlichen Folgen des Kindbettfiebers für Marta spürbar. Die junge Frau wird von Gelenkrheumatismus geplagt. Tiefgreifender als die körperlichen Beschwerden sind jedoch unerklärliche Angstzustände, die der einstmals couragierten Marta das Leben schwer machen. Es sind die traumatischen Nachwirkungen der enormen körperlichen und seelischen Belastungen durch die lebensbedrohliche Krankheit, vor allem aber durch den schmerzhaften Verlust des Kindes. Angestrengt versucht Marta, ihre tiefe Trauer und die peinigenden Ängste zu verbergen:»In Schmerz und Trauer fand ich nicht Erleichterung durch Tränen, nur mein Herz verkrampfte sich. Nachts gingen wir an den Strand und standen vor den winterlich tobenden Wellen. Ich war voll Furcht. Nie vorher hatte ich mich gefürchtet. Ich hatte Angst, in den dunklen Keller zu gehen, in dem die Küche und das Brennholz für den Kamin waren. Es knirschte unter den Füßen. Alles war schwarz von Schaben; doch ich schämte mich meiner sinnlosen Furcht und sprach nicht davon. Trotz allem war das primitive Leben gut für uns.«[141] An eine Rückkehr nach München, in die kleinräumig-spießigen Milieus der Provinzmetropole und den deprimierenden Klammergriff der familiären Enge ist zu diesem Zeitpunkt nicht zu denken.

Von Italien reist man weiter an die Côte d'Azur. Das Meer, von Marta und Lion während der schweren Wochen nach dem Verlust des Kindes in seiner überwältigenden Kraft, seiner geheimnisvollen Urgewalt intensiv und vermutlich auch heilsam wahrgenommen, bleibt fester Begleiter und wird dem Paar auch in Zukunft immer wieder als Bezugsort dienen. In den schwierigen Jahren des Exils lebt man zunächst an der südfranzösischen Küste, später zieht es beide nach Kalifornien an den pazifischen Ozean. Als Sinnbild von überzeitlicher Kontinuität und unendlicher Weite vermittelt das Meer gleichermaßen ein Gefühl von Sicherheit und Freiheit. Für die vom Verlust des Kindes gepeinigten Eltern eine wohltuende, für die später heimatlos gewordenen, im Leben bedrohten Emigranten eine Zuversicht spendende Gewissheit. Der französische Badeort Menton ist jetzt das erste Ziel des Paares. Das naheliegende Monte Carlo und dessen legendärer Ruf als Spielerparadies üben eine starke Faszination aus. Hier inszeniert sich nicht nur eine mondäne Aristokratie im fadenscheinigen Glanz längst verblasster Bedeutungen; auch der europäische Geldadel ist präsent, grell versnobt und um Aufmerksamkeit heischend. Daneben unzählige Gescheiterte und Hoffnungsvolle, Intellektuelle und Künstler – irrlichternde Überlebenskünstler allesamt. Lion und Marta erliegen dem dekadenten Charme des Fürstentums. Der Besuch des Casinos verspricht eine Aufbesserung der Reisekasse, auch wenn Lion die fatalen Folgen seiner früheren Spielsucht noch vor Augen hat. Man spielt, man gewinnt, man verliert. Zum Glück ist neben dem erfolglosen Spieler auch der Theaterkritiker Feuchtwanger gefragt. Die Oper von Monte Carlo hat im Januar 1913 eine Premiere des »Parsifal« auf dem Programm – eine Aufführung, die es eigentlich nicht geben darf. Denn Richard Wagner hatte verfügt, dass seine letzte musikdramatische Schöpfung bis zum Jahr 1914 ausschließlich in Bayreuth aufgeführt werden dürfe. Die Oper des Fürstentums setzt sich jedoch über die Festlegung Wagners hinweg und bringt – als publikumswirksame und europaweit aufsehenerregende Sensation im Jubeljahr des 100. Geburtstages des Komponisten – den »Parsifal« ungeachtet etwaiger rechtlicher Konsequenzen bereits ein Jahr früher auf die Bühne. Eintrittskarten für das Spektakel sind heiß begehrt und für Normalsterbliche kaum zu bekommen. Lion, der einen Presseausweis der »Frankfurter Zeitung« mit sich führt, kann zwei Karten für die Aufführung, die als skurriles Kuriosum in die Operngeschichte eingehen wird, ergattern. Marta erinnert sich an eine »unbeschreiblich komische« Aufführung: »Wagners Ausspruch ›Laßt Weihe über euch sein‹ hatte keine Gültigkeit im Kasino von Monte Carlo. Während der Aufführung hörte man die Stimme des Croupiers: ›Rien ne va plus.‹ Die Darstellerin der Kundry, die berühmte Felia Litvinne, war so fett, daß sie Mühe hatte, von ihrem Lager aufzustehen. Die Gralsritter hatten aufgewichste Schnurrbärte. Sie kamen sich von beiden Seiten der Bühne entgegen und küßten sich. Die Pause war übermäßig lang, damit das Publikum Gelegenheit hatte, in den Spielsaal zu gehen. Lion verspielte fast unser ganzes Geld. Wir fuhren ohne einen Heller nach Menton zurück. Glücklicherweise hatten wir eine Rückfahrkarte«.[142] Lion kann seine Besprechung des »Parsifal« beim »Berliner Tageblatt« unterbringen, und so zumindest eine kleinen Teil der Casino-Verluste wieder wettmachen. Sein Urteil über die dilettantische Aufführung ist freilich vernichtend, ein Verdikt, das auch durch solides musikalisches Handwerk von Orchester und Sängern nicht gemildert werden kann. »Schon die konventionelle, brav opernhafte Dekoration des ersten Szenenbildes, die mit befremdender Oberflächlichkeit zusammengeflickten Kostüme des Gurnemanz und der Knappen, die landläufig wacker heruntergespielte und gesungene Introduktion rauben jede Hoffnung. (…) Monsieur Jehin, der Kapellmeister, ist ein sehr akkurater Herr, klebt aber viel zu ängstlich an der Partitur und vergißt über ihrer sauberen Exekution ihre Seele.«[143]

Der Pegelstand der Feuchtwanger'sche Reisekasse unterliegt heftigen Schwankungen. Obwohl man bescheiden lebt – Unterkunft nimmt man nicht im mondänen Monte Carlo, sondern im benachbarten, schlichten Menton –, ist immer wieder das Auskommen für die nächsten Tage fraglich. Das Hotel kann mit dem Honorar der Parsifal-Rezension bezahlt werden. Da die Feuchtwangers das Casino jedoch meist nicht als glückliche Gewinner, sondern öfter mit leeren Taschen verlassen, sieht sich die Direktion der Spielbank veranlasst, dem Paar diskret, aber unmissverständlich von der weiteren Teilnahme am Glücksspiel abzuraten. Die Herren des Casinos sind sogar bereit, eine Rückfahrkarte nach München zu spendieren, was Lion und Marta freilich entschieden ablehnen. Eine derart demütigende Rückkehr an die elterlichen Fleischtöpfe, abgebrannt und ausgestattet mit einem Zugbillett auf fremde Rechnung, ist für beide undenkbar. Am Ende sind freilich die Geldsorgen derart dramatisch, dass man sich gezwungen sieht, die wertvollsten Habseligkeiten zu verkaufen, um die finanzielle Handlungsfähigkeit zurückzugewinnen: »Alles, was wir hatten, haben wir verhökert und verpfändet, die Eheringe, die goldenen Uhren und meinen Brillantring.«[144] Im März 1913 zieht man finanziell gestärkt weiter nach Nizza, wo man sich in einem schlichten, erschwinglichen Hotel einmietet und in einem kleinen Garten die warmen Sonnentage des jungen Frühjahrs genießt.

Es ist ein eigenartiges Miteinander von Lion und Marta in jenen Tagen an der Côte d'Azur. Das Verhältnis der jungen Eheleute ist geprägt von einer Mischung aus Nähe und Distanz. Die inzwischen gewachsene Vertrautheit wird konterkariert durch eine befremdliche Isolation, die sich wie eine unsichtbare Mauer zwischen Marta und Lion aufbaut. Der Dichter vertieft sich in seine Arbeit, lebt immer wieder fast autistisch in seiner literarischen Welt und nimmt kaum Notiz von seiner Frau. Diese wiederum wird geplagt von persönlichen Nöten und Ängsten, die sie aber für sich behält. Marta ist wieder schwanger, aber davon erfährt Lion nichts. Nach der in Lausanne glücklich überstandenen schweren Krankheit hatten die Ärzte Marta davor gewarnt, in absehbarer Zeit wieder ein Kind zu bekommen. Erschrocken arrangiert sie nun auf eigene Faust eine Abtreibung bei einer »Engelmacherin«. Das Geld für den Eingriff erspielt sie sich in Monte Carlo im Casino. »Bei der Hebamme in einem Hinterhaus war es schmutzig, und es war schmerzvoll. Aber ich habe selten eine Geldsumme so leicht ausgegeben wie diese, meine letzten fünfzig Francs.«[145] Lion weiß nichts von diesen Problemen; Marta verschweigt ihm Schwangerschaft und Abtreibung. Und er selbst scheint so intensiv mit seinen literarischen Projekten befasst, dass er die Belastungen und Ängste seiner Begleiterin nicht wahrnimmt, vielleicht auch nicht zur Kenntnis nehmen möchte.

Marta erholt sich glücklicherweise rasch von dem gefährlichen Eingriff der »Engelmacherin«, dessen tragische Folge ist, dass sie keine Kinder mehr bekommen kann. Im Frühjahr 1913 beschließt man, Nizza zu verlassen und wieder nach Italien zu reisen. Das Ziel heißt Pietra Ligure. Ausgerechnet Pietra Ligure, jener Ort, der durch den Tod der kleinen Elisabeth Marianne auf so tragische Weise kontaminiert ist. Eine Rückreise nach München steht offenbar auch jetzt nicht zur Disposition. Aber warum Pietra Ligure? In ihren Erinnerungen und auch bei anderen Gelegenheiten schildert Marta Feuchtwanger die Ankunft an diesem belasteten Ort mit befremdlicher Nüchternheit, ja emotionaler Kühle. Fast scheint es, als habe sie die peinigenden Erinnerungen an den traurigen Tod des Kindes erfolgreich verdrängt, in Gänze aus dem Bewusstsein isoliert. Mitteilenswert erscheint ihr anderes:»In Pietra wurden wir wie alte Freunde empfangen. Und nun versuchten wir, auf irgendeine Weise Geld zu bekommen. Wir hatten am Ende des Jahres eine größere Summe zu erwarten.«[146] Kein Wort von wiederaufbrechendem Schmerz, von den Qualen des Verlustes, der doch erst ein knappes halbes Jahr zurückliegt. Stattdessen alltägliche Belanglosigkeiten:»Mit den Einheimischen gingen wir auf die Jagd und freuten uns, wenn nichts getroffen wurde, und an dem Huhn, das nach Jägerart am Spieß über einem Holzfeuer zubereitet wurde. (…) Die kleine Dorfschneiderin machte mir ein Sommerkleid, und allmählich wurde es wieder Zeit, loszuziehen.«[147]

Marta und Lion genießen die ungewöhnliche Freiheit des improvisierten Reisens mit kleinem Gepäck und erfreuen sich mit großer Lust an den zahllosen touristischen Entdeckungen. Die Unsicherheiten, insbesondere die Frage des finanziellen Flankenschutzes, scheinen beide nicht sonderlich zu kümmern. Lion wird Artikel schreiben. Die Honorare, die postlagernd angewiesen werden, müssen und werden ausreichen, um die bescheidene Reisekasse zu füllen. Die Entscheidung für eine Reise in den Süden kann durchaus als verspätetes, sentimentales Wiederaufleben jener»Sehnsucht nach Arkadien« charakterisiert werden, wie sie vor allem im 18. und 19. Jahrhundert unter Intellektuellen und Künstlern weit verbreitet ist. Marta spricht dezidiert von Goethes »Italienischer Reise« als Inspirationsquelle und vom Wunsch der Feuchtwangers, jene Orte aufzusuchen, an denen Goethe seine wichtigsten Eindrücke gesammelt hat.[148] Aber anders als der deutsche Großdichter, dessen Italienreise stark von naturwissenschaftlichem Erkenntnisinteresse geprägt ist, suchen Marta und Lion vor allem die kulturelle und ästhetische Inspiration, die von der anregenden italienischen Kunst und Architektur ausgeht. Und sie pflegen den unmittelbaren Kontakt zum Volk, die Nähe zu den Menschen, deren Lebenswelt sie mit Rucksack und oft zu Fuß wandernd durchstreifen. Viele dieser

Begegnungen werden als menschlich anrührend und bereichernd empfunden, manche sind nicht ungefährlich und können nur durch geistesgegenwärtiges und souveränes Auftreten gemeistert werden. Vor allem Martas attraktive Erscheinung, ihre selbstbewusste Weiblichkeit wirkt stark auf die italienische Männerwelt. Wiederholt muss Lion ernsthafte Heiratsangebote abwehren. Mehr als einmal wird für Marta ein Kaufangebot unterbreitet, das mit verhohlenen Drohungen untermauert wird. Bisweilen hilft nur eilige Flucht, um hartnäckige Verehrer loszuwerden.

Bei vielen Reisezielen existieren Bezüge zur antiken Mythologie und zur Literaturgeschichte. So besucht man auch das ligurische La Spezia und unternimmt einen Ausflug nach San Terenzo bei Lerici, wo einst die »Villa Magni« dem Romantiker Percy Bysshe Shelley als Domizil gedient hat, reist weiter ins toskanische Viareggio, vor dessen Küste der englische Dichter im Jahr 1822 als 29-Jähriger auf tragische Weise ertrunken ist. Florenz, Perugia, Siena, Rom und Neapel mit ihren legendären Museen, Kirchen und archäologischen Stätten werden gleichermaßen als lohnende Ziele festgelegt wie das aus der Mythologie überlieferte kalabresische Scilla an der Meerenge zu Sizilien oder die sizilianischen Ruinenstädte Girgenti (Agrigent) und Segesta mit ihren eindrucksvollen dorischen Tempelanlagen und antiken Überresten. Es sind darüber hinaus natürlich die touristischen Highlights jener Zeit, die von Marta und Lion besucht und – vor dem Hintergrund des eigenen Bildungskanons – reflektiert werden: Michelangelos »David« in Florenz, der Petersplatz in Rom, die Überreste der Vulkankatastrophe von Pompeji. Und manche Eindrücke wird der Schriftsteller Lion Feuchtwanger begeistert einsaugen, auf der steten Suche nach Anregungen für literarische Stoffe. In Rom ist es die Begegnung mit dem imposanten *Arco di Tito*, dem Triumphbogen des Kaisers Titus auf dem Forum Romanum, der die Idee für einen der großen späteren Romane reifen lässt. Vor dem Bauwerk, das an den Sieg des Titus über die Aufständischen in Judäa und die Eroberung Jerusalems erinnert, fasst Lion den Plan, ein Buch über Flavius Josephus zu schreiben, den Geschichtsschreiber, der diese für das Judentum so wirkungsmächtigen Ereignisse protokolliert und der Nachwelt überliefert hat. Aus dem Buchprojekt wird ein Dreiklang, die »Josephus-Trilogie«, die zu großen Teilen im Exil verfasst und zwischen 1932 und 1945 erscheinen wird. Aber Lion und Marta verstehen sich auch als Entdecker, die abseits der ausgetretenen Pfade gängiger Arkadien-Romantik in die unbekannten Nischen des Alltagslebens vordringen, die fasziniert sind von der Lebenswelt der einfachen Menschen und mit reichhaltigen und inspirierenden Eindrücken im Gepäck die Reise zur nächsten Überraschung fortsetzen. Zu den denkwürdigen und einprägsamen Erlebnissen der Italienreise gehört zweifellos die »Begegnung« mit Maxim Gorki auf der Insel Capri. Marta erinnert sich an einen Spaziergang, der sie an einem einfachen Haus vorbeiführt, aus dem sie eine klappernde Schreibmaschine wahrnehmen. Auf die Frage, wer der Urheber des ungewöhnlichen Geräuschs sei, wird ihnen geantwortet: Maxim Gorki. Seit 1906 hält sich Gorki im italienischen Exil auf. Er muss seine Heimat nach der gescheiterten Revolution von 1905 verlassen. Das Domizil auf Capri wird für mehrere Jahre zu einer neuen Heimat, aber auch zu einem wichtigen Treffpunkt der vertriebenen russischen Intellektuellen und Revolutionäre. Wiederholt erhält Gorki auch Besuch von Wladimir Iljitsch Lenin, der sich erfolgreich an die Spitze der revolutionären Bolschewisten setzen kann. Lion hat bereits einiges von Gorki gelesen und gehört zu den Verehrern des exilierten russischen Schriftstellers. Der schüchterne Bewunderer wagt es nicht, den berühmten Autor von »Nachtasyl« und »Die Mutter« in seiner italienischen Behausung zu stören. Aber man setzt sich glücklich immer wieder unter das Fenster und lauscht der Schreibmaschine, verinnerlicht die Nähe zu einem Großen der Weltliteratur. Lion wird sich später geradezu enthusiastisch an diese Momente erinnern:»Da stand ich klopfenden Herzens, ich hörte eine Stimme, seine Stimme vermutlich, eine Schreibmaschine, seine vermutlich, aber ich hatte nicht den Mut, ich kehrte um.«[149] Gleichwohl werden Marta und Lion so Zeugen der letzten Momente von Gorkis Capri-Aufenthalt, denn Ende des Jahres 1913 kann der Schriftsteller aufgrund einer Amnestie in seine russische Heimat zurückkehren. Die Schnittstelle Capri und Lions»Zusammentreffen« mit Gorki ist für den jungen Münchner Schriftsteller die erste Begegnung mit dem Phänomen des Exils, mit der Realität von Vertreibung und erzwungener Heimatlosigkeit. Es ist die erste bewusste Auseinandersetzung mit einer Erfahrung, von der seine eigene Lebenswelt etwa zwanzig Jahre später dramatisch geprägt sein wird. Auch wenn Lion im Herbst 1913 auf Capri davon noch nichts ahnen kann, so zwingt doch die Konfrontation mit der bitteren Situation des *Exul Poeta* – wie Karl Wolfskehl später die Verlorenheit in der Fremde benannt hat – zur Auseinandersetzung mit der überzeitlichen Rolle des Literaten, dessen freigeistige Existenz im politischen Spannungsfeld von Anpassung und Widerstand diskreditiert, zerrieben und mitunter auch zerstört wird. So gewinnen die Schreibmaschinentöne Gorkis gewissermaßen paradigmatische Qualität für die Selbstfindung des Schriftstellers Lion Feuchtwanger – ein Prozess, der nicht vordergründig abläuft, aber subkutan, in den stillen Zwischentexten des Lebens seine Spuren hinterlässt und dazu beiträgt, den politischen Schriftsteller Feuchtwanger zu formen. 1918 wird er am »Münchener Volkstheater« Gorkis »Nachtasyl« inszenieren – eine der wenigen Regiearbeiten Lion Feuchtwangers.

Über eine Schreibmaschine wie Gorki verfügt Lion nicht. Abgesehen davon, dass ein solches Gerät zur damaligen Zeit für viele unerschwinglich ist – die industrielle Massenfertigung steckt noch in den Anfängen –, setzt sich das neue Schreibgerät erst nach und nach in Behörden, Handelskontoren und Privathaushalten durch. Viele Schriftsteller bevorzugen nach wie vor das Schreiben mit der Hand, und auch Lion wird die Kulturtechnik der eigenhändigen Niederschrift zeit seines Lebens beibehalten. Zwar werden die meisten späteren Manuskripte und auch die unzähligen Briefe, die das Feuchtwanger'sche Haus verlassen, mit der Maschine getippt. Dies übernehmen jedoch geübte Sekretärinnen, denen der Autor diktiert. Auf der Italienreise mit leichtem Gepäck wäre das Mitführen eines schweren und unhandlichen Geräts ohnehin nur hinderlich gewesen. Papier und Bleistift sind demnach die Schreibgeräte der Wahl. Und sobald Lion einen Tisch zur Verfügung hat, nutzt er die Gelegenheit zum Arbeiten. Als Theaterkritiker kann er freilich nur bei seltenen Gelegenheiten aktiv werden. Es müssen schon herausragende Aufführungen oder besondere Örtlichkeiten sein, um Besprechungen und Rezensionen bei der deutschsprachigen Presse unterzubringen. Die verbotswidrige und künstlerisch lächerliche Parsifal-Inszenierung von Monte Carlo ist so ein berichtenswertes Ereignis. Und auch die bemerkenswerte Klassikeraufführung, mit der vom 16. bis 19. April 1914 das antike Amphitheater von Syrakus neu eröffnet und als Spielstätte von europäischem Rang eingeführt werden soll, ist für eine deutsche Leserschaft durchaus von Interesse. Auf dem Programm steht Aischylos' »Agamemnon« in der Übersetzung des Gräzisten Ettore Romagnoli, der auch Regie führt und für die Bühnenmusik verantwortlich zeichnet. Die von enormen Erwartungen begleitete Aufführung mit Massenaufmärschen und großen Chören sorgt für Furore und Begeisterung; sie »strahlte auf das ganze kulturelle Italien aus«, so der Theaterwissenschaftler Hellmut Flashar.[150] Lion Feuchtwanger, der scharfsinnige Verehrer und Kenner des antiken Dramas, ist weniger gnädig mit der Neuinterpretation des Klassikers. Er äußert sich ausgesprochen ätzend über den Regisseur Romagnoli, den er einen »paduanischen Stümper« schimpft, und lästert über eine misslungene Darbietung: »schlecht, was sag' ich: jämmerlich, schmachvoll, von arrogantem, empörend-impotentem Pseudophilologentum geleitet, barbarisch stillos, voll von himmelschreienden Verstößen gegen die Elemente jedweder Schauspielkunst, eine Art Schülervorstellung, die die Elefantiasis gekriegt hat«.[151]

Hin und wieder kann Lion unterwegs auch Buchbesprechungen verfassen, die von deutschen Zeitungen gedruckt werden, dem reisenden Paar ein willkommenes Honorar einbringen und die Fortsetzung des italienischen Abenteuers gewährleisten. So bringt die »Vossische Zeitung« im September 1913 unter dem Titel »Die Ahnfrau des modernen Feuilletons« eine Rezension der im gleichen Jahr bei Payot in Frankreich erschienenen »Lettres choisies« der Pariser Gesellschaftsdame Delphine de Girardin, die von Lion in den Stand einer wirkungsmächtigen Vordenkerin des modernen Feuilleton erhoben wird: »Diese Art, die großen Ereignisse und den Klatsch des Salons, die sozialen, philosophischen und ästhetischen Strömungen der Zeit und ihre albernsten Modetorheiten zu einer Chronik zu verweben, die manchmal von überraschender Tiefe, häufig von empörender Oberflächlichkeit, aber immer interessant ist, diese Art der Schriftstellerei ist von Madame de Girardin erfunden«.[152] Zwischen den Zeilen lässt Lion sogar seinen Aufenthaltsort während der Niederschrift der Rezension erkennen. Beiläufig hebt er eine Jugenddichtung Girardins mit dem Titel »Le dernier jour de Pompéi« hervor und deutet damit an, wo er sich gerade befindet.

Im Juli 1914 erreicht das Paar schließlich Trapani, eine der größeren Inselstädte und seit dem Mittelalter ein bedeutender Handelsplatz an der Westspitze Siziliens. Ende des 16. Jahrhunderts hat der spanische Schriftsteller Miguel de Cervantes längere Zeit in der Stadt gelebt, und es geht die Legende, dass sich der Romancier von den sizilianischen Salzmühlen zu einer der Schlüsselszenen seines bekanntesten Romans hat anregen lassen: zu Don Quichottes aussichtslosem Kampf mit den Windmühlenflügeln. Für Marta und Lion ist in Trapani die Reise noch nicht zu Ende. Man beschließt, mit einem Boot an die nordafrikanische Küste überzusetzen. Vermutlich ist Lion die treibende Kraft hinter diesem Plan. Er ist überaus interessiert an der Geschichte, der Literatur und der Kultur der arabischen Welt, beherrscht sogar rudimentär die arabische Sprache. Und er bewundert die frühe Hochkultur mit ihren bahnbrechenden wissenschaftlichen und philosophischen Leistungen. In seinem 1955 veröffentlichten vorletzten Roman »Die Jüdin« von Toledo«, der die Reconquista und die Vertreibung der Mauren von der Iberischen Halbinsel thematisiert, wird er dieser Bewunderung Ausdruck verleihen. Nun besteht also die Gelegenheit, den maghrebinischen Orient unmittelbar zu entdecken. Die knapp 300 km lange Strecke nach Tunis, zu jener Zeit noch die Hauptstadt einer französischen Kolonie, kann binnen einer Tagesreise bewältigt werden. Das Säbelrasseln der europäischen Großmächte, die unverhohlenen Drohgebärden von Diplomaten und Staatsführern sind in der sizilianischen Provinz wohl nur als verhaltenes Donnergrollen ohne nennenswerte Bedeutung wahrnehmbar. Die Tragweite der weltpolitischen Turbulenzen nach dem Attentat von Sarajewo, dem am 28. Juni 1914 der österreichische Thronfolger zum Opfer gefallen ist, scheint weder Marta noch Lion bewusst zu sein. Andernfalls hätten sie sich vermutlich gegen die riskante Reise auf das nordafrikanische Festland entschieden, zumal das Betreten der tunesischen Küste gleichbedeutend ist mit dem Betreten französischen Bodens.

Ob man im sizilianischen Sommer 1914 etwas vom prekären Zustand des europäischen Friedens ahnen kann, ist zweifelhaft. Sicher ist für die Reisenden: Italien steht als Mitglied des »Dreibunds« 1914 noch auf der Seite Deutschlands und Österreichs. Doch unmittelbar bei Kriegsausbruch erklärt das Land aufgrund der bilateralen Verpflichtungen zu Großbritannien bereits seine Neutralität. Und schon länger hat sich wegen der Tirol-Problematik die Stimmung in Italien spürbar gegen Deutschland und Österreich-Ungarn gewandt. Die deutschfeindliche Haltung vieler Italiener ist jedoch ein Phänomen, das vor allem in Ober- und schon weniger in Mittelitalien virulent ist. Im Süden spielen die territorialen Konflikte und kulturellen Grundsatzfragen des Nordens so gut wie keine Rolle. So ist auch gut vorstellbar, dass sich die beiden Sizilien-Reisenden weder durch die Tagespresse noch durch Berichte der einheimischen Bevölkerung über die sich dramatisch zuspitzende europäische Krise hinreichend informieren können – und daher leichtfertig von Kontinent zu Kontinent wechseln. Der Finanzstatus der Reisekasse hat sich konsolidiert und eine Exkursion nach Tunis scheint demnach ohne nennenswerte finanzielle Risiken möglich. Es locken weitere legendäre antike Stätten. In Tunis genießen beide die atemberaubenden Gerüche und die faszinierende orientalische Geschäftigkeit in den engen Gassen der Suks. Nach den vertrauten Impressionen in Süditalien taucht man nun ein in eine exotische Welt, lauscht gebannt den arabischen Lauten, beobachtet verstohlen die tiefverschleierten Frauen, freut sich am maghrebinischen Habitus der sephardischen Juden und genießt die für Fremde seltene Ehre der Teilnahme an einer traditionellen Hochzeitsfeierlichkeit.

Man unternimmt Exkursionen nach Karthago, riskiert eine Wüstenwanderung bis Nabeul und landet schließlich gegen Ende des Monats in Hammamet, wo man beim französischen Konsul, der auch eine Pension führt, Unterkunft findet. Der Konsul ist der einzige Europäer weit und breit, und als das Deutsche Reich am 3. August 1914 Frankreich den Krieg erklärt, sitzen die Feuchtwangers unvermittelt an exponierter Stelle in »Feindesland«, direkt im Haus eines hohen Diplomaten des Kriegsgegners. Der Status der Reisenden ändert sich gewissermaßen über Nacht und fundamental: Aus Gästen werden feindliche Ausländer. Die Kolonialbehörden haben Weisung, alle feindlichen Männer im wehrfähigen Alter festzunehmen. Aber der nachsichtige Konsul, der womöglich auch wegen seiner unglücklichen Doppelrolle als Diplomat *und* Gastgeber den beiden Deutschen gewogen ist, lässt die Feuchtwangers ziehen, nimmt ihnen freilich das Ehrenwort ab, unverzüglich nach Tunis zurückzukehren. Während der Zugfahrt in die Hauptstadt findet sich das Paar inmitten französischer Soldaten, die, vom eigenen Patriotismus berauscht, aus ihrem Hass auf alles Deutsche keinen Hehl machen. Vorsichtshalber unterhalten sich Marta und Lion nur auf Französisch. In Tunis findet man Unterkunft in einem kleinen Hotel. Die Nacht ist kurz. Noch vor Sonnenaufgang wird Lion von französischer Militärpolizei verhaftet und in ein heruntergekommenes Gefängnis verbracht. Mit bissigem Humor schildert er seinen Aufenthalt in französischer »Kriegsgefangenschaft«: »Das Zivilgefängnis von Tunis ist recht angenehm gelegen; aber leider merkt man davon nichts, wenn man drinnen sitzt. (…) Da lagen wir nun auf dem Steinboden und meditierten über die optimistische Ansicht des Baedeker: ›Der Fremde kann sich im ganzen Land unbesorgt bewegen.‹«[153] Die verzweifelte Marta versucht inzwischen über verschiedene Auslandsvertretungen etwas für ihren Mann zu erreichen.

Unter abenteuerlichen Umständen gelingt es schließlich, Lion für ein knappes Zeitfenster von einigen Stunden freizubekommen. Zuvor nimmt man ihm das Versprechen ab, die Stadt nicht zu verlassen. Dennoch nutzen Marta und Lion die Chance, um sich auf ein italienisches Schiff zu retten. Die »Città di Messina« steht unmittelbar vor dem Übersetzen nach Palermo. Allerdings muss Lion die eilige Flucht mit einem ärgerlichen Verlust bezahlen, denn seine von den französischen Behörden konfiszierten Papiere und Notizen muss er zurücklassen: »Ich verlor bei dieser Gelegenheit meine sämtlichen Manuskripte, die Frucht zweijährigen mühsamen Studiums im Innern Siziliens und Nordafrikas.«[154] Für den Schriftsteller ist der Verlust besonders schmerzlich.

Unter den verlorenen Papieren befindet sich auch ein erster Entwurf für das Renaissancedrama »Julia Farnese«, mit dem Lion während der Wanderungen durch Kalabrien begonnen hat. Erst nach der Rückkehr nach München wird er die Arbeit an dem Theaterstück wieder aufnehmen. Auf der »Città di Messina« ist die Lage kritisch, denn inzwischen durchsuchen französische Soldaten das Schiff nach flüchtigen Ausländern. Doch Lion bleibt unentdeckt: »Mich hatten, sowie die Franzosen aufs Schiff kamen, zwei italienische Matrosen unter Seilen und Tauen in einer unbenützten Kajüte versteckt. Die Franzosen wußten aus der Passagierliste meine Kabinennummer und konfiszierten mein Gepäck, soweit es in der Kabine war. Ich selbst lag unterdessen versteckt in der dunklen Kajüte, in die mich die Italiener eingeschlossen hatten, und zählte die Minuten bis zum Abgang des Dampfers, die angstvollsten meines Lebens.«[155] Man hat Glück, das Schiff legt ab und erreicht schließlich den Hafen von Palermo. In Italien besteht für Deutsche zunächst keine Gefahr. Aber durch die schikanöse Behandlung in Tunis hat man fast das gesamte Geld verloren. Glücklicherweise spendiert der deutsche Konsul in Palermo den Mittellosen ein Zugbillett für die Rückfahrt. Gute drei Wochen dauert die beschwerliche Heimreise in überfüllten Zügen, teilweise in Viehwaggons, die von Palermo über Neapel, Rom und Innsbruck nach München führt. Obwohl Lion in Bayern die Einberufung zum Militär droht, sehen Marta und er keine Alternative zur Rückkehr nach München, in die Stadt, die sie vor mehr als zwei Jahren verlassen haben.

1914: Kriegsjahre

>»Kein heißeres, stärkeres Erleben gibt es als das des
Dramatikers. Er lebt, lebt durch, erlebt und muß
nach dem kalten und feindlichen Gesetz der Kunst
Leben töten, um Leben zu schaffen, und Leben
schaffen, um Leben zu töten.«[156]

Am 27. August 1914 kommen Marta und Lion Feuchtwanger am Münchner Hauptbahnhof an. Eltern und Geschwister haben keine Ahnung von der abenteuerlichen Odyssee, die hinter den beiden Vagabunden liegt. Das Paar findet in der Prielmayerstraße ein Zimmer, das man für die nächsten fünf Monate bewohnen wird. Die Unterkunft in der »Pension Central« ist einfach und preisgünstig. Eine Rückkehr an den elterlichen Herd ist undenkbar. Erst am nächsten Tag wird man sich bei den Löfflers und Feuchtwangers melden. Während Martas Eltern konsterniert sind über den unerwarteten Besuch und mit Sprachlosigkeit reagieren, verhalten sich Lions Eltern kühl und distanziert. Der scheinbar verlorene Sohn hat sich in den zurückliegenden zwei Jahren kaum einmal zu Hause gemeldet; für Sigmund und Johanna Feuchtwanger ein unverzeihliches Verhalten. Die ohnehin schon große Entfremdung zwischen Lion und seinem Elternhaus wird durch die lange Abwesenheit noch weiter verstärkt; jetzt, im August 1914 findet man kaum noch zueinander.

Zwei veränderte Menschen kehren nach München zurück, selbstbewusste und gereifte Persönlichkeiten, denen die Unwägbarkeiten und Überraschungen des Reisens mit kleinem Gepäck und bescheidener Kasse einen reichen Erfahrungsschatz geschenkt haben. Faszinierend für beide war die sinnliche Eroberung des uralten Kulturraumes Italien: Das unmittelbare Eintauchen in die Geschichte, die direkte Begegnung mit den Orten der klassischen Mythologie, jenseits von verstaubtem Dozieren in Schule und Universität und trockenen Überlieferungen in gelehrten Büchern, wurden für die schöpferische Kraft, für den Ideenreichtum des Schriftstellers Lion Feuchtwanger von unschätzbarer Bedeutung:»Es war freie Luft, und die Landschaft Homers sah erheblich anders aus als der Homer, den ich gelernt hatte.«[157] Viele spätere Projekte sind ohne die Erfahrungen der Italienreise nicht denkbar. Der Autor Feuchtwanger zehrt entscheidend von den Impressionen und Eindrücken jener Monate der Ruhe vor dem Sturm, dem Weltkrieg. Aber die intime Reisegemeinschaft festigt auch den Zusammenhalt des Paares, stärkt das wechselseitige Vertrauen. Zwischen Pietra Ligure 1912 und Hammamet 1914 entsteht eine krisenfeste zwischenmenschliche Beziehung, deren Substanz und innere Stabilität auch spätere schwierige, problembelastete Lebensphasen bewältigen hilft: »Was immer wir taten, es geschah stets in völliger Offenheit. Wir haben uns nie angelogen«, so Marta Feuchtwanger später über die gemeinsame Reise.[158]

Die bayerische Haupt- und Residenzstadt befindet sich bei Martas und Lions Rückkehr noch ganz in der fieberhaften Ekstase des »August-Erlebnisses«. Auch in München bejubelt die Bevölkerung begeistert den Kriegsausbruch; längst verschüttet geglaubte nationalistische Ressentiments gegen Frankreich und England brechen wieder auf. Es ist eine Zeit, in der vaterländischen Parolen Hochkonjunktur haben, eine Zeit, die sich selbst berauscht an einem irrationalen, dafür umso aggressiveren Patriotismus. Die jungen Männer drängen zum Militär, in den Tageszeitungen dominieren nationalistische Lobgesänge, die Leser schicken selbstverfasste patriotische Gedichte ein, und das feldgraue Gewand, die Uniform des Soldaten, wird zum Ehrenkleid der Nation. Gefährlich ist dieses Reizklima nationaler Großmannssucht vor allem für diejenigen, die nicht dazugehören, deren offenkundige oder scheinbare Fremdheit zum Kriterium misstrauischer oder gar gewalttätiger Interventionen und Denunziationen wird. Passanten, die nach französischer oder englischer Mode (oder was man dafür hält) gekleidet sind, werden auf offener Straße angepöbelt, ausländisch wirkende Personen werden als »Spione« beschimpft und bei der Polizei denunziert. Auch Marta und Lion, die beiden von südlicher Sonne braungebrannten Heimkehrer, werden mehrfach als feindliche Agenten »erkannt«. In einem Hutgeschäft in der Münchner Innenstadt, wo sie ihre von der langen Reise mitgenommenen Kopfbedeckungen reparieren lassen wollen, entdeckt die Verkäuferin im Innern der Hüte ein französisch-schweizerisches Etikett und sorgt mit ihrem Geschrei »Polizei! Spione! Verhaftet das welsche Gelump!« für einen bedrohlichen Menschenauflauf vor dem Geschäft. »Ein freundlicher Gendarm machte sich Platz und verlangte einen Ausweis. Lion hatte seinen Militärpaß mit. Aus der Menge rief einer: ›Da sieht man, daß das Spione san, jetzt haben s' gar noch n' falschen Paß.‹ Als aber der Polizist Lions

Namen las, wußte er sogleich Bescheid. Die Geschichte unserer Flucht und Ankunft war am Tag zuvor in der Zeitung gestanden«, erinnert sich Marta Feuchtwanger an den heiklen Moment.[159] Und Lion äußert zuversichtlich die Überzeugung,»daß man einen Schweizer Hut tragen und dennoch ein guter Patriot sein kann«.[160] Auch die Kunst unterliegt dem erbitterten Hass der Kriegsdemagogie. Unterwegs in der Münchner Trambahn, in der Hand Gundolfs Shakespeare-Übersetzung, muss sich Lion von einem beflissenen Sitznachbarn belehren lassen, diese Lektüre »beleidige sein patriotisches Empfinden«. Lions ernüchterndes, geradezu prophetisches Fazit der Erfahrungen mit dem»gesunden Volksempfinden« seiner Heimatstadt lautet:»München ist der Herd jener Bewegung, die gegen die Kunstschöpfungen fremder Nationen den heiligen Krieg predigt.«[161]

Es ist die brutale Urgewalt des Krieges, der die Feuchtwangers erschüttert. Es ist aber auch die Kriegsbegeisterung der Massen, die ernüchternd auf Marta und Lion wirkt. Denn viele, von denen man eine distanzierte Haltung zum wilhelminischen Hurra-Patriotismus erwartet hat, stimmen nun ein in die nationalistischen Jubelgesänge. Dass auch die geistige Elite des Landes, dass Intellektuelle wie Gerhart Hauptmann oder Thomas Mann, dass zudem das»linke« Milieu – Arbeiterbewegung, Sozialdemokratie und Gewerkschaften – den militärischen Aktionismus mittragen, ist gleichermaßen überraschend wie deprimierend. Am 4. August 1914 formuliert Kaiser Wilhelm II. in seiner legendären Berliner Thronrede vor den versammelten Parteivertretern:»Ich kenne keine Parteien mehr, ich kenne nur noch Deutsche!« Mit diesem pathetischen Appell wird die Illusion einer homogenen Kriegsgemeinschaft ohne Klassenschranken, ohne soziale Ungerechtigkeit und politische Unmündigkeit beschworen. Führende Sozialdemokraten und Gewerkschafter unterwerfen sich weitgehend widerspruchslos der »Burgfriedenspolitik« der Monarchie, um unter Beweis zu stellen, dass die bislang als»vaterlandslose Gesellen« beschimpften Linken in schwerster Stunde zu Deutschland stehen. In München sind es nur wenige Mutige, die sich auch öffentlich weiterhin zu pazifistischen Idealen bekennen. Erich Mühsam etwa gehört dazu, Heinrich Mann, Ludwig Quidde, Annette Kolb oder Kurt Eisner, der linke Sozialdemokrat, der schon kurze Zeit nach Beginn der Kampfhandlungen vom Befürworter zum unbedingten Gegner des Krieges wird. Auch Marta und Lion fühlen sich dem kleinen eingeschworenen Kreis entschlossener Pazifisten zugehörig. Viele Jahre später bekennt sich Lion zu seiner Erschütterung über den Krieg, an den er ursprünglich nicht hatte glauben wollen.«»Es wühlte mich auf, daß in dem allgemeinen Irrsinn ringsum so wenige vernünftig blieben. Ich konnte vor allem den Haß gegen die Feinde nicht begreifen und versuchte, den Feinden gerecht zu werden.«[162]

Der 30-jährige Lion, der Pazifist und Weltbürger, wird unmittelbar nach seiner Rückkehr nach München ebenfalls zu den Fahnen gerufen. Desertion ist keine Option. Und so rückt Lion, der kleine, kurzsichtige und äußerlich unscheinbare Mann ein und vertauscht die Zivilkleidung mit dem Gewand eines Infanteristen. Er erhält »eine verschossene, geflickte Uniform, deren Messingknöpfe er täglich putzen mußte. Die Knöpfe waren aber so alt, daß sie keinen Glanz mehr annahmen. Für die viel zu großen Stiefel, die mit Zeitungspapier ausgefüllt werden mußten, bekam er Schuhwichse, in die man – so lautete die Vorschrift – hineinspucken mußte, wenn sie sich bei großer Kälte verhärtete. Die Mütze war ebenfalls zu weit. Auch hier halfen Zeitungsstreifen.«[163] Im Gegensatz zu seinen Brüdern dauert Lions Kriegsdienst nur kurze Zeit. Die Ungeschicklichkeiten beim Exerzieren und der labile Gesundheitszustand machen den Militärbehörden rasch deutlich, dass dieser Dr. phil. Feuchtwanger als Soldat völlig ungeeignet ist. Als nach einigen Monaten Kasernenhofdrill auch noch eine Magenblutung auftritt, wird Lion mit der Auflage, für Nachmusterungen zur Verfügung zu stehen, entlassen. In der Rückschau urteilt er einigermaßen milde über die Zeit der Fremdbestimmung:»Ich wurde nicht schlecht behandelt. Aber es war grauenvoll, den Befehlen anderer unterworfen, sinnlose Dinge zu tun, die meiste Zeit sinnlos auf dem Kasernenhof herumzustehen, aus schmutzigen Häfen Zeug zu essen, das mir nicht gut bekam.«[164] Die Entlassung vom Militär fällt in die Zeit erneuter Wohnungssuche. Am 9. Februar 1915 ziehen Marta und Lion als Untermieter in die große Wohnung des Gesangspädagogen und Opernsängers Heinrich Plank im dritten Stock der Prinzregentenstraße 6/III. Hier bleibt man aber nur kurz; bereits nach drei Monaten, am 10. Mai 1915, erfolgt der Umzug des Ehepaars in die Thierschstraße 14/IV, wo man bei dem österreichischen Schauspieler Carl Günther Quartier nimmt. Günther ist nach Engagements in Berlin und Hamburg 1913 nach München an das Schauspielhaus verpflichtet worden. In den 1920er Jahren zählt er zu den gefragten und prominenten Akteuren des deutschen Films, der vor allem in der Rolle des gutaussehenden besseren Herrn mit fragwürdigem Charakter besetzt wird. Für die nächsten zwei Jahre wird die Wohnung von Günther das Zuhause von Marta und Lion bleiben.

Die pazifistischen Kreise in München sind klein und überschaubar, aber hochmotiviert und von einem wagemutigen Engagement beseelt. Die bekanntesten Aktivisten sind der Vorsitzende der »Deutschen Friedensvereinigung« und spätere Friedensnobelpreisträger Ludwig Quidde, die Frauenrechtlerinnen Anita Augspurg und Lida Gustava Heymann sowie die radikale Pazifistin Lucy Hoesch-Ernst. Und eben Kurt Eisner, der Ende 1916 in München politische Diskussionsabende einführt, die regelmäßig montags im Gasthaus »Zum Goldenen Anker« in der Schillerstraße abgehalten werden und die die eigentliche Keimzelle für die erfolgreiche Revolution im Winter 1918/19 bilden. Oskar Maria Graf, der häufig bei den Treffen in der Schillerstraße dabei ist, schildert die eigenartig durchmischte und heterogene Zusammensetzung der stetig wachsenden Gruppe um Eisner: »Vier oder fünf ganz getreue, rundherum etliche oppositionelle SPD-Proleten, USPDler, Intellektuelle und vor allem kriegsmüde Proletarierinnen, Frauen mit ausgelaugten Gesichtern, zerarbeiteten Händen und entschlossenen Augen«. Und: »Syndikalisten und Anarchisten, merkwürdige Menschen mit antroposophischen Ideen und pazifistische Dichter.«[165] Es ist sehr wahrscheinlich, dass gelegentlich auch Lion Feuchtwanger bei diesen Treffen linker Friedensaktivisten zugegen ist. Feuchtwanger hat sich dem Etikett des »politischen Schriftstellers« stets verweigert. Doch im Kontext der Zeit gelesen, sind nicht wenige seiner Werke sogar hochpolitisch. Freilich oft subtil, fein arrangiert, mit kunstvoll inszenierten Zwischentönen, die nicht leise, sondern bei genauem Hinhören den politischen Standpunkt und die politische Botschaft des Autors geradezu in die Welt hinausschreien.

Stärker als mit der Orthodoxie, die er in der eigenen Familie erlebt und erleidet, setzt sich Lion Feuchtwanger nun auch mit dem Zionismus auseinander. Hinsichtlich der eigenen Lebensführung ist Lion säkular orientiert. Weniger eindeutig gestaltet sich der persönliche Umgang mit dem Phänomen des Zionismus, der während und nach der Jahrhundertwende auch in München langsam Fuß fasst. Die ganz selbstverständliche Akzeptanz der eigenen jüdischen Identität zwingt Lion nicht nur zur Auseinandersetzung mit der Frage nach der Zukunft des Judentums in der Diaspora, sondern auch zu einer Stellungnahme hinsichtlich des Landes Israel und der Option »Heimat Palästina«. Für fromme Juden ist die Sache einigermaßen klar: In der Orthodoxie ist der Zeitpunkt der Heimkehr nach *Erez Israel* fest an die Wiederkehr des Messias gebunden. Das Versprechen von Heimat und eigenem Land möchten viele der über die Welt verstreuten Juden freilich nicht erst in einer ungewissen Zukunft eingelöst wissen. So entsteht gegen Ende des 19. Jahrhunderts eine säkulare, politische Position, die das Judentum als Nation und Palästina als eigenen Staat, als Schutz- und Lebensraum für das jüdische Weltvolk reklamiert. Wirkungsstärkster Protagonist des neuzeitlichen jüdischen Nationalismus ist der in Pest geborene Theodor Herzl. Mit seinem 1896 erschienenen Werk »Der Judenstaat« formuliert er nicht nur eine utopische Vision, sondern auch ein politisches Programm zu deren Umsetzung. Herzls politisches Postulat ist eine Reaktion auf den wiedererstarkenden Antisemitismus in den Ländern der westlichen Welt und eine Folge der Enttäuschung über die offenkundig gescheiterten Emanzipationsbestrebungen der Juden in vielen Staaten. Diese schmerzhafte Enttäuschung teilt auch Lions Vater Sigmund, der – obwohl der orthodoxen Observanz zugehörig und kritisch-distanziert zur zionistischen Bewegung – den leidenschaftlichen Enthusiasmus Herzls für einen jüdischen Staat bewundert. So schmückt ein Porträt des zionistischen Vordenkers irgendwann nach 1900 auch die Feuchtwanger-Wohnung am St.-Anna-Platz, und Sigmund Feuchtwanger sieht sich gezwungen, seinem überraschten Sohn Martin die Beweggründe für diese unerwartete Wertschätzung zu erklären: »Die Rückkehr nach Jerusalem, nach Zion ist für uns Juden unsere große Sehnsucht. (…) Mit dem Beten allein ist nicht gedient, man sollte tätig sein, um das Ziel zu erreichen, man sollte für dieses Ziel arbeiten.«[166]

Lion Feuchtwanger ist 13 Jahre alt, als Theodor Herzl sich anschickt, von München aus den Judenstaat zu gründen, und wir dürfen als sicher annehmen, dass im Hause Feuchtwanger über dieses Projekt gesprochen wird. Herzl möchte, dass in der bayerischen Hauptstadt 1897 der erste zionistische Kongress abgehalten wird. Er wird mit diesem umstrittenen Vorhaben scheitern, denn die Führung der hiesigen jüdischen Gemeinde verweigert jegliche Zusammenarbeit. Die eingesessenen jüdischen Stadtbürger wollen sich nicht dem aus rechten Kreisen immer lauter kolportierten Stereotyp aussetzen, ihnen fehle der Bezug zur bayerischen Heimat, sie seien unpatriotische vaterlandslose Gesellen. Der abgewiesene Herzl lässt sich freilich nicht entmutigen und verlegt den zionistischen Kongress kurzerhand in die Schweiz. Am 3. September 1897 notiert er zufrieden in sein Tagebuch: »In Basel habe ich den Judenstaat gegründet.«[167] Und München wird nicht, wie von Herzl intendiert, die »Hauptstadt des Zionismus«, sondern die Hauptstadt einer anderen, unheilvollen Bewegung. In den jüdischen Milieus Münchens spielt die zionistische Idee über lange Zeit keine auffällige Rolle. Die jüdischen Münchner verstehen sich – soweit sie nicht aufgrund ihrer Zughörigkeit zur Orthodoxie ohnehin den Zionismus ablehnen – als bayerische Deutsche, die bereits seit Generationen dem Vaterland verbunden sind, und es gibt nicht wenige Juden, die vor und während des Weltkrieges die nationalistische, ja chauvinistische Aggression der Bevölkerungsmehrheit gegen Frankreich, England und andere Staaten vorbehaltlos teilen. Nicht nur Martin Feuchtwanger, der 1914 zum 160. Infanterieregiment einberufen wird, begrüßt euphorisch die militärische Eskalation. Die patriotische Liebe zum Vaterland, die viele national gesinnte Juden mit ihren christlichen Nachbarn teilen, wird seitens der Mehrheitsgesellschaft indessen nicht erwidert. Und die vaterländische Begeisterung der deutschen Juden von 1914 wird mit schroffer Brüskierung belohnt. Im Militär dominiert nach wie vor eine unverhohlen antijüdische Grundhaltung, und die undurchlässigen, von Standesdünkel und rassistischen Ressentiments geprägten Hierarchien der Armee belehren viele Juden eines Besseren. Die Zugehörigkeit zur Nation ist brüchig und keineswegs so selbstverständlich, wie von den Juden angenommen. Als das Kriegsministerium im Oktober 1916 gar eine Zählung aller jüdischen Frontsoldaten veranlasst, ist der Glaube der Juden an die nationale Zugehörigkeit endgültig als Illusion entlarvt. Die demütigende »Judenzählung« ist ein Kniefall der obersten Heeresleitung vor dem sprichwörtlichen »gesunden Volksempfinden«. Den jüdischen Deutschen wird durch die »Judenzählung« schmerzhaft in Erinnerung gerufen, dass nicht nur ihr Beitrag zum kulturellen, sozialen und wirtschaftlichen Leben des Landes, sondern dass auch ihr Blutzoll auf den Schlachtfeldern Europas noch lange nicht ausreicht, um bürgerliche Akzeptanz und nationale Integration zu gewährleisten. Als Folge dieser Erfahrung erlebt der Zionismus nach dem Krieg in Deutschland eine ungeahnte Blüte.

Auch in der Familie Feuchtwanger gibt es Befürworter nationaljüdischer Aktivitäten. Lion Feuchtwanger, der sich als Weltbürger begreift, teilt jedoch die Position des nationalistischen Judentums nicht. Einem englischen Journalisten erklärt er 1927: »Fragt man mich nach meiner Einstellung zum Zionismus, so bin ich etwas verlegen. Ich habe Brüder und Schwestern, die Zionisten sind; ich persönlich aber fürchte mich davor, in ein Fahrwasser zu gelangen, das mich zu einem jüdischen Chauvinismus führen könnte, der nicht besser ist als französischer oder deutscher. Zu jüdischer Kulturarbeit aber fühle ich mich sehr hingezogen. Ich unterstütze den kulturellen Zionismus.«[168] Die Bedenken, die Lion Feuchtwanger hier noch intuitiv-emotional begründet, wird er wenige Jahre später in Rahmen einer schlüssigeren Analyse, einer stringenteren Argumentation *en detail* ausführen. In einem 1933 veröffentlichten Essay, den er einer gemeinsam mit Arnold Zweig herausgegebenen Denkschrift über »Die Aufgabe des Judentums« voranstellt, verweist er darauf, dass der heterogenen und weltweit verstreuten jüdischen Gemeinschaft unverzichtbare Grundbedingungen für ein tragfähiges nationalstaatliches Projekt fehlen: gemeinsame örtliche und klimatische Vorbedingungen, gemeinsame Rasse, gemeinsame Geschichte, gemeinsame Sprache. Und er konstatiert nüchtern: »Judentum ist keine gemeinsame Rasse, kein gemeinsamer Boden, keine gemeinsame Lebensform, keine gemeinsame Sprache: Judentum ist eine gemeinsame Mentalität, eine gemeinsame geistige Haltung«.[169] Doch diesen Grundsatz, der die unglaublichen Gewaltexzesse des nationalsozialistischen Regimes und die industriell betriebenen Mordmaschinerien in den Todeslagern noch nicht kennt, wird der Vertriebene und Beraubte deutsche Jude Lion Feuchtwanger später substantiell revidieren. Die Erfahrung der Geschichte ist auch hier Ratgeber für eine Revision der eigenen Haltung. Gleichwohl wird Lion Feuchtwanger palästinensischen oder israelischen Boden zeit seines Lebens nicht betreten.

Feuchtwangers Produktivität lässt während der Kriegsjahre nicht nach. Als Dramatiker wird er zwischen 1914 und 1918 seine intensivste Schaffensphase durchleben, die reifsten Arbeiten vorlegen. In dieser Zeit entstehen insgesamt neun Theaterstücke. Es sind Nachdichtungen, Neubearbeitungen, Neuschöpfungen. Mit »Vasantasena« entsteht 1915 Feuchtwangers erfolgreichstes Bühnenwerk. Hinzu kommt die Arbeit als Kulturjournalist. Schon Anfang 1915 – es ist die Zeit der Entlassung aus dem Wehrdienst – hat sich die wirtschaftliche Lage des Ehepaars Feuchtwanger konsolidiert, man wohnt inzwischen repräsentativ in der eleganten Prinzregentenstraße und kann sich ein Dienstmädchen leisten. Mit unverhohlenem Stolz protokolliert Lion die jüngste Veränderung in sein Tagebuch: »Die ungewohnte Behaglichkeit und Eleganz der neuen Wohnung, die Marta in weniger als zwei Tagen vollständig ausstaffiert hatte, erfreut mich sehr und veranlaßt Marta und mich (bald den einen stärker, bald den anderen), viele Bekannte einzuladen, um zu protzen. (…) Wir haben monatlich 500 M zu verbrauchen, so gut wie keine Schulden, und einen Reservefonds von 3–400 M. Unser Vermögensstand dürfte sich auf 35–45000 M belaufen.«[170] Das sind erfreuliche Nachrichten im Hause Feuchtwanger, wo immer wieder drückende Geldnot das Alltagsleben überschattet hat.

Das Jahr 1916 bildet eine Zäsur im Schaffen Feuchtwangers. Er verabschiedet sich von der Profession des Kritikers und Rezensenten als

Hauptbroterwerb. Lion gibt die wirtschaftliche Sicherheit des Zeilenhonorars der »Schaubühne« und der Feuilletons großer deutscher Tageszeitungen auf und entscheidet sich für ein Leben als Schriftsteller. Das in Aussicht stehende väterliche Erbe erleichtert die Lebensentscheidung. Nicht mehr die literarischen Leistungen von anderen, sondern das eigene Werk wird von nun an im Mittelpunkt seiner Arbeit stehen. Die letzten Besprechungen für »Die Schaubühne« erscheinen im Sommer 1916: Im August wird Tschechows »Kirschgarten« in einem bissigen Résumé dekonstruiert. Im September erfährt Alfred Döblins mit dem Fontane-Preis ausgezeichneter Roman »Die drei Sprünge des Wang-lun« eine begeisterte Laudatio. Damit bricht die langjährige, überaus fruchtbare Zusammenarbeit mit Siegfried Jacobsohn aber nicht grundsätzlich ab. Obwohl der Name Lion Feuchtwanger nur noch selten im Autorenverzeichnis der »Schaubühne« bzw. »Weltbühne« auftaucht, erscheinen auch in den folgenden Jahren in loser Folge immer wieder Texte des Münchners. Insgesamt veröffentlicht Lion zwischen 1909 und 1918 79 Texte in der »Schaubühne«. Nur während der Italienreise geht die Zahl der Publikationen deutlich zurück. Lion Feuchtwanger ist damit einer der fruchtbarsten Beiträger für das Berliner Periodikum und hat in dieser Phase das Gesicht der Zeitschrift entscheidend mitgeprägt.

In einer selbstkritischen Rückschau zieht Lion eine Bilanz seiner ganz persönlichen Kriegserfahrung. Neue Inhalte, so findet er, habe der Krieg seiner Arbeit nicht hinzugefügt. Dennoch sind ihm die Jahre 1914 bis 1918 wichtige Impulsgeber für seine »Schriftstellerei«, habe ihm der Krieg »das Geschmäcklerische weggeschliffen«, habe ihn »von der Überschätzung des Ästhetisch-Formalen, der Nuance, zum Wesenhaften geführt. Auch zu der Erkenntnis, dass eine Konzeption, die vom Individuum ausgeht, vielleicht artistisch-formal vollendet, nie aber den letzten Sinn der Kunst erfüllen kann. Auch eine tiefe Skepsis den Kompromissen gegenüber, die das Drama fordert, hat mich der Krieg gelehrt. Er hat mir den Blick geweitet, mich davon abgebracht, fortgesetzt krampfig in das eigene Ich zu starren«.[171] Anders als viele Zeitgenossen, wie etwa der kriegsverherrlichende Ernst Jünger, der in den »Stahlgewittern« über den Schützengräben die Entfaltung des »Neuen Menschen« feiert, wendet sich Lion Feuchtwanger mit Abscheu von der Verrohung des Menschen und des Geistes ab. Im Februar 1915 macht er unmissverständlich deutlich, wo er steht und was er vom Krieg hält. Die »Schaubühne« veröffentlicht unter dem Titel »Lied der Gefallenen« ein aufwühlendes, anklagendes Antikriegsgedicht, das den strengen Kontrollen der Zensur erstaunlicherweise entgangen ist. Dieses seltene Stück Feuchtwanger'scher Lyrik meidet die in jenen Monaten unvermeidliche Heldenpose, die stereotype Heroisierung des soldatischen Todes, der doch nur ein verzweifeltes Krepieren im Schützengraben, ein Verstümmeltwerden und Verbluten im Trommelfeuer der eigenen und feindlichen Geschütze ist. Bitterkeit und Schmerz sprechen aus den formal streng komponierten Versen, peinigende Verzweiflung über das sinnlose Sterben auf den Schlachtfeldern Europas; die knappen zwanzig Zeilen sind ein klagender, verstörender Appell an die Vernunft mit warnenden Zwischentönen:

>>Es dorrt die Haut von unsrer Stirn.

Es nagt der Wurm in unserm Hirn.

Das Fleisch verwest zu Ackergrund.

Stein stopft und Erde unsern Mund.

Wir warten.<<[172]

Das Gedicht, von manchen als patriotische Hymne grandios missverstanden, markiert einen fundamentalen Wandel in Lion Feuchtwangers literarischer Haltung, definiert gewissermaßen die Schwelle, die der Dichter auf seinem Weg vom ästhetischen zum politischen Schriftsteller um die Jahreswende 1914/15 überschreiten wird. Mit Ausnahme der »Julia Farnese« atmen alle Werke, die jetzt und in den folgenden Jahren entstehen, den Geist der »Gefallenen«. Sie artikulieren Unverständnis über die monströse Gewalt, die den europäischen Kontinent ergriffen hat, und sind erfüllt von bitterer Empörung über die militärische und politische Führung, die sich einem ernsthaften Schritt zum Frieden verweigert.

Das Renaissancedrama »Julia Farnese« ist freilich noch ganz dem ästhetisierenden Stil und dem Denken der Vorkriegsjahre verpflichtet. Um die Jahreswende 1914/15 nimmt Lion, inzwischen vom Militärdienst vorläufig befreit, die Arbeit an diesem schon lange geplanten und wiederholt abgebrochenen Projekt wieder auf. Die Idee zu dem Stück hat er bereits im Januar 1906 während seines Berlin-Aufenthalts entwickelt; Ende August 1909 hat er mit der Arbeit an dem Stück begonnen und die Entwürfe während der Italienreise 1913/14 verfeinert. In Folge der Turbulenzen der Internierung in Tunis geht die Textfassung jedoch verloren. In München bemüht sich Lion, Geschichte, innere Logik und Dialoge des Dramas zu rekonstruieren. Und es gelingt: Innerhalb kurzer Zeit kann er »Julia Farnese« fertigstellen und das Manuskript bereits Ende Februar 1915 an den Münchner »Drei Masken Verlag«, ein auf

Bühnenstücke spezialisiertes Haus, senden. Das »Trauerspiel in drei Akten« handelt von dem berühmten Maler Benvenuto, der den Auftrag für ein Gemälde der Passion Christi erst vollenden kann, nachdem er einen grauenhaften Mord begangen hat. Weil er für das schmerzhafte und quälende Leiden des gemarterten Jesus keinen malerischen Ausdruck finden kann, lässt er seinen Assistenten kreuzigen, um die Szene nach einem lebensechten Modell zu gestalten. Drahtzieherin der Aktion ist die von Benvenuto angebetete Julia Farnese, eine Adlige von betörender Schönheit aus einflussreicher Familie und Mätresse von Papst Alexander VI. Benvenuto wird mit seinem mit Blut gemalten Kunstwerk nicht glücklich. Von Schuldgefühlen geplagt, verfällt er dem Wahnsinn. Das bewunderte Gemälde wird nach Bekanntwerden der ungeheuerlichen Tat von einem empörten Mob zerstört. Das Drama um Macht, Leidenschaft, Intrigen, moralische Verkommenheit und künstlerische Hybris findet, da es hinreichend Stoff für ein grelles Bühnenspektakel bietet, durchaus Interesse. Die Rechte sichert sich das Hamburger Thalia Theater; am 10. Januar 1916 findet die Uraufführung statt. Die Kritik findet indessen wenig Gefallen an dem Stück. Im »Literarischen Echo« wird bezweifelt, dass »das Krasse, Erregende, Außergewöhnliche eines Vorganges an sich schon dramatische Werte in sich berge und darum dem Drama gemäß sei«.[173] Dem Autor wird marktschreierische Sensationslust bar jeder subtilen Zeichnung von Handlung und Charakteren und eine unhistorische Dramatisierung vorgeworfen. Auch Thomas Mann, dem Lion das Stück zur kritischen Würdigung übersandt hat, reagiert höflich-zurückhaltend. Seinem Tagebuch vertraut Lion am 2. November 1915 an, dass er von dem Schriftsteller lediglich einen »kühlen Brief« in dieser Sache erhalte habe. Auch Lion selbst wird später in der Rückschau ein nüchternes Urteil über die »Julia Farnese« sprechen: »Es war nicht einmal ein schlechtes Stück, aber ich habe zu dem Manne, der es schrieb, heute absolut kein Verhältnis mehr.«[174]

Im Frühjahr 1915, umittelbar nach der Fertigstellung der »Julia Farnese«, arbeitet Lion bereits am Konzept für sein nächstes Drama. »Warren Hastings« widmet sich der englischen Kolonialgeschichte. Bei den Vorstudien und Recherchen fällt Lion Ende März 1915 das indische Schauspiel »Das irdene Wägelchen« in die Hände. Darin geht es um die leidenschaftliche Liebe des armen, aber feinsinnig-edlen Kaufmanns Tscharudatta zu der schönen Tempeltänzerin und Kurtisane Vasantasena. Und es geht, sonst wäre es kein echtes Drama, um Intrigen und Integrität, um menschliche Bosheit und triebhafte Verschlagenheit, kurz: um existentielle Störungen, die die echte, tiefgehende Liebe gefährden. Und doch triumphiert letztlich das Gute über das gescheiterte Komplott des Bösewichts. Das wohl im 3. oder 4. Jahrhundert n. Chr. entstandene Stück wird dem sagenumwobenen, möglicherweise fiktiven König Sudraka zugeschrieben, doch eigentlich ist die Urheberschaft unklar. Lion ist von dem Text begeistert. »Diese Bearbeitung war ein Werk der Liebe. Das indische Stück gehört zum Schönsten, was je gedichtet wurde.«[175] Die Begegnung mit dem Stück fällt in eine Zeit, die offen ist für die Auseinandersetzung mit fernöstlichen Weisheiten und asiatischer Philosophie. Die abendländische Kultur, so der gängige Befund, steckt in einer tiefen Krise. Arthur Schopenhauer und Friedrich Nietzsche sind Vordenker dieser Diagnose. Andere, wie Oswald Spengler, spitzen den Kulturpessimismus des ausgehenden 19. Jahrhunderts zu und prognostizieren den »Untergang des Abendlandes«. Die Suche nach sinnstiftenden metaphysischen Offenbarungen und einer reinen, unverfälschten Lehre abseits autoritärer Dogmen führt sensible Denker in den Osten. 1913 wird der Inder Rabindranath Tagore als erster asiatischer Schriftsteller mit dem Literaturnobelpreis ausgezeichnet. Die aufsehenerregende Entscheidung der Stockholmer Jury ist auch ein Reflex auf den Zeitgeist. Schon 1911 unternimmt Hermann Hesse eine ausgedehnte Asienreise, die ihn zu seinem späteren Roman »Siddhartha« inspiriert. Und auch Alfred Döblin setzt sich zu dieser Zeit mit fernöstlichen Gedankenwelten auseinander. Sein 1913 abgeschlossener China-Roman »Die drei Sprünge des Wang-lun« wird von der zeitgenössischen Kritik enthusiastisch als Entdeckung gefeiert und auch von Lion Feuchtwanger in der »Schaubühne« geradezu hymnisch besprochen. Mit einem einfachen Satz, dem weisen Wu-Wei – *Alter Ego* des Denkers Lao-tse – in den Mund gelegt, beschreibt Döblin das Kernproblem der Unvereinbarkeit westlicher und östlicher Gedankenwelten und formuliert gleichzeitig die tiefempfundene europäische Sehnsucht nach einer harmonischen Auflösung dieses Widerspruchs: »Die Welt erobern wollen durch Handeln mißlingt. Die Welt ist von geistiger Art, man soll nicht an ihr rühren. Wer handelt, verliert sie; wer festhält, verliert sie.«[176] Bei Lion Feuchtwanger trifft dieser ganz und gar uneuropäische Leitgedanke einen Nerv. Leidenschaftlich lobt der sonst so scharfzüngig-strenge, oft boshafte Kritiker das Buch und seinen Autor. Döblin habe mit seiner fulminanten Beschreibung einer gewaltfreien Religionsbewegung, die sich durch die Zeitumstände zur Gewalttätigkeit gezwungen sieht, eine Bresche in jene chinesische Mauer gerissen, »die das geistige Europa von der östlichen Welt schied«. Und dies alles »in

einer Sprache von meisterhafter Gegenständlichkeit, in einer Diktion, in der alles Farbe, Gestalt, Bewegung, Nerv, Leben ist«.[177]
Auch dem Rezensenten ist fernöstliches Denken nicht fremd. Schon während seines Studiums hat sich Lion intensiv mit indischer Geistesgeschichte beschäftigt und sogar die Grundlagen des Sanskrit erlernt. Die dialektische Spannung zwischen der fernöstlichen *Vita contemplativa* und der westlichen *Vita activa* wird er wiederholt in Texten, Theaterstücken und Romanen verarbeiten. Die Lektüre des »irdenen Wägelchen« beeindruckt Lion so tief, dass er die Arbeit am »Warren Hastings« einstweilen zurückstellt und sich ganz dem indischen Klassiker zuwendet: »Es gibt kein europäisches Drama, das das Leben so vielfarbig abglänzt wie dies indische Schauspiel, keines, das so voll inniger Freude die launisch sinnlose Buntheit der Welt bestaunt, belächelt, beweint, bespiegelt. (…) Wie eitel alles menschliche Planen, wie gewichtig folgenschwer eitle Launen sind. Absicht ist nichts, Zufall alles.«[178] Lion beschließt eine Neubearbeitung des faszinierenden Stoffes, dessen subtile Sprache und gelungene Personenzeichnung, dessen dramatische Kraft er ohne Zögern mit der Qualität der Stücke Shakespeares gleichsetzt. Hinzu kommt: Den strengen Zensurauflagen der Behörden sollte ein Stück, das einem fernen Kulturkreis entstammt und eine Liebesgeschichte aus der Zeit der Anfänge der christlichen Zeitrechnung aufgreift, wohl kaum zum Opfer fallen. Den ganzen Sommer 1915 wird Lion an der Neubearbeitung des Stückes feilen. Unter dem Titel »Vasantasena« schließt er das Projekt im Juli 1915 ab. Am 10. September 1915 fährt er sogar nach Berlin, um mit Max Reinhardt über eine mögliche Uraufführung an dessen Theater zu verhandeln. Und Reinhardt ist angetan von dem Stück, er lässt Lion schon Ende September 1915 einen Vertrag zusenden. Aus unerfindlichen Gründen kommt es jedoch nicht zu einem erfolgreichen Abschluss. Die Uraufführung von »Vasantasena« findet stattdessen am 4. März 1916 am Großherzoglichen Hof- und Nationaltheater Mannheim statt. Das Stück entwickelt sich, trotz kühler Reaktion der Kritik, binnen kürzester Zeit zu einem der größten Bühnenerfolge der folgenden Jahre. Zahlreiche andere deutschsprachige Bühnen, darunter Theater in Berlin, Halle, Stuttgart und Wien, nehmen »Vasantasena« in ihr Repertoire auf. Auch an den »Münchener Kammerspielen« wird »Vasantasena« in der Inszenierung von Otto Falckenberg nach der Premiere am 8. Februar 1918 zu einem häufig gespielten Publikumsmagneten. In der Hauptrolle ist die in Wien geborene Sybille Binder zu sehen – die spätere Frau Falckenbergs. »Auch ohne Schminke und Verkleidung sah sie wie die Inderin Vasantasena

aus«, so Marta Feuchtwanger bewundernd.[179] Als eines der ersten Theaterstücke der deutschen Rundfunkgeschichte wird »Vasantasena« in der Regie des Reinhardt-Schülers Alfred Braun am 1. April 1927 vom Berliner Rundfunk übertragen. Unter den Mitwirkenden dieser Pionierleistung sind Erwin Faber, der bereits in München in »Vasantesana« auf der Bühne stand, und Helene Weigel, die spätere Frau Bertolt Brechts. »Vasantasena« macht den Namen seines Verfassers deutschlandweit bekannt und entwickelt sich für Lion Feuchtwanger zum lange erhofften finanziellen Erfolg.

Der erste nennenswerte literarische Erfolg wird von einem traurigen privaten Ereignis überschattet. Am 28. Januar 1916 stirbt Lions Vater Sigmund Feuchtwanger in seiner Wohnung in der Galeriestraße 15; er ist noch nicht einmal 61 Jahre alt. Die Trauer ist groß, von nah und fern eilen Verwandte nach München, um der Familie beizustehen. Die nächsten Tage folgen dem Kanon der jüdischen Orthodoxie: Als äußeres, sichtbares Zeichen des schmerzlichen Verlustes zerreißen die nahen Verwandten ein Kleidungsstück. Der Tote wird auf dem Boden auf etwas Stroh gebettet und mit den Füßen in der Türrichtung gelegt. Im Haus werden die Spiegel verhängt und eine Totenwache ist zu organisieren. Zur Waschung des Toten kommen die Mitglieder der *Chewra Kadischa* ins Haus, einer Heiligen Bruderschaft, die den ehrenvollen letzten Dienst an einem Gemeindemitglied erledigt. Die Erdbestattung – Verbrennung widerspricht den heiligen Gesetzen – soll rasch vollzogen werden. Wie alle verstorbenen jüdischen Männer wird auch Sigmund Feuchtwanger in ein einfaches leinenes Sterbehemd gekleidet, das er erstmals als Bräutigam, dann an den hohen Feiertagen und den Sederabenden getragen hat. Darüber kommt der Gebetsmantel. Bestattet wird Lions Vater auf dem Neuen Israelitischen Friedhof im Norden Schwabings in einem einfachen und schmucklosen Holzsarg. Für die Hinterbliebenen beginnt nach der Bestattung die Zeit der *Schiv'a*, die Trauerwoche. Während dieser Woche verlassen die Trauernden das Haus nicht; es wird nicht gearbeitet, das Tragen von Lederschuhen und das Wechseln der Kleidung sind untersagt. Zweimal am Tag findet im Trauerhaus ein Gottesdienst statt, bei dem ein Totengebet, das *Kaddisch*, gesprochen wird. Lion, der Erstgeborene, ist fester Teil dieser Rituale und kanonisierten Abläufe. *Schiwe sitzen*, die Regeln des Trauerns einzuhalten, die Familie zu repräsentieren wird von ihm erwartet, und er verweigert sich diesen Verpflichtungen nicht. Der agnostische Jude Lion Feuchtwanger akzeptiert und respektiert die Liturgie des Todes. Dem verstorbenen Vater erweist er die gebührende Ehre. In der Feuchtwanger-Literatur wird kolportiert, Lion habe den ihm zustehenden Erbteil ausgeschlagen. Ein zweiter Mythos lautet: Die Eltern hätten den ältesten Sohn enterbt, aus Enttäuschung über dessen Verneinung der jüdischen Religion und als Strafe für seine unangepasste Lebensweise. Beide Behauptungen gehören ins Reich der Legenden. Am 15. Februar 1916 findet sich Johanna Feuchtwanger in Begleitung ihrer Söhne Lion, Ludwig und Fritz vor dem Amtsgericht München, Abteilung Vormund-schafts- und Nachlasssachen, zur Eröffnung des Testaments ihres ver-storbenen Mannes ein. Das wichtigste Dokument bei der Regelung des Nachlasses von Sigmund Feuchtwanger ist ein Ehe- und Erbvertrag, den die Eltern bereits 1902 bei einem Notar hinterlegt und im Novem-ber 1915 durch eine Zusatzvereinbarung ergänzt haben. Darin ist die »allgemeine Gütergemeinschaft« zwischen Johanna und Sigmund Feuchtwanger vereinbart und zudem festgelegt, dass im Todesfall eines Ehegatten die »gesetzliche Erbfolge« eintritt. Diese Konstruktion be-trifft auch die Kinder. Explizit wird in dem Zusatzvertrag Fritz als Nach-folger in der Geschäftsführung der Saphir-Werke benannt. Kein Kind wird »enterbt«. Lediglich ein Passus im Zusatzvertrag lässt erahnen, wie sehr die Eltern unter der Entfremdung der Kinder von der Familie und ihrer Glaubensschwäche gelitten haben: »Möge der Allgütige unsere Nachkommen segnen u. auf den Weg des wahren Judentums zurück-führen, das wäre unser sehnlichster Wunsch.«[180] Alle Anwesenden beurkunden vor dem Nachlassrichter Echtheit und Rechtswirksamkeit des väterlichen Testaments. Und niemand gibt zu Protokoll, das Erbe ausschlagen zu wollen.

Dank seines Erbteils und des »Vasantasena«-Erfolgs ist Lion in der Lage, über den Erwerb einer größeren und angenehmeren Wohnung nachzudenken. Die Wahl fällt auf eine schöne und helle Bleibe in der Georgenstraße 24, genau an der Grenze zwischen Maxvorstadt und Schwabing, in einer belebten und turbulenten Gegend, wo Künstler, Literaten und andere Lebenskünstler in Cafés und Weinstuben die Zeit totschlagen. Am 30. April 1917 beziehen Marta und Lion ihr neues Zuhause im dritten Stock des Gründerzeiteckhauses. Man ist jetzt Woh-nungseigentümer, der soziale Status hebt sich schrittweise. Am Rhyth-mus des Alltags und am Freundes- und Bekanntenkreis ändert sich nicht viel. Tagtäglich sieht man dieselben Gesichter, besucht die gleichen Lokale, führt mit gleichbleibenden Gesprächspartnern die vertrauten Dialoge um die sattsam bekannten Themen: Theater, Literatur, Verlage. Neuerscheinungen. Das Streckbrett der Zensur. Die Erfolge des Einen. Das Scheitern des Anderen. Sexuelle Begehrlichkeiten, triebgesteuerte

Sehnsüchte, körperliche Verlockungen, venerische Beeinträchtigungen. Natürlich ist die kriegsbedingte Mangelversorgung ein Leitthema, bilden die bekümmernden Einschränkungen und anhaltenden Notlagen des Alltags die zugehörigen Variationen. Dennoch, die Gastfreundschaft der Feuchtwangers ist sprichwörtlich, auch für den angehenden Schriftsteller Alfred Kantorowicz:»Ihre gastliche Wohnung in der Georgenstraße, wo wir Jüngeren stets willkommen waren und uns die Nächte hindurch die Köpfe heiß redeten, wurde ein zweites Heim für mich. Unter den näheren Freunden des Hauses oder Besuchern, die an späten Abenden zwanglos kamen und gingen, begegnete ich dort vielen, damals noch jungen Dichtern und Schriftstellern: Bruno Frank, Oskar Maria Graf, Klabund, Bertolt Brecht, Alfred Wolfenstein, Otto Zarek, Arnolt Bronnen, Theaterleitern und Regisseuren wie Otto Falckenberg, Hans Schweickart, Erich Engel, Erwin Kalser, den Schauspielerinnen Elisabeth Bergner, Sybille Binder, Maria Koppenhöfer, Carola Neher.«[181]

Nach der Fertigstellung von »Vasantasena« geht Lion im März 1915 daran, den zurückgestellten »Warren Hastings« zu realisieren. Kern der Geschichte sind Aufstieg und Fall des ersten Generalkonsuls in Britisch-Ostindien, der im 18. Jahrhundert als Prototyp des kolonialistischen Ausbeuters schamlos die materiellen Ressourcen und die kulturellen Schätze eines unterworfenen Landes den Interessen des Mutterlandes dienstbar macht. Für Lion Feuchtwanger ist Warren Hastings weniger der despotische Protagonist des verwerflichen kolonialen Imperialismus, sondern ein im schmerzhaften Widerspruch zwischen Handeln (Westen) und Verzicht (Osten) zerrissener Akteur auf der Suche nach dem eigenen Standort. Bei Feuchtwanger wird der Aktivist und Tatmensch Hastings mit den Gedanken buddhistischer Transzendenz konfrontiert und zur Einsicht in den Wert materieller Entsagung gezwungen:»Die Lehre vom Verzichten, vom Nicht-Widerstreben. Die Lehre, die ihn, den Tatmenschen, den Machtmenschen, nicht losließ, die ihn lockte, süß und qualvoll, bis ans Ende«.[182] Der echte Hastings hingegen wird im englischen Mutterland der Willkür, Korruption und Grausamkeit gegenüber der indischen Bevölkerung angeklagt und verliert im Zuge des Prozesses sein gesamtes Vermögen. Aber um die authentische Geschichte des historischen Hastings geht es Lion Feuchtwanger nicht, sondern »um das Erlebnis: Indien und Europa, Tatmensch und geistiger Mensch, Büßer und Soldat, Buddha und Nietzsche«.[183] Am 23. September 1916 wird das Stück »Warren Hastings, Gouverneur von Indien« im Münchner Schauspielhaus unter der Regie von Ignaz Georg Stollberg uraufgeführt. Es ist das erste Mal nach den missratenen

»Phoebus«-Aufführungen im Münchener Volkstheater von 1905, dass sich der Dramatiker Lion Feuchtwanger dem Theaterpublikum seiner Heimatstadt präsentiert. Und auch dies ist zunächst unsicher. Wegen englandfreundlicher Tendenzen untersagt die Zensur zuerst eine Aufführung, gestattet diese nach Fürsprache von Michael Georg Conrad und Ludwig Ganghofer aber schließlich doch. Schon während der Aufführung lassen die Reaktionen des Publikums nichts Gutes erwarten. Enttäuscht hält Lion noch am selben Abend in seinem Tagebuch fest: »Nach dem Vorspiel abwarten. Das Schweigen. Nach dem 1. starker, nach dem 2. etwas schwächerer, dem 3. Akt ganz schwacher Beifall. Alles in allem ganz zufriedenstellend. (...) Das Theater ausverkauft. Sehr viel gute Leute.«[184] Von den Feuilletons wird der »Hastings« mit gemischter Resonanz aufgenommen. Neben wohlwollenden Beurteilungen finden sich auch zahlreiche Verrisse. In der sozialdemokratischen »Münchener Post« wird Feuchtwanger vorgeworfen, »daß er mehr ein Werk der Theaterkonjunktur als der Theaterkultur gibt«. Und boshaft wird für die Bewältigung des Hastings-Stoffes ein Dichter »allerersten Ranges« gefordert; Feuchtwanger jedoch sei »kein Dichter solchen Ranges; man könnte zweifeln, ob überhaupt einer«.[185] Noch stärkeren Widerspruch erntet das Stück im nächsten Monat in Berlin, wo am Kleinen Theater die Premiere stattfindet. Die Reaktionen der Presse sind ein Desaster; es hagelt Verrisse und »Warren Hastings« verschwindet rasch wieder in der Versenkung. In München bleibt es dagegen für zwei Spielzeiten im Repertoire. Jahre später, 1925, wird Lion das Stück mit seinem Freund Bertolt Brecht intensiv überarbeiten, gewissermaßen ein neues, dem veränderten Bühnengeschmack gemäßes Drama schaffen und unter dem Titel »Kalkutta, 4. Mai« erfolgreich auf deutschsprachige Bühnen bringen.

Eindeutiger noch als in »Warren Hastings« akzentuiert Lion Feuchtwanger das west-östliche Dilemma von Aktion und Nichtstun, von Handeln und Ruhe in seinem nächsten großen Stück, das er um die Jahreswende 1916/17 in Angriff nimmt: »Jud Süß«. Die Arbeit an dem Stück kann als erster Meilenstein in Lion Feuchtwangers literarischer Entwicklung bezeichnet werden. Nicht, weil das Drama zu den herausragenden Bühnenschöpfungen Feuchtwangers zu rechnen wäre, sondern weil er hier einen Stoff entdeckt und eine Geschichte ausarbeitet, die ihn nur wenige Jahre später mit einem Schlag in die erste Reihe der deutschsprachigen Autoren katapultieren wird: Einer der erfolgreichsten Feuchtwanger-Romane beruht auf diesem Bühnenstück. Die Figur des Joseph Süß Oppenheimer begegnet Lion erstmals in der Biographie von

Manfred Zimmermann aus dem Jahr 1874. In der Figur des Oppenheimer verdichtet sich exemplarisch das Kollektivschicksal der deutschen Juden vom Mittelalter bis in Lions Gegenwart. Oppenheimer verkörpert den Grundkonflikt jüdischen Lebens in einer im Kern abweisend bis feindlich gesinnten christlichen Mehrheitsgesellschaft, die den Juden so lange in ihrer Mitte duldet, wie er angepasst und unauffällig die Erwartungen erfüllt. Verstöße gegen die Normen der Mehrheitsmoral führen jedoch zu Ausschluss, schlimmstenfalls, wie im Fall des württembergischen Hofjuden, zu drakonischen Strafen, die im Tod des Protagonisten kulminieren. Lion Feuchtwanger nimmt Oppenheimers Schicksal jedoch nicht als Blaupause für eine Fortschreibung der antisemitischen Legende. »Was ich geben wollte, war die Entwicklung eines Tat- und Machtmenschen zum Verzichtmenschen, eines europäischen Menschen zum indischen. Daß ich einen Halbjuden brauchte, um diese Entwicklung zu gestalten, erklärt sich aus einer Theorie, die (…) etwa folgendermaßen lautet: Alles praktische Philosophieren gipfelt entweder im Willen zur Tat oder in der Resignation. (…) Die Juden scheinen mir nun schon aus geographischen Gründen die gegebenen Vermittler der beiden Systeme. Von Natur hin und her gerissen zwischen Tun und Verzichten. Auf diese Idee hin habe ich die Menschen und Geschehnisse des Stückes orientiert. Daß es dabei nicht ohne Konstruktionen und Gewaltsamkeiten abging, spür ich nun leider freilich selber.«[186] Lion Feuchtwanger sieht in Joseph Süß Oppenheimer die symbolische Figur des modernen Menschen, der »gleichnishaft« den Weg beschreitet, »den unser aller Entwicklung geht, den Weg von Europa nach Asien, von Nietzsche zu Buddha, vom alten zum neuen Bund«.[187] Allerdings verkörpert Oppenheimer – anders als Warren Hastings – weniger die Zustandsbeschreibung eines spannungsvollen Wechselspiels zwischen Tun und Nichts-Tun, sondern er steht in weit stärkerem Ausmaß für Dynamik, Wandel und Entwicklung auf dem Weg vom handlungsaktiven Dasein zur Konzentration auf geistige, außerweltliche Dinge. Wie viel dieses Drama der Gedankenwelt Döblins verdankt, macht Feuchtwanger deutlich, indem er dem 1. Akt ein Zitat aus dem »Wang-lun« voranstellt. Es bezieht sich auf das Gleichnis vom Mann, der seinen Schatten fürchtet und seine Fußspuren hasst, beidem aber auch in verzweifelter Flucht und in größter Eile nicht entkommen kann: »Er hatte nicht gewußt, daß er nur an einem schattigen Ort zu weilen brauchte, um seinen Schatten los zu sein. Daß er sich nur ruhig zu verhalten brauchte, um keine Fußspuren zu hinterlassen.« Demgegenüber wird dem Hoffaktor Oppenheimer die Option des Innehaltens bewusst, und er vollzieht die Entwicklung vom aktiven Tun zum bewussten Nicht-Handeln. Am Ende wird er zufrieden und befreit, im Einklang mit sich, mit der materiellen Welt und mit der Lehre seiner Väter bekennen:»Stille sein. Verströmen dürfen. Die Glieder lösen und ruhen und im Lichte sein: und der Tag des Todes ist besser denn der Tag der Geburt.«[188]

»Jud Süß«, das Drama aus vier Bildern in drei Akten, feiert am 13. Oktober 1917 im Münchner Schauspielhaus unter der Regie von Ignaz Georg Stollberg Premiere. Ein Aufführungsverbot wird von der Zensurbehörde wieder zurückgezogen. Lion Feuchtwanger ist bei den vorangegangenen Proben meist zugegen. Die Hauptrolle spielt Franz Scharwenka. Das Stück wird von der Kritik mit unterschiedlichen, meist negativen Rezensionen aufgenommen. Die mit Feuchtwanger erbittert verfeindete»Münchener Post« schimpft:»Man kann nicht leicht einen großen geschichtlichen Stoff törichter verpfuschen, als es in diesem undurchdringlichen Gewirr von Fabeleien und Faseleien geschehen ist.«[189] Heinrich Mann hingegen, mit dem Lion seit der ersten Begegnung im Jahr 1911 befreundet ist, kann dem Theaterstück einiges abgewinnen: Er»liebte das Stück sehr und schrieb darüber im ›Berliner Tageblatt‹ eine Rezension, die das Stück weniger wirr erscheinen ließ, als es ist.«[190] Beim Publikum ist das Stück zwar ein Erfolg, was vermutlich auch an Scharwenkas schauspielerischer Präsenz liegt: Der große hagere Mann mit den scharf geschnittenen, markanten Gesichtszügen vermag dem Süß Oppenheimer eine gleichermaßen tragische wie diabolische Note zu verleihen. Doch auch der Autor selbst ist mit der Aufführung höchst unzufrieden. Er erkennt, dass es ihm nicht gelungen ist, die von ihm intendierte Botschaft für die Bühne umzusetzen. Auf der Bühne können lediglich die äußerlichen Aspekte des Charakters Oppenheimer vermittelt werden; die Zeichnung der Persönlichkeit bleibt im Oberflächlichen stecken. Und er distanziert sich von dem Stück, möchte damit nichts mehr zu tun haben und beschließt erst nach Jahren, den missratenen Stoff in einem anderen literarischen Format zu verarbeiten. In einem Roman, in dem er sowohl die Komplexität der historischen Situation wie auch die Komplexität der Protagonisten differenziert und fein herauszuarbeiten hofft.

Im selben Jahr, aber noch vor »Jud Süß«, am 20. Januar 1917, zeigt das Münchner Schauspielhaus eine von Lion Feuchtwanger übersetzte und bearbeitete Fassung der »Perser« des Aischylos. Seit der glücklichen »Flucht aus Tunis« im August 1914 beschäftigt sich Lion Feuchtwanger mit diesem Stoff; er steht noch ganz unter dem Eindruck der Begegnung mit der Dichtung des griechischen Dramatikers anlässlich der Eröffnung des antiken Amphitheaters von Syrakus. Und auch das Reinhardt'sche Massenspektakel der »Orestie«, das der Berliner Regisseur 1911 im Münchner Ausstellungspark veranstaltet hat, klingt ihm wohl noch in den Ohren. »Das helle Pathos, diesen Fanfarenklang, diesen heimlichen Unterton des Werkes mitschwingen zu lassen und nicht in philologischer Akribie zu ersticken, ist das Ziel dieser Übertragung, die Sprechbarkeit mehr noch als Lesbarkeit anstrebt«, so Lion Feuchtwanger über seine Arbeit an den »Persern«.[191] Das Ergebnis der Bemühungen können die Leser der »Schaubühne« zwischen Oktober und Dezember 1914 überprüfen, wo die Neubearbeitung in Fortsetzungen abgedruckt wird. In Maximilian Hardens Wochenzeitschrift »Zukunft« werden ebenfalls Auszüge veröffentlicht. Unvermittelt wird der Name Feuchtwanger der gebildeten Leserschaft der beiden Periodika zum Begriff. Was die Neubearbeitung der »Perser« gerade in der Zeit der ersten Kriegsmonate so bemerkenswert macht, ist »die Analogie zur Gegenwart« (Hans Dahlke), die Lion Feuchtwanger in dem griechischen Klassiker sucht und findet. In dieser ältesten überlieferten antiken Tragödie geht es um die katastrophale Niederlage des persischen Heeres bei Salamis und um die Anmaßung des Perserkönigs Xerxes, der die Götter herausfordert und dadurch den Untergang seiner Truppen heraufbeschwört. Aischylos, auf Seiten der siegreichen Griechen an der Seeschlacht von Salamis beteiligt, thematisiert in seinem Stück zwar den heldenhaften griechischen Sieg, blendet aber das unendliche Leid von Tod und Zerstörung, das mit dem Krieg verbunden ist, nicht aus. In einer Zeit, in der nationaler Chauvinismus und hetzerische Diffamierungen des Kriegsgegners an der Tagesordnung sind, ist das Stück des Aischylos für den Pazifisten und Weltbürger Lion Feuchtwanger eine willkommene Möglichkeit, um auf unverfängliche Weise die eigene Haltung zu demonstrieren. »Die Perser« ist ihm ein Anti-Kriegs-Stück, ein Statement gegen Hurra-Patriotismus und aggressiven Hass – und eine ideale Plattform, um die eigene, friedensbewegte Botschaft an der Zensur vorbei einem größeren Publikum zu vermitteln. Dennoch ist der Entschluss, das Stück im dritten Kriegsjahr an die Öffentlichkeit zu bringen, ein Wagnis. Es ist mit dem Eingreifen der Behörden zu rechnen, die aufmerksam auf alle Erscheinungsformen von Defätismus achten und Aktivitäten, die die »Wehrkraft« und den Durchhaltewillen der Bevölkerung beeinträchtigen könnten, rigoros unterbinden. Am 23. März 1916 wird die Feuchtwanger'sche Bearbeitung im Rahmen einer Rezitation durch die Schauspielerin Annie Rosar in der Galerie Caspari vorgestellt. Die Lesung ist ein Erfolg, aber auch ein Missverständnis: Der Münchner Ordinarius Otto Crusius, ein konservativer Altphilologe, Präsident der Bayerischen Akademie der Wissenschaften und 1917 Gründungsmitglied der rechtsextremen Deutschen Vaterlandspartei, »adelt« den Abend mit einem patriotischen Einführungsvortrag und stellt den eigentlich völkerverständigenden Impetus des Werkes in einen widersinnigen nationalen Kontext. Vielleicht aus diesem Grund bleibt eine Behördenreaktion aus, was Feuchtwanger und die Verantwortlichen am Münchner Schauspielhaus ermutigt, »Die Perser« im Januar 1917 auch auf die Bühne zu bringen. In einem Vorwort stellt Feuchtwanger noch einmal klar, dass das Werk »vom Anfang bis zum Ende erfüllt [ist] vom Leidensüberschwang der Besiegten«.[192] Die Aufführung vom 20. Januar 1917 stößt beim Publikum auf großen Beifall und auch von der Kritik wird das Stück wohlwollend besprochen. Noch drei weitere Aufführungen der »Perser« können bis Februar 1917 realisiert werden, dann verfügen die Behörden wegen der dramatischen Ressourcenknappheit die vorübergehende Schließung von Theatern, Kinos und anderen Vergnügungseinrichtungen.

Es ist der berüchtigte »Dotschnwinter«, eine winterliche Hungerkatastrophe, die die Kriegsmüdigkeit der Bevölkerung verstärkt. Lange Schlangen vor den Geschäften gehören mittlerweile zum Straßenbild. Rationenkürzungen, Nahrungsersatzmittel und die Notversorgung durch Steckrüben bestimmen den dürftigen Speiseplan. Eine Kältewelle und unzureichende Heizmittelvorräte beeinträchtigen das Alltagsleben in erheblichem Maße. »Wir litten im Krieg großen Hunger. Die Preise der Lebensmittelschieber waren unerschwinglich. Das Brot war aus Kleie und Sägespänen gebacken. Ohne Krankenmarken für weißes Mehl hätte Lion mit seinem Magen nicht durchhalten können. Holz und Kohle waren strikt rationiert, das Gas tagsüber gesperrt. So verbrachte ich viele Nächte mit dem Backen von Weißbrot. Kranke bekamen extra Fleischmarken, doch so wenige, daß man eine ganze Woche sparen mußte, um am Sonntag ein kleines Stückchen Fleisch auf den Teller legen zu können«, erinnert sich Marta Feuchtwanger an die Entbehrungen der Kriegszeit.[193]

Gänzlich unpolitisch (und letztlich auch unphilosophisch) ist ein anderes Stück, das Lion in jenen Jahren im Zuge einer Übersetzung und Neubearbeitung auf die Bühne bringt. Nach »Vasantasena« widmet er sich seit November 1916 einem zweiten Schauspiel aus dem indischen Theaterkanon. Das von dem Lustspieldichter Kalidasa wohl in der zweiten Hälfte des 5. Jahrhunderts n. Chr. verfasste Stück »Der König und die Tänzerin« erzählt die Liebesgeschichte zwischen dem indischen König Agnimitra und der schönen Tänzerin Malavika und kann dem weitläufigen Genre des Unterhaltungstheaters mit Tanzeinlagen zugerechnet werden. Lion erfreut sich an der subtilen Erotik des Stückes, an der feinsinnig ausgestalteten Sexualität der Protagonisten, insbesondere des Königs, dessen Leidenschaft »sinnloser Brunst so fern wie verschnörkelt-spielerische Liebelei« steht.[194] Diese zarte Liebesfähigkeit unterscheidet sich doch sehr vom eigenen sexuellen Erleben Lions, von den oft ausschweifenden Beziehungen und wechselnden Verhältnissen, die der Schriftsteller pflegt. Lions Tagebücher sind voll von Protokollnotizen, die der eigenen Sexualität und den damit verbundenen »Exzessen« gewidmet sind. Ganz anders dagegen die Amouren der Dichtung: »Die Pfeile des indischen Eros sind Blumen, summende Bienenschwärme oder Lotusfasern, die Sehne seines Bogens.«[195] Das innerhalb weniger Wochen abgeschlossene »Der König und die Tänzerin« ist auch ein Zugeständnis an schwierige Zeiten, in denen die Menschen ins Theater gehen, um sich von der Illusion einer anderen, einer besseren Welt für einige Stunden verzaubern zu lassen. So sehen es sicherlich auch die Verantwortlichen der Kammerspiele, wo das Stück am 5. März 1917 seine Uraufführung erfährt: Das harmlose Stück soll erfreuen, unterhalten und ablenken. Da es diesen Zweck geradezu ideal erfüllt, kommt es am 1. März 1917 in den Münchener Kammerspielen zu einer Sonderaufführung der letztlich belanglosen Feuchtwanger'schen Fingerübung zugunsten der Hinterbliebenenfürsorge für gefallene bayerische Soldaten. Das in der Regie von Wolff von Gordon auf die Kammerspiel-Bühne gebrachte Tanzstück lässt die Kritik etwas ratlos zurück. Richard Elchinger konzediert in den »Münchner Neuesten Nachrichten« zwar Feuchtwangers Bemühungen, »den lyrischen Schönheiten in Kalidasas Märchendichtung gerecht zu werden«, moniert aber auch, dass der Bearbeiter »die ferne Dichtung etwas willkürlich zum Zwecke der Annäherung des Werkes an unseren Spielplan« behandelt: »Im Gesamtbild ergab sich keine Verfeinerung, sondern eine Vergröberung der Linien, die durch die Aufführung noch unterstrichen wurde.«[196] Bis Ende Mai 1917 sind dem Stück lediglich neun weitere Aufführungen vergönnt, dann wird es vom Spielplan genommen.

Ein literarisches Experiment wagt Lion Feuchtwanger im Winter 1916/17, als er die Bearbeitung von zwei Komödien des Aristophanes in Angriff nimmt und diese – unter dem Titel »Friede« – zu einem »burlesken Spiel« zusammenführt. Hintergrund beider antiker Stücke, »Die Acharner« und »Eirene«, sind permanente kriegerische Auseinandersetzungen Athens und der militärische Überdruss einzelner Protagonisten, die mit gewitzten Mitteln an der Befriedung ihrer Welt arbeiten. Und dieses Ziel auch erreichen. Auch hier ist »die Analogie zur Gegenwart« unübersehbar. Im vierten Kriegsjahr ist ein Großteil der deutschen Bevölkerung des grausamen Abschlachtens müde; die Entbehrungen an der »Heimatfront« tun ein Übriges und sorgen für eine immer stärker werdende Friedenssehnsucht der Menschen. Ob Lion Feuchtwanger ernsthaft mit einer Aufführungsmöglichkeit für sein neues Stück gerechnet hat, ist unklar. Schon der Titel »Friede« lässt bei den Zensurbehörden alle Alarmglocken schrillen; und selbst durch die antike Camouflage und die Verzerrung der Friedensaktivisten zu derben und schlitzohrigen Chargen kann eine Freigabe des Stückes nicht erwirkt werden. Auch später, nach dem Fallen der Zensur, wird das Stück nicht auf die Bühne gebracht. Im Gesamttableau des Feuchtwanger'schen Œuvre wird es allenfalls als zeitbezogene Kuriosität wahrgenommen.

Lion Feuchtwanger wird nach wie vor gern in die Kategorie des »unpolitischen Autors« eingereiht. Er selbst hat dieser Etikettierung mit prägnanten Selbsteinschätzungen Nahrung gegeben, ihr jedenfalls nicht explizit widersprochen und noch 1933 in seiner »Selbstdarstellung« mit dem irritierenden Bekenntnis überrascht: »Politische Schriftstellerei in einem aktuellen Sinne habe ich niemals betrieben«.[197] Dann gehören also »Die Kriegsgefangenen«, »Thomas Wendt«, »Die Geschwister Oppermann« (1933) und insbesondere »Exil« (1939) und »Erfolg« (1930) in die Kategorie der unpolitischen, der zeitfernen Literatur? Auch Marta Feuchtwanger ist nicht ganz unschuldig an dieser Einordnung. Lion, so Marta, »war am Dasein interessiert, am Dasein von Menschen, an den Persönlichkeiten, und auch an den zwischenmenschlichen Beziehungen. (…) An Politik war er jedoch überhaupt nicht interessiert.«[198] Zutreffend ist diese Positionsbestimmung sicher nicht, zumindest nicht in dieser Eindeutigkeit. Als Autor, aber auch als Bürger, als Teil einer kritischen Zivilgesellschaft, hat Lion Feuchtwanger immer wieder auf aktuelle Ereignisse reagiert, hat sich zu Wort gemeldet und Kommentare abgegeben. Meist in Form literarischer Texte, bisweilen in Form persönlicher Statements. Auch das Theaterstück »Die Kriegsgefangenen«, in der zweiten Jahreshälfte 1917 entstanden, ist ein Beleg für die politische Haltung eines Autors, der nicht nur einem literarisch-ästhetischen Diskurs huldigt, sondern Stellung bezieht, um einen Beitrag zur Änderung der Verhältnisse zu leisten. Er selbst sagt dazu: »Es drängte den Autor, seinen Ekel an der Mentalität des Krieges Wort werden zu lassen.«[199] Ein aus dieser klaren Haltung heraus geschriebenes

Drama hat indessen nicht einmal den Hauch einer Chance, das engmaschige Netz der Zensur zu durchdringen. Auch wenn das Stück zunächst ein Lehrstück über Mitmenschlichkeit ist. Als Leitmotiv hat der Verfasser die Erstfassung mit einem Satz aus Sophokles' »Antigone« überschrieben: »Nicht mitzuhassen, mitzulieben bin ich da.« Es geht um die unmögliche Liebe zwischen einem französischen Kriegsgefangenen und der Tochter eines preußischen Adligen, eine klassische Romeo-und-Julia-Konstellation. Ein Stück, das quer liegt zu den gängigen Stereotypen vom französischen Erbfeind und den sich überschlagenden nationalistischen Hasstiraden. Das »Drama über die Humanität in einer unmenschlichen Zeit« (Wilhelm von Sternburg) ist wegen der konventionellen Machart und der vorhersehbaren Handlung sicherlich eine der schwächsten Theaterarbeiten Feuchtwangers. Aber nicht die qualitativen Schwächen verhindern eine Aufführung: Die Zensur verweigert die Zulassung, denn die tragische Liebe zwischen einem deutschen Mädchen und einem französischen Mann entspricht nicht den kontrastreichen Klischees der aggressiven deutschen Propagandamaschinerie. Auch nach Kriegsende kommen »Die Kriegsgefangenen« nicht auf die Bühne. Die politischen Wirren von Revolution und Rätezeit überlagern alle Ambitionen, das Stück ins Theater zu bringen. Schließlich macht die Unterzeichnung des »Schandfriedens« von Versailles 1919 und die revanchistische Stimmungsmache rechter Kreise am Ende die Aufführung eines Stückes mit aufrichtigem Mitgefühl für einen Franzosen gänzlich unmöglich. Immerhin: Nach dem Krieg ist Feuchtwangers Drama die erste deutsche Literatur, die in Frankreich veröffentlicht wird. So endet jedenfalls die Geschichte der »Kriegsgefangenen« teilweise versöhnlich.

Als Kurt Eisner am 7. November 1918 dafür sorgt, dass in Bayern (und in den folgenden Tagen auch im übrigen Deutschland) die Monarchen von den Hebeln der Macht verdrängt werden und das Deutsche Reich endlich vor einer Übermacht kapituliert, ist Lion Feuchtwanger 34 Jahre alt. Ein erwachsener, gereifter Mann blickt auf die Zeitläufte. Als Schriftsteller, vor allem als Dramatiker hat Lion in den letzten Jahren an Profil gewonnen. Wie ein Katalysator hat der Krieg den künstlerischen Reifeprozess beschleunigt, hat den in mancherlei Hinsicht noch unentschlossenen Literaten zu einer Positionsbestimmung gezwungen, zu einem Bekenntnis genötigt, dass der Schriftsteller – unabhängig vom literarischen Genre, abseits der ästhetischen, formalen und stilistischen Instrumente – seine Stimme gegen Unrecht, Unmenschlichkeit und Unmoral erheben muss.

[1] *Die Eltern: Sigmund und Johanna Feuchtwanger, um 1885*

[2] *Lion im Kreis seiner Geschwister, 1905*
(von links: Ludwig, Martin, Bella, Lion, Martha,
Fritz, Franziska, Berthold, Henny)

[3] *Marta Löffler, 1910*

[4] *Lion um 1910*

[5] *Lion Feuchtwanger in seinem Haus in Berlin-Dahlem, ca. 1931/32*

[6] *Feuchtwanger auf der Terrasse seines Hauses, ca. 1931/32*

[7] *Das Haus der Feuchtwangers in Berlin-Dahlem, ca. 1931/32*

[8] *USA-Reise 1932/33:*
Feuchtwanger bei
der Lektüre im Zug

[9] *USA-Reise 1932/33: Lion Feuchtwanger mit dem Filmproduzenten Carl Laemmle (Mitte)*
und dessen Mitarbeitern in den Universal Studios, Los Angeles

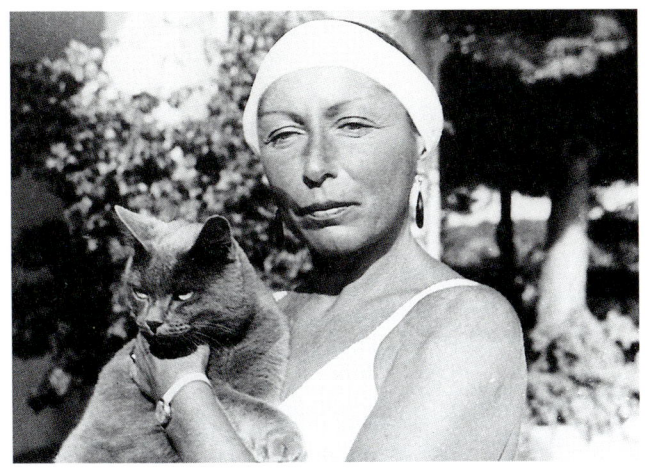

[10] *Marta Feuchtwanger mit ihrer Katze, Villa Valmer, undatiert*

[11] *Filmpremiere von »Jew Süss« in New York, 1934*
Berthold Viertel, Albert Einstein und Carles Chaplin
(von links, mit persönlicher Widmung Einsteins)

[12] *Lion und Marta Feuchtwanger in der Bibliothek in Sanary, 1934 (Foto: Walter Bondy)*

[13] *Lion Feuchtwanger und Stalin, 1937 (rechts der Kulturfunktionär Boris Tal)*

[14] *Feuchtwanger in seinem*
Arbeitszimmer in Sanary, 1937

[15] *Lion Feuchtwanger hinter dem Stacheldraht*
von Les Milles, 1940

[16] *Feuchtwanger bei der Ankunft in New York mit Reportern, Oktober 1940*

[17] *Lion und Marta Feuchtwanger in Nogales, Einwanderung in die USA, Februar 1941*

[18] *Feuchtwangers Villa am Paseo Miramar, undatiert*

[19] *Lion Feuchtwanger und Bertolt Brecht bei ihrem*
letzten Zusammensein auf der Terrasse der
Villa am Paseo Miramar, 1947

[20] *Lion Feuchtwanger mit seiner Sekretärin Hilde Waldo
im Arbeitszimmer der Villa am Paseo Miramar*

[21] *Porträt Feuchtwangers, um 1950
(Foto: Florence Homolka)*

[22] *Feuchtwanger mit seinen Schildkröten in der Villa am Paseo Miramar, um 1950*

[23] *Lion Feuchtwanger beim Turnen in der Villa am Paseo Miramar, 1950er Jahre*

[24] *Feuchtwanger in Dawson's Bookstore in Los Angeles, 1949 (Foto: Jack Gyer)*

[25] *Lion und Marta Feuchtwanger im Arbeitszimmer der Villa am Paseo Miramar, um 1950*

1918/19: Eisner, Brecht und Hitler

»Der Kerl roch wirklich wie Soldaten auf dem
Marsch. Sein eckiger, bösartiger Humor war auch
nicht gerade das Rechte für Frauen. Es war ein
sicherer Geruch von Revolution um ihn.
Offenbar machte er es mit seinen hundsordinären
Balladen. Wenn er die sang, mit seiner gellenden
Stimme, dann wurden die Weiber schwach.«[200]

Am 7. November 1918 ist in München der Weltkrieg zu Ende. Die politischen und sozialen Verwerfungen in der zusammenbrechenden kai-
serlichen Welt, von der Kriegsbegeisterung zunächst überdeckt, um im
Verlauf des Krieges umso aggressiver hervorzubrechen, sind wirkungs-
mächtig. Die von dem unabhängigen Sozialdemokraten Kurt Eisner im
November 1918 herbeigeführte Revolution ist eine vorhersehbare Konsequenz auf die erbärmliche Lebenswirklichkeit einer auf Distanz ge-
haltenen städtischen Bevölkerungsschicht, die nun lautstark ihre Teilhabe an der politischen und wirtschaftlichen Macht einfordert. Noch
vor der Reichshauptstadt Berlin wird hier in München am 7. November
mit der Ausrufung des »Freistaats Bayern« durch Eisner das Ende der
Monarchie eingeläutet. Ein aufmerksamer, aus der Nähe beobachtender
Zeuge der turbulenten Ereignisse ist Lion Feuchtwanger. Er kennt die
meisten Akteure an der Spitze der revolutionären Bewegung; vor allem
mit Kurt Eisner verbindet ihn seit dem »Phoebus«-Skandal von 1909
eine komplizierte Beziehung, die nicht frei ist von wechselseitigen Ressentiments und von Skepsis. Trotz der menschlichen Distanz zu Eisner,
die in den letzten Jahren aber auch zunehmend Raum lässt für gegenseitigen Respekt, ist Lion voll Sympathie für den Aufstand der Soldaten
und Arbeiter. Er erkennt freilich, dass die Münchner Revolution zwar
von Intellektuellen angeführt wird, dass es sich hier aber keineswegs um
eine Revolution der Intellektuellen handelt. Er sieht, dass der sozialistische Anspruch der Massen mehr Fassade ist als überzeugend gelebte,
verinnerlichte politische Überzeugung. Es ist eine Revolution, die aus
der Not entstanden ist, die vom Hunger genährt und von der Sehnsucht

nach Frieden angetrieben wird. Wie überall in Deutschland sind es auch in München kriegsmüde Soldaten, die aus den Kasernen strömen, sich der Bewegung anschließen und gemeinsam mit desillusionierten Arbeitern dem Umsturz zum Erfolg verhelfen. Die Offiziere, Feldwebel und Unteroffiziere erkennen die Zeichen der Zeit und ziehen sich konsterniert zurück. »Keiner befahl mehr, keiner dirigierte, die Stadt war voller unruhiger Menschen, die wussten, es habe etwas zu geschehen, aber sie wussten nicht was. Und da die Münchner ein lustiges, derbes Volk sind, so wirkte es fast wie ein Faschingsrummel, ohne Ernst dahinter«, so die Beobachtung von Lions Verwandter Rahel Straus.[201]

Nun aber, da die Dinge ins Rollen gekommen sind, gibt es kein Zurück mehr. Noch am 7. November wird das Ende der Monarchie ausgerufen und Bayern zur Republik erklärt. Der von der Münchner Bevölkerung wenig geschätzte Wittelsbacher Ludwig III. wird beim Abendessen in der Residenz von den Ereignissen überrascht und flieht Hals über Kopf via Österreich ins ungarische Exil. Zwar verspottet Thomas Mann die Umstürzler am 7. November noch als »albernes Pack«. Offenbar traut der konservative Schriftsteller dem Journalisten Eisner die Rolle des Revolutionärs nicht zu. Aber schon am Folgetag ist für den Skeptiker Mann klar, dass Bayern und Deutschland an einer Zeitenwende stehen. Verständnis und Wohlwollen zeigt er für die Verkünder der neuen Zeit zwar noch nicht: »München, wie Bayern regiert von jüdischen Literaten. Wie lange wird es sich das gefallen lassen?« Erst am nächsten Tag, dem 9. November, kann der Verfasser der »Buddenbrooks« den Entwicklungen auch positive Facetten abgewinnen: »Die Bereinigung und Erfrischung der politischen Atmosphäre ist schließlich gut und wohltätig.«[202] Die Vorgänge in München sind die Initialzündung einer Umsturzwelle, die binnen Tagen und Stunden ganz Deutschland erfasst. Am 9. November 1918 ist auch in Berlin der Zusammenbruch der alten Ordnung besiegelt. Der Erste Weltkrieg ist zu Ende. In München verläuft der revolutionäre Umbruch besonders spannungsreich und mit dramatischen Folgen. Eine Koalitionsregierung aus Unabhängiger und Mehrheits-SPD bemüht sich unter der Führung des neuen Ministerpräsidenten Eisner, eine Balance zwischen radikal-revolutionärer Emphase und der Aufrechterhaltung notwendiger Ordnungsstrukturen herzustellen.

Kurt Eisner ist ein Revolutionär mit Augenmaß. Sein Kurs des behutsamen demokratischen Wandels, seine Konzeption eines organischen Dualismus von parlamentarischem System und Räten ist ein »Dritter Weg« zwischen den diametralen Polen eines bürgerlichen Parlamentarismus und eines dogmatischen Sowjetsystems. Mit seiner Vision wird Eisner aber letztlich zwischen den radikalen Zukunftsforderungen einer extremen Linken, dem skeptischen Beharrungsvermögen der bürgerlichen Kräfte und den wüsten Diffamierungen antisemitisch-völkischer Hetzer zerrieben. Während seiner knapp dreieinhalbmonatigen Amtszeit als bayerischer Ministerpräsident gelingt es ihm nicht, die tief sitzenden Ängste des bürgerlich-konservativen Lagers vor einer kommunistischen Umwälzung zu zerstreuen. Aber auch die weitreichenden Hoffnungen einer radikalisierten Arbeiterschaft auf einen grundsätzlichen Wandel von Gesellschafts- und Wirtschaftsordnung vermag er nicht zu erfüllen. Ein desaströses Ergebnis von Eisners USPD bei den Landtagswahlen am 12. Januar 1919 ist die Quittung für die gescheiterte Realpolitik des Revolutionärs. Auf dem Weg zur konstituierenden Sitzung des neugewählten Landtags wird Ministerpräsident Eisner, seine Rücktrittserklärung in der Tasche, am 21. Februar 1919 von dem antisemitisch verblendeten Reserveleutnant Anton Graf von Arco auf Valley erschossen. Arco zählt zum engeren Umfeld der Thule-Gesellschaft, aus deren Kreis sich im Frühjahr 1919 die Geburtshelfer der späteren NSDAP rekrutieren. Die Folge des feigen Attentats ist ein besorgniserregendes Machtvakuum und eine zermürbende Krise des parlamentarischen Systems. Die Zuspitzung des Konflikts um die politische Zukunft Bayerns, aber auch die durch radikale Parolen von Rechts und Links aufgeheizte Atmosphäre führt am 7. April 1919 zur Errichtung einer Räterepublik, die von einem Rat der Volksbeauftragten um Ernst Toller, Gustav Landauer und Erich Mühsam geführt und von einer »Roten Armee« geschützt wird. Interne Auseinandersetzungen um den Charakter des Räteprojekts, das von kommunistischer Seite als »Scheinräterepublik« disqualifiziert wird, erschweren die Arbeit der revolutionären Gremien. Am 1. Mai 1919 wird die Münchner Räterepublik von antirepublikanischen Einheiten und Reichswehrtruppen, von der sozialdemokratischen Regierung Hoffmann herbeigerufen, brutal niedergeschlagen. Leitfiguren der revolutionären Politik wie Gustav Landauer werden ermordet oder – wie die Feuchtwanger-Freunde Erich Mühsam und Ernst Toller – von einer mit dem rechten Lager sympathisierenden Justiz zu langen Zuchthausstrafen verurteilt. Die Ereignisse im April/ Mai 1919 bescheren München bürgerkriegsähnliche Verhältnisse, durch die blutige Aggression verlieren etwa 650 Menschen ihr Leben.

Lion Feuchtwanger ist im Winter 1918 und im Frühjahr 1919 lediglich stiller Beobachter der Vorgänge. Nur einmal wird er gemeinsam mit Heinrich Mann und Georg Kaiser von Kurt Eisner ins Staatstheater gebeten, um dort über die Zukunft des Hauses zu beraten. Auf den enthusiastischen Vorschlag Kaisers, durch den Verzicht auf die Klassiker auch die Bühne zu revolutionieren, folgt die Frage, was man stattdessen spiele solle. Kaisers knappe, aber vielsagende Antwort: Georg Kaiser. Womöglich sind es diese Akteure der Revolution, ist es deren eigennützige Selbstgefälligkeit, die für Lions Distanz zu den Umwälzungen verantwortlich sind. Er bleibt im Hintergrund, ist kein Mitglied von Rätegremien, die es zeitweise auch für Intellektuelle gibt: »Politischer Rat geistiger Arbeiter« nennt sich diese Gruppe in München, die im November 1918 ein gemäßigt revolutionäres Programm veröffentlicht, das etwa von Lou Andreas-Salomé, Kasimir Edschmid, Alfons Goldschmidt, Magnus Hirschfeld, Robert Musil und Heinrich Mann unterzeichnet wird. Zwar bekennen sich die »geistigen Arbeiter« zu den Errungenschaften der Revolution; die gewaltbereite Radikalität der extremen Linken wird jedoch abgelehnt: »Wir alle sind Demokraten in dem Sinn, daß wir das Recht, nicht die Macht lieben und auch statt der Gewalt, die so lange geherrscht hat, die Menschlichkeit anrufen, wie wir es schon immer taten.«[203] Zweifellos hätte auch Lion Feuchtwanger diesen Appell für eine friedliche Revolution unterschreiben können. Dem »Rat der geistigen Arbeiter« schließt er sich dennoch nicht an. Trotz dieser Zurückhaltung erhält das Ehepaar Feuchtwanger nach der gewaltsamen Niederschlagung der Räterepublik Besuch von bewaffneten Weißgardisten, die bei einer Hausdurchsuchung ein Manuskript mit dem Titel »Spartakus« entdecken – und sofort bedrohliche Fragen stellen. Denn »Spartakus« ist für die »Weißen« ein Reizwort, verweist es doch auf eine radikale kommunistische Gruppierung um Rosa Luxemburg und Karl Liebknecht, aus der im Januar 1919 die Kommunistische Partei Deutschlands hervorgegangen ist. Das Manuskript ist aber kein politisches Pamphlet, sondern nur das Erstlingswerk eines unbekannten jungen Augsburger Dramatikers mit Namen Bertolt Brecht, das dieser dem Theaterkritiker Feuchtwanger zur prüfenden Lektüre überlassen hat. Gerettet wird die für die Feuchtwangers womöglich lebensgefährliche Situation von einem theateraffinen Uniformierten, der sich begeistert an eine Düsseldorfer Aufführung des »Warren Hastings« erinnert und die Harmlosigkeit des Dichters Feuchtwanger beglaubigen kann.

Warum sich Lion Feuchtwanger der Revolution verweigert, bleibt unklar. Mit Angst oder abwartendem Opportunismus ist diese Haltung nicht zu erklären, denn weder Mutlosigkeit noch Gleichgültigkeit sind prominente Feuchtwanger'sche Persönlichkeitsmerkmale. Womöglich hat er, im Gegensatz zu vielen anderen, schon früh die fadenscheinige Qualität der revolutionären Euphorie durchschaut und das klägliche Scheitern des mit hohem Blutzoll erkauften Räte-Experiments befürchtet. Von den Revolutionären selbst hatte er keine allzu hohe Meinung, womöglich auch wegen der Kränkungen, die er einst von Kurt Eisner erfahren musste. Erst annähernd zwei Jahrzehnte später, in seiner hochproblematischen, bisweilen schmerzhaft naiven Hymne auf die stalinistische Diktatur, fasst er seine Kritik in Worte:»Ich kenne ihn gut, diesen Typus des Schriftstellers und Revolutionärs, wenn auch nur in kleinem Format. Gewisse Führer der deutschen Revolution, die Kurt Eisner und Gustav Landauer, hatten vieles mit Trotzki gemein, freilich in Miniaturausgabe. Das starre Festhalten an einem Dogma, die Unfähigkeit, sich veränderten Verhältnissen anzupassen, kurz das Fehlen praktischer politischer Psychologie, machte diese Theoretiker und Doktrinäre nur für kurze Zeit tauglich zu politischem Handeln. Die größere Zeit ihres Lebens waren sie gute Schriftsteller, keine Politiker. Sie fanden nicht den Weg zum Volk. Sie verstanden zu wenig von Volks- und Massenpsychologie. Sie fühlten sich den Massen, aber die Massen sich nicht ihnen verbunden.«[204] Das klingt böse, ungerecht – und selbstgerecht. Und ist es auch. Trifft die späte Retrospektive doch mit Eisner und Landauer zwei politische Idealisten, die, wie wenige andere, den positiven Potentialen und den wertvollen Qualitäten im Menschen vertraut haben. Und für diese hoffnungsvolle Naivität mit ihrem Leben bezahlen mussten.

Die Erfahrung mit den gescheiterten Räterepubliken und die darauffolgende Ereigniskette aus ungehemmter Gewalt führt zu einer nachhaltigen Traumatisierung der Bevölkerung und zu einem wirkungsmächtigen Angstkomplex im bürgerlichen Lager. Im kollektiven Gedächtnis der Stadtgesellschaft verankern sich dabei nicht die Errungenschaften der Revolution – etwa das Frauenwahlrecht oder der Acht-Stunden-Tag –, sondern vor allem die Wahrnehmung von jüdischen, zugewanderten Caféhausliteraten und Salonbolschewisten als Drahtzieher der revolutionären Ereignisse. Nicht die Bemühungen um eine Öffnung der Gesellschaft, um eine Demokratisierung des politischen Lebens, sondern das »zwielichtige und landfremde Experiment«[205] bleiben als Stereotyp haften.

Lion Feuchtwanger, der die Wirren der Revolutions- und Rätezeit hautnah miterlebt, der mit den wichtigsten politischen Akteuren befreundet, zumindest aber gut bekannt ist, verarbeitet seine Beobachtungen und Erfahrungen 1919 in dem Buch »Thomas Wendt«. Erzählt wird darin die Geschichte des erfolgreichen Dramatikers Wendt, der sich von seiner literarischen Berufung ab- und enthusiastisch der revolutionären Aktion zuwendet. Der erfolgreich herbeigeführte Umsturz führt bei Wendt zu bitterer Ernüchterung, als er erkennen muss, dass die menschliche Natur durch die Revolution nicht positiv verändert werden kann und die von ihm beklagten Dinge beim Alten bleiben. Inspiriert wird Feuchtwanger für seinen Protagonisten Thomas Wendt durch die linksintellektuellen Akteure in der Münchner Revolutionsszenerie. Es ist vermutlich der Dichter und Revolutionär Ernst Toller, der Pate steht für die Figur des Thomas Wendt. Im Untertitel bezeichnet Lion das Buch als »dramatischen Roman«, was den zeitgenössischen Leser zunächst ratlos macht. Erst ein Blick in das 1920 im Münchner Verlag Georg Müller erschienene Buch macht deutlich, dass die auf dem Umschlag angekündigte hybride Textgattung in die Erscheinungsform eines reinen Theaterstücks eingekleidet ist. Zwar folgt die Erzählung gängigen epischen Regeln, die formale Ausführung lehnt sich jedoch an die Normen des Dramas an. »Thomas Wendt« ist gewissermaßen eine frühe Standortbestimmung des Autors Feuchtwanger, der hier beide Sphären seiner literarischen Neigungen verknüpft und in programmatischer Weise in eine Erzählform bündelt – die zudem noch den Geist des virulenten Expressionismus atmet. Lion, so Marta Feuchtwanger, »war es müde, Theaterstücke im Stil der Klassiker zu schreiben. (…) Seiner Meinung nach konnte man keine Ideen im Rahmen von fünf Akten zum Ausdruck bringen. Da sollte mehr sein. (…) Deshalb ließ er sich auf das Wagnis ein, das er episches Theater nannte.«[206] Erklärungsbedarf für diese schriftstellerische Technik ist zweifellos vorhanden, und so erläutert der Verfasser in einem Vorwort seine Intention und formuliert ein leidenschaftliches Plädoyer für »sein« episches Drama: »Ich glaube nicht, daß es einen rein dramatischen Stoff gibt oder einen rein epischen. In jedem Stoff ist der Keim, ist die Dynamis eines Dramas sowohl wie eines Epos.«[207] Die Arbeit am »Thomas Wendt« ist Lion Feuchtwanger eine Herzensangelegenheit. »Man könnte sagen: er aß und trank und schlief mit diesem Stück«, so Marta.[208] »Thomas Wendt« markiert gewissermaßen auch eine schöpferische Zäsur im Werk von Lion Feuchtwanger. Er hat – wohl erstmals mit dem aus seiner Sicht gescheiterten Stück »Jud Süß« – die Eingrenzungen des Mediums »Bühne« für seine Ausdrucksmöglichkeiten erkannt und macht sich nun auf die Suche nach einem neuen, erweiterten literarischen Format. Der »Wendt« ist sein erster Versuch, das Korsett des Dramas durch die Verschmelzung mit dem Roman aufzubrechen. Zu

den prominenten Lesern des Buches gehört Thomas Mann, der am
1. März 1920 in sein Tagebuch notiert:»Rauchte nach dem Abendessen
eine der neuen Cigarren à 2,50 und las in dem ›dramatischen Roman‹
von L. Feuchtwanger, den der Verfasser geschickt. Er überschätzt die
Originalität der Form. Aber die Melancholie und Gerechtigkeit seiner
Bilder ist sympathisch.«[209] Mann freilich unterschätzt in seiner mil-
den, gönnerhaften Kritik die epochale Initialzündung des»Thomas
Wendt« für das moderne Theater. Der junge Bertolt Brecht, den Feuchtwanger während der Arbeit an dem Opus kennenlernt, greift die Idee
des dramatischen Romans begierig auf, spitzt diese radikal zu und
gibt dem Ganzen jenen provokant-avantgardistischen Schwung, um
aus einem eher betulichen theoretischen Ansatz eine überwältigende
Bühnenrealität zu generieren. Lion wird später bescheiden Brecht den
Ruhm als Erfinder des neuen Genres gönnen. Sachlich gibt er 1928 zu
Protokoll:»Bertolt Brecht hat eine Erfindung gemacht, er nennt sie
das epische Drama.«[210] Die Literaturwissenschaft urteilt anders und
notiert inzwischen auch den Namen Feuchtwanger in der Geburtsurkunde des epischen Theaters.

Im Frühjahr 1920 bereitet Lion mit Otto Falckenberg die Uraufführung des»Thomas Wendt« an den Münchner Kammerspielen vor. Die
ersten Probentermine im März 1920 werden jedoch durch den Kapp-
Lüttwitz-Putsch in Berlin empfindlich gestört. Der reaktionäre Um-
sturzversuch strahlt bis nach München aus, wo republikfeindliche und
rechtsextreme Zirkel bereits seit längerem ein nahrhaftes Biotop vorfin-
den und unverhohlen mit den Berliner Drahtziehern des Umsturzes
sympathisieren. Die Putschisten scheitern zwar am landesweiten Gene-
ralstreik, der auf Initiative der Reichsregierung und der Gewerkschaften ausgerufen wird. Die politischen Turbulenzen sind jedoch enorm.
In Bayern muss die demokratische Regierung des Sozialdemokraten Johannes Hoffmann zurücktreten. An ihre Stelle tritt ein rechtskonserva-
tiver Ministerrat unter Gustav von Kahr, der sich auf radikale Freikorps,
Einwohnerwehren und andere gewaltbereite völkisch-vaterländische
Kräfte stützen kann. Die Aufführung eines explizit politischen Theaterstücks, das die linken Revolutionäre von 1918/19 in ein positives Licht
setzt, ist in dieser Lage wenig opportun. Im Ensemble der Kammerspiele geht Angst um, Schauspieler verweigern die Mitwirkung. Falckenberg und Feuchtwanger müssen notgedrungen die Aufführung
verschieben. Aber auch geplante Termine für Herbst 1920 und die Spiel-
zeit 1921/22 können nicht gehalten werden: Bayern erlebt nach dem
gescheiterten Kapp-Putsch einen erneuten Rechtsruck und entwickelt

sich zu einer reaktionären »Ordnungszelle«, in der kein Platz mehr ist für kritisches, für politisches Theater. Vergleichbare Erfahrungen macht andernorts Alfred Kantorowicz, der 1924 versucht, »Thomas Wendt« am Stadttheater Bielefeld aufzuführen. Lion Feuchtwanger hat dem jungen Kantorowicz ein Widmungsexemplar des Werks geschenkt, und dieser möchte nun im November 1924 als Kulturredakteur und Theaterkritiker der »Westfälischen Neuesten Nachrichten« eine Matinee ausgewählter Szenen auf die Bühne bringen. Obwohl »Dr. Kant« sich bemüht, die politischen Konnotationen des Stücks kleinzureden und seinen Sinn in der »resignierten Abkehr von der Tat, der schmerzlichen Erkenntnis von der Sinnlosigkeit der aktiven Handlung« sieht, kommt es zum Eklat, als eine Gruppe von Anhängern des völkischen »Jungdeutschen Ordens« die Aufführung stört und unterbricht. Mit den Worten »Für Reinheit und Sauberkeit« hetzen die Rechtsextremen gegen Theaterstücke, »die die Revolution, den großen Volksverrat, verhimmeln!!! Wir leben noch nicht in Sowjet-(Juda) Rußland! Auf deutschem Boden dulden wir Schande nicht!«[211] Die Erfahrungen mit dem Feuchtwanger-Stück in München und in Bielefeld sind Ausdruck eines fundamentalen Wandels der politischen Kultur in Deutschland. Der nationalsozialistische Hass auf politisch Andersdenkende, Pazifisten und Juden wird mehr und mehr salonfähig.

Lion Feuchtwanger und Bertolt Brecht begegnen sich erstmals im März 1919. Aus dem Zusammentreffen entsteht eine Freundschaft, die ein Leben lang halten wird. Ein merkwürdiges Paar: Der eine ein jüdisch geprägter Intellektueller, der Religion seiner Väter abtrünnig geworden, ein feinsinnig-zurückhaltender Bohemien, kein Lautsprecher, mehr zurückhaltender Beobachter, kluger Kommentator mit einem subtil-treffenden Humor. Präpotent und vorlaut der andere, auffälliger Phänotyp (»Er hat einen langen, schmalen Schädel mit stark hervortretenden Jochbogen, tiefliegende Augen, in die Stirn hineinwachsendes schwarzes Haar«[212]), auf dem Weg zum literarischen Propheten des neuheidnischen Kommunismus, stets Aufmerksamkeit heischend, ein Provokateur in eigener Sache, ein »Scheusal mit Talent«, so Thomas Mann. In München hat man sich gefunden, wenige Monate nach dem Ende des Weltkriegs. Und für die nächsten Jahrzehnte nicht mehr losgelassen – trotz aller charakterlichen Gegensätze und literarischen Differenzen. Es ist Lion Feuchtwanger, der den literarischen Genius Bertolt Brecht »entdeckt« und den jungen Dichter ermutigt, seinen künstlerischen Weg zu gehen. In »Erfolg«, jenem Roman der »Wartesaal-Trilogie«, der in paradigmatischer Weise das politisch und moralisch verkommene Münchner

Milieu am Vorabend der nationalsozialistischen Machtergreifung entlarvt, begegnet dem Leser ein gewisser Kaspar Pröckl, seines Zeichens Ingenieur, Balladensänger und Dichter. Feuchtwanger hat sein vielleicht politischstes Buch, seine »Drei Jahre Geschichte einer Provinz«, als Schlüsselroman angelegt und die wichtigsten Protagonisten nach realen Vorbildern geformt. Als Blaupause des grobschlächtigen Kaspar Pröckl, des idealistischen Revoluzzers mit intellektuellen Zwischentönen, des ordinären Bänkelsängers mit der unvorteilhaften Körperhygiene, dient dem Autor der junge Dramatiker aus Augsburg.

Feuchtwanger ist in jenen Monaten, die das Land in eine tiefe politische Identitätskrise stürzen, bereits ein angesehener Theaterkritiker und als solcher auch Hoffnungsträger für ambitionierte Dichter und Schriftsteller, die sich von ihm Zuspruch, wohlwollende Kritik und nachhaltige Förderung versprechen. Und wieder kündigt sich fremder Besuch in seiner Wohnung an. Ein »sehr junger Mensch« stellt sich im März 1919 vor, »schmächtig, schlecht rasiert, verwahrlost in der Kleidung. Er drückte sich an den Wänden herum, sprach schwäbischen Dialekt, hatte ein Stück geschrieben, hieß Bertolt Brecht. Das Stück hieß ›Spartakus‹. Im Gegensatz zu der Mehrzahl der jungen Autoren, die, wenn sie Manuskripte überreichten, auf das blutende Herz hinzuweisen pflegen, aus dem sie ihr Werk gerissen hätten, betonte dieser junge Mensch, er habe sein Stück ›Spartakus‹ ausschließlich des Geldverdienens wegen verfaßt.«[213] Der junge Brecht, der schon während des Krieges aus seiner Heimatstadt Augsburg sein Glück in der nahegelegenen Haupt- und Residenzstadt gesucht hatte, der hier als Medizinstudent an seiner Freistellung vom Militärdienst und als Dramatiker an seiner künstlerischen Berufung gearbeitet und zielstrebig seiner vermeintlichen Bestimmung, ein »zweiter Schiller« zu werden, gefolgt ist, wirkt auf viele seiner Zeitgenossen wie ein egozentrischer, ungezogener Bengel mit auffälligem Erscheinungsbild und einem frechen Mundwerk. Brechts Arbeit an seinem Stück »Baal« wird durch die Seminare des Theaterwissenschaftlers Artur Kutscher, durch die Reibungsflächen mit Kutscher und eine groteske Hass-Liebe zu dessen Schüler, dem »völkischen« und späteren NS-Vorzeigeschriftsteller Hanns Johst, beflügelt. Mit dem Exzentriker Karl Valentin formiert er ein bizarres Duo, das in den Bierkellern und Kabaretts der Stadt für verstörend-dadaeske Unterhaltung sorgt. Hinter der provokanten Attitüde wird freilich auch die literarische Begabung des jungen Brecht erkennbar. Auf den zurückhaltenden Feuchtwanger übt dessen proletenhafter Charme mit seiner unverstellten Sinnlichkeit eine starke Anziehungskraft aus. Im »Erfolg«

verbeugt sich der 15 Jahre ältere Feuchtwanger vor dem ungehobelten Charme und der widerspenstigen Gradlinigkeit Brechts und setzt ihm mit dem Protagonisten Pröckl ein literarisches Denkmal. Zwar lässt Brecht seit dem Jahr 1920 immer häufiger, immer länger die bayerische Provinz hinter sich, um in Berlin als Dramatiker und Regisseur zu arbeiten. Dennoch kehrt er regelmäßig in die Landeshauptstadt zurück. Die Adresse Lion Feuchtwangers wird zu seiner regelmäßigen Anlaufstelle, eine intensive Lebensfreundschaft bahnt sich an. Mit fast schon liebevoller Wärme schreibt der sonst so raubeinige Brecht über Feuchtwanger in seinem Tagebuch, nachdem dieser sich schmerzhaft am rechten Auge verletzt hat: »Feuchtwanger hat sich seine Brille ins Aug gestoßen und hockt im Kimono mit verquollenem Kindergesicht in verdunkelten Zimmern. Der schmerzhafte Makabäer (…) Es ist ein guter und starker Mensch, sehr klug und vornehm.«[214] Feuchtwanger wiederum registriert enttäuscht, dass außer seiner Mutter und dem Bruder Ludwig lediglich »die Gast«, Otto Falckenberg und eben Brecht zum Krankenbesuch kommen.

Lion Feuchtwanger erkennt, dass mit dem jungen Brecht ein literarisches Ausnahmetalent vor ihm steht, einer, der Ideen hat, von ästhetischen Deformationen noch unberührt ist und – vor allem – eine bislang ungehörte Sprache auf die Bühne bringt. Brechts Menschen in dem Stück »Spartakus« sprechen »eine außermodische, wilde, kräftige, farbige Sprache, nicht aus Büchern zusammengelesen, sondern dem Mund des Volkes abgeschaut«. Ein zweites Stück aus der Feder des »Verwahrlosten« mit dem Titel »Baal« erweist sich »als eine noch viel wildere, wüstere und sehr herrliche Sache«.[215] Dank Feuchtwangers Fürsprache wird »Spartakus« unter dem von Marta Feuchtwanger vorgeschlagenen Titel »Trommeln in der Nacht« im September 1922 von Otto Falckenberg an den Münchner Kammerspielen inszeniert – die erste Uraufführung eines Brecht-Stücks. Feuchtwanger leistet seinem Schützling mit einem Beitrag in der angesehenen politisch-literarischen Wochenzeitschrift »Das Tage-Buch« publizistischen Flankenschutz. Die erfolgreiche Münchner Aufführung, die auch das begeisterte Wohlwollen des einflussreichen Berliner Theaterkritikers Herbert Ihering trifft, bedeutet Brechts Durchbruch: »Der vierundzwanzigjährige Dichter Bert Brecht hat über Nacht das dichterische Antlitz Deutschlands verändert. Mit Bert Brecht ist ein neuer Ton, eine neue Melodie, eine neue Vision in der Zeit«, so Ihering enthusiastisch im »Berliner Börsen-Courier«.[216] Es ist auch Ihering, der Brecht kurz darauf für den renommierten Kleist-Preis vorschlägt.

Feuchtwanger und Brecht sind um 1920 viel gemeinsam unterwegs, einmal auch im Café Hofgarten, wo es zu einer denkwürdigen Begegnung kommt, über die Brecht später wie folgt berichtet:»Am Nachbartisch saß ein ziemlich gewöhnlich aussehender Mensch mit einer häßlich fliehenden Stirn, ungesundem Teint und schlechter Haltung. Er sprach mit einigen Männern, die aussahen, als wären sie Offiziere in Zivil. Er war ein hiesiger Agitator, der gerade eine Massenkundgebung gegen die Juden in einem Zirkus am Stadtrand abgehalten hatte, ein gewisser Adolf Hitler. Boshaft erzählte uns einer der Schauspieler, Hitler nehme zur Zeit Schauspielunterricht bei Basil, dem Schauspieler am Königlichen Hoftheater, und zahle acht Mark pro Stunde. Wir amüsierten uns ganz schön darüber, und es störte uns wenig, daß der Agitator am Nebentisch uns hören konnte. Dieser Basil war ein Schauspieler der alten Schule und spielte normalerweise heroische Charaktere, gestikulierte wie ein Wagner-Sänger und fühlte sich nur wohl, wenn ihm die Jamben Schillers über die Zunge rollten. Es war sehr klug von Hitler, der aus einer Kleinstadt in Österreich kam, Sprechunterricht zu nehmen und zu lernen, wie man Heiserkeit vermeidet. Es hieß, daß er bei seinen Reden fürchterlich brüllte. Aber komisch, daß er sich ausgerechnet diesen alten Komödianten ausgesucht hatte. Wie wir hörten, lernte er, was er mit seinen Händen beim Reden und bei öffentlichen Auftritten machen solle, wie er wichtig erscheinen könne und wie er großartige Gesten auszuführen und zu gehen habe. Dabei setzte man den Fuß mit den Zehenspitzen zuerst auf, und das Knie blieb steif. Dieser Gang schien majestätisch, besonders wenn man dabei das Kinn einzog.«[217]

Privat ist Brechts Leben im Umbruch. Im Herbst 1922 reicht er beim Standesamt München I das Aufgebot ein. Im November heiratet er die von ihm schwangere Marianne Zoff. Als Trauzeuge dabei: der Freund Lion Feuchtwanger. Und auch beruflich sind die beiden verbunden. Gemeinsam machen sie sich im Sommer 1923 auf Initiative Feuchtwangers an die Neubearbeitung eines Bühnenstücks des englischen Dramatikers Christopher Marlowe für die Münchner Kammerspiele, wo Brecht seit dem Erfolg der »Trommeln« als Dramaturg tätig ist. Das gemeinsame Projekt »Das Leben Eduards des Zweiten von England« wird zu einer erfolgreichen Bewährungsprobe der noch jungen Freundschaft. Feuchtwanger prägt die Dramaturgie, knüpft die Handlungsfäden und sichert die innere Logik des Stücks, während Brecht die Umsetzung auf der Bühne, die Sprache und die Dialoge gestaltet. Das Bühnenbild entwirft Caspar Neher, Schulfreund, hochbegabter Gestalter und später langjähriger Mitarbeiter Brechts. In den Hauprollen sind Oskar Homolka

(Mortimer) und Erwin Faber (Eduard) zu sehen. Die Uraufführung des Stücks am 18. März 1924 unter der Regie Brechts ist ein Erfolg und ein grandioses gesellschaftliches Ereignis für die Theaterstadt München. Nach der Vorstellung trifft man sich bei den Feuchtwangers in der Georgenstraße zu einem rauschenden Fest, von dem Marta berichtet: »Alfred Kantorowicz und andere junge Leute rollten den großen Teppich beiseite, um Platz zum Tanzen zu machen. Die Räume füllten sich zusehends, und die Klingel meldete immer neue Ankömmlinge. Ich sah den Berliner Generalintendanten Leopold Jessner und äußerte: ›Jetzt fehlt nur noch Ihering‹ – die beiden waren verfeindet. In dem Moment ging die Türe auf, und Ihering stand auf der Schwelle.« Es ist ein ausgelassenes Spektakel, man isst, trinkt, liebt und rauft an jenem Abend. Caspar Neher will sich mit Arnolt Bronnen wegen Brecht schlagen. Marta geht dazwischen und verhindert Schlimmeres. Am Ende, als endlich alle die Wohnung verlassen haben, kehrt Marta noch »die Böden sauber und entdeckte in einer Ecke zusammengerollt Joachim Ringelnatz«.[218] Trotz der Erfolge in München zieht es Brecht nach Berlin, wo er sich um 1924 endgültig etabliert. Dass Lion und Marta Feuchtwanger im Frühjahr 1925 ebenfalls München verlassen und eine neue Heimat in der Reichshauptstadt finden, hat viel mit Brechts Weggang und der Freundschaft Feuchtwanger-Brecht zu tun. Als Brecht im August 1956 in Berlin stirbt, verfasst Lion Feuchtwanger einen anrührenden Nachruf auf den Freund, in dem er sich auch an die Besonderheiten bei der gemeinsamen Erarbeitung von Stücken erinnert: »Brecht schuf vor allem aus der Gebärde heraus. Er stellte sich zuerst die Gesten seiner Menschen in der jeweiligen Situation vor und suchte dann das entsprechende Wort. (…) Einmal, während der Arbeit am ›Leben Eduards des Zweiten‹, als wir den ganzen Tag vergeblich nach dem rechten Wort gesucht hatten, lief er mitten in der Nacht zu mir, pfiff unter meinem Fenster, rief triumphierend: ›Ich habs!‹«[219]

Als sich die beiden Dramatiker Feuchtwanger und Brecht im Frühjahr 1919 kennenlernen, ist Lion bereits ein Routinier, der die Welt des Theaters intensiv studiert und aus verschiedenen Perspektiven kennengelernt hat. In der Welt der Bühne ist er bestens vernetzt, kennt zahllose Schauspieler, Regisseure und Intendanten. Feuchtwanger entwickelt zudem ein Faible für »Theaterarchäologie«. Eine seiner Spezialitäten sind Nachdichtungen und Neubearbeitungen älterer, oft schon vergessener Stücke und deren dramaturgische und sprachliche Modernisierung. An seinem Lebensende umfasst das umfangreiche dramatische Werk Lion Feuchtwangers 19 Eigendichtungen, sieben Nachdichtungen und drei Gemeinschaftswerke, die aus der intensiven Zusammenarbeit mit Bertolt Brecht entstanden sind. Zu den originären Feuchtwanger-Stücken, die nach dem Ende des Ersten Weltkriegs entstehen, gehört »Der Amerikaner oder Die entzauberte Stadt«. Lion arbeitet vor allem im Sommer 1920 intensiv an dieser »melancholischen Komödie in vier Akten«, die ein von Klischees geprägtes Amerikabild transportiert. Im Kern behandelt das Stück das Aufeinanderprallen von verklärter Kultur der alten, europäischen Welt und dem Fortschritt der Moderne, verkörpert durch italienisch-amerikanische Migranten. Am 7. Dezember 1920 erlebt »Der Amerikaner oder Die entzauberte Stadt« an den Münchner Kammerspielen seine Uraufführung. Unter der Regie von Otto Falckenberg glänzt der legendäre Schauspieler Max Schreck in der Hauptrolle des Marchese. In den »Münchner Neuesten Nachrichten« kann man am nächsten Tag eine wohlwollende, aber unterkühlte Kritik lesen. »Gute, ehrliche Theaterarbeit« wird dem Verfasser attestiert, »handwerkliche Rechtschaffenheit« gelobt, aber letztlich finden nur die Schauspieler Gnade vor den strengen Augen des Kritikers Hermann Sinsheimer. Diesen »boten sich einige gute darstellerische und rhetorische Aufgaben. Den Marchese spielte Herr Schreck mit großem darstellerischen Nachdruck und trotzdem mit feiner Delikatesse der Charakterisierung.«[220] Auch der Verfasser ist alles in allem enttäuscht von dem Stück. In seinem Tagebuch protokolliert er als Zustandsbeschreibung »deprimiert« und »die Kritiken miserabel«.[221] Die Leitung der Münchner Kammerspiele reagiert unverzüglich auf die schlechte Resonanz und das sich abzeichnende Desaster mit dem »Amerikaner«. Schon nach einer Woche verschwindet das Stück vom Spielplan.

Eines der Stücke aus dem Repertoire der Feuchtwanger'schen Theaterarchäologie ist »Der Frauenverkäufer«, die freie Bearbeitung eines Stückes von Calderón. Unter dem Arbeitstitel »Gomez Arias« erarbeitet Lion das Stück seit August 1920 für die befreundete Schauspielerin Sybille Binder, die sich bei ihm über den Mangel an geeigneten Rollen beklagt hat. Die Hauptrolle der Dorotea schreibt er Binder gewissermaßen auf den Leib. Bei den im März 1922 stattfindenden Proben für das Mantel- und Degenstück aus der Zeit nach der erfolgreichen spanischen Reconquista ist Lion meist zugegen. Am 24. März 1922 erlebt das Stück in den Münchner Kammerspielen seine Uraufführung. Neben Sybille Binder, Elisabeth Bergner und Kurt Horwitz steht erneut Max Schreck auf der Bühne, der in der Rolle des Don Luis zu bewundern ist. Die Kritik urteilt milde: »Lion Feuchtwanger geht stark aufs Komische aus. (…) Er dichtet Szenen hinzu und fügt launige Einfälle in den

Dialog, die recht wenig Calderonisch sind und auch nicht viel Eigenart bekunden.«[222] Ungnädig wird die Inszenierung von Rudolf Frank bilanziert: Der Regisseur »vergriff sich, soweit er überhaupt etwas von dem Dichterischen ergriff, so ziemlich in allem. (…) Die (nicht leicht zu formenden) Rollen schlotterten um die Darsteller wie schlecht sitzende Gewänder.« Und: »Dieser Abend nun, der in seiner Unsicherheit und in den Kammerspielen Falckenbergs wenig Vorgänger und hoffentlich keine Nachfolger hat, wurde von einem Fähnlein Getreuer mit Inbrunst solange beklatscht, bis der Regisseur, der Kapellmeister und der Nachdichter sich dem künstlich erregten Parkett zeigte. Man nennt das einen erfolgreichen Abend.«[223] Was vom Kritiker als bestellte Entourage aus Claqueuren beschrieben wird, ist dem Verfasser des Stücks hingegen »starker Publikumserfolg«.[224] Letzteres scheint freilich doch etwas übertrieben. Auch dieses Feuchtwanger-Stück verschwindet bald wieder aus dem Repertoire der Kammerspiele.

Im Juli 1921 finden wir Lion wieder häufiger im Lesesaal der Bayerischen Staatsbibliothek an der Ludwigstraße, die kaum zehn Gehminuten von der Wohnung an der Georgenstraße entfernt liegt. Er hat sich entschlossen, dem aus seiner Sicht misslungenen Theaterexperiment »Jud Süß« eine versöhnliche Wendung zu geben. Aus dem Stoff soll ein Roman entstehen, die epische Form lässt breiteren Raum für eine sensible und vertiefte Zeichnung des Protagonisten und seiner Entwicklung vom verachteten Ghettojuden zum reichen Hoffaktor und, diesen materialistischen Werdegang konterkarierend, vom Macht- zum Verzichtmenschen. Die reichhaltigen Bestände der Staatsbibliothek nutzt der Autor für seine Vorstudien. Am 20. Juli 1921 beendet er diese Recherchen und beginnt mit der Arbeit am Roman. Eine Sekretärin, die die handschriftlichen Entwürfe in eine lesbare Reinschrift bringt, kann sich Lion noch nicht leisten. Aber eine Schreibmaschine ist eine erschwingliche und lohnende Investition. Nach langem Warten trifft das ersehnte Gerät im November 1921 ein. Die nächsten Tage und Wochen sind geprägt von eifrigen Schreibversuchen auf dem neuartigen Instrument. Sogar ein Schreibmaschinenkurs wird belegt, und das Jahresende sieht einen Literaten Feuchtwanger, der sich mit eifrigem Üben in die neue Technik der Manuskripterstellung einarbeitet. Aber dann ist es doch Marta, die in langen nächtlichen Sitzungen die Texte ins Reine tippt, die Lion tagsüber – meist im Lesesaal der Bayerischen Staatsbibliothek – mit der Hand niedergeschrieben hat. Auch das nächste Buch über die »häßliche Herzogin Margarete Maultasch« erblickt auf diese arbeitsteilige Weise das Licht der Welt. Später, sobald es die florierenden Buchproduktionen aus der Feuchtwanger'schen Romanwerkstatt zulassen, werden Sekretärinnen nach Diktat die mühsame Arbeit der Reinschrift übernehmen, und Lion Feuchtwanger wird die Schreibmaschine nur noch anrühren, wenn gerade keine hilfreiche weibliche Hand zur Verfügung steht und eilige Korrespondenz keinen Aufschub duldet. Über die Bedeutung des Diktierens wird er später Folgendes äußern: »Ich diktiere aus zwei Gründen: zum einen sehe ich meine Worte, während sie niedergeschrieben werden; ich kann sie aber auch hören. Der Klang der Worte ist wichtig. Ich kann jedoch nicht schnell diktieren. Ich bin ein Schriftsteller, kein Sprecher. Und selbst auf Deutsch muss ich meine Gedanken sammeln, so wie ich es auch in meinem unsicheren Englisch mache.«[225] Im fruchtbaren Zusammenspiel mit seinen Sekretärinnen Lola Sernau, die ab 1926 Manuskripte und Schriftverkehr erledigt, und Hilde Waldo, die ab 1940 für Feuchtwanger arbeitet, etabliert sich über die Jahre eine bewährte Arbeitstechnik beim Erledigen der umfangreichen Korrespondenz und beim Abfassen der Manuskripte, über deren Entstehung der Nachbar und spätere Freund Thomas Mann beeindruckt berichtet: »Er diktiert sie bereits in embryonalem Zustand, die ersten Gedanken und Erwägungen darüber, die Skizzen der Charaktere, die Alternativen der Handlungsführung, die er prüft, zwischen denen er schwankt, – es ist eine Entstehungs- und Entwicklungsgeschichte, ein kreativer Monolog, halb Werk schon, halb Sinnen darüber, was da stenographisch niedergelegt wird. Und all das umgibt ihn, wenn es zum Letzten kommt, verschiedene Fassungen der Erzählung schwarz auf weiß – auf bunt vielmehr; denn sie sind auf blauem, grünem, braunem, rotem Papier geschrieben und auch noch numeriert, die sukzessiven Stadien anzeigend, die das Werk diktatweise durchlaufen hat, und die alle von ihrem Besten hergeben müssen, nun, da es endgültig in Form gebracht wird.«[226] Feuchtwanger selbst mokiert sich im »Berliner Tageblatt« später über die romantische Vorstellung Außenstehender, wonach nur das Verfertigen von Texten mit der Feder für literarische Qualität bürgt: »Das Buch ist mit der Maschine geschrieben. Sie sind enttäuscht? Entrüstet? Ich kann es nicht wunderlich finden, daß einer mit der Maschine – setzen wir es hin: dichtet. (…) Sie fragen mich, etwas höhnisch, sogar ein bißchen gekränkt, ob ich also Verse in die Maschine tippe, Visionen mit der Maschine festhalte. Sie fragen wörtlich: ›Gestatten Sie mir eine blöde Frage: Dichten Sie also mit der Maschine?‹ Gestatten Sie mir eine blöde Antwort: Ja.«[227]

Schon im Mai 1922 kann Lion die Arbeiten am »Jud Süß« abschließen. Er hat in den vergangenen Monaten intensiv und äußerst diszipliniert an dem Manuskript gearbeitet und – anders als bei dem enttäuschenden Theaterstück aus dem Jahr 1916/17 – die ihm so wichtige Ambivalenz des Protagonisten zwischen Macht und Geist, zwischen Handeln und Nichtstun in subtiler, den Autor zufriedenstellender Weise herausgearbeitet:»Denn es geht mir in dem Buche ›Jud Süß‹ ja nicht darum, etwa den Mann Josef Süß zu retten oder eine antisemitische Legende zu zerstören, sondern was ich machen wollte, das war: den Weg des Menschen weißer Haut zu zeichnen, den Weg über die enge europäische Lehre von der Macht über die ägyptische Lehre vom Willen zur Unsterblichkeit bis hin zu der Lehre Asiens vom Nichtwollen und Nichttun.«[228] Auch die pointierte Auseinandersetzung mit dem mörderischen Judenhass des frühen 18. Jahrhunderts, die ihre Impulse aber zweifellos von der bedrückenden antisemitischen Konjunktur der Nachkriegsjahre bezieht, scheint geglückt.»Jud Süß«, in einer bildgewaltigen und farbigen Sprache verfasst, subtil rhythmisiert und konzentriert einen verästelten Handlungsfaden führend, wird zum Prototyp des historischen Romans à la Feuchtwanger. Dieses von ihm so meisterhaft beherrschte, gewissermaßen neu geschaffene, zumindest aber erneuerte und aufgewertete Genre folgt nicht nur dem ästhetischen Prinzip einer *art pour l'art*. Hier geht es um mehr. Der Autor Feuchtwanger lässt sich bei seiner Arbeit auch von einem aufklärerischen, politischen Impetus leiten:»Ich für meinen Teil habe mich, seitdem ich schreibe, bemüht, historische Romane für die Vernunft zu schreiben, gegen Dummheit und Gewalt, gegen das, was Marx das Versinken in die Geschichtslosigkeit nennt. Vielleicht gibt es auf dem Gebiet der Literatur Waffen, die unmittelbarer wirken: aber mir liegt (…) am besten diese Waffe, der historische Roman, und ich beabsichtige, sie weiter zu gebrauchen.«[229] Und trotzdem lässt gerade der »Jud Süß« vieles offen. Auch wenn der Roman mit einer philosophischen Grundidee hinterlegt ist – dem Weg von West nach Ost, von der Macht zum Geist –, kann er doch auf ganz unterschiedliche Weise gelesen werden: als historisches Unterhaltungsspektakel, als Entwicklungsroman, als Resonanzraum für pointierte Zeitkritik, als leidenschaftliches Plädoyer für ein konsequentes Bekenntnis zur eigenen Identität. Lion Feuchtwanger überlässt die Deutung des »Jud Süß« am Ende dem Leser:»Ein Buch, ein richtiges, gewachsenes Buch, wird fertig durch den Leser. Es hat nicht einen einzigen Sinn, es hat so viele Sinne, als es Leser hat.«[230]

Lions Zuversicht, rasch einen Verleger für das Buch zu finden, wird indessen bitter enttäuscht. Von allen renommierten deutschen Verlagen, denen er das Textkonvolut anbietet, kommen Absagen. Der historische Roman ist nicht *en vogue* und wegen des Kitsch-Verdachts bei einem anspruchsvollen Lesepublikum diskreditiert. Selbst der vom Manuskript begeisterte Verleger Robert Achenbach, der für seinen 1919 in Berlin gegründeten Buchclub »Volksverband der Bücherfreunde« auf der Suche nach interessanten Sujets ist, lehnt Feuchtwangers Werk wegen der heiklen jüdischen Thematik ab. Achenbach, neu im Verlagsgeschäft, ist über Bruno Frank auf Feuchtwanger aufmerksam geworden. Trotz der Absage möchte er den offensichtlich hochbegabten Schriftsteller an sein Haus binden. Daher bittet er Lion um die Ausarbeitung eines weiteren historischen Romans, dessen Gegenstand aber weniger politische Brisanz in sich birgt. So entsteht unmittelbar nach der Fertigstellung des »Jud Süß« das Buch »Die häßliche Herzogin«, eine subtile psychologische Charakterstudie über die Erbgräfin von Tirol, über deren Leben, politisches Scheitern und tragischen Untergang. Im Fall des verlegerisch verwaisten »Jud Süß«-Manuskripts kommt dem Autor ein glücklicher Umstand zu Hilfe. Der auf Bühnenstücke spezialisierte »Drei Masken Verlag«, der Feuchtwanger für ein vergleichsweise hohes Honorar mit der Lektüre und Prüfung französischer und italienischer Stücke im Portefeuille hat, möchte das unergiebige vertragliche Engagement vorzeitig lösen. »Die Herren schlugen mir vor, sie würden, wenn ich in die Lösung des Vertrages vor der vorgesehenen Frist einwilligte, in Gottes Namen meinen hoffnungslosen Roman ›Jud Süß‹ drucken.« Lion willigt ein, aber der Verlag behandelt das Projekt stiefmütterlich und kümmert sich nicht ausreichend um eine erfolgversprechende Positionierung des Buches in der Öffentlichkeit: »Das Buch wurde lustlos hergestellt und vertrieben, und als es dann bei Rezensenten und Lesern einen raschen, starken und einheitlichen Erfolg fand, wollte der Verlag nicht daran glauben. Er stellte zögernd immer neue und verhältnismäßig kleine Auflagen her, so daß das Buch die meiste Zeit nicht zu haben war.«[231]

Der eigentliche Geburtshelfer der Erfolgsgeschichte des »Jud Süß« ist der amerikanische Verleger Ben Huebsch, dem das Buch während einer Europareise in die Hände fällt. Huebsch, der James Joyce und D. H. Lawrence in den Vereinigten Staaten bekannt gemacht hat, ist hingerissen von der atmosphärisch dichten Schilderung der historischen Ereignisse im herzoglichen Württemberg, von der brillant formulierten Darstellung der Niedertracht der Mächtigen und der feingliedrig ausgeführten Gestaltung der zahllosen Protagonisten des Romans. Und er erwirbt die Rechte an dem Buch für seinen Verlag »Viking Press«. Unter dem Titel »Power« erscheint im Oktober 1926 die erste amerikanische Ausgabe und wird sogleich ein Publikumserfolg. Die »New York Times« vergleicht den Autor mit Alexandre Dumas und Walter Scott und spricht von einem »work of human significance«. Eine ähnliche Erfolgsgeschichte erlebt der Roman in England, wo er wenig später unter dem Titel »Jew Süss« im Martin Secker Verlag erscheint und bis Sommer 1928 sage und schreibe 27 Auflagen erreicht. In den USA findet sich der Name Feuchtwanger in der Folgezeit regelmäßig auf den Bestsellerlisten. Der Erfolg koppelt sich zurück in Lions Heimatland, wo die Nachfrage nach seinen Büchern jetzt ebenfalls spürbar zunimmt. Bis Juli 1931 kann der Drei Masken Verlag 100 000 Exemplare von »Jud Süß« drucken; nach dem Übergang der Rechte an den Knaur Verlag wird bis 1933 noch einmal eine Auflage von 100 000 Exemplaren erreicht. Inzwischen ist der Roman in 24 weitere Sprachen übersetzt, darunter ins Schwedische, Russische, Spanische und Japanische. »Jud Süß« entwickelt sich zu einem internationalen Bestseller, durch den der Name Lion Feuchtwanger weltweit bekannt und der Schriftsteller zu einem wohlhabenden Mann wird. Von der zeitgenössischen Kritik wird das Buch als literarisches Meisterwerk gefeiert, als »one of the most remarkable historical novels of the recent years«.[232] Sogar der oft erbarmungslos strenge englische Literaturpapst Arnold Bennett kommt um eine hymnische Besprechung im Londoner »Evening Standard« nicht herum und rühmt das Buch in den höchsten Tönen: »It entertains, it enthrals and simultaneously it teaches: it enlarges the field of knowledge«.[233] Mit »Jud Süß« betritt der Bestsellerautor Feuchtwanger die internationale Bühne der Literatur. Das Buch entwickelt sich zu einem »der größten Welterfolge des deutschen Romans des 20. Jahrhunderts« (Joseph Pischel). In Deutschland wird diese Begeisterung seit Frühjahr 1933 freilich nicht mehr nachvollzogen. Der Autor gilt den Nationalsozialisten als *Persona non grata*, als Volksfeind, der um sein Leben fürchten muss, sollte er in die Hände des Regimes und seiner Handlanger fallen. Bei den schändlichen »Bücherverbrennungen« im Mai 1933 ist »Jud Süß« einer der prominenten Titel, die auf dem Scheiterhaufen des nationalsozialistischen Ungeistes landen. Und auch lange Jahre nach dem Zusammenbruch des unseligen »Dritten Reiches« kann sich die deutsche Literaturkritik nicht für »Jüd Süß« erwärmen und nimmt eine kühl-distanzierte Haltung zu dem erfolgreichen Buch ein. Offenbar gilt auch hier ein ungeschriebenes Gesetz der Literaturkritik: Einem Roman, in Millionen Exemplaren gedruckt und von vielen gelesen und geschätzt, wird das literarische Gütesiegel meist verweigert. Noch 1981 findet sich in der angesehenen »Frankfurter Allgemeinen Zeitung« ein giftiger Verriss von

Klaus Harpprecht, in dem dieser von der »Grenze zum Unerträglichen« schwadroniert und wortreich die »Schwächen des Buches« seziert: »das fatale Gemisch von aufgedonnerter Reportage, Kostümfilm, Weihespiel und Oper«.[234] Dagegen ziehen die Erfolge des Buches im angelsächsischen Sprachraum weite Kreise. In England erscheint 1929 im Martin Secker Verlag eine Bühnenfassung aus der Feder von Ashley Dukes, die sich direkt auf Feuchtwangers Roman bezieht. Im Juli 1929 wird das Stück in Blackpool uraufgeführt; im Londoner West End feiert es am 19. September 1929 Premiere. Dukes' Bühnenfassung ist wiederum die Vorlage für eine deutsche Hörspielbearbeitung, die – in der Regie von Ben Spanier – am 6. Mai 1930 von verschiedenen Sendern ausgestrahlt wird. Ende 1932 interessiert sich eine englische Filmproduktionsfirma für den Stoff und bemüht sich beim Autor um die Rechte. Schon im Januar 1930 verbreitet die »New York Times« die aufsehenerregende Nachricht, dass sich der gefeierte Stummfilmstar Charles Chaplin endlich zur Übernahme von Sprechrollen durchgerungen habe und ernsthaft darüber nachdenke, die Hauptrolle in einer geplanten amerikanischen Verfilmung des »Jew Süss« zu übernehmen – ein Projekt, das jedoch nie realisiert wird. Der internationale Erfolg des »Jud Süß« veranlasst schließlich auch den obersten Demagogen des NS-Regimes, den Stoff der nationalsozialistischen Ideologie dienstbar zu machen. Joseph Goebbels ist 1940 gewissermaßen ein Trittbrettfahrer, der die enorme Publizität der Marke »Jud Süß« propagandistisch instrumentalisiert und die tragische Geschichte des Hofjuden Oppenheimer zu einem widerwärtigen antisemitischen Melodram verfremdet. Unter der Regie von Veit Harlan entsteht 1939/40 ein hetzerisches Machwerk auf Zelluloid, das die rassistische Bösartigkeit des NS-Staates dokumentiert und darüber hinaus – wie kein zweites – den abstoßenden Opportunismus von Filmschaffenden im nationalsozialistischen Deutschland versinnbildlicht. Mit der Geschichte, die Lion Feuchtwanger in seinem 1925 erschienenen Buch erzählt, hat dieser Film außer den historischen Rahmendaten und den Namen der Protagonisten nichts gemein.

Ende 1922 beginnt Lion mit den Arbeiten an dem Buch, das er im Auftrag von Robert Achenbach für den »Volksverband der Bücherfreunde« schreiben soll. Binnen Jahresfrist ist das Manuskript der »häßlichen Herzogin«, teilweise entstanden während einer »Schreibklausur« am Chiemsee, fertig, und noch 1923 erscheint der 336 Seiten starke historische Roman in der 5. Jahresreihe des Berliner Buchclubs. Im Mittelpunkt der im Tirol des 14. Jahrhunderts spielenden Geschichte steht Margarete, Tochter des Herzogs von Kärnten und Tirol, die in einer

Welt kriegerischer Erschütterungen und erbarmungsloser politischer Machtkämpfe aufwächst. Zwischen dem römischen Papst und dem Kaiser des Heiligen Römischen Reichs herrscht Ausnahmezustand. Im erbitterten Streit um die Königswürde hat sich der Wittelsbacher Ludwig gegen seinen Rivalen durchgesetzt, den Habsburger Friedrich, der von Margaretes Vater Heinrich unterstützt wird. Von Papst Johannes XXII. wird Ludwig in Folge der Auseinandersetzungen um die Rechtmäßigkeit seiner Königswürde mit dem Kirchenbann belegt. Ludwig wiederum setzt einen Gegenpapst ein und schwächt den in Avignon exilierten Johannes empfindlich. In Rom lässt er sich ohne päpstliche Zustimmung zum Kaiser wählen. Vor dieser von Machtkalkül und Gewalt durchdrungenen Kulisse der letzten großen Auseinandersetzung zwischen geistlichem und weltlichem Schwert, in einer Epoche des Wandels und des Übergangs vom Mittelalter zur Renaissance, inszeniert Lion das Drama seiner Protagonistin Margarete. In den Machtkämpfen der Großen wird die Tochter des verstorbenen Tiroler Herzogs zerrieben. Die unansehnliche Herzogin kompensiert ihre abstoßende Hässlichkeit – »über einem dicklichen Körper mit kurzen Gliedmaßen saß ein großer, unförmiger Kopf. Wohl war die Stirn klar und rein, und die Augen schauten klug, rasch, urteilend, spürend; aber unter eine kleinen, platten Nase sprang der Mund äffisch vor mit ungeheuren Kiefern, wulstiger Unterlippe«[235] – und den daraus resultierenden Mangel an aufrichtiger Liebe, an privatem Glück mit ihren politischen Talenten und diplomatischen Erfolgen. Dennoch vermag Margarete ihre Herrschaft über das vom Vater ererbte Territorium nicht zu sichern und wird am Ende Opfer der skrupellosen Machtkämpfe zwischen Bayern, Habsburg und Luxemburg.

Auch mit diesem historischen Roman zeigt sich der Autor Feuchtwanger nicht nur als zuverlässiger Historiker, der die geschichtlichen Zusammenhänge souverän in eine epische Erzählung einbettet, sondern auch als aufmerksamer Beobachter von aktuellen Diskursen. So ist die »häßliche Herzogin« stark von der zeitgenössischen Gedankenwelt der Leib-Seele-Problematik und von der Erneuerung der Psychologie durch Sigmund Freud geprägt. Die Logik von der Aufeinanderbezogenheit körperlicher und emotionaler Befindlichkeiten durchzieht den Roman wie ein roter Faden. Womöglich verarbeitet der Autor auch selbst empfundene leidvolle Erfahrungen, die mit dem eigenen, keineswegs gewinnenden Erscheinungsbild zu tun haben. Die Selbst- und Fremdwahrnehmung des eigenen unscheinbaren Ich begegnet in der Feuchtwanger-Vita immer wieder. Gegenüber Freunden soll sich

Feuchtwanger sarkastisch als »hässlichster Mann der Welt« bezeichnet haben.[236] Und als er im Juni 1932 einem Künstler für ein Porträt Modell sitzt, ist er erstaunt über das Ergebnis:»Ich sehe aus wie eine ältere Frau. Wahrscheinlich sehe ich so aus.«[237] Auch mit seinen engsten Vertrauten spricht er über sein Äußeres. Am 13. Dezember 1937 schreibt er in sein Tagebuch, dass er mit Eva Herrmann, mit der ihn eine leidenschaftliche sexuelle Beziehung verbindet,»über meine und Huxleys Häßlichkeit« diskutiert habe. Auch Aldous Huxley ist ein kurzzeitiger Liebhaber von Eva Herrmann. Die Folge des brisanten Gesprächs ist freilich»Verstimmung auf beiden Seiten.«[238] »Die häßliche Herzogin« ist der erste nennenswerte Erfolg des Schriftstellers Lion Feuchtwanger. Obwohl Buchclub-Erscheinungen von der Literaturkritik gewöhnlich ignoriert werden, widmet die angesehene»Frankfurter Zeitung« der»Herzogin« eine ausführliche und wertschätzende Rezension. Das Buch verkauft sich gut, die Tantiemen, die dem Autor zufließen, werden aber rasch von der Inflation aufgefressen. Wie auch später bei»Jud Süß« ist der Erfolg des Buches im Ausland größer als in Deutschland. Hier werden bis 1932 immerhin 200 000 Exemplare verkauft. Dagegen können von den in 18 Sprachen übersetzten Auslandtiteln der»Herzogin« bis Ende 1932 632 000 Exemplare abgesetzt werden. Zweifellos ist dies auch ein Anschlusserfolg an den fulminanten Auftritt Feuchtwangers mit»Jud Süß« im angelsächsischen Sprachraum.

Die Jahre, in denen Lion Feuchtwanger in der Bayerischen Staatsbibliothek und am heimischen Schreibtisch in der Georgenstraße an»Jud Süß« und an der»Häßlichen Herzogin« arbeitet, sind Schlüsseljahre der Münchener Geschichte. In dieser Zeit durchläuft die bayerische Hauptstadt eine unheilvolle Metamorphose. Lion Feuchtwanger ist nicht nur unmittelbarer Zeuge dieser Entwicklung, sondern immer wieder auch Betroffener, Leidtragender. München wird nach der Niederschlagung der Räterepublik zum reaktionären Gegenpol der Reichshauptstadt Berlin. Wiederholt kommt es zwischen der bayerischen und der Reichsregierung zu spannungsreichen Konflikten, die auf eine separatistische Distanzierung Bayerns vom Reich hinauslaufen und erst nach intensivem Tauziehen beigelegt werden können. Hintergrund der Auseinandersetzungen sind auch Spannungen kultureller Art. Berlin, das ist das moderne»Sündenbabel«, der»Inbegriff einer moralisch verkehrten und kommerzialisierten Welt« (Hans Günter Hockerts). München und Bayern bilden dagegen das moralisch gefestigte Kontrastmodell zur Verkommenheit der kulturellen Moderne. Im Jahr 1923 erreicht der föderale Konflikt zwischen Bayern und dem Reich einen Höhepunkt.

Durch das Wohlwollen bayerischer Regierungskreise kann sich München zu Beginn der 1920er Jahre zum geschützten Biotop für rechtsradikale Agitatoren und Kampfverbände entwickeln. Die NSDAP unter ihrem charismatischen Führer Adolf Hitler hat sich als führende Kraft unter den zahllosen völkisch-antisemitischen Gruppierungen etabliert. Maßnahmen zur Strafverfolgung politischer Extremisten aus der rechten Szene werden von München vereitelt. Das stärkt wiederum die Protagonisten der antirepublikanischen Organisationen darin, ihre Provokationen gegen das »System« auszuweiten. Dazu gehören unzählige »vaterländische« Großveranstaltungen im öffentlichen Raum, etwa auf dem Königsplatz oder vor der Feldherrnhalle, sowie eine systematische Bierhallenagitation. Insbesondere die NSDAP entwickelt seit 1920 ein Stakkato von zeitnah aufeinanderfolgenden großformatigen Veranstaltungen, bei denen der Redner Hitler als Hauptattraktion präsentiert wird. Mit ihrer professionellen Propagandamaschinerie, die den Münchnern fast im Wochenrhythmus neue, flächendeckend plakatierte Kundgebungen anbietet, erreicht die NSDAP eine öffentliche Präsenz, die von keiner anderen politischen Kraft mit Ausnahme der KPD übertroffen wird. Adolf Hitler dominiert als lautester populistischer Agitator das rechte Spektrum in München. Bei Massenversammlungen beschimpft Hitler die Berliner »Erfüllungspolitiker« und »Novemberverbrecher«, die sich demütig den maßlosen Forderungen der Siegermächte unterwerfen. Er beschwört den Dämon des Bolschewismus, fordert eine »Brechung der Zinsknechtschaft« und hetzt in maßloser Perfidie gegen die Juden als die eigentlich Verantwortlichen an allen Krisen und Katastrophen in Deutschland.

Im Herbst 1923 erscheint Hitler die politisch labile Situation günstig für einen Umsturz. Am 8. November sprengt er im »Bürgerbräukeller« mit Waffengewalt eine »Vaterländische Versammlung« des Generalstaatskommissars von Kahr, von dem ebenfalls ein Umsturz erwartet wird. Um von Kahr im Wettbewerb der Putschisten zuvorzukommen, ruft Hitler nun seinerseits zum Staatsstreich und zur »Nationalen Revolution« gegen Berlin auf. Überzeugend wirkt der geschickt inszenierte pathetische Auftritt der Weltkriegsikone Ludendorff, der als Gewährsmann für die Loyalität der Reichswehr und der nationalen Kräfte ins Spiel gebracht wird. Noch in der Nacht zum 9. November 1923 klingelt bei den Feuchtwangers in der Georgenstraße das Telefon. Am anderen Ende der Leitung ist Leonhardt Adelt, der Münchner Korrespondent des »Berliner Tageblatts« und guter Freund, der über den Putsch informiert ist und auch darüber, dass offenbar nicht nur führende demokratische Politiker, sondern auch prominente Juden mit Maßnahmen der gewaltbereiten Nationalsozialisten zu rechnen haben. Marta und Lion sollen sich unverzüglich mit ihren Fahrrädern in Sicherheit bringen. Lion nimmt die Angelegenheit jedoch nicht ernst –»Ich bin viel zu müde. Danke schön, lieber Adelt.«[239] – und legt sich wieder schlafen. Die Gefahr, die Lion leichtfertig ignoriert, existiert allerdings. In der Nacht werden etwa zwanzig angesehene jüdische Bürger durch Mitglieder des »Bundes Oberland«, der sich den Putschisten angeschlossen hat, als Geiseln genommen.

Der Putsch ist jedoch dilettantisch vorbereitet, es fehlt der Rückhalt des Militärs und überregional einflussreicher Politiker. Ungeachtet dessen versucht Hitler am 9. November mit einem Demonstrationszug das Blatt zu wenden und – seinem Vorbild Mussolini nacheifernd – vollendete Tatsachen zu schaffen. Ein Marsch vom »Bürgerbräukeller« über die Ludwigsbrücke und durch die Residenzstraße soll die Münchner Bevölkerung mitreißen und die erhoffte Wende bringen. An der Feldherrnhalle werden die Putschisten von regierungstreuen Einheiten der Landespolizei aufgehalten. Einem Schusswechsel fallen 15 Aufrührer, vier Landespolizisten sowie ein Unbeteiligter zum Opfer. Hitler kann fliehen, wird jedoch zwei Tage später im Haus von Ernst Hanfstaengl in Uffing am Staffelsee aufgegriffen. Ende Februar 1924 wird gegen Hitler und neun seiner Gesinnungsgenossen ein mehrwöchiger Hochverratsprozess angestrengt. Allerdings findet dieses Verfahren nicht vor dem Staatsgerichtshof in Leipzig, sondern vor einem verfassungsrechtlich mehr als fragwürdigen Volksgericht in München statt. Die unerträgliche Parteilichkeit der bayerischen Justiz in Person des Richters Georg Neithardt, der schon das skandalös milde Urteil gegen den Eisner-Mörder Graf Arco zu verantworten hatte, macht aus dem Verfahren eine Farce. Trotz seiner Verurteilung ist der Prozess für den Hauptangeklagten Hitler ein Erfolg auf der ganzen Linie. Der Putschist erhält wegen »vollendeten Hochverrats« lediglich die gesetzlich vorgeschriebene Mindeststrafe von fünf Jahren Haft. Weil die Untersuchungshaft angerechnet wird, muss er lediglich eine Haftzeit von 13 Monaten absitzen, der Rest wird zur Bewährung ausgesetzt. In der bürgerlichen Öffentlichkeit findet die richterliche Milde breite Zustimmung. Seitens der »Münchner Neuesten Nachrichten« wird das Verhalten Hitlers und seiner Gesinnungsgenossen mehr als wohlwollend kommentiert:»Wir machen kein Hehl daraus, daß unsere menschlichen Sympathien auf Seite der Angeklagten in diesem Prozeß und nicht auf Seite der Novemberverbrecher vom Jahr 1918 stehen.«[240]

München ist also zu einem Refugium für Antidemokraten und Rassisten, für Chauvinisten und Revanchisten geworden. Für Intellektuelle, für die die Freiheit des Wortes und die Unabhängigkeit der Kunst essentiell ist, ist diese Münchner Luft inzwischen lebensbedrohlich dünn geworden. Die Feuchtwangers sind 1924 immer seltener in der bayerischen Hauptstadt, dem unheilvollen Nukleus der »Ordnungszelle Bayern«, anzutreffen. Mehrfach begibt man sich auf Reisen, denkt auch schon darüber nach, München zu verlassen und nach Berlin zu gehen. Aus gesundheitlichen Gründen – Marta leidet unter einem ständigen Husten – entscheidet man sich zunächst für einen ausgedehnten Erholungsurlaub am Mittelmeer. Über Venetien geht es ins mittlerweile Kroatien zugeschlagene Rijeka; von dort entlang der Adriaküste bis ins fast 1500 km entfernte kroatische Dubrovnik. Baden, Wandern, kulturelles Sightseeing, Ausruhen, aufmerksames Beobachten von Land und Leuten, von Sitten und Gebräuchen sind die Hauptbeschäftigung der beiden Reisenden. Lion hat keine Arbeitspläne, aber die vielen Eindrücke der fremden Landschaften saugt er auf wie ein Schwamm.

Eine zweite Reise führt das Ehepaar Ende des Jahres 1924 nach Fasano an den Gardasee, wo Lion von einem dringlichen Telegramm von Leopold Jessner, dem Intendanten des Staatlichen Schauspielhauses in Berlin, überrascht wird. Dort wird gerade das Stück »Das Leben Eduards des Zweiten von England« geprobt, und es gibt offensichtlich einen unüberbrückbaren Dissens mit Lions Koautor Bert Brecht über die Inszenierung des Stücks. Lion reist sofort ab und es gelingt ihm tatsächlich, den Konflikt zwischen Brecht und dem verantwortlichen Regisseur Jürgen Fehling zumindest so weit zu klären, dass die Aufführung wie vorgesehen am 4. Dezember 1924 stattfinden kann – allerdings ohne die beiden Autoren, die aus Protest fernbleiben. Beide halten die Inszenierung für misslungen, ähnlich (aber aus anderen Gründen) wie der einflussreiche Kritiker Alfred Kerr, der im »Berliner Tageblatt« ein verwandeltes Goethe-Zitat an den Anfang eines bissigen Verrisses stellt: »Nur wer die Gähnsucht kennt, weiß, was ich leide.« Kerr kann den Dramatiker Brecht ohnehin nicht ausstehen – womöglich, weil sein Intimfeind Herbert Ihering Brecht über alle Maßen schätzt –, kann mit seinen Stücken, mit deren »Derbheit« und »letztem Realismus« (Lion Feuchtwanger) nichts anfangen. Entsprechend hart und verletzend ist das feuilletonistische Standgericht auch in diesem Fall: »Die Kritik ist kurz. Noch ein Auftritt. Noch ein Auftritt. Steigerungslos. Angeklebt. Vier Stunden fast. Wer nicht schläft, wächst aus. Jemand kann Zitherspieler werden. Jemand kann Möbeltischler werden. Jemand kann

Lithograph sein oder im Baugeschäft. Aber warum Dramatiker, wenn ihm just diese Fähigkeit mangelt?«[241] Doch auch Großkritiker sind nicht frei von Irrtümern. Brecht gilt heute unbestritten als einer der bedeutendsten Autoren des 20. Jahrhunderts. Lion Feuchtwanger ist gar überzeugt, dass die ersten Theaterstücke des dritten Jahrtausends aus der Feder seines Freundes Brecht stammen. Brecht wird weltweit gespielt. Alfred Kerr ist weitgehend vergessen. Kurz nach der Aufführung des »Eduard« unternehmen die Ehepaare Feuchtwanger und Brecht (dieser ist noch mit Marianne Zoff verheiratet, die nach der Scheidung im November 1927 den Schauspieler Theo Lingen heiratet) eine gemeinsame Reise an die Ostsee. Auf der Insel Rügen begegnet man dem legendären Zyniker Karl Kraus, ohne jedoch ins Gespräch zu kommen. Marta Feuchtwanger kolportiert später, Kraus habe in seiner »Fackel« diese Begegnung mit den Worten verewigt: »Ich war auf der Insel Rügen, wo es sehr schön ist, und da sah ich immer die Schriftsteller Brecht und Feuchtwanger spazierengehen mit ihren Frauen. Ich muß schon sagen, die Frauen sind viel zu gut für diese beiden.«[242] In der »Fackel« findet sich jedoch keine entsprechende Notiz des Wiener Herausgebers. Phantasie Martas?

Für Brecht wie Feuchtwanger ist die literarische Zusammenarbeit und die gegenseitige Freundschaft von unschätzbarem Wert: für die menschliche Entwicklung, für den künstlerisch-literarischen Reifeprozess, nicht zuletzt auch für das persönliche Wohlbefinden. Beide sind sich der Bedeutung des anderen für das eigene Leben bewusst, und beide geizen nicht mit Solidarität und Loyalität für den Freund, abseits von intellektuellen Eitelkeiten und dem in der literarischen Szene verbreiteten Futterneid. Der meist unleidliche, oft ungerechte Brecht findet später berührende Worte für Feuchtwanger, den er als einen seiner wenigen Lehrmeister gelten lässt: »Durch ihn erfuhr ich, welche ästhetischen Gesetze zu verletzen ich mich anschickte, aber so kundig er ist, so weitherzig ist er.«[243] Und Lion Feuchtwanger bekennt 1928 in einer ironisierenden Selbstdarstellung: »Er hatte 202 Verwandte, 3124 Bekannte und einen Freund.« Es ist gut möglich, dass mit diesem »einen Freund« Feuchtwangers kein anderer als der Dramatiker und Lyriker Bertolt Brecht gemeint ist.[244]

1925: Berlin

»Früher hatte die schöne, behagliche Stadt die
besten Köpfe des Reiches angezogen. Wie kam es,
daß die jetzt fort waren, daß an ihrer Stelle alles, was
faul und schlecht war im Reich und sich anderswo
nicht halten konnte, magisch angezogen nach
München flüchtete?«[245]

Im Frühjahr 1925 verlassen Lion und Marta Feuchtwanger München
und verlegen ihren Lebensmittelpunkt dauerhaft nach Berlin. Es ist für
beide ein Abschied für immer. Bis 1932 wird Lion noch gelegentlich
seine Heimatstadt besuchen. Doch nach der Emigration wird ihm
München ein unerreichbarer Sehnsuchtsort bleiben. Lediglich Marta
Feuchtwanger kehrt nach Lions Tod noch einmal nach München zurück, aber auch nur besuchsweise. Über die Gründe für den Umzug der
Feuchtwangers in die Hauptstadt wird später viel geschrieben und spe-
kuliert. Die Motive sind gleichermaßen klar wie verdunkelt. Marta
Feuchtwanger erinnert sich an einen Brief Bertolt Brechts, der um die
Jahreswende 1924/25 die Freunde »ungeheuer drängte, wir sollten doch
endlich nach Berlin ziehen. In München sei die Atmosphäre zu bedrü-
ckend; die Stadt sei ein Provinznest«.[246] Brecht, der bereits seit Jahren
zwischen München und Berlin pendelt, ist im September 1924 endgültig übergesiedelt. Andere Intellektuelle tun es ihm in den 1920er Jahren
gleich: Marieluise Fleißer, Heinrich Mann, Ricarda Huch oder Ödön
von Horváth gehen nach Berlin. Aus gutem Grund. München degene-
riert mehr und mehr zum Zentralort der Reaktion und des kleinbürgerlichen Kunstverstands. Berlin dagegen entwickelt sich zur aufregends-
ten kulturellen Metropole des Kontinents. Die »Goldenen Zwanziger
Jahre« sind keine Erfindung von Kulturhistorikern; dieser Begriff steht
synonym für die Hauptstadt Berlin und ist Inbegriff einer bislang unbekannten Entwicklungsdynamik und Blüte in Musik, Kunst und Architektur, in Theater, Film und Literatur. Für wenige Jahre wird Berlin zur
Blaupause der Moderne, zur maßgeblichen Referenzgröße für Kreativität und Innovation, aber auch für Provokation und Skandal. Für den

Berliner Kritiker Herbert Ihering sind jene Jahre eine »Zeit der tausend Widersprüche! Zeit der tausend Belebungen! Jahre der Fülle, Jahre des Ja und Nein!«. Die Hauptstadt ist ihm die »Stadt der Unruhe, Stadt des nie nachlassenden Stachels! Stadt des Werdens und nie des Genügens! Stadt der Klarheit und der Kritik, des Schaffens und der Selbstironie!«[247] In der Musik ist es der aus Amerika importierte Jazz, der das Nachtleben, aber auch die etablierte »ernste Musik« revolutioniert. Mit dem ekstatischen Ausdruckstanz etabliert sich eine gänzlich neue Kunstform auf den Bühnen und in den Kabaretts. Die Vergnügungsindustrie erlebt eine atemberaubende Konjunktur und mit ihr die sexuelle Freizügigkeit. Dieses Berlin ist eine Metropole der Multikulturalität und der Multiethnizität. Aber eine deutsche Stadt? Für Lion Feuchtwanger ist das moderne Berlin in Wahrheit eine »amerikanische Stadt« wie New York: »Berlin ist durchzogen vom gleichen Geist, man kann die gleichen Produkte kaufen und viele Theater haben sogar amerikanische Schauspieler engagiert. Die Lebensgeschwindigkeit in der deutschen Hauptstadt entspricht der Lebensgeschwindigkeit von New York; man trifft auf die gleiche Hektik und Eile, die man aus New York kennt.«[248] Wer etwas gelten will in der Welt der kulturellen Aktivisten, muss sich in Berlin etablieren, muss sich in dieser jungen und gleichsam alten europäischen Kulturhauptstadt einen Namen machen. München, das sich anschickt, die »Hauptstadt der Bewegung« zu werden, hat dem Wegzug der künstlerischen Elite, dem intellektuellen Aderlass wenig, nichts entgegenzusetzen. Viele gehen aus persönlichen Gründen, viele aus politischen. Marta Feuchtwanger wird später zu Protokoll geben, dass ein Eklat um den jüdischen Generalmusikdirektor der Münchner Staatsoper, Bruno Walter, ihr und Lion die Entscheidung für Berlin erleichtert habe. Demnach habe ein aufgehetztes Publikum durch das Werfen von faulen Eiern und Tomaten dem Musiker München verleidet.[249] Walter hat sich allerdings schon 1922 aus persönlichen Gründen nach Berlin verabschiedet. Und in seinen eigenen Erinnerungen betont er ausdrücklich, dass er bis zum Jahre 1933 »nie eine gegen mich gerichtete politische Demonstration in einer meiner Konzert- und Opernaufführungen erlebt« habe.[250] Die widersprüchlich berichtete Episode um Bruno Walter unterstreicht, dass die Überlieferung des Zeitzeugen stets eine fragile Basis zur Beglaubigung vergangener Ereignisse ist.

Unabhängig davon, ob die kolportierte Bruno-Walter-Episode zutrifft, gibt es tatsächlich handfeste Gründe, der bayerischen Hauptstadt den Rücken zu kehren. Unangenehme und hartnäckige Steuerforderungen der bayerischen Finanzbehörden machen den Feuchtwangers das Leben schwer. Die Erfolge des Theaterautors mit »Vasantasena« und des Romanciers mit der »Häßlichen Herzogin« haben sich auf Lions wirtschaftliche Lage höchst erfreulich ausgewirkt. Freilich vernichtet die galoppierende Inflation derartige Einnahmen binnen kürzester Zeit, und nur die von besonders Geschickten praktizierte »Flucht in die Sachwerte« vermag private Vermögenswerte vor der dramatischen Entwertung zu bewahren. Das Kaufmannsgen der Feuchtwangers ist Lion indessen nicht gegeben, und so wächst die Steuerschuld bei gleichzeitigem Vermögensverlust. Die penetranten Forderungen der bayerischen Finanzverwaltung erleichtern den Feuchtwangers die Entscheidung für einen Wegzug aus der Heimat. Den letzten Impuls, München zu verlassen, gibt schließlich der Tod von Lions Mutter. Johanna Feuchtwanger stirbt am 23. Januar 1925 in ihrer Wohnung in der Galeriestraße 15. Lion, der Erstgeborene, ist ab jetzt endgültig frei von familiären Verpflichtungen. Mit dem Tod der Mutter ist die endgültige Entscheidung für Berlin gefallen.

Dennoch, so Marta Feuchtwanger, fällt beiden der Wegzug aus München schwer. Und das, obwohl der Mensch und mehr noch der Schriftsteller Lion Feuchtwanger schmerzhaft an seiner Heimatstadt leidet. Die spannungsreiche Beziehung Feuchtwangers zu München, seine Enttäuschung und sein verzweifeltes Hadern mit der Stadt wird er einem breiten Lesepublikum einige Jahre später mit dem Roman »Erfolg« offenbaren. Lion hat sich aber bereits lange vor »Erfolg« immer wieder über München geäußert und im Grunde nur wenig Positives über die bayerische Hauptstadt zu sagen gewusst. Schon im Frühjahr 1909 und mit unüberhörbarer Bitterkeit konstatiert der 24-Jährige in der »Schaubühne« eine »unglaubliche Kritiklosigkeit der Münchener. Die Stadt ist reich an Kunst und künstlerischer Energie: aber planloser, verworrener, unfähiger zum Urteil als jede andre im Reich. Und über den trüben Wassern solcher Verworrenheit schwebt der Geist spekulativen, reklamewütigen Größenwahns. So besteht Gefahr, daß trotz aller Fülle an Kunst und Tradition die schöne, liebe, träge Stadt allgemach der Welt zum Gespött wird, ein in seinem Dünkel zwiefach lächerliches Schilda.«[251] Natürlich hat sich der Verfasser dieser Zeilen noch nicht von den persönlichen Erschütterungen des erst wenige Wochen zurückliegenden »Phoebus«-Skandals erholt. Die öffentlichen Diffamierungen, die gerichtlichen Rechtfertigungen, das Geschwätz in der Familie und im Bekanntenkreis haben Spuren hinterlassen und schimmern zwischen den Zeilen durch. München, die gleichermaßen geliebte wie verhasste Heimatstadt, ist auch für den späteren Weltbürger Lion Feuchtwanger ein grundsätzliches Thema, wenn man so will: ein Lebensthema. Denn bis in die letzten Lebensjahre hinein wird sich der »Widerspruch München«, wird sich die emotionale Spannung zwischen dem Mensch Feuchtwanger und »seiner« Stadt nicht auflösen. Was sich 1909 in dem Beitrag für die »Schaubühne« andeutet, verstetigt sich als Haltung in den Folgejahren. Und so ist die 1925 vollzogene Trennung von München nur konsequent. Denn Mitte der 1920er Jahre ist es einsam geworden um die Kulturbürger der Stadt. Viele, die über Jahre paradigmatisch die intellektuelle Qualität der bayerischen Metropole verkörperten, haben München inzwischen verlassen. Mit der Metamorphose Münchens von einem Ort des künstlerischen Aufbruchs und der Moderne zu einem erbärmlichen Refugium für völkisch-rassistische Vordenker und rechtsextreme Gewalttäter nimmt die geistige Auszehrung der Stadt ihren Anfang. München wird zu einem Staubfänger für antidemokratische und rassistische Schwebeteilchen. Lion und Marta Feuchtwanger erleben die bedrohliche Veränderung des Klimas zu Beginn der 1920er Jahre ganz unmittelbar. Seinem Bekannten Arnolt Bronnen berichtet Lion, »wie in den letzten Wochen Abend für Abend Gruppen von Jugendlichen vor seinem Haus vorbeigezogen wären, antisemitische Schreie ausstoßend und auch Sand neben kleineren Steinen werfend; größere würden folgen.«[252] München – das Anti-Berlin – ist auf dem besten Weg, den Anschluss an die Moderne zu verlieren, hat ihn womöglich schon verloren. Der Wohnsitzwechsel der Feuchtwangers erscheint vor diesem Hintergrund zwingend und folgerichtig. Berlin bietet der Moderne ein Zentrum. Hier ist alles Impuls und Bewegung; hier lebt der Großstadtmensch in einem elektrisierenden, faszinierenden und hochbeschleunigten Umfeld, das keine Stagnation, kein Innehalten kennt. Und hier sind alle anderen, deren künstlerische Produktivität für die eigenen schöpferischen Potentiale stimulierend und inspirierend wirkt.

Lion fällt die Aufgabe der Wohnungssuche in Berlin zu. Am 1. März 1925 reist er von München ab und zieht einstweilen bei seiner Schwester Franziska ein, die mit ihrem Mann, dem erfolgreichen Unternehmer Eduard Diamant, in großbürgerlichen Verhältnissen im vornehmen Charlottenburg lebt. Marta bleibt einstweilen noch in München, um die Wohnung in der Georgenstraße aufzulösen und zurückgelassene Möbel und Hausrat im Speicher ihrer Eltern unterzustellen. Dann verbringt sie einige Tage beim obligatorischen Skiurlaub in Österreich, bevor auch sie sich nach Berlin aufmacht. Dort gestaltet sich Lions Suche nach einer geeigneten Wohnung schwieriger als erwartet. In der Hauptstadt herrscht wie in vielen anderen Ballungsräumen akuter Wohnungsmangel. Wegen der unsicheren wirtschaftlichen Lage werden großangelegte urbane Siedlungsprojekte erst ab Mitte der 1920er Jahre in Angriff genommen. Einstweilen wird der verfügbare Wohnraum »von Amts wegen« bewirtschaftet, die Zuteilung erfolgt restriktiv und richtet sich vor allem nach der Bedürftigkeit der Antragsteller. Neubürger, die von außen zuziehen, genießen keine Priorität. Lion hat Glück und findet eine bescheidene kleine, aber weit überteuerte Wohnung in Berlin-Wilmersdorf am Hohenzollerndamm 34. Die unweit des Fehrbelliner Platzes gelegene Etagenwohnung mit 1 ½ Zimmern und Küche befindet sich im fünften Stock direkt unter dem Dach. Das neue Feuchtwanger-Zuhause wartet zwar nicht mit dem von München gewohnten Komfort auf, aber die Lage in einem von Mittelstand und bescheidenem Wohlstand geprägten Quartier im Südwesten der Großstadt ist gut und die Aussicht in die umliegenden Stadtviertel überwältigend, der Blick reicht bis in den Grunewald. Marta zieht eine positive erste Bilanz: »Und wir stellten fest, daß Berlin eine aufregende Stadt war.«[253] Für Besucher, Fremde, Bekannte und Journalisten wirkt die Situation meist befremdlich. Den international erfolgreichen und vermeintlich wohlhabenden Schriftsteller Lion Feuchtwanger in einer winzigen Dachgeschoßwohnung anzutreffen, ist eine überraschende und gleichermaßen illustrative Situation, die besonders Zeitungsleuten Stoff für plakative Stilisierungen bietet. »Er lebt zwischen Bücherregalen und Büchern, in deren Mitte er sitzt, klein, scharfäugig und zerbrechlich, zusammengekauert wie ein emsiger Gnom, mit fröhlich strahlenden Augen, während ihm seltsame Phantasien durch den Kopf huschen«, schildert etwa ein Mitarbeiter der »New York Times« seine Eindrücke.[254]

Anders als die großbürgerliche Wohnung in der Georgenstraße wird das von Marta Feuchtwanger mit Liebe und Geschmack eingerichtete Berliner Domizil nicht zu einem Treffpunkt der lokalen kulturellen Elite. Zu klein, zu schlicht sind die Räumlichkeiten, um hier literarische Salons oder gar ausschweifende Feste mit vielen Gästen zu veranstalten. Man sitzt jedoch oft im kleinen Freundeskreis zusammen, trifft sich zum obligatorischen Nachmittagstee. Häufig ist Brecht zu Besuch; Arnolt Bronnen kommt gelegentlich vorbei, Arnold Zweig und andere. Das Tempo der Feuchtwangers reduziert sich. Durch den Umzug nach Berlin kehrt etwas Ruhe ein im Leben des inzwischen über 40-jährigen Lion. Sechs Jahre wird das Ehepaar Feuchtwanger am Hohenzollerndamm in den vergleichsweise bescheidenen Verhältnissen wohnen. Dann entscheidet man sich für den Kauf eines an der Nordseite des

Grunewalds gelegenen, standesgemäßen Hauses in der Mahlerstraße. Die Mittel dazu sind vorhanden. Die Feuchtwangers sind nun bereits seit Jahren Teil der Berliner Prominenz, zählen zum intellektuellen Establishment der Stadt. Und selbst die jüdische Gemeinschaft betrachtet den säkularen, ungläubigen Juden Feuchtwanger, der sich selber wohl eher als Außenseiter einschätzt, als einen der ihren. Im »Jüdischen Adressbuch für Gross-Berlin« des Jahres 1931 findet sich eine Aufstellung der »hervorragenden jüdischen Persönlichkeiten Berlins«, in der stolz die Namen von Prominenten jüdischer Herkunft gelistet werden. Lion Feuchtwanger steht neben Alfred Döblin, Albert Einstein, Leo Baeck, Max Reinhardt, Salman Schocken und vielen anderen. Ob die Feuchtwangers jemals eine der vielen Berliner Synagogen besucht haben, ist nicht bekannt. Die Wahrscheinlichkeit dafür ist gering.

Im Unterschied zu dem lauten und präpotenten Brecht oder dem einnehmenden Bruno Frank ist Lion Feuchtwanger ein stiller Gesellschafter. Aber er ist ein gern gesehener Gast, ein willkommener Besucher. Seine feine, zurückhaltende Art wird geschätzt, er ist ein charmanter, kluger und humorvoller Unterhalter, ein kurzweiliger Erzähler, der dank seiner umfassenden Bildung und seiner großen Belesenheit in vielen Themenfeldern sattelfest ist und anregend zu diskutieren versteht. Der äußerlich unscheinbare Schriftsteller, bisweilen als »gnomenhaft« beschrieben, lacht gerne. Dieser Humor schließt auch die eigene Person selbstkritisch mit ein. »Überhaupt lacht er gerne, nicht selten über sich selbst«, so Klaus Mann.[255] Kleinere Angebereien, etwa den freudigen Stolz auf eigene Erfolge und auf den Rang als Schriftsteller, die unverblümte Eitelkeit, die er bisweilen nicht unterdrücken kann, sieht man ihm meist großzügig nach. Von Hermann Kesten ist eine Anekdote überliefert, die diese menschliche Schwäche anschaulich illustriert: »Ich ging mit meinem Nürnberger Schulfreund Fritz Felheim, einem Bewunderer von Stefan George, (…) von Sanary bis Bandol spazieren, an einem silbernen Morgen; als wir plötzlich Feuchtwanger trafen, der eine Stunde lang zu meinem Freund in Zahlen redete, in den Auflagenzahlen von Feuchtwangers Werken, 130 000 die ›Häßliche Herzogin‹, 240 000 der ›Jud Süß‹, 350 000 Exemplare der ›Erfolg‹, wie hoch die Tantiemen waren, wie viele Monate er auf der Bestsellerliste gestanden, und die albanische Ausgabe, oder die vierte andalusische, oder neunte koptische Ausgabe, oder die Literary Guild und der Book of the Month Club, und Hübsch von der Viking Press, und Dr. Landshoff vom Querido-Verlag und Hutchinson in London und Mondadori in Milano, 790 000 und 34 000 Dollar, oder Pfunde? Als mein georgianischer

Schulfreund und ich, alleingeblieben, dem Dichter nachblickten, wie er immer kleiner wurde unter den Ölbäumen und zwischen den Weinfeldern, stand mein Freund bleich und betreten da und fragte: ›Ist das ein großer Dichter?‹ ›Ein sehr berühmter, sehr erfolgreicher‹, sagte ich. Die Ziffern stimmten.«[256] Und Thomas Mann berichtet:»Besonders gern höre ich ihn über sich selber sprechen, seine persönlichen Angelegenheiten, seine Verlags- und Übersetzungsprobleme, seine weiträumigen Erfolge, – und wirklich, er spricht häufig und ausführlich davon. Bei einem anderen könnte das langweilen, aber die behagliche Erfülltheit, mit der er es tut, ist dermaßen gewinnend, daß man mit wahrem Vergnügen zuhört und ihn durch Nachfragen beim Thema zu halten sucht.«[257] Feuchtwanger ist sich seiner Schwäche zur Selbstverliebtheit durchaus bewusst, er idealisiert sich selbst keineswegs und zeigt sich bisweilen zerknirscht über die eigene Unzulänglichkeit. Nach einem Fest bei einem bekannten Berliner Verleger vertraut er seinem Tagebuch an:»Silvester bei Rowohlt. Schrecklich viel Leute. Mich mittelmäßig aufgeführt. Nicht so großspurig wie manchmal früher, aber doch zu beflissen, mich ins Licht zu setzen. (…) Gegen Morgen leicht angetrunken schmeißt Rowohlt den Bronnen hinaus; ich suche mit etwas falschem Schwung zu vermitteln. (…) Sehr spät nach Hause gekommen, sehr wenig geschlafen. Des Morgens im ›Tageblatt‹ etwas blöde neckische ›conference‹ über mich, über meine Eitelkeit, eine Sache, die mich ärgert, weil sie mich trifft.«[258]

Eine Berliner Anschaffung, die sich tief in die Erinnerung Martas eingeschrieben hat, ist das Automobil, mit dem die Feuchtwangers ihre Unabhängigkeit und urbane Mobilität sicherstellen, aber auch stolz ihre erfreulich soliden wirtschaftlichen Verhältnisse dokumentieren: ein sportliches Fiat-Cabriolet. Über das Modell ist nichts bekannt, womöglich handelt es sich um den Typ 509, der in jenen Jahren von dem italienischen Unternehmen gefertigt wird und wegen seines eleganten Designs großen Anklang findet. Lion und Marta verfügen zwar beide über einen Führerschein, aber man findet vor allem Marta am Steuer der Neuerwerbung. Nachdem ihr ein erfahrener Chauffeur einige Fahrstunden erteilt hat und sie sich mit den Berliner Verkehrssitten einigermaßen vertraut fühlt, übt sie fleißig und wird zu einer geschickten Autofahrerin. Lion dagegen ist eher ängstlich angesichts des unübersichtlichen Berliner Großstadtverkehrs und lässt meist Marta den Vortritt am Lenkrad. Lediglich auf leichten Strecken über Land lässt er sich bisweilen zum Fahren überreden – eher aus Pflichtgefühl, um die Übung nicht ganz zu verlieren. Im Kreis seiner Freunde und Bekannten sind Lions Fahrkünste legendär und berüchtigt. Marta kolportiert eine stark überzeichnete Glosse von Roda Roda in einer Berliner Tageszeitung, wonach Feuchtwanger beim Durchfahren der Kronprinzenallee sein Fahrzeug an einem Baum zum Halten gebracht habe. Nach diesem Erlebnis stellt er sich die Frage:»Das ist ja ganz schön, aber wie bring ich den Wagen zum Halten, wenn kein Baum dasteht?«[259] Ob sich Lion über die lästerhafte Karikatur seines alten Bekannten Roda Roda amüsiert hat, ist nicht überliefert. Er selbst ist stolz auf seine Fortschritte beim Autofahren, über die er 1930 in einem Brief an seine Freundin Eva Boy berichtet:»Das Chauffieren geht langsam etwas besser. Ich bin jetzt zweimal mit dem Fahrlehrer auf meinem Wagen gefahren; das klappte ganz gut.«[260] Dennoch: Ein leidenschaftlicher Automobilist wird aus Lion Feuchtwanger zeit seines Lebens nicht.

Die ersten Monate in der neuen Heimat Berlin nötigen Lion Feuchtwanger eine schöpferische Pause ab. Der Umzug fordert Kraft und Zeit; die Anpassung und das Eingewöhnen in das neue Umfeld, in die lärmende, hektische und hochbetriebsame Großstadt erfordern Energie und Aufmerksamkeit. Die Jahre 1925/26 markieren trotzdem eine Lebensphase, die man durchaus als Umbruch in der»Vita Feuchtwanger« bezeichnen kann. Die literarischen Arbeiten, die jetzt entstehen, zeigen eine neue Reife, aber auch eine bislang nicht gekannte Entschlossenheit des Schriftstellers zur Aktualität, zu den Problemen der Zeit. Vorerst werden kleinere Projekte realisiert. Intensiv diskutiert er beispielsweise mit seinem Freund Bertolt Brecht die Überarbeitung des »Warren Hastings«, jenes Stückes, das ihm bereits in München einen Achtungserfolg – aber auch nicht mehr – eingebracht hat. Die Literaturwissenschaft ist sich einig, dass mit»Kalkutta, 4. Mai. Drei Akte Kolonialgeschichte«, so der Titel der Zweitfassung, ein»neues Kapitel in Feuchtwangers Laufbahn als Dramatiker« (Hans Dahlke) einsetzt. Das Stück bringt ihm Ende der 1920er Jahre die lang erhoffte Reputation als Theaterautor – in einer Schaffensperiode, in der er sich bereits als international angesehener Romancier etabliert hat. Die Umarbeitung des »Hastings« in »Kalkutta« ist derart weitreichend, dass die Stücke lediglich in der Rahmenhandlung Gemeinsamkeiten aufweisen, aber in den Kernthesen, der Personenzeichnung und der Grundstimmung stark voneinander abweichen. Die Handschrift und der gestalterische Einfluss Brechts sind unverkennbar, wenngleich viele entscheidende Modifikationen auf den inzwischen zum Theaterroutinier gewordenen Feuchtwanger zurückgehen. Hans Dahlke sieht hier das Ergebnis eines künstlerischen Reifeprozesses und konstatiert, dass Feuchtwanger die nach dem

Ersten Weltkrieg gewonnenen »gesellschaftlichen und künstlerischen Erfahrungen (…) zu einer bemerkenswert souveränen, kritischen Sicht auf einen Teil seiner früheren literarischen Produktion und auch auf manchen früher mit Leidenschaft verfochtenen Standpunkt verholfen« haben.[261] Während das in der Erstfassung des Dramas fokussierte persönliche Dilemma der Hauptfigur Hastings zurücktritt, wird nun der historisch-politische Kontext, insbesondere die imperialistische Politik Englands, in den Mittelpunkt gerückt. Aus der Ambivalenz des Individuums wird eine weltgeschichtliche Ambivalenz, die mit der Zwangsläufigkeit des marxistischen Historischen Materialismus verknüpft wird.

Das gemeinsame Feilen der Koautoren an dem Stück ist oft heftig, lautstark und intensiv; nicht jeder Dissens zwischen den beiden Theater-Alphatieren kann ohne mäßigende Moderation ausgeräumt werden. Oft findet sich Marta, die von Brecht verehrt wird, in dieser undankbaren Rolle wieder. Trotz der Auseinandersetzungen bleibt der Umgang zwischen Feuchtwanger und Brecht freundschaftlich und respektvoll. Man ist sich gewogen, schätzt die professionelle Kompetenz des Gegenübers, ist dankbar für dessen Inspiration. Es ist der zweite intensive Arbeitskontakt seit der gemeinsamen Marlowe-Bearbeitung, und man ist sich inzwischen freundschaftlich nähergekommen. Und doch ist und bleibt man beim »Sie«. Bis an Lions Lebensende hält Brecht am »Doktor Feuchtwanger« fest, und dieser nennt seinen Lebensfreund nach wie vor schlicht »Brecht«. Die Kollaboration ist erfolgreich, von beiden findet sich viel in »Kalkutta«. Doch die Zuschreibung der Autorenschaft bleibt unmissverständlich: Es ist ein Feuchtwanger-Stück, allerdings mit dem erläuternden Zusatz: »Dieses Stück schrieb ich mit Bertolt Brecht«.

»Kalkutta, 4. Mai« wird zu dem erfolgreichsten Stück des Dramatikers Lion Feuchtwanger. Nach der gleichzeitigen Uraufführung in Königsberg und Krefeld am 12. November 1927 feiert das Stück am 12. Juni 1928 unter der Regie von Erich Engel auch am Staatlichen Schauspielhaus Berlin Premiere. In den Hauptrollen sind Sybille Binder (Lady Marjorie) und Rudolf Forster (Hastings) zu bewundern. Es folgen nicht nur begeisterte Rezensionen in vielen deutschen Feuilletons, sondern – bis Herbst 1932 – auch über 400 Vorstellungen an 52 deutschsprachigen Theatern sowie 1928 eine Hörspielbearbeitung des Senders Breslau-Gleiwitz durch den Rundfunkpionier und späteren Intendanten des Senders »Schlesische Funkstunde« Fritz Walter Bischoff. Eine eindrucksvolle Bilanz der Feuchtwanger-Brecht'schen Koproduktion.

1924 erscheint die deutsche Übersetzung von Sinclair Lewis' Roman »Babbitt«. Lion Feuchtwanger ist einer der ersten Leser des Buches –

und begeistert von der hemmungslosen Schärfe, mit der der Verfasser die bigotte Heuchelei der Amerikaner und deren Anbetung des Götzen »Kapital« kenntlich macht und vorführt. Feuchtwanger, der noch nie zuvor amerikanischen Boden betreten hat und die soziale Realität des Landes, die diversen kulturellen Mentalitäten des *Homo americanus* nur aus den Büchern von Lewis, John Dos Passos, Theodore Dreiser und ansonsten vom Hörensagen kennt, ist fasziniert von der kollektiven Charakterstudie Lewis' und beschließt, als vermeintlich amerikanischer Autor unter dem Namen »J. L. Wetcheek« parodistische Glossen über den *American Way of Life* und die von materialistischen Sehnsüchten getriebene Oberflächlichkeit der Amerikaner zu schreiben. Dabei geht es ihm weniger darum, die Amerikaner zu karikieren, als den Deutschen den Spiegel vorzuhalten. Er hat nämlich den Eindruck gewonnen, dass die eigenen Landsleute den Amerikanern sehr ähnlich geworden sind: »Einige Deutsche sind amerikanischer als die Amerikaner. Ich meine damit, dass sie viele amerikanische Merkmale, die sie bewundern, übernommen und sogar überspitzt haben. Es gibt in den USA nicht mehr Babbitts als in Deutschland.«[262] Die amerikanischen Balladen von J. L. Wetcheek, die ab 1924 im Sonntags-Feuilleton des »Berliner Tageblatts« in der Übersetzung von Lion Feuchtwanger veröffentlicht werden, entwickeln sich zu einem großen Erfolg. »Die Leute warteten die ganze Woche darauf«, erinnert sich Marta Feuchtwanger. Der Spaß hat erst ein Ende, als der Name Wetcheek ins Deutsche übersetzt wird und sich herausstellt, dass hinter dem amerikanischen Verfasser und dem deutschen Übersetzer dieselbe Person steckt. 1928 erscheinen die gesammelten Glossen unter dem Titel »Pep. J. L. Wetcheeks amerikanisches Liederbuch« bei Gustav Kiepenheuer, versehen mit einer persönlichen Widmung »für den guten Amerikaner Sinclair Lewis«; ein Buch, das sogar vor den strengen Augen Kurt Tucholskys Gnade findet: »*Pep* ist kein Verdauungsmittel, sondern ein sehr lustiger Gedichtband Lion Feuchtwangers (dessen Werke ein besonders tüchtiger Verleger am Ende noch aus dem Englischen aufkaufen wird). (...) Vor allem ist die Form außerordentlich gut gegossen; die langen Zeilen, die im Deutschen sehr schwer zu meistern sind, sind gut geformt, wie immer bei Feuchtwanger: saubere Arbeit. Thema: das Erstaunen des Amerikaners, dass da noch etwas andres sein müsse, außer den Dollars. Die, I beg your pardon, Seele. Die Lieder, von denen ich ums Vergehen gern wissen möchte, was wohl ein Amerikaner von ihnen dächte, sind von Jaap Kool unter Musik gesetzt.«[263] Und auch die amerikanischen Leser werden schließlich mit ihrer Fremdwahrnehmung im »Berliner

Tageblatt« und mit den USA-Klischees von Lion Feuchtwanger konfrontiert. Dorothy Thompson, Gattin des von Lion hochverehrten Sinclair Lewis, fertigt eine Übersetzung an, die 1928 bei der New Yorker »Viking Press« unter dem Titel »Pep. J. L. Wetcheeks American Song Book« erscheint. In den USA wird dieses Büchlein durchaus gelesen und mit einem spröden Lächeln zur Kenntnis genommen. Die »New York Times« beurteilt das Buch wohlwollend als »nicht so gut, wie es sein könnte, aber es ist amüsant«.[264] Als Lion Feuchtwanger im November 1932 das erste Mal in New York amerikanischen Boden betritt, erinnert man sich an die Parodie und begrüßt den deutschen Autor mit der ironischen Zeitungsschlagzeile »L. Wet-Cheek, German Satirist of America, Arrives to See if He Had Guessed Right«.[265]

Diese Vortragstournee durch die USA ist eine der wenigen Reisen, die Lion mit Argwohn und heftigem Widerwillen absolviert. Eine dauerhafte Konstante in der Vita des Dr. phil. Lion Feuchtwanger ist seine Bereitschaft zur Mobilität. Das Reisen, die Entdeckerfreude in unbekannten Regionen und Ländern, die Neugier auf bislang Ungesehenes, Unerhörtes, schließlich: die Begeisterung für die Begegnung mit fremden Menschen, deren Alltag, Kunst und Gastronomie, gehören zu den elementaren Kulturtugenden, die den Menschen Feuchtwanger ausmachen. Er wird viele heikle Situationen im Ausland souverän meistern, routiniert, weltmännisch. Der Mensch Feuchtwanger ist ein Weltbürger, einer, der die intime, geschützte Privatheit genauso schätzt und braucht wie das Schlagen eines weiten Radius, das gelegentliche Verlassen und Durchbrechen einer betäubenden, paralysierenden Alltagsroutine. Schon eine erste größere Exkursion führt den 26-Jährigen im Jahr 1910 über die Alpen: Mit seinem Cousin Siegbert und seinem Bruder Ludschi unternimmt er eine ambitionierte Radtour, die das Trio bis an den Comer See führt. Die Fotos, die von diesem Unternehmen überliefert sind, zeigen einen entspannten und fröhlichen, keinen ängstlich-zurückhaltenden Lion. Auch die »Hochzeitsreise« mit Marta ist Abenteuer pur, ein zweijähriger Selbstfindungstrip mit Grenzerfahrungen. Die Reisen, die jetzt, in der zweiten Hälfte der 1920er Jahre, auf dem Programm stehen, sind weniger ambitioniert, weniger spektakulär und finanziell einigermaßen abgesichert. Mit Marta unternimmt er 1926 eine mehrwöchige Reise durch Frankreich und Spanien bis nach Marokko. Auf dem Programm stehen die touristischen Highlights: Besuch des Louvre in Paris, Besuch des Prado in Madrid. Die musealen Begegnungen mit dem großen spanischen Zeichner und Maler Goya beeindrucken Lion nachhaltig. Die Idee für den Goya-Roman entsteht; ein

Projekt, das aber erst in den ausgehenden 1940er Jahren in Angriff genommen wird. In Spanien stoßen die Reisenden immer wieder auf die architektonischen und künstlerischen Spuren der arabischen Herrschaft, der Reconquista und des Judentums – Eindrücke von Multikulturalität und religiöser Vielfalt, die später in den Roman »Die Jüdin von Toledo« einfließen werden. 1927 fährt Lion auf Einladung seines Verlegers Martin Secker nach England. Durch den Roman »Jud Süß« ist der Name Feuchtwanger auf der Insel mittlerweile ein Begriff. Lion trifft dort mit Schriftstellerkollegen wie H. G. Wells, George Bernard Shaw und John Galsworthy zusammen, begegnet Arnold Bennett, der dem Erfolg des »Jud Süß« den Weg geebnet hat, und führt ein längeres Gespräch mit Ramsey MacDonald, der 1924 als erster Labour-Politiker das Amt des Premierministers innehatte. Im selben Jahr führt Lion eine Reise nach Dänemark und Schweden, wo er den Chemie-Nobelpreisträger Niels Bohr trifft, der eine vieldeutige Anspielung auf die Nobelpreiswürdigkeit Lions macht. Nach Berlin gesundheitlich angeschlagen zurückgekehrt, entschließt sich Lion – auf ärztliche Empfehlung –, gemeinsam mit Marta zur Erholung nach Fasano an den Gardasee zu reisen. In Gardone Riviera hat man, weil der Hausherr auf Reisen ist, Gelegenheit, die aufsehenerregende Villa des exzentrischen Schriftstellers Gabriele d'Annunzio zu besichtigen. Im Herbst 1930, der »Erfolg« erscheint gerade, unternimmt das Ehepaar mit der neuesten automobilen Errungenschaft, einem Buick, eine lange Reise durch die Schweiz und Italien, wo man in Rom, Terracina und Neapel Station macht. In Amalfi bekommt man Besuch von der jungen Tänzerin Eva Boy, die Lion Anfang 1925 auf einem Faschingsfest in München kennengelernt hat und mit der ihn inzwischen eine intime Freundschaft verbindet. Eva überbringt befremdliche Nachrichten über die Aufnahme des »Erfolg« in Deutschland und berichtet über »ungeheure Angriffe« der Presse. Sie kolportiert auch, dass sich der mit Lion befreundete Bruno Frank in einem Münchner Hotel abfällig über ihn und sein neues Buch geäußert habe – die Geschichte ist Auslöser für ein längeres Zerwürfnis zwischen Frank und Feuchtwanger, das erst in der Emigration in Sanary ausgeräumt werden kann. Im Dezember 1930 zwingt ein dringender Anruf Marta zurück nach Deutschland: Ihre Mutter liegt im Sterben. Unter abenteuerlichen Umständen eilt das Paar über die Alpen zurück, Marta nach München, Lion nach Berlin, wo inzwischen die Wellen wegen des Buchs »Erfolg« hochschlagen.

»Erfolg« entsteht zwischen 1927 und 1930, die Entscheidung für das Buch fällt aber schon ein Jahr zuvor. 1926 wird erstmals eine Sekretärin

eingestellt, die bei der Manuskripterstellung mithilft: Lola Sernau. Sie
wird den Schriftsteller bis ins das Jahr 1940, bis zu seiner lebensretten-
den Flucht in die USA, begleiten, als nahe Mitarbeiterin, als kluge und
geschickte Helferin, und nicht zuletzt als Liebhaberin des sexuell hyper-
aktiven Feuchtwanger. Zwei Romanprojekte stehen zu dieser Zeit im
Raum, aber nur eines kann realisiert werden: entweder ein Buch über
München in der ersten Hälfte der 1920er Jahre, ein »Zeitroman« über
die unheilvolle Rolle der bayerischen Hauptstadt für den Aufstieg des
Nationalsozialismus; oder ein historischer Roman über den jüdischen
Geschichtsschreiber Flavius Josephus, in dem Feuchtwanger, wie er der
»New York Times« anvertraut, »die ganze Breite des jüdischen Nationalismus und Internationalismus« abdecken möchte.[266] Feuchtwanger
wird sich für den Zeitroman entscheiden. »Erfolg« ist Lion ein persön-
liches Anliegen, ein literarisches Statement, eine Kampfansage an den
Ungeist des Nationalsozialismus und ein Plädoyer für Gerechtigkeit
und Menschlichkeit. Es ist ein politisches Buch. Das atemlose und elek-
trisierende Berliner Großstadtleben, die vielfältigen Begegnungen mit
Intellektuellen, Kulturschaffenden und Schriftstellerkollegen, die aufmerksame Beobachtung der Tagesereignisse, vor allem aber der Gedankenaustausch mit engen, politisch außerordentlich aktiven Freunden
wie Bert Brecht und Heinrich Mann schärfen Lions Blick für den besorgniserregenden Verfall der politischen Kultur und verdeutlichen
ihm die Gefahren, denen die noch junge deutsche Demokratie durch
ein autoritäres Staatsverständnis und den wachsenden völkisch-vater-
ländischen Radikalismus ausgesetzt ist.

Mehr und mehr sieht Lion Feuchtwanger die Notwendigkeit, seine
höchstpersönliche politische Standortbestimmung nicht nur in elitären
Zirkeln literarischer Salons und im diskreten Zwiegespräch zu formulieren, sondern auch als klares Bekenntnis nach außen zu dokumentieren. Und so taucht Feuchtwangers Name jetzt immer öfter auch abseits
des engeren literarischen Lebens auf, bezieht er öffentlich Position für
Werte, die ihm für sein eigenes künstlerisches Schaffen, aber auch für
die Kultur und die geistige Hygiene des gesamten Landes unverzichtbar
erscheinen. Im Oktober 1925 finden wir ihn als Mitunterzeichner eines
Aufrufs »Für die Freiheit der Kunst«, der während einer Veranstaltung
im Berliner Theater am Nollendorfplatz auch von Alfred Döblin, Max
Brod und den Brüdern Thomas und Heinrich Mann sowie von Künstlern (Max Liebermann), Wissenschaftlern (Albert Einstein), Politikern
(Paul Löbe) und vielen anderen mehr unterzeichnet wird. Hintergrund
ist eine zunehmende Zahl von Gerichtsverfahren gegen Schriftsteller

und Schauspieler und eine penetrante Gesinnungsschnüffelei von Justiz und Staat. Dagegen erheben die Unterzeichner Einspruch:»Organisationen völlig unpolitischen Charakters, Männer und Frauen jeglicher politischen Gesinnung, einig aber in der Ueberzeugung, daß eine Fortentwicklung unserer Kultur unbedingt eines freien künstlerischen Schaffens bedarf, erheben hiermit als Unterzeichner Protest gegen die Verfolgung von Künstlern und Kunstwerken. So darf es nicht weitergehen!«[267]

Der Lion Feuchtwanger der ausgehenden 1920er Jahre ist ein engagierter und mutiger, stets auch wortmächtiger Streiter für die Freiheit des Wortes, die Unabhängigkeit der Kunst, für soziale Gerechtigkeit und politischen Anstand. Das resignativ wirkende Fazit des Jahres 1928 (»Der Schriftsteller L. F. war 19 mal in seinem Leben vollkommen glücklich und 14 mal abgründig betrübt. 584 mal schmerzte und verwirrte ihn bis zur Betäubung die Dummheit der Welt, die sich durch keine Ziffer ausdrücken läßt. Dann wurde er dagegen abgestumpft«[268]) ist ironisch gemeint. Tatsächlich kann sich der politisch denkende Mensch Lion Feuchtwanger zu keinem Zeitpunkt seines Lebens mit der»Dummheit der Welt« abfinden. Diese unausrottbare Dummheit plagt und peinigt ihn, nötigt ihn stets zum Widerspruch und auch zum Widerstand. Als 1926 in Deutschland der neue Film»Panzerkreuzer Potemkin« des russischen Regisseurs Sergej M. Eisenstein verboten wird, da er aus Sicht der Behörden»geeignet sei die öffentliche Ordnung und Sicherheit dauernd zu gefährden«, setzen sich namhafte Intellektuelle für eine Freigabe des Films ein. Eisensteins pathetische Huldigung an die gescheiterte russische Revolution von 1905 gilt heute als Meilenstein der Filmgeschichte, der sorgfältig in der Originalfassung rekonstruiert wurde. 1926 hingegen wird der Film vor seiner Aufführung in Deutschland übel verstümmelt. Vor allem die Meuterei der Soldaten gegen ihre Offiziere wird auf Betreiben des Reichswehrministeriums und der Marine stark beschnitten, weil man unliebsame Einflüsse auf die Moral der deutschen Soldaten befürchtet. Trotz dieser präventiven Maßnahmen kommt es im Sommer zu einem Verbot des Films, der als»Tendenzfilm, der die Gewalttat verherrliche, zum Umsturz herausfordere«, geschmäht wird.[269] Für andere, darunter den Berliner Theaterkritiker Herbert Ihering, ist Eisensteins Meisterwerk ein»Filmepos, dessen Wirkung zu dem Größten gehört, was Menschengeist und Ereignisse in den letzten Jahren geschaffen haben«.[270] Auch Lion Feuchtwanger ist empört über die Tragweite der Zensur und die behördlichen Eingriffe in die künstlerische Freiheit. Sein gemeinsam mit Alfred Kerr, Max

Liebermann, Klabund, Leopold Jessner, Johannes R. Becher und anderen getragener Protest gegen das Verbot von »Panzerkreuzer Potemkin« ist jedoch nur graduell erfolgreich. Jugendlichen und Reichswehrangehörigen bleibt der Zutritt zu den Kinos verwehrt. In Bayern und Württemberg bleibt der Film verboten.

Die Empörung über die Borniertheit einer staatstragenden Zensur lässt Feuchtwanger keine Ruhe, und er verarbeitet seine Erfahrungen literarisch. In seinem Roman »Erfolg« lässt er den bayerischen Justizminister Otto Klenk bei einem Berlin-Besuch eine Vorstellung des Films »Panzerkreuzer Orlow« besuchen. Klenk, der Selbstgerechte, ist gewappnet, hat vor, dem Film mit Distanz zu begegnen: »Er wird den Filmjuden nicht hereinfallen auf ihre künstlich gemanagte Sensation.«[271] Detailliert wird im inneren Monolog des Zuschauers Klenk die Filmhandlung nacherzählt. Und der verfällt dem Bann der Erzählung auf der Leinwand, ist am Ende konsterniert, irritiert und erschüttert: »Klenk sitzt still, es hat ihm den Atem verschlagen, er sitzt, der riesige Mann, mäuschenstill. Es hat keinen Sinn, das zu verbieten. Es ist da, man atmet es ein mit jedem Atemzug, es ist in der Welt, es ist eine andere Welt, es ist Blödsinn, sie zu leugnen.«[272] Im Roman wird so der Beweis erbracht, dass Kunst – unter Umständen – eine system- und gesellschaftsverändernde Kraft innewohnt. Der breite, rundschädelige und der Staatsräson verpflichtete Klenk verliert seine arrogante Immunität gegen emotionale Erschütterungen und wird zum »Opfer« des Mediums Film und dessen revolutionärer Botschaft. Feuchtwanger beglaubigt mit seiner eindrucksvollen Schilderung künstlerischer Wirkungsmacht im Nachhinein die Zensurauflagen und Verbotsmaßnahmen gegen den Film. Aber er rechtfertigt sie nicht. Staatlicher Selbsterhaltungstrieb kann nicht anders, als so handeln. Das weiß auch Klenk, trotz seiner emotionalen Ergriffenheit. Feuchtwanger bricht schließlich den Widerspruch auf. Klenk verlässt das Kino nicht als geläuterter Mensch, er ist nur kurz benommen. Dann, nach dieser verstörenden Momentaufnahme, »beklopft er seine Pfeife, steckt sie an. Und schon hat er sein Gesicht wieder eingerenkt in das alte, wilde, vergnügte, mit sich einverstandene.«[273] Dennoch steht für Feuchtwanger fest: Das vorletzte Wort hat die Kunst, die die Menschen aktiviert; und das letzte Wort haben die revolutionären Massen, die der Gerechtigkeit zum Durchbruch verhelfen.

Auch wenn Feuchtwanger in seinen Berliner Jahren zurückhaltender im öffentlichen Auftreten ist, die zahllosen Pflichttermine für prominente und halbprominente Kulturschaffende so gut es geht meidet, nur gelegentlich einen Empfang oder eine Theaterpremiere besucht, sich hin und wieder mit Marta ein Abendessen in einem Restaurant der gehobenen Kategorie gönnt, so lässt doch sein politisches Engagement kaum nach. Als es im April 1927 zu einem Zerwürfnis zwischen dem Intendanten Erwin Piscator und dem Vorstand der Volksbühne Berlin wegen der umstrittenen Auslegung einer Inszenierung von Ehm Welks Stück »Gewitter über Gottland« kommt und Piscator mit Zensur rechnen muss, ist Feuchtwanger zur Stelle. Auch andere linke Intellektuelle erklären sich mit Piscator solidarisch und verabschieden eine gemeinsame Stellungnahme gegen die Zensurmaßnahmen des Volksbühnenvorstands. Volker Skierka spricht in diesem Zusammenhang von dem »wohl größten Theaterskandal der Zwanziger Jahre«.[274] Piscator verlässt nach dem Zerwürfnis die Volksbühne und übernimmt das Berliner Theater am Nollendorfplatz, das einige Monate später mit Ernst Tollers Post-Revolutionsstück »Hoppla, wir leben!« eröffnet wird. Im gleichen Jahr engagiert sich Lion Feuchtwanger gemeinsam mit Bertolt Brecht, Martin Buber, Otto Dix, Albert Einstein, Heinrich Mann, Thomas Mann, Arnold Zweig und anderen für die Freilassung des Kommunisten Max Hoelz, der wegen eines vermeintlichen Mordes an einem Gutsbesitzer seit 1921 fälschlicherweise in Haft sitzt. Institutionelle Ungerechtigkeit, Justizwillkür und Rechtsbeugung sind zentrale Themen, die Lion Feuchtwanger immer wieder beschäftigen, denen er sich ohne Zögern mit großer innerer Empörung zuwendet, um aufmerksam zu machen, anzuklagen, zu verändern. Mit »Erfolg« wird er einen ganzen Roman einer verlogenen Scheinjustiz widmen; das Schicksal des Justizopfers Max Hoelz wird zum Vorbild für das Unrecht, das Martin Krüger in »Erfolg« erleiden muss.

Feuchtwangers Antrieb ist der Respekt vor fundamentalen Menschenrechten, für deren Wertschätzung und Erhalt er kämpft – nicht nur in Deutschland, sondern auch im Ausland. Im Sommer 1931 schließt er sich einem Berliner Komitee um Alfons Goldschmidt, Albert Einstein, Georg Ledebour und Thomas Mann an, das den amerikanischen Schriftsteller Theodore Dreiser bei seinen Bemühungen unterstützt, neun farbige Todeskandidaten in Scottsboro, einer Kleinstadt in den Südstaaten der USA, vor dem elektrischen Stuhl zu bewahren. Es ist ein fast vergeblicher Kampf gegen Südstaatenrassismus und Justizwillkür. Im Bundesstaat Alabama befindet eine aus Weißen zusammengesetzte Jury über Schuld und Leben von neun farbigen Jugendlichen, denen die Vergewaltigung von zwei weißen Mädchen vorgeworfen wird. Neben den Hilfsaktionen der kommunistischen »International Labor Defense«

ist es vor allem der internationale Druck, der von Prominenten wie Lion Feuchtwanger kommt, durch den die Hinrichtungen am Ende doch verhindert werden können. Die »Scottsboro Boys«, deren Schuld nicht erwiesen ist, werden stattdessen zu langen Haftstrafen verurteilt. Gerechtigkeit ist damit nicht erreicht. Immerhin kann der drohende Justizmord verhindert werden.

Eine der letzten politischen Aktivitäten vor dem Exil entfaltet Lion Feuchtwanger 1932/33 im Rahmen des »Scheringer-Komitees«. Auch Richard Scheringer ist Opfer einer politisch instrumentalisierten Justiz. Der Offizier wird 1930 im Ulmer Reichswehrprozess wegen »nationalsozialistischer Zellenbildung« zu einer 18-monatigen Festungshaft verurteilt. Während der Haft distanziert sich Scheringer von der NSDAP und wandelte sich zum engagierten Kommunisten. Wegen »Vorbereitung zum Hochverrat« wird er im Dezember 1931 vom Reichsgericht zu einer zweieinhalbjährigen Festungshaftstrafe verurteilt. Anlässlich des Berliner Schriftstellerkongresses 1932 wird sich Lion Feuchtwanger öffentlich für Scheringer und dessen rechtsstaatlich korrekte Behandlung einsetzen. Und auch Carl von Ossietzky, Herausgeber der »Weltbühne«, kann sich Lion Feuchtwangers Solidarität sicher sein. Der leidenschaftliche Pazifist wird 1931 im aufsehenerregenden »Weltbühne-Prozess« vom Reichsgericht in Leipzig wegen des Verrats von Militärgeheimnissen schuldig gesprochen und zu einer 18-monatigen Haftstrafe verurteilt. In der »Weltbühne« hatte von Ossietzky im März 1929 illegale Aufrüstungsaktivitäten der Reichswehr offengelegt, die im Widerspruch zu den Bestimmungen des Versailler Friedensvertrags standen. Am 10. Mai 1932 tritt Ossietzky seine Strafe in der Haftanstalt Tegel an; die rettende Flucht ins Ausland lehnt er entschieden ab: »Ich beuge mich nicht der in roten Sammet gehüllten Majestät des Reichsgerichts, sondern bleibe als Insasse einer preußischen Strafanstalt eine lebendige Demonstration gegen ein höchstinstanzliches Urteil, das in der Sache politisch tendenziös erscheint und als juristische Arbeit reichlich windschief.«[275] Zu den zahlreichen Unterstützern und Freunden, die Carl von Ossietzky auf seinem Weg von der Redaktion der Weltbühne an der Kantstraße zur Haftanstalt begleiten, gehört auch Lion Feuchtwanger. Teilnehmer der deprimierenden Prozession sind auch Erich Mühsam, Ernst Toller, Arnold Zweig, Alfred Polgar, Leonhard Frank, Rudolf Olden, Ernst Glaeser, Roda Roda, Hermann Kesten, Herbert Ihering und Kurt Pinthus. Betrübt notiert Lion Feuchtwanger in sein Tagebuch: »Sehr weit hinausgefahren, um Ossietzkys Einkerkerung beizuwohnen. Man steht lange und trist herum, das ganze ist sehr peinlich und sehr langwierig. Dann gearbeitet, nicht sehr gut.«[276] Es ist ein stummer Protest der geistigen Elite der Hauptstadt gegen eine borniete und selbstgerechte Staatsräson. Mit der Verurteilung von Ossietzkys wird das Versagen der Institutionen offenkundig. Die in der Weimarer Verfassung angelegte Gewaltenteilung ist gescheitert. Die Stimme einer freien und unabhängigen Presse wird mit allen Mitteln mundtot gemacht.

Am 16. September 1930 druckt die »Weltbühne« ein Kapitel des neuen Romans »Erfolg« ab. Das Buch, an dem der Autor bis Mai 1930 gearbeitet hat, ist noch nicht auf dem Markt, aber es sorgt bereits für erhebliches Aufsehen. Rezensionsexemplare liegen den Redaktionen der namhaften deutschen Tageszeitungen vor. Der Vorabdruck in der »Weltbühne« handelt von den »Wahrhaft Deutschen« – einer Chiffre für die NSDAP – und vom Hitler-Ludendorff-Putsch, der, gewissermaßen als Gründungsmythos der NS-Bewegung, im großen Stil ritualisiert wird. Schon die knappe Lektüre in der »Weltbühne« macht deutlich, dass Lion Feuchtwanger dabei ist, das Etikett des Verfassers historischer Romane abzustreifen, dass er mehr denn je den Anspruch erhebt, ein politischer Autor zu sein, der brennenden Gegenwartsfragen nicht ausweicht. Wenig später erscheint »Erfolg. Drei Jahre Geschichte einer Provinz« im Berliner Gustav Kiepenheuer Verlag. Die Auflage ist vergleichsweise hoch und verweist auf die gestiegene Popularität des prominenten Autors: 40 000 Exemplare des annähernd 1000 Seiten starken, zweibändigen Romans hat der Verlag drucken lassen. Man erwartet einen fulminanten Start des Buches. In dessen Mittelpunkt steht der renommierte Kunsthistoriker Dr. Martin Krüger, der als Sub-Direktor der staatlichen Gemäldesammlungen einen Skandal heraufbeschwört, als er umstrittene moderne Kunstwerke ankauft und der Öffentlichkeit präsentiert. Eine konservativ-reaktionäre Politik leitet gegen den in Ungnade gefallenen Museumsmann ein Sittlichkeitsverfahren ein, gekaufte Zeugen bezichtigen ihn des Meineids und ein willfähriges Gericht verurteilt Krüger zu einer dreijährigen Zuchthausstrafe. Gemeinsam mit dem Schriftsteller Tüverlin lässt Krügers verzweifelte Freundin Johanna Krain nichts unversucht, um dessen Freilassung zu erreichen. Vergeblich. Erst ein reicher Amerikaner, der der bayerischen Regierung einen großzügigen Kredit anbietet, erwirkt Krügers Rehabilitation. Das Opfer einer reaktionären Justizwillkür stirbt jedoch kurz vor seiner Entlassung an den Folgen der Haft. Krain und Tüverlin verstummen dennoch nicht. Über unterschiedliche Medien (Film und Buch) sollen das Unrecht an Martin Krüger und die Schuld der Verantwortlichen in die Welt hinausgeschrien werden.

Bei der Komposition des episch-prallen Stoffes und bei der Ausarbeitung der zahlreichen markanten Protagonisten, die Feuchtwangers Provinzstadt München bevölkern, ist vieles aus eigenem Erleben des Verfassers, vieles aus der Erinnerung an die Münchner Jahre eingearbeitet. Trotzdem will sich der akribische Feuchtwanger auch bei diesem, ihm bestens vertrauten Milieu nicht allein auf sein Gedächtnis verlassen, sondern setzt auch auf detaillierte Recherchen. Diese führen ihn häufig in die Berliner Staatsbibliothek, wo man ihm einzelne Jahrgänge der »Münchener Post« zur Verfügung stellt. Die sozialdemokratische Tageszeitung bietet zuverlässige und belastbare Informationen über unzählige Ereignisse und politische Akteure in der bayerischen Hauptstadt. Fast nach Art eines modernen Enthüllungsjournalismus werden immer wieder konspirative Aktionen der verhassten Nationalsozialisten aufgedeckt und die getarnten, gleichwohl bestens funktionierenden demokratiefeindlichen Netzwerke der Rechten und all der Bürgerlich-Konservativen in ihrem Dunstkreis entlarvt. Unterstützung bei seinen Recherchen erhält Lion von dem jungen Studenten Werner Cahn-Bieker, der den Schriftsteller auch später als Assistent und Sekretär bei diversen Buchprojekten unterstützen wird, sowie von seiner Sekretärin Lola Sernau.

Erzähltechnisch, aber auch thematisch lässt sich Lion von »Babbitt«, dem neuen Roman des amerikanischen Romanciers Sinclair Lewis, inspirieren. 1930 wird Lewis für dieses Buch den Literaturnobelpreis erhalten. Lion schätzt den sozialkritischen amerikanischen Kollegen, mit dem er 1927 in Berlin persönlich zusammengetroffen ist. Lewis' Frau Dorothy Thompson hat im selben Jahr die Übersetzung der »Pep«-Parodie ins Amerikanische besorgt. Schon Lewis' Roman »Main Street«, der 1922 in Deutschland erscheint, hat Lion tief beeindruckt. Die schonungslose Entlarvung einer heuchlerischen Kleinstadtwelt und die Infragestellung sakrosankter amerikanischer Werte macht Lewis in den Vereinigten Staaten zu einer äußerst umstrittenen Persönlichkeit. Für den begeisterten Feuchtwanger ist er indessen ein Seelenverwandter. »Babbitt«, 1924 in deutscher Übersetzung erschienen, liest sich wie eine Blaupause von »Erfolg«. Auch bei Lewis wird scharfsinnig die zweifelhafte Bigotterie einer kleinbürgerlichen Welt vorgeführt, wird die materielle Gier verlogener Spießer als sozialer Kitt einer vermeintlich heilen urbanen Welt aufgedeckt. Erzähltechnisch orientiert sich »Babbitt« am Medium Film und verschränkt verschiedene Handlungsebenen. Lion Feuchtwanger greift diese cinematographische Erzählweise ansatzweise auf. In einer Rückschau auf die Entstehung von »Erfolg«

erläutert er seinen Versuch, »die Technik des Romans zu erneuern, indem ich bewußt auf den Roman Mittel des Films anwandte (Gleichzeitigkeit, Belichtung des gleichen Menschen oder des gleichen Ereignisses von verschiedenen Seiten her), Mittel, die man bisher auf diesem Gebiet nicht verwandt hat«.[277]

Zweifellos gehört auch John Dos Passos' epochales Werk »Manhattan Transfer« aus dem Jahr 1925, das ähnlich cine-realistisch angelegt ist und durch die innovative Collagetechnik mit Überblendungen und eingestreuten Nachrichten eine dokumentarische Authentizität reklamiert, zu den Inspirationsquellen, an denen sich Feuchtwanger bei der Arbeit an »Erfolg« orientiert. Bestimmt kennt er aber die Veröffentlichungen des aus München stammenden »Weltbühne«-Autors, Mathematikers und Pazifisten Emil Julius Gumbel, der mit schonungsloser Akribie die Gewalttaten und mörderischen Umtriebe rechtsextremer Kreise offenlegt und die Untätigkeit von Polizei und Justiz bei der strafrechtlichen Verfolgung dieser Taten beklagt. In der Romanfigur des Rechtsanwalts Dr. Siegbert Geyer setzt Feuchtwanger dem von ihm hochgeschätzten Gumbel ein literarisches Denkmal. Gumbels und Feuchtwangers Wege kreuzen sich verschiedentlich. So ist neben dem Namen Feuchtwanger auch der Name Gumbel auf der ersten Ausbürgerungsliste vom August 1933 zu lesen, auf der die dem NS-Regime besonders verhassten Persönlichkeiten versammelt sind. Wie Feuchtwanger findet auch der besonders gefährdete Gumbel im französischen Exil von Sanary eine vorübergehende Heimat. Und wie Lion Feuchtwanger rettet er sich 1940 in die USA, wo er die meiste Zeit an der Ostküste verbringt und dort auch Kontakt zu Feuchtwangers langjähriger Sekretärin Lola Humm-Sernau hat. Jahre später wird Lion Feuchtwanger über den »Erfolg« berichten, dass ihn die Arbeit an diesem Buch – verglichen mit der an der »Häßlichen Herzogin«, den »Geschwistern Oppermann« oder »Simone« – »die meiste Zeit und die schwerste Mühe kosteten«.[278]

»Erfolg« ist mehr als eine Anklageschrift zu einem verstörenden Justizmord. Der Roman ist ein mit Atmosphäre prall gefülltes Skizzenbuch, in dem Feuchtwanger mit boshafter Klarheit die bayerische Volksseele und den vierschrötig-stiernackigen Phänotyp des Altbayern aufs Korn nimmt. Wie ein boshafter, voreingenommener Ethnologe nähert sich der Autor seinem Sujet: »Die Bayern knurrten, sie wollten nicht in die Ferne schauen, und was lag ihnen an einem sinnvolleren Europa. Sie wollten leben wie bisher, breit, laut, in ihrem schönen Land, mit einem bißchen Kunst, einem bißchen Musik, mit Fleisch und Bier und Weibern und oft ein Fest und am Sonntag eine Rauferei. Sie waren zufrieden, wie es war. Die Zugereisten sollten sie in Ruhe lassen, die Schlawiner, die Saupreußen, die Affen, die geselchten.«[279] »Erfolg« ist aber auch ein kämpferisches, ein mit Leidenschaft verfasstes politisches Buch. Ein Roman, in dem Lion Feuchtwanger alle ihm zur Verfügung stehenden literarischen Instrumente aufbietet, um dem Leser konzentriert und anschaulich, polemisch und aufrüttelnd den unheilvollen Einfluss der bayerischen Befindlichkeiten auf Entstehen und Werden des Nationalsozialismus vor Augen zu führen. Es ist der Versuch des Demokraten und Weltbürgers Feuchtwanger, den Kampf gegen Reaktion und Rassenhass, Republikfeindschaft und Straßengewalt mit den Mitteln der Literatur zu führen; ein aufklärerisches Buch mit einer Erzählung, in der die Grenzen zwischen Realität und Fiktion verschwimmen, die dem Leser die beunruhigende Botschaft vermittelt, dass es nicht nur so sein könnte, sondern dass es tatsächlich so ist. Für den Leser von »Erfolg« ist in jeder Zeile die Empörung des Verfassers über die Verkommenheit der politischen Sitten in seiner Heimat Bayern und die Verzweiflung über die Niedertracht im zwischenmenschlichen Miteinander zu lesen. Es ist kein historisches Kunststück, sondern ein faktengesättigter Gegenwartsroman, in dem den meisten Protagonisten eine Entsprechung im realen Leben zugewiesen werden kann. Es sind die realen Ereignisse in München zwischen 1921 und 1924, die den Handlungsrahmen für Feuchtwangers Zeitroman bilden. »Erfolg« ist gewissermaßen Lion Feuchtwangers persönliche Aufarbeitung der bitteren und aufwühlenden Enttäuschung über die schicksalhafte Rolle Münchens angesichts der Konjunktur der Hitler-Bewegung. Und ein beschwörender Appell an alle Aufrichtigen, den drohenden Aufstieg der »Wahrhaft Deutschen« noch zu verhindern.

Schriftsteller neigen dazu, ihre literarischen Phantasien an Vorbildern aus der eigenen Erfahrungswelt auszurichten und die Profile ihrer Protagonisten mit Zügen realer Akteure anzureichern. Die klassisch reine Form dieser Literatur ist der Schlüsselroman, der, in Fiktion gekleidet, wahre Begebenheiten und real existierende Charaktere aufgreift und literarisch modelliert. Auch wenn die meisten wichtigen Werke der Literatur des 20. Jahrhunderts nicht explizit als Schlüsselroman gelesen werden können, so begegnet doch immer wieder der Zugriff auf ein real existierendes Bezugssystem als Stilmittel. Es ist eine beliebte Methode von Literaturwissenschaftlern und ambitionierten Lesern, Entschlüsselungslisten aufzustellen, um die Phantasie des Autors mit dem Gegenüber aus der echten Welt zu konfrontieren und, eventuell, durch den Transfer der literarischen Erzählung ins Konkrete einer Skandalisierung des Werkes Vorschub zu leisten. Thomas Mann hat für die »Buddenbrooks« nachweislich sein privates Umfeld »ausgeschlachtet«. Auch für den »Zauberberg« greift er auf prominentes Personal zurück, so beispielsweise auf den Philosophen Georg Lukács, dem er in der Figur des Dr. Leo Naphta nicht nur phänotypisch, sondern auch hinsichtlich seiner Äußerungen ein treffendes, gleichwohl wenig schmeichelhaftes Denkmal setzt. Im »Erfolg« ist es der Schweizer Schriftsteller Jacques Tüverlin, der ganz offensichtlich die Züge von Lion Feuchtwanger trägt. Dieser Tüverlin/Feuchtwanger, obwohl mit dem klaren Blick in die Abgründe der bayerischen Volksseele gesegnet und mit der Gabe, diese beklemmenden Erkenntnisse auch ohne Scheu zu benennen, empfindet gleichwohl eine tiefe Liebe zu dem Land Bayern und Sympathie für die Menschen, die es bewohnen – so wie auch Lion Feuchtwanger: »Tüverlin erkennt genau den Menschen der Hochebene in allen seinen Mängeln; allein sein Herz hängt an ihm. Er liebt diesen Menschen, der nur Sinneswahrnehmungen hat, die er praktisch verwenden kann, dem es aber nicht gegeben ist, gedankliche Zusammenhänge herzustellen. Er liebt dieses Wesen, das sich, an Urteilskraft zurückgeblieben hinter den meisten anderen Weißhäutigen, mehr tierhaft triebhafte Instinkte bewahrt hat. Jawohl, dem Schriftsteller Jacques Tüverlin gefällt dieser nur oberflächlich zivilisierte Wald- und Frühackermensch, der mit Zähnen und Klauen das Erworbene festhält, mißtrauisch, dumpf knurrend, wenn Neues an ihn heran will. Ist er nicht großartig in seiner Ich-Beschränktheit, dieser Bewohner der bayerischen Hochebene?«[280]

Neben Tüverlin trifft der Leser in »Erfolg« auf eine Vielzahl wohlvertrauter Akteure aus dem kleinteiligen Münchner Milieu. Da ist der Ingenieur Kaspar Pröckl, der als gleichermaßen sensibler wie rustikaler Charakter eingeführt wird, dessen auffälligste Eigenschaft ist, dass er trotz seiner augenscheinlichen Verwahrlosung »den Frauen gefiel«. Mehr noch: »Der Kerl roch wirklich wie Soldaten auf dem Marsch. Sein eckiger, bösartiger Humor war auch nicht gerade das Rechte für Frauen. Es war ein sicherer Geruch von Revolution um ihn. Offenbar machte er es mit seinen hundsordinären Balladen. Wenn er die sang, mit seiner gellenden Stimme, dann wurden die Weiber schwach.«[281] Pröckl ist unverkennbar Bertolt Brecht, was dem so Stilisierten gleich auffallen muss, als ihm sein Freund 1929 das Manuskript zur Vorablektüre übergibt. Empört reist Brecht dem am Gardasee weilenden Feuchtwanger nach, verlangt Änderungen, Streichungen der unvorteilhaften Darstellung seine Person. Vergeblich: Feuchtwanger hält an seinem Protagonisten Pröckl fest und nötigt Brecht auf lange Spaziergänge, die nur ein Ziel haben, das der kluge Brecht auch erkennt: »Um mich zu ermüden, damit meine Argumente abgeschwächt werden.«[282] Oder der grelle Rupert Kutzner, der Führer der »Wahrhaft Deutschen«, der die Münchner bei Massenversammlungen in den rauchgeschwängerten Bierhallen mit seinem rhetorischen Geschick in den Bann zieht: »Endlich hielt, begleitet von den Fahnen, unter ungeheurem Jubel, Rupert Kutzner seinen Einzug, den sorglich gescheitelten Kopf gereckt, marschierend zu der dröhnenden Marschmusik.«[283] Kutzner ist Hitler und Pröckl ist Brecht. Ist es Unverstand oder Kalkül, dass der Intendant der Münchner Kammerspiele im Jahr 2010 bei einer szenischen Lesung des »Erfolg« die Rollen des Pröckl und des Kutzner von ein und demselben Schauspieler lesen lässt?

Mit großer Aufmerksamkeit beobachtet Lion Feuchtwanger im Herbst 1930 die Reaktionen der Öffentlichkeit auf sein neues Buch. Diese sind zunächst verhalten. Nach dem Vorabdruck in der »Weltbühne« haben viele Leser keinen Zweifel an dem Explosivstoff, der in »Erfolg« steckt. Und so halten sich die meisten Redaktionen zunächst zurück mit Besprechungen des Romans. Im englischsprachigen Ausland, wo »Erfolg« fast zur gleichen Zeit auf den Markt kommt, ist die Wirkung indessen durchschlagend. Louis Kronenberger findet in der »New York Times«, dass Feuchtwanger ein Roman mit »außerordentlicher intellektueller Kraft« gelungen sei.[284] Und auch sonst kommen erbauliche Rückmeldungen über den Atlantik. Mit großer Befriedigung teilt Lion diese Eindrücke mit seiner Freundin Eva Boy: »die wichtigste amerikanische universität, die yale-universität, hält vorlesungen über das buch, der new yorker sender hat dreimal darüber sprechen lassen, mehrere große zeitschriften haben sondernummern über das buch herausgebracht, auch daß lewis bei jeder gelegenheit, auch in der nobelpreisrede selbst, immer nur mich und höchstens noch thomas mann genannt hat, macht eindruck.«[285] Die Resonanz in den deutschen Feuilletons ist dagegen enttäuschend. Die »Münchner Neuesten Nachrichten« machen am 7. Oktober 1930 unmissverständlich klar, wie das jüngste Feuchtwanger-Werk einzuordnen ist. Für den Rezensenten Tim Klein, in den 1920er Jahren Mitherausgeber der kirchennahen Kulturzeitschrift »Zeitwende«, ist es »Ein Buch des Hasses«.[286] Für das bürgerlich-konservative Leitmedium ist Feuchtwangers Buch »die Ausgeburt eines Ressentiments, das kaltblütig, boshaft, zum Teil schmutzig ist«. Besonders empört ist der Rezensent über die boshafte Analogie, die er in der Figur des Dr. Matthäi zu erkennen glaubt, handelt es sich hier doch um den »großen Dichter Ludwig Thoma, der von den Bayern, von den Deutschen, auch von denen im Ausland, immer wieder gelesen werden wird, wenn kein Mensch mehr weiß, was es eigentlich mit dem Herrn Lion Feuchtwanger auf sich hatte«. Der Rezensent sieht die Gefahr, dass von der Feuchtwanger'schen »Schmähschrift« eine Stärkung des Antisemitismus ausgehen wird: »Der mit bösem Gift getränkte Pfeil wird auf ihn und Unschuldige notwendig zurückprallen.« Auch Peter Suhrkamp, der später als legendärer Verleger das literarische Leben der frühen Bundesrepublik Deutschland prägen wird, findet wenig Lobenswertes in Feuchtwangers Roman: »Möglich, daß spätere Menschen und selbst heutige, wenn sie entfernter wohnen, die Feuchtwangers Buch rein als historischen Roman lesen können, es spannend und interessant finden. Uns kann es nur verfehlt erscheinen. Einzelne Partien zu lesen, etwa die bayerischen Lebensläufe, ist allerdings ein reines Vergnügen.«[287]

Für den Herausgeber der »Weltbühne«, Carl von Ossietzky, ist »Erfolg« hingegen ein missverstandener »Sukzeß«. Unter dem Pseudonym *Celsus* attestiert er dem Buch eine saubere, ausgefeilte Sprache und einen politischen Standpunkt: »Kein schöpferischer, aber ein denkender Kopf hat hier gearbeitet.« Den verängstigten Kritikern, die angesichts der Konjunktur des Nationalsozialismus nicht den Mut zu einer ehrlichen Auseinandersetzung mit dem Buch aufbrächten, schreibt er ins Stammbuch: »Der Rezensent setzt sich hin und schreibt mit leerem Herzen und vollen Hosen seine ablehnenden Verdikte.«[288] Es ist erwartungsgemäß vor allem das Zentralorgan der »Wahrhaft Deutschen«, der »Völkische Beobachter«, das Gift und Galle gegen Feuchtwanger versprüht. Vor allem die bezeichnende Karikatur Kutzner/Hitler treibt Nationalsozialisten zur Weißglut. Wie präzise Lion Feuchtwanger den Nerv der NS-Bewegung getroffen hat, wird im Herbst 1931 erkennbar. Im »Völkischen Beobachter« kann die nationalsozialistische Gefolgschaft eine wüste Replik auf das Buch lesen, die mit der vielsagenden Bemerkung endet: »Nach dieser Leistung bleibt dem Löb Feuchtwanger wohl nur noch zu bescheinigen, daß er sich einen zukünftigen Emigrantenpaß reichlich verdient hat.«[289] Schon im Frühjahr 1931 sorgt eine Nazi-Kampagne dafür, dass viele Buchhändler sich weigern, »Erfolg« in ihr Sortiment aufzunehmen. Die aktionistische Hetze ist so erfolgreich, dass vielfach auch die älteren Bücher des Autors aus den Regalen verschwinden.

1930 häufen sich die Probleme mit der Wohnung am Hohenzollerndamm. Streitigkeiten mit anderen Mietern (durch ein Versehen erleidet die darunterliegende Wohnung einen Wasserschaden) und dem Vermieter (der die Feuchtwangers gerne loswerden möchte, damit seine Tochter in die Wohnung einziehen kann) erleichtern Marta und Lion die Entscheidung, die kleine Wohnung zugunsten eines repräsentativeren Domizils aufzugeben. Man kennt natürlich auch die Lebenssituation anderer arrivierter Autoren und sieht sich, um »auf Augenhöhe« zu bleiben, zu Veränderungen förmlich genötigt. Nicht ohne Anwandlung von Neid vertraut Lion Ende April 1931 seinem Tagebuch an: »Abends bei Döblin. Er hat eine neue protzige Wohnung und ist naiv glücklich über seinen Erfolg. S. Fischer da mit großer Familie, das Ganze langweilig, ich fruchtbar müde.«[290] Also macht man sich auf die Suche nach einem Haus mit mehr Zimmern, mit mehr Platz für die Bücher des Hausherrn, deren stetig wachsende Menge die bisherige Wohnsituation unerträglich werden lässt. Nach längerer Suche entscheidet man sich im Januar 1931 für ein freistehendes, noch im Bau befindliches Einfamilienhaus mit Gartengrundstück und schönen Kiefernbäumen an der Mahlerstraße, nicht weit entfernt von der bisherigen Adresse. Das Anwesen liegt in einer großbürgerlichen Villengegend direkt an der Nordseite des Grunewalds, nicht weit von Hundekehlessee und Grunewaldsee, elegant, gehoben, ruhig, idyllisch, mit viel Natur. Hier gibt es ausreichend Platz für Turnen und Sport, Gelegenheit zum Dauerlauf und Schwimmen. Seit Lion 1927 eine lebensbedrohliche Blinddarmentzündung überstanden hat, arbeitet Marta nicht nur einen strengen Ernährungsplan aus, sondern nötigt den Ehemann auch zu Turnübungen und Ausdauersport. Nahezu täglich kommt mit Karl Schröder ein »Coach« ins Haus, der gymnastische Anregungen gibt und die »Leibesertüchtigung« des eigentlich unsportlichen Feuchtwanger überwacht. Zwischen Trainer und Schüler entwickelt sich mit der Zeit ein vertrautes Verhältnis. Bald empfindet Lion die sportliche Betätigung als segensreich, und auch später, in der Emigration, wird er an den Übungen festhalten – selbst wenn die soziale Kontrolle während Martas gelegentlicher Abwesenheit wegfällt. Diese wiederum berichtet stolz von gemeinsamen Sportübungen bei den benachbarten Saalfelds im Grunewald, wo sich Lion »geschult durch unseren Herrn Schröder, beim Turnen sehr hervor(tat)«.[291]

Es wirkt befremdlich, dass hier, im idyllischen Grunewald und für teures Geld, sich einer ein Zuhause schafft, eine behagliche Verwurzelung sucht, trotz der unübersehbar prekären Zeitläufte, die nichts Gutes erahnen lassen. Das politische Klima der frühen 1930er Jahre ist vergiftet, SA-Schläger beherrschen die Straßen und den öffentlichen Raum.

Die NSDAP schickt sich an, die Mehrheit in den Parlamenten zu übernehmen, die öffentliche Meinung wird manipuliert und die Schaltstellen der maßgebenden rechtsstaatlichen Institutionen werden instrumentalisiert. Es ist nicht so, dass Lion Feuchtwanger diese beklemmende Entwicklung nicht erkannt hätte. Im Gegenteil. In der »Welt am Abend« vom 21. Januar 1931 veröffentlicht er eine schonungslose Bestandsaufnahme der »organisierten Barbarei Deutschlands«, die für ihn gleichbedeutend mit dem Nationalsozialismus ist, und er konstatiert ernüchtert, dass der Nationalsozialismus bereits an der Macht ist: »Seinem Wesen und seiner Ideologie nach antilogisch, antigeistig, will der Nationalsozialismus die Vernunft absetzen und preist an ihrer Stelle das Gefühl, den Trieb, eben das Barbarische. (…) Was also die Intellektuellen und Künstler zu erwarten haben, wenn erst das Dritte Reich sichtbar errichtet wird, ist klar: Ausrottung. Das erwarten denn auch die meisten, und wer irgend unter den Geistigen es ermöglichen kann, bereitet heute seine Auswanderung vor. (…) Es ist also ein Gebot nackter Selbsterhaltung für alle Geistigen, mit ganzer Seele und ganzem Vermögen gegen das Dritte Reich zu kämpfen. Solange es in Deutschland noch einen Winkel gibt, wo die Kunst den Mund auftun darf, wollen wir es unmißverständlich aussprechen und in die Schädel hämmern: Das Dritte Reich bedeutet Ausrottung der Wissenschaft, der Kunst, des Geistes.«[292] Aus der fulminanten Stellungnahme Feuchtwangers ist sowohl kämpferische Willenskraft als auch resignative Erschöpfung zu lesen. Die Demokratie und die Freiheit der Kunst hat er bereits aufgegeben, über den Gegnern der NSDAP schwebt bereits das Damokles-Schwert der Auswanderung. Doch für ihn selbst ist der Weg ins Exil keine Option. Fast schon fatalistisch ergibt sich Feuchtwanger dem Gang der Geschichte, baut sein Haus, zieht ein, erwirbt Buch um Buch für die geistige Klausur des Schriftstellers. Womöglich ist die blasse Hoffnung auf eine schicksalhafte Wendung der Ereignisse stärker als die präzis analysierende Klugheit. An Eva Boy schreibt er kurz nach dem Erscheinen des Beitrags in der »Welt am Abend«: »marta sucht eifrig häuser zu mieten oder zu kaufen, das macht eine sauarbeit und stellt unseren ganzen tagesablauf auf den kopf. aber, infolge zutrauens zu deutschland sind wir halb und halb entschlossen, uns für ziemlich viel geld ein haus bauen zu lassen.«[293]

Als Lion sich gemeinsam mit Marta für das Bleiben in Berlin entscheidet, befindet sich das Haus in der Mahlerstraße noch im Rohbau. In den nächsten Monaten wird es nach den Wünschen der neuen Eigentümer fertiggestellt. Am 18. Februar 1931 wird der Kaufvertrag unterschrieben und im Sommer des Jahres kann der Umzug durchgeführt werden. Finanziell ist der Immobilienkauf ein überschaubares Risiko; Lion kann aufgrund zahlreicher gut laufender Verträge mit regelmäßigen Einkünften rechnen. Marta, zuständig für die Verhandlungen mit Architekten und Handwerkern und für die Interieurs, überwacht die Baumaßnahmen und beschafft bei Berliner Trödlern und Antiquitätenhändlern stilvolle alte Möbel, darunter einen alten gotischen Schreibtisch für Lion. Sogar die lange vermissten Bücher, die bislang bei Martas Eltern in München auf dem Speicher gelagert waren, werden geliefert. Der Schriftsteller ist glücklich. Endlich verfügt er wieder über seine Bücher und kann an den Aufbau einer eigenen Bibliothek denken.

Und von der Münchner Freundin Eva Boy kommt zum Einzug im Juli eine besondere Überraschung: zwei Schildkröten, die im Garten beheimatet werden: »die schildkröten sind gut angekommen, wir haben ihnen gleich zu fressen gegeben, die größere war zuerst etwas benommen, aber dann hat auch sie reichlich gefressen. (…) jedenfalls habe ich mich reichlich damit gefreut.«[294] Wenn Feuchtwanger in seinem Buch »Die Geschwister Oppermann« die Hauptperson Dr. Gustav Oppermann, *Alter Ego* des Verfassers, auf den Balkon seines Hauses an der fiktiven Max-Reger-Straße im Berliner Grunewald treten lässt, dann blickt dieser auf das Feuchtwanger-Grundstück an der Mahlerstraße. Und er beschreibt stellvertretend für Lion dessen Zuhause: »Vor ihm senkte sich sein kleiner Garten in drei Terrassen hinunter in den Wald, rechts und links hoben sich waldige Hügel, auch jenseits des ferneren, baumverdeckten Grundes stieg es nochmals hügelig und waldig an. Von dem kleinen See, der unsichtbar links unten lag, von den Kiefern des Grunewalds wehte es angenehm kühl herauf. Tief und mit Genuß, in der großen Stille vor dem Morgen, atmete er die Waldluft. (…) Wirklich, er hatte sich für sein Haus den schönsten Fleck Berlins ausgesucht. Hier hatte er jeden nur wünschbaren ländlichen Frieden und dennoch alle Vorteile der großen Stadt.«[295]

Langsam kommt man auch mit den Bewohnern der umliegenden Villen in Kontakt. In unmittelbarer Nähe der Feuchtwangers wohnt Emil Herz, der langjährige Programmdirektor des Berliner Ullstein-Verlags und Gründer des Propyläen Verlags. Als er hört, dass sein neuer Nachbar gerade an einem Roman über den jüdischen Historiker Flavius Josephus arbeitet, nimmt er Feuchtwanger spontan unter Vertrag. Als sich abzeichnet, dass der Name »Feuchtwanger« für den Verlag eine Belastung darstellen könnte, versucht Ullstein jedoch, die Konditionen des Vertrags zu korrigieren. Der vereinbarte und für den Autor wichtige

Vorabdruck des »Josephus« wird abgelehnt. Ullstein möchte möglichst wenig Aufmerksamkeit um den Autor hervorrufen und kann erst nach einigen Querelen von Lion zu einem Vorabdruck in der »Vossischen Zeitung« im Herbst 1931 bewegt werden. In Anbetracht der bevorstehenden Reichspräsidentenwahl Mitte März 1932 spitzt sich die Lage zu. Nicht nur Lion Feuchtwanger, auch viele andere demokratisch gesinnte Wähler werden jetzt mit einem schmerzhaften Dilemma konfrontiert. Neben dem bisherigen Amtsinhaber, der Weltkriegsikone Paul von Hindenburg, stellt sich auch Adolf Hitler zur Wahl; von vornherein aussichtlos sind die Kandidaturen des Kommunisten Ernst Thälmann und des Deutschnationalen Theodor Duesterberg. Die NSDAP erlebt gerade einen ungeheuren Aufschwung und kann mit beträchtlichem Zuspruch rechnen. Um den drohenden Wahlerfolg Hitlers zu verhindern, sprechen sich nicht nur bürgerliche Parteien und Prominente für Hindenburg aus; auch die Sozialdemokratie stellt sich hinter den amtierenden Reichspräsidenten. Viele Wähler machen daher aus taktischen Gründen ihr Kreuz bei dem erzkonservativen Monarchisten. So wählt auch Lion Feuchtwanger am 13. März 1932 den ungeliebten Hindenburg. Erst im zweiten Wahlgang am 10. April findet der überparteiliche Kompromisskandidat schließlich die erforderliche Mehrheit. Ernüchternd ist, dass mehr als ein Drittel aller Wähler dem nationalsozialistischen »Führer« Adolf Hitler ihre Stimme gegeben hat.

Es besteht also hinreichend Anlass, die Entwicklungen auf der politischen Bühne mit großer Sorge zu beobachten. Nach dem Rücktritt der Regierung Brüning, mit dem das Ende der Weimarer Republik eingeleitet und die Ouvertüre zur »nationalen Erhebung« der NSDAP angestimmt wird, notiert Lion Feuchtwanger besorgt in sein Tagebuch: »Es sieht politisch für mich nicht gut aus.«[296] Wenige Tage später, am 11. Juni 1932 gibt Lion das Manuskript des »Josephus« an die Druckerei. Seit Frühjahr 1931 hat er an dem annähernd 500 Seiten umfassenden historischen Roman gearbeitet, den er 1927 zugunsten der Arbeit an »Erfolg« zurückgestellt hat. Unter dem Titel »Der jüdische Krieg« erscheint das Buch als erster Teil eines zunächst zweistufigen, später als Trilogie angelegten Werkes im Propyläen Verlag. Noch Anfang Oktober 1932 erscheint auch die englische Übersetzung – rechtzeitig zu einer groß angekündigten Vortragsreise Feuchtwangers durch die USA.

In der »Josephus«-Trilogie greift Feuchtwanger erneut eines seiner Lebensthemen auf: die Position des Einzelnen zwischen unterschiedlichen, ja gegensätzlichen Glaubens- und Wertesystemen und die Spannung, die aus den Zwängen und Nöten entsteht, sich für eine Richtung entscheiden zu müssen. Flavius Josephus, mit seinem jüdischen Namen Joseph ben Matthias, ist ein jüdischer Intellektueller, ein ehrgeiziger, durchaus eitler Protagonist, der stark von den Interessen um seinen eigenen Vorteil geleitet wird. Der Zeitgenosse der Kaiser Nero, Vespasian, Titus und Domitian gerät zunächst als Teilnehmer des jüdischen Aufstands gegen die römische Hegemonie in Gefangenschaft, erfährt dann von den Römern Gnade, um auf deren Seite bei der Belagerung Jerusalems und der traumatisierenden Zerstörung des Tempels im Jahre 70 n. Chr. anwesend zu sein. Er wird zum Historiker der Sieger und beschreibt den »Jüdischen Krieg« aus der Perspektive Roms. Von seinem eigenen Volk wird er als Verräter gebrandmarkt, und doch versuchen die Juden, von seinem Einfluss in Rom zu profitieren. Am Ende schließt sich der Kreis: Der alte, geläuterte Josephus steht wieder auf der Seite der Seinen, fällt im Kampf gegen Rom in Palästina; seine Spuren verlieren sich im Heiligen Land. Die von Feuchtwanger präzise gezeichnete historische Folie ist die römische Welt- und Großmachtpolitik und der (vergebliche) jüdische Kampf um Selbstbestimmung und nationale Autonomie. Der Gegenwartsbezug wird über die Komplexe Antisemitismus und Nationalismus hergestellt. Es geht im Kern um die Akzeptanz der Juden durch die Mehrheitsgesellschaft. Aber, das ist Feuchtwangers zentrales Motiv, die Forderung nach Toleranz und Respekt kann nicht durch ein demütiges »Obwohl«, sondern nur durch ein selbstbewusstes »Weil« errungen werden: Nicht obwohl, sondern *weil* sie Juden sind, verdienen das kleine Volk und seine Angehörigen den Respekt der Mehrheitsgesellschaft. Von der Literaturwissenschaft wird der »Josephus« als Feuchtwangers »persönlichstes Buch« (Wulf Köpke) charakterisiert. Das Standort- und Zugehörigkeitsdilemma des Josephus reflektiert Feuchtwangers eigene Zerrissenheit. Der Autor selbst formuliert diese Ich-Bezogenheit etwas weniger konkret: »Ein Thema, das mich seit je von Grund auf bewegt hat, ist der Konflikt zwischen Nationalismus und Internationalismus in der Brust eines Mannes.«[297] Oder mit anderen Worten: Soll der als Jude geschmähte, aus seiner Heimat vertriebene und entwurzelte Schriftsteller Lion Feuchtwanger künftig als Zionist oder als Weltbürger leben? Im letzten Teil des Josephus liest man dazu: »Gesetze und Bräuche sind Gott wohlgefällig, aber sie bleiben Geschwätz, wenn sie nicht die Vorbereitung sind eines selbständigen Staates mit Polizei und Soldaten und souveräner Gerichtsbarkeit.«[298] Es klingt wie ein Plädoyer für den Herzl'schen Judenstaat.

Im Frühjahr 1932, noch während der intensiven Arbeit am »Josephus«, nimmt eine amerikanische Agentur Kontakt mit Lion auf und unterbreitet das Angebot einer Vortragsreise durch die USA. Der Verfasser des »Jud Süß« hat sich in der Neuen Welt eine beträchtliche Prominenz in den gebildeten Kreisen erschrieben. In den Staaten möchte man den Schriftsteller persönlich kennenlernen, möchte von ihm aus erster Hand etwas über die Situation in Europa und in Deutschland erfahren. Ben Huebsch von »Viking Press«, Lions amerikanischem Verleger, befürwortet das Unternehmen. Denn er rechnet damit, dass die Präsenz des Autors und die entsprechende mediale Untermalung den ohnehin guten Absatz der englischen Buchtitel weiter ankurbeln. Aber Lion zögert. Denn die Vorträge sind, natürlich, in Englisch zu halten – eine Sprache, die er nur rudimentär beherrscht. Außerdem ist ihm bewusst, dass das Vorhaben kein Erholungsurlaub wird. Sowohl an der Ost- wie an der Westküste stehen Verpflichtungen an. Und mit Vorträgen allein ist die Sache nicht getan. Vor Ort sind zahllose gesellschaftliche Termine zu absolvieren: Lunch- und Dinner-Verabredungen mit einflussreichen Vertretern von lokalen Institutionen, Clubs, Honoratiorenvereinen. Der Gast aus Europa soll möglichst vielen Multiplikatoren und Repräsentanten der örtlichen Eliten vorgestellt werden. Viel *Small Talk* und *Networking*, dazu Gespräche und Interviews mit Journalisten der amerikanischen Presse und des Rundfunks. Lion ist klar, dass ein solches Unternehmen an Schwerstarbeit grenzt. Daher versucht er, sich diplomatisch aus der Affäre zu ziehen. Seiner Freundin Eva Boy vertraut er im Mai 1932 an, dass er den Amerikanern »ziemlich weitgehende forderungen« gestellt habe, »weil ich sehr ungern hinübergehe, leider aber haben sie alle bewilligt, sodaß ich wohl oder übel doch fahren muß«.[299] Tatsächlich spricht einiges für den Sprung über den Großen Teich. Der unerschöpfliche amerikanische Markt bietet enormes Potential für die englischen Übersetzungen. Und: Welcher deutsche Schriftsteller ist schon so »groß« für eine eigene Promotion-Tour durch die USA? Also lässt sich Lion überreden. Im Juni 1932 informiert die »New York Times« ihre Leser über den Besuch des berühmten deutschen Schriftstellers und kündigt bereits die englische Übersetzung des »Josephus« an. Dass das Unternehmen Lions Leben retten wird, weiß er noch nicht.

Erste Verhandlungen über das Reiseprogramm werden im Mai 1932 geführt. Gleichzeitig beginnt Lion, an seinen Englischkenntnissen zu arbeiten. Im Mittelpunkt seiner Tagesarbeit steht zwar das Manuskript des »Josephus«; parallel zur Arbeit an dem Roman werden aber schon erste Vortragsmanuskripte ausgearbeitet. Nach wie vor hält sich Lions Begeisterung für das Abenteuer USA in Grenzen: »mir ist sehr mies vor amerika«, bekennt er gegenüber Eva Boy.[300] Aber das Abenteuer wird in den nächsten Monaten immer stärker den Arbeitsalltag im Hause Feuchtwanger dominieren. Mit der ihm eigenen humorvollen Distanz schildert Lion einen »typischen« Tag im August 1932: »es ist sonntag vormittag, mittleres wetter, und ich habe nicht soviel zu tun wie sonst, ich muß nur einen krankenbesuch bei herz machen, mit zweig telefonieren, drei privatbriefe schreiben, einen band gibbon lesen über das verhältnis von byzanz zu rom, fünf seiten aus meinem vortrag über barbarei ins englische übersetzen, eine seite englisch laut lesen, mir eine liste aufsetzen über bücher, die ich aus der staatsbibliothek bestellen will, und an hand der korrespondenz nachprüfen, wem ich die französischen rechte am ›josephus‹ lassen soll. mit schröder geturnt habe ich bereits«.[301] Neben dem Tagesgeschäft bringt eine Auseinandersetzung mit dem englischen Dramatiker Ashley Dukes um das Copyright an »Jud Süß« weitere Unannehmlichkeiten, die Lion Ende September 1932 zu einer Reise nach München zwingen, wo die Gerichtsverhandlung stattfindet. Erfreulich ist immerhin, dass er hier nicht nur das Oktoberfest besucht, sondern vor seiner USA-Reise eine kurze Zeit allein mit Eva Boy verbringen kann. Eva steht kurz davor, den niederländischen Musikwissenschaftler Anthony van Hoboken zu heiraten. Der Rechtsstreit mit Dukes verläuft im Sande und die Auseinandersetzung wird von den politischen Ereignissen der nationalsozialistischen Machtübernahme überrollt.

Schon im Juni 1932 kann ein zufriedener Lion Feuchtwanger die Arbeiten am »Josephus« abschließen. Belohnt wird Lions Fleiß nicht nur mit einer feinen Veröffentlichung in einer gediegenen Ausgabe unter dem Titel »Der jüdische Krieg« im Propyläen Verlag, mit Übersetzungen des Buches ins Englische, Französische, Niederländische, Ungarische und drei skandinavische Sprachen, sondern auch mit einem Besuch von Eva Boy, die für einige Tage aus München nach Berlin kommt. Spontan fällt der Entschluss, eine kurze Reise an die Ostsee zu unternehmen. Ende Juni/Anfang Juli 1932 besucht man Binz, Rügen und Hiddensee. Marta hat offenbar keine Einwände. Mit ihr wird Lion die Ostseereise wenig später wiederholen, freilich im großen Stil. Vorerst genießt Lion das intime Zusammensein mit der von ihm verehrten Eva. Und nach der Rückkehr ein paar ruhige Tage in Berlin: »das wetter ist schön, der josephus ist was geworden, wirtschaftlich geht es mir gut, abgesehen von ganz kleinen tücken geht es mir gesundheitlich ausgezeichnet, dennoch bin ich grantig. es ist doch wohl der gestank der dummheit und roheit ringsum, der einem in deutschland das leben verekelt.«[302] Am 20. Juli 1932 geht es mit dem Auto – Marta fährt – für drei Wochen an die Ostsee. Es ist eine letzte Erholung vor den anstrengenden Vorbereitungen für die USA-Reise. Die erste Station ist Zoppot. Von dort aus geht es weiter über Königsberg auf die Kurische Nehrung. In Nidden, man ist hier im Hotel »Königin Luise« abgestiegen, begegnet man Anfang August dem Ehepaar Mann, das in großer Gesellschaft einherpromeniert. Die Manns besitzen seit 1930 in Nidden ein Sommerhaus. Irritiert registriert Lion, dass man von Katia Mann offenbar absichtlich ignoriert wird. Sie »sieht zur Seite, um uns nicht zu sehen.«[303] Lion genießt die Tage am Meer, erholt sich und sammelt Kräfte für den Endspurt der USA-Vorbereitungen. »im ganzen war die reise sehr geglückt, nicht aufregend, die hotels alle sehr primitiv, die gegend besonders schön, das wetter sehr gut (…). ich hatte mir keine post nachschicken lassen, sodaß ich mich ausschließlich mit baden, barfuß im sand laufen und dergleichen beschäftigte unter der strengen oberaufsicht martas.«[304] Offenbar dient die Reise nach Litauen auch dazu, Abstand von den turbulenten Verhältnissen in Deutschland zu gewinnen. Gegenüber Eva Boy deutet Lion wiederholt an, dass er eine Rückkehr nach Berlin auch von der politischen Entwicklung abhängig zu machen gedenkt: »Bleibt es in Deutschland ruhig, dann fahre ich so um den 5. August zurück nach Berlin. Wenn nicht, bleibe ich vorläufig in Litauen.«[305]

Es gibt gute Gründe für diese Zurückhaltung. In Deutschland ist die politische Lage prekär. Seit 1930 werden die Geschicke des Landes von Minderheitsregierungen bestimmt, die lediglich durch die Unterstützung des Reichspräsidenten Paul von Hindenburg legitimiert sind. Wirtschaftskrise und soziale Not treiben den antidemokratischen Feinden der ungeliebten Weimarer Republik die Menschen zu. Auf offener Straße liefern sich Kommunisten und Nationalsozialisten heftige, oft auch gewalttätige und blutige Auseinandersetzungen. Im Sommer 1932 scheint die Lage zu eskalieren. Beim »Altonaer Blutsonntag« am 17. Juli fallen 18 Menschen einer Schießerei zwischen Anhängern der NSDAP, der KPD und der Polizei zum Opfer. Reichskanzler Franz von Papen nutzt die Gelegenheit zum »Preußenschlag« und setzt per Notverordnung die sozialdemokratische Regierung in Preußen ab. Es herrscht militärischer Ausnahmezustand. Die Reichstagswahl vom 31. Juli endet für die demokratischen Kräfte in einem Desaster. Mit 37,4 Prozent wird die NSDAP zu stärksten politischen Kraft. Mit Hermann Göring übernimmt erstmals ein Nationalsozialist das Amt des Reichstagspräsidenten. Lion Feuchtwanger, der die Entwicklung mit großer Sorge beobachtet, weiß genau: Je stärker und maßloser der aggressive und antisemitische Nationalsozialismus auftritt, umso größer wird die Gefahr für sein eigenes Leben. Denn gerade dem Verfasser von »Erfolg« gilt der Hass der Braunhemden in einem ganz besonderen Maß.

Mitte August 1932 tritt eine verhaltene Entspannung der Lage ein. Die NSDAP, obwohl stärkste Fraktion im Reichstag, lehnt eine Regierungsbeteiligung ab, und der ehemalige Zentrumspolitiker Franz von Papen bleibt als Reichskanzler in einer von Hindenburg gestützten Minderheitsregierung vorerst im Amt. Lion und Marta kehren nach Berlin zurück. Die ganze Aufmerksamkeit richtet sich wieder auf das USA-Engagement. Um Lions Konversationsfertigkeiten zu verbessern, wird ein aus England stammender *Native Speaker* engagiert, der in den nächsten Wochen regelmäßig für zwei Stunden in die Villa an der Mahlerstraße kommt, um seinen bisweilen widerwilligen Schüler auf Gespräche mit Journalisten, Tischdamen und einflussreichen Honoratioren vorzubereiten. Der junge Mann mit Namen Mark Baker »ist aber nur mäßig gebildet, und sein hauptvorzug ist eine ungeheuer deutliche aussprache, bei der man jeden laut gewissermaßen entstehen sieht. leider kann man, dh ich ihn dann noch lange nicht nachmachen.«[306] Schon jetzt werden erste Interviewtermine mit amerikanischen Journalisten arrangiert, auch der Rektor der Universität von Chicago bittet um einen Termin. Lions Euphorie bleibt unterkühlt. Er ist immer noch skeptisch, ob er den Erwartungen genügen kann. Vor allem zweifelt er am Erfolg des intensiven Privatunterrichts. Anfang September 1932 notiert er in sein Tagebuch: »Das Englisch macht mir viel Mühe und Sorgen, ob ich in Amerika durchkommen werde.«[307] Ähnlich sieht dies offenbar auch Lions amerikanischer Verleger Ben Huebsch, der sein Sorgenkind Anfang September 1932 in Berlin aufsucht und »unangenehm erstaunt« ist über Lions schlechtes Englisch. »mit recht«, wie Lion freimütig einräumt.[308] Erschwerend kommt hinzu, dass man ihm nahelegt, vor dem amerikanischen Publikum frei zu sprechen. So beginnt Lion, seine Vorträge auswendig zu lernen. Kein Wunder, dass die Zweifel an dem Unternehmen wachsen, doch ein Rückzieher wäre Vertragsbruch, und der eigenen Ängstlichkeit nachzugeben, wäre demütigend. »diese amerika-reise ist bestimmt die letzte konzession, die ich meiner karriere mache«, teilt Lion Eva Boy Ende August 1932 entnervt mit.[309] Kurz darauf gibt er offen zu: »es ist ein blödsinn, daß ich diese amerikanische geschichte angenommen habe, die mir eine sauarbeit macht und mich alles in allem um ein jahr ernsthafte arbeit bringt.«[310] Bemühungen Lions, das Programm – und damit auch den Aufenthalt in den Staaten – abzukürzen, werden von den amerikanischen Partnern verworfen. Insbesondere der fulminante Erfolg des ersten Bandes der

»Josephus«-Trilogie zwingt Lion, das vereinbarte Format zu akzeptieren. Von der renommierten »Literary Guild« ist der »Josephus«, der am 7. Oktober 1932 in den USA in die Läden kommt, bereits als Buch des Monats ausgewählt worden. Am 1. November 1932 reist Lion in Begleitung von Marta nach England. Am Bahnhof Zoo besteigen beide den Zug; Bertolt Brecht, der die Freunde an den Bahnsteig begleitet hat, bleibt winkend zurück. Noch ahnt niemand: Der Abschied von Berlin ist ein Abschied ohne Wiederkehr. In London, wo die Feuchtwangers im »Connaught Hotel« logieren, sind bereits Termine mit Journalisten und geschäftliche Verabredungen vereinbart. Große Erwartungen knüpft Lion an Gespräche mit dem Produzenten Michael Balcon von »Gainsborough Pictures« und Vertretern der Filmproduktionsfirma »Gaumont-British Picture Corporation«, die über eine Verfilmung des Romans »Jud Süß« verhandeln möchten. Die Unterredungen verlaufen jedoch nicht im Sinne Lions. Ärgerlich resümiert er am 9. November »schwierige und widerliche Verhandlungen mit den Filmleuten«.[311] Worin die Differenzen zwischen Autor und Filmproduktion liegen, ist nicht ganz klar. Möglicherweise vermisst Lion eine klare Zuordnung des historischen Stoffes zum deutschen Antisemitismus und Rassenhass der Gegenwart. Gleichwohl konkretisiert sich das Projekt. 1933 beginnen die Arbeiten am Drehbuch, mit Schauspielern werden erste Vertragsgespräche geführt. Die Regie legt man in die Hände eines erfahrenen Hollywood-Regisseurs: Der 1894 in Berlin geborenen Lothar Mendes hat bereits 1926 ein Engagement bei Paramount angenommen und seine Professionalität in verschiedenen Filmgenres unter Beweis gestellt. »Jud Süß« ist Mendes' erste Regiearbeit für eine englische Produktionsfirma. Für die Titelrolle des Joseph Süß Oppenheimer wird Conrad Veidt verpflichtet, der 1920 mit seinem Auftritt in dem expressionistischen Stummfilm »Das Cabinet des Dr. Caligari« berühmt geworden ist und ebenfalls auf Hollywood-Erfahrung verweisen kann. Aus Rücksicht auf seine jüdische Ehefrau Ilona Preger-Bata kehrt Veidt 1933 Deutschland den Rücken. Auch seine Entscheidung, in diesem Film die Hauptrolle zu übernehmen, ist eine Lebensentscheidung: Heinrich Fraenkel, Mitarbeiter am Drehbuch von »Jud Süß«, erinnert sich, dass Veidt als »Idealbesetzung« für die Rolle der »sehr imposanten und ehrgeizigen Persönlichkeit« galt. Die Produktionsfirma ist sich aber bewusst, »daß gerade diese Rolle ihm Hitlers und Goebbels' Todfeindschaft eintragen würde. Für ihn bedeutete die Entscheidung nichts weniger als das Ende seiner deutschen Filmkarrieren.«[312]

Nach den unersprießlichen Filmverhandlungen mit Balcon und »Gaumont« beginnt für Lion der offizielle Teil seiner Vortragsreise. Ein Auftritt an der Universität London bietet Gelegenheit für ein erstes Erproben der mühsam erworbenen Sprachkenntnisse. Selbstkritisch kommentiert Lion seine *Performance*: »Einiges ist mißglückt, aber im ganzen sehr gut. Starker Beifall, ich glaube, es war ein wirklicher Erfolg. (…) Dann der Zionistenführer Weizmann da. Nicht unsympathisch.«[313] Nach dieser ersten Aufregung beginnt am 12. November 1932 von Southampton die Passage auf der »Europa«, einem Schiff des Norddeutschen Lloyd, über den Atlantik. Der Abschied von Marta, die ihn bis zum Dampfer begleitet, fällt schwer. Während der Reise verhindern Unwohlsein und Seekrankheit ein konzentriertes Arbeiten. Allerdings lässt sich Lion von dem an Bord befindlichen Schriftsteller Joseph Hergesheimer im amerikanischen Slang unterrichten.

Die »Europa« legt am 17. November 1932 in New York an. Hier, an der amerikanischen Ostküste, beginnt jetzt der vom »Pond Lecture Bureau« organisierte offizielle Teil des Programms; Lion muss repräsentieren, unterhalten und Vorträge halten. Für seine *Lectures* hat er verschiedene Themen vorbereitet: »Human Nature Unaltered by Time«, »Revival of Barbarism in Modern Times«, »Americanism in Europe« und »The Meaning of Judaism Today«. Nach der Ankunft des Schiffes warten schon die ersten Journalisten auf Statements über die Lage in Deutschland und über das eigene literarische Schaffen. Noch gibt sich Lion gelassen: »Ich spreche in ziemlich geläufigem Englisch viel Unsinn, der den Burschen gefällt.«[314] Schmeichelnd erzählt er den erstaunten Reportern, dass er deren Englisch erheblich besser versteht als das der »Englishmen«. Und widerwillig lässt er sich zu einem Statement über die politische Situation in Deutschland überreden. Dazu gehört auch die Aussage, dass man künftig nur mehr Geschichtsbücher über Hitler schreiben werde. Der Mann, so Feuchtwanger optimistisch, sei erledigt.[315] Ein fataler Irrtum. Nach einem kurzen Aufenthalt im noblen »Waldorf Astoria« folgt ein ermüdendes Reiseprogramm. Noch aus New York telegraphiert Lion an Eva Boy: »Erfolg ausserordentlich Anstrengung ebenso.«[316] Die dreieinhalbmonatige Tournee führt von New York über Atlanta, Athens, Albuquerque, Santa Fé, Los Angeles (wo er mit dem Film-Tycoon Carl Laemmle, mit Charles Chaplin und Albert Einstein zusammentrifft), San Francisco, San Quentin, Chicago und Louisville zurück nach New York. Hier hat Lion Gelegenheit zu einem Gespräch mit Eleanor Roosevelt, der Frau von Franklin D. Roosevelt, der gerade als Kandidat der Demokratischen Partei zum neuen Präsidenten der USA gewählt worden ist. Die Begegnung wird sich einige Jahre später als schicksalhaft erweisen. Weitere Stationen sind Washington, D.C., Akron, Pittsburgh, Boston, Philadelphia und Wilkes-Barre.

In allen Städten ist neben dem obligatorischen Vortrag ein gesellschaftliches Rahmenprogramm zu absolvieren: Lunch und Dinner mit wichtigen Repräsentanten, Cocktailpartys in kulturbeflissenen Herren- und Damenklubs, geistreicher *Small Talk* inbegriffen. In Atlanta leidet Lion besonders unter der Erwartung seiner Gastgeber:»Ich bin ziemlich nervös. Ich lese schlecht, das Auditorium ausschließlich Frauen, wichtigmacherische Gesellschaftswichtel, einige ganz nett und gescheit. (…) Dann sehr müde zur Neger-Universität. Sehr interessant. Ich verspreche, dort zu lesen. Am Abend rufen deutsche Leute mich an, ich muß mit ihnen ausgehen. Sie haben mitten im Baumwollen-Bezirk einen barbarischen deutschen Kleinstadtklub errichtet mit Heidelberg und Bierschenke und Erntefest. Greulich. Dann zeigen sie mir Negerkirchen mit herrlichem Gesang und ein schauerliches Gefängnis, das wie ein zoologischer Garten aussieht.«[317] Das »Martyrium« wird am nächsten Tag fortgesetzt:»Ich werde in dickem Nebel nach Athens gefahren; dort bei allen Professoren herumgereicht, von einem Haus zum andern, zum Tee, zu Cocktails, dann zu einem Professoren-Abendessen, dann wieder zu einer Professoren-Gesellschaft. Nette junge Frauen; ich sehr müde. Komme endlich todmüde zu Bett.«[318] Der erhoffte Erfolg der Vortragsreise stellt sich indessen nicht ein. Bei einem Zwischenaufenthalt in New York muss Lion von seinem Agenten erfahren, dass örtliche Veranstalter unzufrieden sind und teilweise ihr Geld zurückfordern. Das amerikanische Publikum erwartet einen *Entertainer*, der mit würzigen Anekdoten und griffigen Aperçus für einen kurzweiligen Abend sorgt. Was sie bekommen, ist ein steifer, bisweilen unsicherer Literat, der in einem bayerisch eingefärbten, kaum verständlichen, monotonen Englisch mit befremdlich hoher Stimme seine Texte abspult und das Auditorium mit anspruchsvollen Gedanken überfordert.

Zu den Höhepunkten des strapaziösen USA-Abenteuers gehört zweifellos der Besuch der Westküste. In Los Angeles trifft Lion zweimal mit Charles Chaplin zusammen, mit dem er die Idee eines »Hitler-Films« erörtert; aus der Begegnung entsteht eine Freundschaft, die später während Lions kalifornischem Exil vertieft werden wird. Womöglich ist das Gespräch mit Chaplin auch dessen erste Inspiration für die legendäre Hitler-Karikatur »Der große Diktator«, die ab 1940 in den Kinos läuft. In sein Tagebuch notiert Lion:»Chaplin ist hingerissen von meinen

Ideen über einen Hitlerfilm.«[319] Auch ein Treffen mit Albert Einstein wird arrangiert, der sich vorübergehend am renommierten »California Institute of Technology« (CalTech) in Pasadena aufhält. Zwischen dem Schriftsteller und dem Physiker entsteht jedoch keine intime Nähe: »Einstein redet wenig und selbstgefällig. Er ist furchtbar saturiert. Es dauert ziemlich lange. Ich streite scherzhaft mit seiner Frau über unser Englisch.«[320] Zurück an der Ostküste hört Lion am 30. Januar 1933 während eines Lunch ausgerechnet in der deutschen Botschaft die Schreckensnachrichten aus Deutschland: Die NSDAP hat die Macht übernommen. »Besonders merkwürdige Ironie, daß der deutsche Botschafter mir an dem Tag einen Lunch gibt, an dem Hitler Kanzler wird. – The lights are against me.«[321] Unverblümt teilt Lion dem Botschafter Friedrich-Wilhelm von Prittwitz und Gaffron seine unheilvolle Prognose mit: »Hitler bedeutet Krieg.« Von Prittwitz, ein im liberalen Geist erzogener Diplomat und kein Freund der Nationalsozialisten, fällt durch seine »Nachlässigkeit« gegenüber dem verhassten Schriftsteller bei den neuen Machthabern in Ungnade und wird sein Amt wenige Wochen später zur Verfügung stellen.

Die letzten Stationen der Vortragsreise führen Lion Anfang Februar 1933 nach Akron (wo er die Reifenfabrik Goodyear besichtigt), Pittsburgh, Boston, Philadelphia und Wilkes-Barre. Der letzte Auftritt wartet am 18. Februar in New York. Die vielfältigen Aktivitäten und zahllosen Begegnungen lenken Lion zwar von den Ereignissen in Deutschland ab. Seine sorgenvollen Überlegungen, was nach Abschluss des USA-Engagements zu tun sei und ob es angeraten ist, zum gegenwärtigen Zeitpunkt nach Deutschland zurückzukehren, werden aber Tag für Tag drängender. Auch in Amerika ist die Unruhe zu spüren, die die nationalsozialistische »Machtergreifung« ausgelöst hat. Lion wird mit Fragen zu den aktuellen Ereignissen und zur Zukunft Deutschlands bestürmt. Im Mittelpunkt eines im New Yorker »Hotel Commodore« zu Ehren des deutschen Gastes organisierten Nachmittagsempfangs steht am 8. Februar 1933 ebenfalls die große Politik. Mit giftigem Sarkasmus kommentiert der deutsche Schriftsteller den Bucherfolg seines »Kollegen« Hitler. Dessen 140 000 Wörter umfassender Bestseller »Mein Kampf« enthalte 140 000 Fehler. »Wenn man ganz präzise sein möchte«, so Feuchtwanger, »dann enthält das Buch 139 900 Fehler. Denn in den ersten Auflagen gab es 100 Wörter, die inhaltlich und formal ganz korrekt waren.« Diese seien inzwischen aber entfernt worden.[322] Einige Tage später spitzt er seinen Spott über den Schriftsteller Hitler noch zu. Auf Einladung des »Jewish Writers Club« erklärt er den 800 Zuhörern, dass es vernünftiger sei, über den Schriftsteller als über den Reichskanzler Hitler zu sprechen. Und er gibt potentiellen »Mein Kampf«-Lesern im Publikum den Rat, die Lektüre im Original zu vermeiden: »Denn jede Übersetzung ist zweifellos besser als das Original.«[323] Am 1. März 1933 verlässt Lion Feuchtwanger New York, um nach Europa zurückzureisen. Gegenüber amerikanischen Journalisten zeigt er sich furchtlos, kämpferisch und, trotz aller Warnungen, zur Rückkehr nach Berlin entschlossen. Er rechne nicht mit Repressalien der neuen Regierung und betont, dass Deutschland nun seine Intellektuellen brauche, um das Land gegen den Schriftsteller-Herrscher Hitler zu verteidigen.[324] Dennoch bucht Lion im letzten Augenblick vorausschauend seine Atlantik-Passage um: Statt auf der »Albert Ballin«, einem Schiff der deutschen Hamburg-Amerika-Linie, reist er auf der britischen »Aquitania«, »um nicht auf dem deutschen Dampfer Unannehmlichkeiten von den Hitlerleuten zu haben«.[325] Am 8. März erreicht die »Aquitania« Cherbourg. Über Paris reist Lion weiter ins österreichische St. Anton, wo er Marta beim Wintersport weiß. Noch vermag Lion Feuchtwanger die Tragweite der politischen Veränderungen in Deutschland nicht endgültig abzuschätzen. Sein Verleger Fritz Landshoff hat es schwer, ihn »zu überzeugen, daß eine Rückkehr nach Berlin völlig unmöglich und in höchstem Maße lebensgefährlich sein würde.«[326] Aber die intensiven Warnungen von Freunden, die Begegnungen mit ersten Emigranten in Paris und die permanenten Meldungen von den grausamen Begleiterscheinungen der »nationalen Erhebung« machen ihm bewusst, dass an eine Einreise nach Deutschland einstweilen nicht zu denken ist. Es ist eine kluge Einsicht, die dem Schriftsteller vermutlich das Leben rettet. Andere, die bleiben, werden schon kurze Zeit nach der »Machtergreifung« Opfer der neuen Verhältnisse. Erich Mühsam, Feuchtwangers Freund aus Münchner Zeiten, wird im Zuge der Verfolgungsmaßnahmen um den »Reichstagsbrand« verhaftet und schwer misshandelt. Der Aktivist der Münchner Räterepublik und bekennende Anarchist ist den neuen Machthabern besonders verhasst. Nach einer Odyssee durch diverse Berliner Haftstätten wird Mühsam schließlich im Januar 1934 in das KZ Oranienburg verlegt und in der Nacht zum 10. Juli 1934 auf grausame Art ermordet. Auch Carl von Ossietzky, der Pazifist und Herausgeber der »Weltbühne«, wird ein Opfer der NS-Willkür. Wie Erich Mühsam wird von Ossietzky am 28. Februar 1933 verhaftet. Seine Gesundheit wird in einem der berüchtigten Emsland-KZ ruiniert. Um den lebensgefährlich erkrankten Mann zu retten, initiieren Freunde und politische Weggefährten 1934 eine internationale Kampagne, die Ende 1936 zur Verleihung des Friedensnobelpreises führt. Der gesundheitlich schwer angeschlagene von Ossietzky wird zwar aus der KZ-Haft entlassen, stirbt aber am 4. Mai 1938 in Berlin an den Folgen seiner TBC-Erkrankung.

Gespannt und mit großer Nervosität verfolgen Lion und Marta im »Grand Hotel« von St. Anton die Nachrichten aus Deutschland. Glücklicherweise ist man nicht allein. Eva Boy ist mit ihrem Verlobten Anthony van Hoboken gekommen, und auch Bertolt Brecht macht kurz Station am Arlberg. Es sind dramatische Tage, aber wie viele andere auch ist die kleine Gruppe überzeugt, dass das Hitler-Regime nur eine vorübergehende Episode sein kann, dass die vernunftbegabten politischen Kräfte die Oberhand zurückgewinnen werden. Pogrome gegen Juden, enthemmte Gewalt und ungezügelter Mord scheinen in einem Land, dessen Kultur sich auf Bach, Beethoven, Goethe und Schiller beruft, unvorstellbar. Doch die Nachrichten von ungeheuerlichen Aggression gegen Juden, gegen politisch Andersdenkende und Gewerkschafter sind schockierend und belehren die vorsichtig abwartenden Exilanten eines anderen. Dank dem bewussten Wegschauen von Polizei und Justiz werden Übergriffe von uniformierten NSDAP-Anhängern nicht nur möglich, sondern gewissermaßen zum hoheitlichen Akt. Die Gleichschaltung von Institutionen wird im Eiltempo vorangetrieben. Der Brand des Reichstages Ende Februar 1933 leistet der Selbstentmachtung des Parlaments Vorschub; Meinungs-, Presse- und Versammlungsfreiheit werden radikal eingeschränkt. Am 9. März 1933 fällt auch in Bayern, dem letzten der demokratischen deutschen Länder, die durch Wahl legitimierte Regierung des BVP-Politikers Heinrich Held. In der Nacht zum 10. März wird der langjährige Innenminister Karl Stützel, einer der aktivsten Nazi-Gegner der letzten Jahre, im Nachthemd und barfuß durch München geschleppt und im »Braunen Haus« an der Briennerstraße schlimm misshandelt. Die Nationalsozialisten errichten auch in der »Hauptstadt der Bewegung«, die von Lion Feuchtwanger so prägnant beschrieben worden ist, ein Regiment aus Terror und Schrecken. Unter der Ägide des neuen Münchner Polizeipräsidenten Heinrich Himmler entsteht Ende März 1933 im nahegelegenen Dachau eines der ersten deutschen Konzentrationslager. Das KZ Dachau wird zu einem nationalsozialistischen Musterbetrieb für Rechtlosigkeit, Demütigung, Gewalt; Dachau wird in der Welt zu einem Synonym für Terror, Rassenhass und Mord.

Am 13. März 1933 erreicht Lion aus Zürich ein Eilbrief seiner Sekretärin Lola Sernau, in dem die schlimmsten Befürchtungen bestätigt werden: Eine Rückkehr nach Deutschland wäre selbstmörderisch, das Haus in der Mahlerstraße ist am 10. März von SA-Männern geplündert und besetzt worden, das Personal misshandelt, Auto und Schreibmaschine beschlagnahmt und gestohlen, alle Papiere und auch die Manuskripte, darunter der unersetzliche zweite Teil des »Josephus«, sind verloren. Lediglich einige Bücher und Notizen kann Lions Assistent Werner Cahn-Bieker retten. Was Lion nicht weiß: Fieberhaft versuchen die deutschen Polizeibehörden seiner Person habhaft zu werden. Sein Name steht ganz oben auf der Fahndungsliste. Ratlos telegraphiert der Berliner Polizeipräsident nach Bayern, »wo zu ermitteln schriftsteller lion feuchtwanger«, und ordnet wenige Tage später in der Hoffnung, dieser werde versuchen, in seiner bayerischen Heimat unterzutauchen, an: »feuchtwanger beim betreten wegen verdacht landesverrats festnehmen.«[327] Für den Ausgestoßenen, der die Gefahr nur intuitiv erfassen kann, sind die nächsten Schritte genau zu überlegen. Die Zukunft ist unsicher und alle Maßnahmen müssen mit Sorgfalt abgewogen werden. Noch scheint das österreichische Ausland sicher. Doch auch hier, wo der Austrofaschist Engelbert Dollfuß seit 5. März ein autoritäres Regime installiert hat, ist die Entwicklung ungewiss. Es ist besser, nicht in der Alpenrepublik zu bleiben. »Ich glaube vorläufig nicht, daß Österreich das Rechte für mich ist«, teilt Lion seinem Freund Arnold Zweig mit.[328] Kurz entschlossen fällen Lion und Marta die Entscheidung, so rasch wie möglich in die Schweiz auszureisen. Bis zum Grenzübergang Feldkirch sind es knapp 70 Kilometer. Am 17. März 1933 notiert Lion in seinem Tagebuch: »Viel Kleinzeug. Gepackt. (…) Marta ziemlich nervös. Zug im letzten Augenblick knapp erreicht. Über die Schweizer Grenze gefahren. Froh, daß wir drüben sind, Hotel ziemlich mäßig.«[329]

Von Zürich reist man weiter nach Wengen bei Bern, wo Lola Sernau wartet. Von hier aus möchte Lion seine Vermögensverhältnisse ordnen und von dem in Deutschland verbliebenen Eigentum so viel wie möglich in Sicherheit bringen. Denn man ist weitgehend mittellos im vorläufigen Schweizer Exil gestrandet. Die Aussichten sind deprimierend. Der gesamte materielle Besitz, die Villa in Dahlem mitsamt Inventar ist unwiederbringlich verloren. Der Zugriff auf bewegliches Vermögen wie Guthaben auf deutschen Bankkonten wird von den Behörden kontrolliert. Natürlich ist die Feuchtwanger-Bank, bei der Lion seine Konten hat, als jüdisches Haus im Fadenkreuz der Behörden. Ein Berliner Rechtsanwalt, der Ende März eigens nach Bern kommt, um Lion zu beraten, räumt etwaigen Aktivitäten nur geringe Erfolgschancen ein. Verärgert schreibt Lion in sein Tagebuch: »Er erweist sich als ein ziemlich unsympathischer sehr zaghafter Herr, der überhaupt nichts sagen kann. (…) Er ist sehr teuer. Sagt nur, daß alles nicht möglich ist. Positiv weiß er nicht zu raten.«[330] Trotzdem unternimmt Lion in den nächsten Wochen Schritte, um zumindest Teile seines Vermögens in Sicherheit zu bringen. Vergeblich. Mehr und mehr verstärkt sich der beunruhigende Eindruck, dass die »Machtergreifung« in Deutschland keine kurzfristige Momentaufnahme ist. Im Gegenteil. Die neue »nationale Regierung« kann ihre Herrschaft festigen und ausweiten. Erstaunlich rasch arrangiert sich Lion mit den ernüchternden Gegebenheiten. Als er am 24. März 1933 in Bern eine neue Schreibmaschine erwirbt, kommentiert er diese Anschaffung in seinem Tagebuch lapidar mit den Worten: »Neues Leben«.[331] Aus dem knappen Statement spricht eine bemerkenswerte Abgeklärtheit, eine erstaunliche Fähigkeit zu sachlicher Bestandsanalyse trotz widriger Umstände. Hier wird deutlich: Dieser Lion Feuchtwanger ist kein Mensch, der zögert und zaudert, er ist kein Freund komplizierter Aushandlungsprozesse von Lebensentscheidungen. Lion besitzt die erstaunliche Fähigkeit, die faktische Kraft von Entwicklungen und Situationen rasch zu erkennen und diesen Befund im vollen Bewusstsein seiner Tragweite zu akzeptieren. Das hat nichts mit demütigem oder gar phlegmatischem Geschehenlassen zu tun, sondern ist die Frucht eines bemerkenswerten Realitätssinnes, der für spekulative Sehnsüchte nur wenig Raum lässt. Komplementär zur Feuchtwanger'schen Abgeklärtheit stehen persönlicher Mut und eine fast unbeirrbare Zuversicht in die Kraft und Nachhaltigkeit des eigenen Wollens und Könnens. Und die Bereitschaft, neuen Erfahrungen als Bereicherung des eigenen Lebens freimütig die Tür zu öffnen. Diese Einstellung teilt er mit seiner Frau Marta.

Als am 21. März 1933 eine empörte, ja wütende Anklage Lion Feuchtwangers in der »New York Times« erscheint, in der er vor der Weltöffentlichkeit die Untaten der NSDAP und ihrer Gefolgsleute offenlegt, ist der endgültige Bruch mit Deutschland vollzogen. Ende März 1933 fassen Lion und Marta Feuchtwanger den Beschluss, die Schweiz so rasch wie möglich in Richtung Südfrankreich zu verlassen. Die Côte d'Azur ist Lion und Marta von der Hochzeitsreise 1912 noch in guter Erinnerung, und die Vorstellung, sich dort ein provisorisches Zuhause einzurichten, ist vielversprechend. Hinzu kommt, dass die Schweiz ein vergleichsweise teures Exilland ist. Darüber hinaus ist schon im Frühjahr 1933 ein wachsendes Misstrauen der Schweizer Behörden spürbar, die den Zustrom von verfolgten Deutschen, darunter viele Juden, Sozialisten und Kommunisten, mit Argwohn beobachten. Von den zwei deutschsprachigen Exiloptionen Schweiz und Österreich ist die Schweiz wegen ihrer Neutralität und der vergleichsweise stabilen politischen Verhältnisse erste Wahl. Eine zentrale Anlaufstelle für viele heimatlose Deutsche ist Lugano. Im Frühjahr 1933 finden sich hier Bruno Frank, Thomas Mann, Leonhard Frank, die Volkskundlerin Ellen Ettlinger und viele andere ein. Hier tauscht man sich aus, erörtert Zukunftsperspektiven, macht sich gegenseitig Mut, leistet Beistand. Auch Lion Feuchtwanger fährt am 5. April nach Lugano, wo er mit seinem Freund Bertolt Brecht verabredet ist. Brecht, der gemeinsam mit Helene Weigel unmittelbar nach dem Reichstagsbrand Deutschland verlassen und sich nach Prag gerettet hat, hält sich gerade im Tessin auf, war in Zürich, hat Hermann Hesse in Montagnola besucht und denkt offenbar darüber nach, vorerst bei seinem alten Freund Kurt Kläber, einem kommunistischen Schriftsteller, im beschaulichen Dorf Carona auf der Halbinsel im Luganer See zu bleiben. In einem Brief an den Schriftsteller Bernard von Brentano wirbt Brecht intensiv für diese Option:»Lieber Brentano, man kann hier ganz leicht unterkommen. (…) Zum Beispiel geradezu ideal in Carona, wo Kläbers wohnen. Aber dort braucht man das Auto. Werden Sie es herholen? Schreiben Sie mir das gleich! Das meine kriege ich schwer her. Können Sie nicht mal herschauen? Herzlich Ihr alter brecht«.[332] Gemeinsam mit Kläber entwickelt Brecht die Idee, in Carona eine Kolonie vertriebener Schriftsteller zu etablieren. Noch kann man hier komfortable Häuser einigermaßen preiswert anmieten. Anna Seghers, Alfred Döblin und Lion Feuchtwanger sind Namen, die das Vorhaben veredeln sollen. Seinen Freund Feuchtwanger kann Brecht beim Treffen Anfang April 1933 jedoch nicht überzeugen. Und auch Brecht selbst nimmt bald Abstand von dem Vorhaben, da er als marxistischer Autor in der Schweiz auf wenig Sympathie stößt und in dem teuren Land auf Dauer keine Existenzgrundlage erkennen kann.

Im Sommer 1933 verlassen Brecht und Weigel die ungastliche Schweiz und gehen nach Dänemark. Die Idee der Schriftstellerkolonie wird dennoch Realität: zwar nicht in Lugano, aber rund 550 km südwestlich, an der Côte d'Azur. Rund um die Orte Bandol, Saint-Cyr und Sanary finden sich zwischen 1933 und 1940 nahezu alle großen Namen des Exils ein. Für einige Jahre wird der kleine Fischerort Sanary-sur-Mer zum unumstrittenen Mittelpunkt der aus Deutschland vertriebenen geistigen Elite, zur»Hauptstadt der deutschen Literatur« (Ludwig Marcuse).

1933: Sanary-sur-Mer

»Es war zu spät für mich, in Deutschland noch
irgend etwas zu retten. So muß ich wohl alles, was
dort war, verloren geben. Mir ist es vor allem leid
um das Haus und die Bücher, viel mehr als um das
Geld. Marta ist es leid um den Garten.«[333]

Wie für viele andere markiert die nationalsozialistische Machtübernahme am 30. Januar 1933 für Lion und Marta Feuchtwanger eine
lebensgeschichtliche Zäsur. Die zutiefst menschenfeindlichen Hetzti-
raden, die im »Völkischen Beobachter«, im »Stürmer« und bei unzähligen Kundgebungen bislang meist nur »rhetorisch« Verbreitung
gefunden haben, erhalten nun hoheitliche Legitimation. Vor allem die
deutschen Juden werden mit eilfertiger Systematik und atemberauben-
der Präzision zu rechtlosen Parias herabgewürdigt. Schon am 1. April
1933 verbreitet eine reichsweite »Boykottaktion« Angst und Schrecken
unter der jüdischen Bevölkerung. Vor Anwaltskanzleien, Arztpraxen
und vor Geschäften jüdischer Eigentümer werden SA-Männer positioniert, Kunden werden beschimpft und vom Kauf abgehalten, vereinzelt
kommt es zu Gewalttaten gegen Juden. Zu den Auslandsberichten, die
meist wahrheitsgemäß über die Schreckensherrschaft der NSDAP
berichten, gehört auch ein Beitrag der »New York Times« vom 21. März
1933, in dem unter der Überschrift »Terror in Germany Amazes Nove-
list« die Zustände in Deutschland angeprangert werden. Autor Lion
Feuchtwanger: »Während meiner Reise über den Atlantik erhielten wir
auf dem Schiff verstörende telegraphische Nachrichten über die
Gewaltakte gegen Juden. Diese Nachrichten schienen unzutreffend,
aber in Paris traf ich die ersten Flüchtlinge aus Deutschland. Die
Geschichten, die sie erzählten, waren fürchterlich. Sie haben mir von
Vorgängen berichtet, neben denen die Berichte von Grausamkeiten aus
dem Weltkrieg verblassen.«[334] Wenige Tage nach dem Erscheinen des
Artikels erhält Lion von einer Freundin aus Deutschland die vertrauliche Mitteilung, dass ihn die deutschen Juden hassen würden, »weil sie
den Boykott ihrer Geschäfte auf mich zurückführen«.[335] Die Perfidie

der Nationalsozialisten, mit Propaganda Ursache und Wirkung zu verdrehen und Schuld den Unschuldigen zuzuschreiben, funktioniert offenbar hervorragend.

Lion Feuchtwanger gehört zu denjenigen Persönlichkeiten, die den Nazis besonders verhasst sind. Auf ihn können alle stigmatisierenden Negativmerkmale in geradezu idealtypischer Weise übertragen werden: Er ist Jude, steht politisch links, ist ein erfolgreicher Schriftsteller und durch seine Literatur zu internationalem Ansehen gelangt. Vor allem mit seinem 1930 erschienenen München-Roman »Erfolg«, in dem er Hitler als proletenhafte Karikatur Rupert Kutzner verspottet, hat sich Feuchtwanger in den Rang einer zentralen Hassfigur der neuen Machthaber hineingeschrieben. Es ist dieser die primitive Dummheit der NS-Bewegung so schonungslos entlarvende Roman, der Joseph Goebbels 1933 veranlasst, Feuchtwanger in einer Rundfunkrede als »ärgsten Feind des deutschen Volkes« zu bezeichnen.[336] Dieser Staatsfeind Nr. 1 hat ähnlich wie Thomas Mann und Oskar Maria Graf das lebensrettende Glück, dass er sich im Augenblick, als sich in Deutschland die Zeiten bedrohlich ändern, im Ausland befindet. Und wie die beiden verfemten Münchner Schriftsteller Mann und Graf wird auch Lion Feuchtwanger aus Sorge um sein Leben nicht mehr nach Deutschland zurückkehren. Die Betroffenen retten zwar ihr Leben, aber sie verlieren die Heimat. Sie verlieren ihr gesamtes soziales und kulturelles Bezugssystem, wie es für einen Schriftsteller so unverzichtbar ist. Das Verlassen des eigenen Kulturkreises geht einher mit einem weitgehenden Verstummen des Instruments der literarischen Artikulation: der Sprache. Denn Sprache begründet nicht nur Identität, sondern ist auch poetisches Ausdrucksmittel. Und es bedeutet den Verlust des wichtigsten Resonanzraumes, den ein Schriftsteller hat: der Leser. Der Beruf des Schriftstellers lässt sich in kaum einer anderen als der Muttersprache ausüben. Für Schalom Ben-Chorin, den 1913 als Fritz Rosenthal in München geborenen und 1935 emigrierten Dichter und Religionsphilosophen, ist dies der entscheidende und vor allem ernüchterndste Aspekt seiner Flucht: »Ein Land kann man verlassen, mit dem Volk die Beziehungen abbrechen, aber die Sprache ist so sehr Teil unserer eigenen Existenz, dass es hier keine Trennung geben kann. (…) Aus der Sprache bin ich nie ausgewandert, und ich schreibe auch heute diese Erinnerungen in der Sprache, die mir nicht welkte.«[337] Es ist die Angst vor dem erzwungenen literarischen Schweigen, vor der Sprachlosigkeit im Exil, die für die meisten vertriebenen Schriftsteller neben die existentiellen Nöte, die wirtschaftlichen Sorgen tritt. Auch der erfolgreiche

Autor Lion Feuchtwanger kann nicht sicher sein, dass seine Stimme künftig gehört wird, dass man seine Bücher auch in den nächsten Jahren drucken wird, dass sie Leser finden werden. Auch Feuchtwanger hat die zentrale Bedeutung der Muttersprache für das eigene literarische Schaffen prononciert hervorgehoben: 1956, zwei Jahre vor seinem Tod, nach 23 Jahren Emigrationserfahrung, nach einem Leben auf zwei Kontinenten und in drei Ländern mit jeweils anderer Sprache, wird er in Los Angeles zu Protokoll geben: »Ich habe all mein Leben hindurch in deutscher Sprache gedacht, ich glaube, meine Heimat ist die deutsche Sprache.«[338]

Etwa 2000 Schriftsteller und Publizisten werden nach 1933 aus Deutschland vertrieben.[339] Dieser Massenexodus einer geistigen Elite ist ein schmerzhafter, nicht wiedergutzumachender Verlust für das kulturelle Klima des Landes. Auch für Lion und Marta Feuchtwanger ist im Frühjahr 1933 an eine Rückkehr nach Berlin nicht zu denken. Am 18. April besteigen sie in Bern den Zug und begeben sich mit ihren bescheidenen Habseligkeiten in Richtung Marseille. Im »La Réserve Palace Hôtel« an der Corniche findet sich eine erste »ruhige und komfortable« Unterkunft. Von hier aus macht man sich auf die Suche nach einem geeigneten Haus an der Küste. Vor allem das kleine Städtchen Bandol, etwa 50 Kilometer östlich von Marseille gelegen, übt auf die beiden Emigranten einen großen Reiz aus. In Deutschland wird zur gleichen Zeit eine ekelhafte Agitation gegen missliebige Schriftsteller inszeniert. Es kursieren »Schwarze Listen verbrennungswürdiger Bücher«, die der Bibliothekar Wolfgang Herrmann im Auftrag der nationalsozialistischen Deutschen Studentenschaft zusammengestellt hat. Die Listen, auf denen sich auch der Name Lion Feuchtwanger findet, dienen zunächst der Säuberung der Bibliotheken von »undeutscher Literatur«. Am Abend des 10. Mai 1933 brennen in vielen deutschen Städten gespenstische Scheiterhaufen mit Büchern unangepasster, politisch missliebiger und jüdischer Schriftsteller. In München, Lions Heimatstadt, ist das nächtliche Spektakel besonders schauerlich. Auf eine abendliche Feierstunde im Lichthof der Ludwig-Maximilians-Universität, bei der die Rektoren Leo von Zumbusch und Richard Schachner sowie der bayerische Kultusminister Hans Schemm zu Studenten beider Münchner Hochschulen sprechen, folgt ein Fackelzug zum Königsplatz. Gegen Mitternacht werfen uniformierte Studenten unter Verlesung von »Feuersprüchen« die mitgeführten Bücher ins Feuer. Den Flammen fallen Werke von Erich Kästner, Kurt Tucholsky, Carl von Ossietzky, Thomas und Heinrich Mann, Lion Feuchtwanger,

Erich Maria Remarque, Theodor Wolff und vielen anderen zum Opfer. Oskar Maria Graf, von den Nationalsozialisten als vermeintlich unpolitischer und volkstümlicher Autor verkannt und sogar zur Lektüre empfohlen, erregt sich derart über die Nichtbeachtung seiner Schriften bei dieser barbarischen »Verbrennung undeutschen Schrifttums«, dass er sich mit dem wütenden Appell »Verbrennt mich« mit den verfemten Autoren solidarisiert. Die Nationalsozialisten tun Graf den Gefallen und inszenieren eine Sonderveranstaltung an der Münchner Universität, bei der Grafs Bücher nachträglich ins Feuer geworfen werden. Widerspruchslos, mit einer erschreckenden Gleichgültigkeit akzeptieren die Deutschen eine beispiellose geistige Entmündigung, tolerieren sie den Ungeist intellektueller Engstirnigkeit und künstlerischer Intoleranz. Den nationalsozialistischen Machthabern muss diese Haltung wie eine willkommene Ermutigung erscheinen, die im Frühjahr 1933 noch existierenden Restbestände freiheitlicher Kräfte mit nunmehr beschleunigter Energie auszuschalten. Auf die betroffenen Autoren wirkt die Aktion des 10. Mai 1933 indessen schockierend. Vielen kommt der Satz von Heinrich Heine in den Sinn, der mit unheilvoller Ahnung schon 1821 prognostiziert hat: »Das war ein Vorspiel nur, dort wo man Bücher verbrennt, verbrennt man auch am Ende Menschen.«

Für die meist mittellosen Emigranten schieben sich bald drängende Alltagssorgen in den Vordergrund. Ein Zugriff auf die in Deutschland verbliebenen Vermögenswerte ist unmöglich. Mit Tantiemenzahlungen aus Deutschland können viele Autoren bereits im Frühjahr 1933 nicht mehr rechnen. Für Lion Feuchtwanger ist besonders bitter, dass sein Roman »Der jüdische Krieg« vom Propyläen Verlag (Ullstein) aus politischen Rücksichten bereits Ende März 1933 aus dem Vertrieb genommen wird. Zwar findet sich mit Querido ein Exilverlag, der bereit ist, das Buch neu aufzulegen. Doch Ullstein versucht eine Exilausgabe mit juristischen Mitteln zu verhindern. Erst Ende 1933 kommt es zwischen Amsterdam und Berlin zu einer Einigung und der im Querido-Programm bereits länger angekündigte erste Band des »Josephus« kann erscheinen. Trotz dieser Unsicherheiten ist Lion einer der wenigen, für die sich schon früh berufliche Perspektiven und damit auch finanzielle Möglichkeiten auftun. Aus London liegt ihm seit Frühjahr 1933 ein Angebot für einen »Propagandafilm über die jüdischen Dinge« vor.[340] Daraus entwickelt er die Idee, die Geschichte der jüdischen Eigentümer eines angesehenen Kaufhauses zu erzählen. Aus England kommt sogar ein junger Drehbuchautor, Sidney Gilliat – er wird später mit Alfred Hitchcock zusammenarbeiten –, nach Südfrankreich, um den wenig filmerfahrenen Feuchtwanger bei der Verfeinerung des Skripts zu unterstützen. Doch schon im Mai 1933 verliert die englische Produktionsfirma das Interesse. Der noch nicht unterschriebene Vertrag ist gegenstandslos, aber das Honorar wird angewiesen. Das Filmprojekt ist zwar gescheitert, aber Lion entwickelt aus seinen Vorarbeiten für die Rahmenhandlung einen Roman. Aus der dramatischen Form eine epische zu machen, darin hat er seit »Jud Süß« Erfahrung. So entsteht das Buch »Die Geschwister Oppermann«. Die Arbeit daran wird Lion den ganzen Sommer 1933 intensiv beschäftigen. Innerhalb weniger Monate, fast atemlos, ja zwanghaft getrieben, wird er das Manuskript an dieser unmittelbaren und hochpersönlichen Auseinandersetzung mit den aktuellen Ereignissen in Deutschland fertigstellen. Es ist Feuchtwangers Abrechnung mit dem himmelschreienden Unrecht, das durch das NS-Regime an jüdischen Deutschen verübt wird. Noch im Jahr 1933 erscheint diese »wirkungsvollste, meistgelesene erzählerische Darstellung der deutschen Kalamität«[341] beim Exilverlag Querido in Amsterdam und erreicht innerhalb kürzester Zeit beträchtliche Auflagen und zahlreiche Übersetzungen. Mit den »Oppermanns« setzt Feuchtwanger fort, was er mit »Erfolg« begonnen hat. Das Buch ist ein kraftvoller literarischer Kommentar zu den bedrückenden Entwicklungen in Deutschland. Die fiktiven Oppermanns stehen stellvertretend für das Schicksal von vielen. Innerhalb kürzester Zeit werden die Angehörigen dieser hochangesehenen großbürgerlichen Familie aus Unternehmern und Intellektuellen zu ausgegrenzten und entrechteten Unpersonen deklariert, denen durch den Rassenhass des »neuen Deutschland« am Ende alles genommen wird. Seinen eigenen leidvollen Erfahrungen und Erlebnissen setzt Feuchtwanger in der Figur des intellektuellen Dr. Gustav Oppermann ein literarisches Denkmal. Auch dieser an Kunst und Literatur interessierte *Homme de Lettres*, der Lessing-Biograph und Liebhaber eines kultivierten Lebensstils, verliert sein behagliches Zuhause im Berliner Grunewald und strandet nach Exil-Stationen in Bern und Lugano als Vertriebener an der südfranzösischen Côte d'Azur. Im Zeitroman über die einst angesehene jüdische Familie verschwimmen die Grenzen zwischen Fiktion und Realität.

Die Suche der Feuchtwangers nach einer vorläufigen Bleibe in der Gegend um Bandol verläuft vorerst erfolglos. Marta bemüht sich, Lion für seine Arbeit den Rücken freizuhalten. Sie ist im Mai 1933 viel unterwegs, besichtigt Objekte, bespricht sich mit Eigentümern und Maklern, aber einstweilen ohne Ergebnisse. Lion leidet unter der Unsicherheit der Situation. »Ich wohne jetzt seit 6 Monaten in Hotelzimmern und aus Koffern, was wenig angenehm ist«, klagt er seinem Freund Arnold Zweig im April 1933.[342] Anfang Mai übersiedeln die Feuchtwangers nach Bandol, wo sich in dem einfachen, aber angenehmen Hotel »La Réserve« ein einstweiliges Quartier findet. Inzwischen ist auch Lola Sernau mit der Schreibmaschine eingetroffen und Lion versucht, seinen vertrauten Arbeitsrhythmus wiederzufinden. Es dauert nicht lange, und die provisorische Zwischenstation wird zu einem zwischenzeitlichen Zuhause. Der Freund Brecht erfährt Mitte Mai, dass Lion sich in Bandol »gewissermaßen festgesetzt« habe. Nach und nach wächst die kleine deutsche Kolonie: »Übrigens ist auch Thomas Mann hier, er wohnt in einem Hotel fünf Minuten von hier entfernt, und er kommt jeden Nachmittag mit seiner ganzen Familie herüber zum Trauertee. Wir schauen dann sehnsüchtig nach einem weißen Haus, in dem Herr Huxley wohnt, ganz unverfolgt und sicher.«[343] Schon Jahre vor Beginn des Ersten Weltkriegs haben sich die Lebenswege von Lion Feuchtwanger und Thomas Mann, dem »großen« und dem »kleinen Meister« der deutschen Literatur, gekreuzt. München, die kulturelle Szenerie der Residenzstadt, schafft die erste Schnittstelle einer Berührung, die Jahrzehnte später zu einer Beziehung wird, die auch dann nicht immer frei ist von Konflikten und erst über die Kollektiverfahrung der Emigration ihren inneren Kern findet. Lion ist gerade einmal zehn Jahre alt, als der knapp eine Dekade ältere Thomas Mann 1894 von Lübeck nach München übersiedelt, um hier Vorlesungen an der Technischen Universität zu hören. Als der junge Lion seine Neigung für die Literatur entdeckt und beschließt, Schriftsteller zu werden, hat sich Thomas Mann bereits als Autor etabliert und sein erstes großes Werk veröffentlicht. Es ist naheliegend, dass auch Lion zu den Lesern der 1901 erschienenen »Buddenbrooks« zählt. Sicher steht das Buch in der Bibliothek seines Vaters Sigmund, der zwar für avantgardistische Autoren wenig übrig hat, aber eine geistreich-sprachgewaltige Literatur, die in jeder Zeile bürgerliche Werte atmet, durchaus zu schätzen weiß. Vermutlich stoßen Lion Feuchtwanger und Thomas Mann um die Jahreswende 1907/08 aufeinander. Der junge Feuchtwanger bemüht sich um Mann, er möchte ihn für ein Projekt gewinnen, das aus dem Phoebus-Kreis hervorgeht. Mann soll für den »Spiegel«, eine neue Literaturzeitschrift, schreiben. Als Herausgeber des ambitionierten Unternehmens firmiert Lion Feuchtwanger. Die in einer Art Editorial aufgeführte Namensliste der Mitarbeiter des »Spiegel« liest sich wie ein *Who is Who* der damaligen Literaturszene. Neben Lou Andreas-

Salomé, Hermann Bahr, Max Bernstein, Waldemar Bonsels, Max Halbe, Artur Kutscher, Alexander Roda-Roda und Jakob Wassermann findet sich auch der Name Thomas Mann. Wie die hochkarätige Liste zustanden gekommen ist, bleibt unklar. Kaum einer der Genannten taucht in den weiteren Ausgaben des »Spiegel« als Autor auf. Von Thomas Mann findet sich immerhin ein kleiner Beitrag, nachgedruckt aus einer anderen Zeitschrift namens »Nord und Süd«. Vermutlich vermochte Mann dem jungen Feuchtwanger die Bitte um einen Auftritt im »Spiegel« nicht abschlagen und stellte – gewissermaßen als literarische Anschubfinanzierung – seinen guten Namen und einen kleinen Text zur Verfügung. Das ist, wie es scheint, für lange Zeit die erste und letzte Berührung der beiden Literaten. Erst in den 1920er Jahren kommt es wieder zu Kontakten: Man sieht sich öfter, sei es über Begegnungen mit Bruno Frank, der mit beiden Schriftstellern gut befreundet ist, sei es in literarischen Salons. Freundschaft entsteht bei diesen Treffen nicht, man liegt menschlich, künstlerisch und politisch zu weit auseinander. Das ändert sich in Sanary und erst recht ab 1941 in Los Angeles, wo die beiden so gegensätzlichen Persönlichkeiten eine Art Freundschaft schließen.

Die fremdbestimmte südfranzösische Nachbarschaft der Manns und der Feuchtwangers beginnt zunächst spröde. Vor allem Katia Mann begegnet dem Münchner Bekannten Feuchtwanger reserviert und kühl, ja sogar abweisend. Aber schon wenige Tage später taut sie auf; nach und nach lässt sie Nähe und Vertraulichkeit zu. Es ist wohl so, dass die Leidensgemeinschaft des Exils wenig Platz lässt für Standesdünkel und intellektuelle Ressentiments. Auch wenn Thomas Mann noch im Mai 1939 in seinem Tagebuch verächtlich, mit blasierter Arroganz notiert: »Über die Schriftsteller (Stefan) Zweig, Ludwig, Feuchtwanger u. Remarque. Welchem die Palme der Minderwertigkeit zu reichen.«[344] Verfolgung und Heimatverlust helfen beim Zusammenrücken, auch wenn Lebensweise und Wertekanon der bürgerlich-soignierten Manns und der freizügig-sozialistischen Feuchtwangers wenig gemeinsame Schnittmengen aufweisen. Auch zwischen den Persönlichkeiten Feuchtwanger (dem bayerischen Genussmenschen) und Mann (dem hanseatischen Kontrollmensch) gibt es kaum, eigentlich überhaupt keine Gemeinsamkeiten. Dies zeigt sich besonders im Privaten, im Intimen. Diszipliniert, asketisch und strukturiert lebt der eine seinen Alltag; kompensiert, ja sublimiert seine Sexualität, sein Begehren, seine Neigungen und Sehnsüchte (unter denen er fürchterlich leidet). Mit aufgeladener Leidenschaft gibt sich der andere seinen sinnlichen

Begehrlichkeiten hin, lebt und genießt mit jeder Faser erotische Abenteuer und Entdeckungen, schläft lustvoll mit verschiedenen Frauen, liebt Marta, beglückt seine Sekretärin Lola Sernau, sehnt sich nach Eva Herrmann, ohne ein Gefühl des Bedauerns, der Reue oder der Schuld. Zwischen Bandol und Sanary begegnen sich zwei Welten, literarisch und menschlich gegenläufige »Kulturen«, die sich dennoch in der Zwangsgemeinschaft Exil gegenseitig bedingen und brauchen. So häufen sich die Begegnungen der Paare Feuchtwanger und Mann in den nächsten Wochen. Trifft man sich zunächst im Hotel »La Réserve« in Bandol zum Tee, besucht man sich später gegenseitig auch gerne privat. Man schätzt sich, man mag sich irgendwann sogar, und gegen Ende beider Leben wird der zurückhaltend-steife Thomas Mann freimütig bekennen, dass er den Menschen Lion Feuchtwanger in sein Herz geschlossen hat.[345]

Diese Netzwerke der Emigration sind lebens- und überlebensnotwendig für jeden Einzelnen. Der gemeinsame Sprachzusammenhang, der geteilte kulturelle Hintergrund, der professionelle Austausch, die privaten Nachrichtenbörsen und – natürlich – die wechselseitige Loyalität und Unterstützung geben Mut und Zuversicht. In zwei Sätzen fasst die aus München stammende Schauspielerin Therese Giehse die Bedeutung der Exil-Milieus zusammen: »Das ist gar nicht zu verstehen, was wir uns bedeutet haben in der Emigration. Jeder war für sich, aber keiner war allein.«[346] Und doch handelt es sich um einen erzwungenen, nicht aus sich heraus entstandenen sozialen Kosmos. Zum Emigranten wird man in den Jahren nach 1933 durch äußere Bedrohung; der Entschluss zum Verlassen der Heimat folgt eigener Not und nicht einer autonomen, freiwilligen Lebensentscheidung. Diese Fremdbestimmung prägt letztlich auch das Miteinander der Betroffenen, sorgt für subtile und offene Spannungen. Klarsichtig beschreibt Lion Feuchtwanger die speziellen Konstellationen: »Auch gab es unter den hundertfünfzigtausend aus Deutschland Verjagten nicht nur Menschen jeder politischen Gesinnung, sondern auch jeder sozialen Stellung und jedes Charakters. Jetzt, ob sie wollten oder nicht, bekamen sie alle die gleiche Etikette aufgeklebt, wurden sie alle im gleichen Topf gekocht. Sie waren in erster Linie Emigranten und erst in zweiter, was sie wirklich waren. Viele sträubten sich gegen eine so äußerliche Einordnung, doch es half ihnen nichts. Die Gruppe war nun einmal da, sie gehörten dazu, die Verknüpfung erwies sich als unlösbar.«[347]

Endlich findet sich zwischen Bandol und Sanary ein schlichtes, »sehr nett gelegenes Häuslein«[348], das zumindest als vorübergehender

Wohnsitz geeignet scheint. Hilfestellung bei der Suche leistet Sybille von Schoenebeck, die 1911 in Berlin geborene Tochter eines Barons und preußischen Generals, die sich an der Küste gut auskennt. Mit dem Eigentümer wird man rasch einig, und Mitte Mai beginnt Marta damit, das Haus wohnlich zu machen und einzurichten. Am 6. Juni 1933 kann das Paar in die »Villa Lazare«, die sich direkt über dem Meer auf einem Felsvorsprung befindet, einziehen. Die Wohnverhältnisse sind bescheiden, es gibt kaum Möbel und keine Heizung, doch die Feuchtwangers genießen die ersten ruhigen Momente unter der südfranzösischen Sonne. Man hat endlich wieder ein Zuhause: »Lion und ich fanden alles großartig, denn da war ja das Meer. Man konnte von der Klippe auf beiden Seiten in tiefblaue Buchten sehen, im Hintergrund lag eine Insel. Außerdem gab es einen Privatstrand, zu dem man über die Felsen hinunterkletterte (…). Wo gab es ein Meer, Felsen und einen Privatstrand in Berlin-Grunewald? Wir vermißten nichts, auch nicht die Bequemlichkeit unseres Hauses, den gepflegten Garten, nicht einmal unseren Buick. Ich kaufte einen kleinen, abgeschabten Renault für fünfzig Francs. Der Motor hörte sich an wie eine Nähmaschine, aber er zog wacker die steile, holprige Straße hinauf.«[349]

Die farbenfrohen Eindrücke des neuen Lebensmittelpunkts, der kräutergesättigte Geruch der Provence, das Rauschen des nahen Meeres und die bergige Küste der Côte d'Azur wirken stark auf den Schriftsteller Feuchtwanger. Für seinen Roman »Die Geschwister Oppermann«, der vor allem in der »Villa Lazare« entsteht, sind die eigenen Erfahrungen von Vertreibung und Flucht, aber auch das aktuelle provenzalische Umfeld eine wichtige Inspiration. Auch einer der Protagonisten des Romans, der Schriftsteller Dr. Gustav Oppermann, wird gezwungen, sein großbürgerliches Heim im Berliner Grunewald zu verlassen und strandet in der Emigration in Südfrankreich. Die literarische Fiktion wird zu einer realistischen, atmosphärisch dichten Zustandsbeschreibung der eigenen Welt: »Sie mieteten ein kleines, altes Auto und zogen aus, abenteuerlustig, um ein billiges Haus zu suchen, in dem sie die paar Wochen wohnen könnten. Sie fanden eines, auf der Halbinsel La Gorguette. Breit, niedrig, einsam stand es an einer kleinen Bucht, rosigbraun, verwittert, auf nicht hoher Klippe. Dahinter hoben sich Hügel mit Ölbäumen, Reben und, vor allem, Pinien. Die Straße erstieg in rundem, klarem Schwung die Klippe. Weder Blumen noch Gräser gediehen in dem Salzwind. Vor dem Haus war nur das Meer und, sanft fallend, besonnt, sandiges Gelände, gesäumt von einer dichten Schonung junger, niedriger Pinien, die die Klippe hinunter zum Meer krochen.«³⁵⁰ Das klingt weder verzweifelt noch resignativ. Mutlosigkeit und nagender Zweifel sind keine Eigenschaften, die im Persönlichkeitsprofil von Marta und Lion Feuchtwanger großen Raum einnehmen. Beiden ist eine selbstbewusste Zuversicht eigen, die sie bei der Bewältigung der alltäglichen Unsicherheiten stärkt. Am wichtigsten ist für Lion ohnehin die Möglichkeit zum konzentrierten Arbeiten. Seinen Freund Brecht lässt er Ende Juli 1933 wissen: »Wichtig ist nur, daß das Buch noch heuer erscheinen kann. Das zwingt mich, bis zu zehn Stunden am Tag zu produzieren. Davon abgesehen ist es hier sehr angenehm, das Klima könnte nicht erfreulicher sein (…). Schade, daß Sie nicht da sind.«³⁵¹ Feuchtwanger erinnert sich später voller Dankbarkeit an die Jahre am Meer, die ihm mehr waren als eine improvisierte Zuflucht vor dem Verfolgungseifer der deutschen Behörden: »Wenn ich etwa, von Paris mit dem Nachtzug zurückkommend, des Morgens das blaue Ufer wiedersah, die Berge, das Meer (…), dann atmete ich tief auf und freute mich, daß ich mir diesen Himmel gewählt hatte, unter ihm zu leben. Und wenn ich dann den kleinen Hügel hinauffuhr zu meinem weißen, besonnten Haus, wenn ich meinen Garten wiedersah in seiner tiefen Ruhe und mein großes, helles Arbeitszimmer und das Meer davor und den launischen Umriß seiner Küste und seiner Inseln und die endlose Weite dahinter und wenn ich meine lieben Bücher wieder hatte, dann spürte ich mit all meinem Wesen: Hier gehörst Du hin, das ist deine Welt. Oder wenn ich etwa den Tag über gut gearbeitet hatte und mich nun in der Stille meines abendlichen Gartens erging, in welcher nichts war, als das Auf und Ab des Meeres und vielleicht ein kleiner Vogelschrei, dann war ich ausgefüllt von Einverstandensein, von Glück.«³⁵² Die literarischen Früchte der sieben südfranzösischen Jahre sind üppig. In Sanary entstehen fünf Romane: 1933 »Die Geschwister Oppermann«, 1935 »Die Söhne« (zweiter Teil des »Josephus«), 1936 »Der falsche Nero«, 1939 »Exil« und 1940 »Der Tag wird kommen« (dritter Teil des »Josephus«) sowie der umstrittene Reisebericht »Moskau 1937«.

Lion Feuchtwangers verlegerischer Begleiter während der Jahre der Emigration ist der 1933 ins Leben gerufene, zunächst in der Amsterdamer Keizersgracht 333 ansässige Querido Verlag. Dahinter stehen der sozialdemokratische Verleger Emanuel Querido, ein Niederländer, und der aus Deutschland emigrierte Fritz H. Landshoff, der seit 1927 als geschäftsführender Teilhaber den Berliner Gustav Kiepenheuer Verlag geleitet hat und nun bei Querido für das Programm verantwortlich zeichnet. Landshoff und Feuchtwanger kennen sich schon länger über gemeinsame Buchprojekte für Kiepenheuer. Es ist Landshoff, dem es Ende der 1920er Jahre gelingt, das angeschlagene Verlagsschiff Kiepenheuer nach einer betriebswirtschaftlichen Flaute wieder flottzumachen und namhafte Autoren zu gewinnen bzw. frühere Autoren zurückzuholen. Zu Letzteren gehört auch Lion Feuchtwanger, der sich 1929 von der Rückkehr zu Kiepenheuer überzeugen lässt. Noch 1926 war bei dem Verlag in großer Auflage eine preiswerte Volksausgabe der »Häßlichen Herzogin« erschienen, die nicht nur die angegriffenen Bilanzen des Verlags aufbesserte, sondern auch dem Autor ein beruhigendes finanzielles Polster verschaffte. 1930 erscheint sein aufsehenerregendes Buch »Erfolg« mit einer großen Startauflage. Allerdings bereiten der hohe Vorschuss an den Autor – die Rede ist von 60 000 Reichsmark – und der anfänglich schleppende Absatz dem Verleger Landshoff Sorgen. Landshoff macht für diese Entwicklung die rechtsextreme Konjunktur verantwortlich. Bei Erscheinen von »Erfolg« ist »die politische Atmosphäre bereits so vergiftet, daß ein erheblicher Teil des Buchhandels das Buch nur zögernd oder gar nicht bestellte (…) und ein beachtlicher Teil der Presse dessen Bedeutung in keiner Weise gerecht wurde.«[353] Lediglich im »Berliner Tageblatt« erscheint eine wohlwollende Besprechung aus der Feder von Arnold Zweig. Gleichwohl entwickelt sich »Erfolg« zu einer *Cash Cow* für den Verlag. An diese für beide Seiten ertragreiche Zusammenarbeit möchte Landshoff anknüpfen. Bereits im April 1933 nimmt er mit Lion Feuchtwanger Kontakt auf. Im Rahmen einer ausgedehnten Akquisitionstour, die ihn über Paris und die Schweiz auch an die Côte d'Azur zu zahlreichen exilierten Schriftstellern führt, die er für Querido gewinnen möchte, trifft er schließlich im Mai 1933 mit Feuchtwanger zusammen. Die Wünsche beider Seiten sind klar: Feuchtwanger möchte weiter auf Deutsch gedruckt werden, das junge Verlagshaus Querido erhofft sich von dem international anerkannten Autor eine Aufwertung seiner Reputation. Schon Mitte Juli 1933 berichtet Lion in einem Brief an Helene Weigel zufrieden von den Arrangements, die er mit Landshoff und Querido getroffen hat: »Eine deutsche Gesamtausgabe meiner Bücher wird dort so rasch wie möglich gedruckt; ›Der jüdische Krieg‹ erscheint neu noch im Juli, die Gesamtausgabe wird im Laufe eines Jahres abgeschlossen vorliegen.«[354]

Die beiden Verlagsgründer sind jüdischer Herkunft. Wie Querido ist auch der leidenschaftliche Büchermacher Fritz Landshoff seinem Selbstverständnis nach ein politischer Verleger. Im Verlagsprofil des Hauses Kiepenheuer spiegelt sich die Sympathie Landshoffs für sozialdemokratische Positionen. Das Haus wird nach eigener Aussage »zu einem Sammelbecken linksbürgerlicher Autoren«.[355] An diesen zentralen Markenkern wird auch der Exilverlag Querido anknüpfen. Sein Auftrag ist, die Manuskripte der aus Deutschland vertriebenen Schriftsteller und Publizisten weiter zu veröffentlichen, seine Funktion ist gewissermaßen ein literarischer und wirtschaftlicher Rettungsanker für die verfemten Intellektuellen. Die Landshoff'sche Strategie ist gleichermaßen einfach wie ambitioniert: Mit qualitätvollen Büchern namhafter Autoren soll das Fortbestehen der deutschen Exilliteratur gewährleistet werden. Dank angesehener Autoren wie Lion Feuchtwanger, deren Bücher in hohen Auflagen erscheinen und in zahlreiche Sprachen übersetzt werden, gelingt der prekäre unternehmerische Balanceakt. Bis zur Besetzung der Niederlande durch die Wehrmacht im Mai 1940 werden bei Querido 124 Bücher veröffentlicht, der Verlag kann trotz der widrigen Verhältnisse einigermaßen kostendeckend, bisweilen sogar rentabel geführt werden. Einen wesentlichen Beitrag dazu leisten die Autoren, zu denen neben Lion Feuchtwanger auch Bruno Frank, Arnold Zweig, Oskar Maria Graf, Joseph Roth, Thomas und Heinrich Mann, Leopold Schwarzschild und Anna Seghers gehören.

Ende 1933 kommen die ersten »Bücher des Exils« bei Querido heraus. Den Anfang macht eine schmale Broschüre von Alfred Döblin mit dem Titel »Jüdische Erneuerung«. In dem programmatischen Essay skizziert Döblin die Verfolgungsgeschichte der Juden und plädiert leidenschaftlich für eine an fundamentalen Grundwerten orientierte Gleichbehandlung und Wertschätzung der diskriminierten Minderheit. Die nächsten Titel der Querido-Chronologie tragen bereits den Autorennamen Lion Feuchtwanger: Es handelt sich um den »Jüdischen Krieg«, die Exilausgabe des erstes Bandes der Josephus-Trilogie. Und kurz darauf wird das Buch veröffentlicht, an dem Lion während des letzten halben Jahres fieberhaft gearbeitet hat: »Die Geschwister Oppenheim«. Eigentlich soll der Titel anders lauten: »Die Geschwister Oppermann«. Weil aber ein prominentes NSDAP-Mitglied gleichen Namens Repressalien gegen Lions noch in Deutschland lebenden Bruder Martin androht, wenn der Buchtitel nicht geändert wird, entschließen sich Verfasser und Verlag zu der ärgerlichen, weil kostspieligen Modifikation. Auch Lions Bruder Ludwig, der mit seiner Familie noch in München lebt, rät zu diesem Schritt. Bei den englischsprachigen Ausgaben ist es zu spät für Änderungen. In den USA und in Großbritannien erscheint der Roman unter dem ursprünglich vorgesehenen Titel.

Die Fertigstellung des »Oppermann«-Manuskripts kostet Lion viel Kraft. Im Sommer 1933 wird die »Villa Lazare« zu einem beliebten

Treffpunkt der südfranzösischen Emigrantenkolonie: Brecht ist zeitweise nahezu täglich vor Ort; der Kunsthistoriker Julius Meier-Graefe und seine Frau Anne-Marie (die sich in der Villa »La Banette« im nahegelegenen Saint-Cyr-sur-Mer niedergelassen haben) kommen häufig; Arnold Zweig, René Schickele, die Mann-Brüder Thomas und Heinrich mit Frauen, Golo und Klaus Mann, Klaus Pinkus, der Schauspieler Paul Graetz (der in der Verfilmung von »Jud Süß« mitspielt) und andere geben sich die Klinke in die Hand. Bisweilen lässt sich auch das Ehepaar Huxley sehen, aber man wird nicht warm miteinander: »Huxley da und Frau. Kein Kontakt. Ziemlich fad«, notiert Lion am 24. August 1933.[356] Zudem beeinträchtigen unvorhergesehene Ereignisse das »Überfeilen«, wie Lion die letzte Arbeitsphase an einem Manuskript gerne nennt. Marta erleidet am 9. Oktober 1933 einen schweren Unfall, bei dem sie sich eine schlimme Beinverletzung zuzieht. Operationen sind notwendig, und zwischenzeitlich besteht sogar die Gefahr einer Amputation des Beines. Lange Krankenhaus- und Sanatoriumsaufenthalte in Toulon und Bandol sind die Folge. Auch nach ihrer Entlassung, die Lion dringend herbeisehnt, ist Marta beträchtlich eingeschränkt und braucht Betreuung. Eine Zeitlang kann sie sich nur an Stöcken fortbewegen. Martas Krankenstand, ihre lange Abwesenheit ist für Lion, der das Alleinsein nicht gewohnt ist und sich mit der Bewältigung des Alltags schwertut, eine unangenehme Zeit. Querido erwartet die »Oppermanns«, Übersetzungen für die terminierten englischsprachigen Ausgaben sind zu prüfen und der Mietvertrag für die »Villa Lazare« läuft aus. Da das Haus keine Heizung hat, verbringt Lion die Wintermonate im »Grand Hôtel et Hôtel des Bains« in Bandol. Im November stehen zudem Termine in Paris und London an. Und es sind natürlich regelmäßige Krankenbesuche in Toulon und Bandol zu absolvieren.

Marta fehlt. Sie ist diejenige, die das Leben der Feuchtwangers organisiert, sie ist zuständig für die alltäglichen Routinearbeiten, fürs Technische, fürs Gesellschaftliche. Als Chauffeurin gewährleistet sie die mobile Unabhängigkeit des Paares, sie sorgt – kulinarisch, wohnräumlich, gesundheitlich, sportlich – für Lions Wohlbefinden. Anerkennend schreibt ihr Lions Freund Arnold Zweig am 1. Dezember 1933: »Marta, Marta, wenn wir euch Frauen nicht hätten, würden wir bestimmt ins Schludern kommen.«[357] Marta ist zweifellos die Person, mit der Lion Feuchtwanger den vertrautesten, den intimsten Umgang pflegt. Sie kennt seine Besonderheiten, Marotten, Vorlieben und Abneigungen. Weiß um Lions gesundheitliche Probleme, die permanenten Magenverstimmungen (die Lion schon seit seiner Kindheit plagen) und die sich nun schon jahrelang hinziehende, überaus schmerzhafte und peinigende Sanierung der Zähne. Und: Marta ist, noch vor Lola Sernau, die wichtigste Mitarbeiterin des Schriftstellers Lion Feuchtwanger. Immer wieder liest Lion seiner Frau lange Passagen aus den Werken vor, an denen er gerade arbeitet. Und Marta nimmt kein Blatt vor den Mund, lobt und kommentiert, verwirft und kritisiert, fordert Veränderungen, Nacharbeiten und Verbesserungen. Für Lion ist dieses unverblümte Feedback wichtig, es hilft ihm bei der Suche nach dramaturgischen Unzulänglichkeiten, sprachlichen Fehlgriffen. Als er Marta Ende Juli 1934 die ersten Texte des zweiten »Josephus« präsentiert, muss er »viele zum Teil berechtigte Einwände« hinnehmen. Diese scheinen so gewichtig, dass der Autor einige Tage später im Tagebuch notiert: »Am Josephus. Den ganzen Plan umgeworfen. Macht schrecklich viel Arbeit.« Und am nächsten Tag: »Am Josephus. Wieder von vorn angefangen.«[358] Lion nimmt das Urteil von Marta ernst. Das ist so seit den ersten gemeinsamen Unternehmungen und zieht sich als kollaboratives Arbeitsprinzip durch sein gesamtes literarisches Schaffen. Aber Marta ist viel mehr als Kritikerin und kompetenter literarischer Gegenpol. Sie ist Lion Feuchtwangers Lebensmensch, zugleich seine beste Freundin, Alltagsbegleiterin und Vertraute, kurz: der unumstrittene Gravitationspunkt im Feuchtwanger'schen Kosmos.

Und doch kennt die Ehe der Feuchtwangers seit Beginn ein brisantes Krisenmoment. Marta ist nur eine von vielen Geliebten ihres Mannes. Das Format einer dauerhaft monogamen Partnerschaft passt nicht in das Lebensschema von Lion Feuchtwanger. Er ist ein Mann, der stets und angestrengt darum bemüht ist, viele Frauen um sich zu haben, der die sexuelle Aufmerksamkeit gezielt sucht, aktiviert und genießt. In seinen privaten Aufzeichnungen führt er ein beredtes Protokoll dieser frivolen Aktivitäten. Im Tagebuchkonvolut ist das Wort »gevögelt« eine der am häufigsten verwendeten Vokabeln. Erfolge bei den zahllosen Eroberungszügen werden ebenso protokolliert wie Fehlschläge. So findet sich in Lions Abschlussbilanz des Jahres 1931 der Satz: »Versuche, mit neuen Frauen in Beziehung zu kommen, sind fehlgeschlagen.«[359] Er flirtet gern, aber nicht allein um des Flirtens willen, sondern um »das Klassenziel zu erreichen«, wie er immer wieder seinen Tagebüchern anvertraut. Gemeint ist mit diesem Bild der Geschlechtsverkehr mit einer Frau, auf die er ein Auge geworfen hat. Die Beischlaf-Obsessionen sind für Lion Feuchtwanger unverzichtbarer Lebensbestandteil. Es sind sexuelle Erlebnisse, die er gezielt sucht, planend vorbereitet, exzessiv genießt. Grenzwerte und Hemmungen kennt er dabei meist nicht. Selbst Frauen und Lebenspartnerinnen von mit ihm gut bekannten oder gar befreundeten Männern sind vor seinen Avancen nicht sicher. Mit Liesl Frank, der Ehefrau von Bruno Frank, verbindet ihn eine mehrjährige Affäre. Frank ist einer der wenigen Freunde, mit denen sich Feuchtwanger duzt. Und auch Sascha Marcuse, die Ehefrau von Ludwig Marcuse, wird zu Lions Objekt der Begierde. Zuversichtlich vertraut er am 30. September 1937 seinem Tagebuch an: »Sascha nett; ich denke, wenn ich ernstlich will, werde sie in Paris vögeln können.«[360] Die Prognose bewahrheitet sich. Es gibt keine Tabuzone, auch Männerfreundschaften gelten in dieser Hinsicht als antastbar. Im »Goya« lässt er seinen Helden über die attraktive Doña Lucía nachdenken und über die Frage, ob er mit dieser Frau schlafen wolle – man meint, die Stimme von Lion höchstpersönlich zu hören: »Alberne Frage. Jeder gesunde, im Saft stehende Mann möchte mit jeder halbwegs hübschen Frau schlafen, und Doña Lucía Bermúdez war aufreizend hübsch, damenhaft hübsch, anders hübsch als andere. Ihr Mann, Don Miguel, war sein Freund. Aber er gestand sich ehrlich zu, daß es nicht das war, was ihn abhielt.«[361]

Erstaunlich, der äußerlich so unscheinbare, nach gängigen Maßstäben nicht attraktive, in gewisser Hinsicht sogar »hässliche« Lion Feuchtwanger reüssiert in vielen Fällen, entpuppt sich – wie es scheint – als talentierter Liebhaber. Und wenn der Verführer an seine Grenzen stößt oder kein Objekt der Begierde greifbar ist, sucht er Entspannung bei »Venuspriesterinnen«, die gegen Honorar Liebe schenken. Lion kennt in München, Berlin, Paris die einschlägigen Adressen. Erst mit zunehmendem Alter wird Lion sein Sexualleben zurückfahren. Seine Jahresbilanz 1938 schließt der 54-Jährige betrübt mit dem Befund: »Und vor allem zeigt sich auch das Alter, Prostata und mangelnde Potenz.«[362] Die Wissenschaft hat für ein übermächtiges sexuelles Verlangen den Begriff der »Hypersexualität« geprägt. Womöglich würde man Lion Feuchtwangers amouröse Aktivitäten heute mit diesem Terminus umschreiben. Andererseits: Wer möchte festlegen, wo die Grenzen der sexuellen Norm liegen und wo diese überschritten sind? Marta ist die »Schwäche« ihres Mannes für andere Frauen bestens vertraut; Lion selbst macht, wie es scheint, daraus auch kein Hehl. Marta akzeptiert Lions sexuelle Eskapaden, weiß um seine wechselnden »Nebenfrauen«, die Bordellbesuche. Es ist für sie kein Grund, die Ehe im Grundsatz in Frage zu stellen. Doch zweifellos leidet sie unter der Situation – und lässt den abenteuerlustigen Lion immer wieder spüren, dass sie seine

Grenzüberschreitungen zwar toleriert, aber nicht schätzt. Lion kennt die Brisanz dieser Konflikte, ist aber trotzdem nicht bereit, an den außerehelichen Eskapaden etwas zu ändern. In seinem Tagebuch spiegelt sich, wie er manchmal lapidar, manchmal gereizt Martas Verhalten kommentiert und es, emotional kühl und ohne Verständnis für die Befindlichkeit seiner Frau, als »strindbergeln« abtut. Ein sensibles Eingehen auf die Verletzungen und Kränkungen der Partnerin sieht anders aus. Wie es scheint, verlagert er den partnerschaftlichen Diskurs über Liebe und Treue in die Literatur, wo sich das Plädoyer für eine tabulose und offene Sexualität (zumindest aus der Sicht des Mannes) an diversen Stellen findet. Johanna Krain, die Geliebtes des unglücklichen Justizopfers Martin Krüger im »Erfolg«, antwortet auf die Frage des Staatsanwalts, ob sie von Beziehungen Krügers zu anderen Frauen gewusst habe:»Ja, das habe sie gewußt; es seien flüchtige Beziehungen gewesen, die sie ihm nicht weiter verübelt habe.«[363] Und in dem 1953/54 entstandenen Roman »Die Jüdin von Toledo« schreibt der altersweise Feuchtwanger dem klugen Araber Musa einen inneren Monolog zu, der einiges aussagt über Lions Verständnis von Liebe, partnerschaftlicher Treue und die ultimative Qualität von intellektueller Betätigung:»Musa teilte die Anschauungen der Moslems über Liebe und Lust. Die verfeinerte, vergeistigte ›Minne‹ der christlichen Ritter und Sänger schien ihm Einbildung, Wahn; die Liebe der arabischen Dichter war greifbar, wesenhaft. Auch ihre jungen Männer starben vor Liebe, und ihre Mädchen schwanden hin vor Sehnsucht nach dem Geliebten; aber es war kein Unglück, wenn der Mann auch eine andere Frau beschlief. Liebe war eine Angelegenheit der Sinne, nicht des Geistes. Groß waren die Freuden der Liebe, aber es waren dumpfe Freuden, nicht vergleichbar der hellen Seligkeit der Forschung und Erkenntnis.«[364]

Bei alldem ist bemerkenswert, wie wenig zerstörerische Wirkung Lions sexuelle Aktivitäten für die Lebenspartnerschaft mit Marta entfalten. Das Paar bleibt bis zu Lions Tod im Dezember 1958 zusammen. Es ist eine Ehe, die beiden Partnern einiges abverlangt, auch durch die Bedrängungen der Zeitläufte. Es ist aber unübersehbar, dass die Bilanz dieser Partnerschaft besonders auf Martas Habenseite Defizite aufweist. Sind selbstlose Hingabe und unverbrüchliche Liebe der Grund für ihre Toleranz und ihre Geduld mit dem zwanghaft untreuen Ehemann? Sicher nicht nur. Die Freiheit, die sich Lion wie selbstverständlich nimmt, verschafft auch der lebenslustigen Marta Freiräume, legitimiert ihr gelegentliches Ausbrechen aus dem Korsett des Ehealltags, der in der Regel ganz und gar nach den Vorstellungen des Hausherrn rhythmisiert ist. Über diesen Eskapismus Martas wissen wir wenig, in den autobiographischen Statements behandelt sie ihr privates Leben mit größter Diskretion. Lediglich zwischen den Zeilen deutet sich immer wieder an, dass auch die von Verehrern umschwärmte Marta ein durchaus extravagantes Privatleben geführt haben mag. Namen fallen nicht. Denkbar – und wahrscheinlich – ist auch, dass die nüchterne Erkenntnis der eigenen »Bedeutungslosigkeit« ohne den bedeutenden Ehemann immer wieder Kitt für diese im Kern brüchige Ehe geliefert hat. Dank Lions Prominenz steht auch Marta im Rampenlicht, zelebriert Nachmittagstees mit den Großen der Literatur, wird auf Empfängen hofiert, genießt Aufmerksamkeit und Respekt. Eine Trennung von Lion wäre gleichbedeutend mit dem Verzicht auf die Annehmlichkeiten des Wohlstands und die aufregenden gesellschaftlichen Highlights. Dieses Opfer möchte Marta Feuchtwanger nicht bringen.

Es sind vor allem zwei Frauen, die neben Marta in Lions Leben eine besondere Rolle spielen. Die Tänzerin und Schriftstellerin Eva Boy (geborene Hommel, später verheiratete van Hoboken) und die Zeichnerin Eva Herrmann. Beide begleiten Lion mehrere Jahre lang, sind wichtige Bezugspersonen, mit denen er zwar nicht Tisch, aber Bett teilt. Der nicht einmal 20 Jahre alten, attraktiven Eva Hommel begegnet Lion kurz vor seinem Umzug nach Berlin Anfang 1925 bei einem Faschingsball in München. Sie plant eine Karriere als Tänzerin und tritt unter dem Namen Eva Boy auf, ist möglicherweise an den Münchner Kammerspielen engagiert. Feuchtwanger, der bereits prominente Schriftsteller, ist 40 Jahre alt. Eva Boy sieht in dem älteren Mann sowohl den väterlichen Freund als auch den Liebhaber. Die Beziehung nimmt vermutlich rasch Fahrt auf, denn kurze Zeit nach Lions Umzug wird auch Eva Boy ihren Lebensmittelpunkt in die Hauptstadt verlegen. Die Tanzengagements werden weniger, dafür beginnt sie zu schreiben und kann, dank ihres Lehrers und Mentors, kleinere Feuilleton-Beiträge unterbringen. Später versucht sie sich, wenig erfolgreich, auch an Romanprojekten. Eva Boy wird in diesen Jahren von Lion finanziell unterstützt. Man sieht sich oft, und häufig ist auch Marta dabei, die sich später erinnert, dass Eva Boy »always around« war.[365] Während Martas üblicher Skiurlaub-Abwesenheit im Frühjahr 1931 lebt Lion quasi mit Eva Boy zusammen. Es hat sich eine leidenschaftliche, von Marta weitgehend tolerierte intensive Beziehung entwickelt, die über eine rein sexuelle Anziehung weit hinausgeht. Lion akzeptiert die junge Frau mehr und mehr auf Augenhöhe, auch wenn er Eva in seinen Briefen immer auch altklug, belehrend und gönnerhaft begegnet. Sogar gemeinsame

Reisen werden realisiert. Lion ist geschickt beim Einfädeln derartiger Arrangements. Im Frühjahr 1931 möchte er die vielbeschäftigte Marta bei all den nervenaufreibenden Aktionen, die mit der Herrichtung des neuen Hauses an der Mahlerstraße verbunden sind, entlasten und erwägt – mit durchaus eigennützigen Hintergedanken – für einige Wochen zu verreisen: »vielleicht fahre ich nach london, vielleicht fahre ich mit brecht nach südfrankreich, vielleicht fahre ich dahin, wo sich eine gewisse schriftstellerin eva boy aufhält«, schreibt Lion im April 1931 an ebenjene Eva Boy, die inzwischen wieder in Süddeutschland lebt – eine kaum verschlüsselte Aufforderung an die »Nebenfrau« zu einem Rendezvous.[366] Eva willigt ein, kommt im Mai 1931 nach Berlin und begibt sich dann mit Lion für einen längeren Aufenthalt an den Comer See. Bei Marta löst dieses Arrangement allerdings keine Begeisterung aus, und Lion notiert genervt in sein Tagebuch: »Marta macht Szene weil ich mit Eva Boy wegfahre. Ärger aller Art.«[367] Von dem amourösen Vorhaben lässt er sich dennoch nicht abbringen. Vom 19. Mai bis 12. Juni verbringt das Paar kurzweilige und sinnliche Tage in Bellagio. Als Lion Mitte Juni zurückkommt, hat Marta das Haus weitgehend fertig eingerichtet.

Die Nähe zwischen Eva Boy und Lion ist nicht mit den Maßstäben der sonstigen Feuchtwanger'schen Eskapaden zu messen. Marta muss erkennen, dass die Beziehung Lion-Eva ihren Status als »Hauptfrau« Feuchtwangers ernsthaft gefährdet. Dies ist wohl der Grund, dass Marta bisweilen außerordentlich gereizt auf Lions Zusammensein mit Eva Boy reagiert und sich das Verhältnis der beiden Frauen erst 1933 nach Evas Hochzeit mit Anthony van Hoboken normalisiert. Wie wichtig für Lion die Beziehung zu Eva Boy ist, kann man in seinem Roman über die »Geschwister Oppermann« nachlesen. Bei der Gestaltung der Figur der »Sybil Rauch« und der Schilderung ihres Verhältnisses zu Dr. Gustav Oppermann, der unschwer als Lions *Alter Ego* zu erkennen ist, hat sich der Verfasser von der eigenen Beziehung inspirieren lassen: »Es waren jetzt zehn Jahre, daß Gustav Sybil kennengelernt hatte. Sie war damals Tänzerin gewesen, mit vielen Einfällen, wenig Rhythmus, nicht ohne Erfolg. Sie hatte Geld, sie lebte angenehm, von einer lebensklugen, duldsamen Mutter verhätschelt. Der süddeutsche, naive Witz des zierlichen Mädchens, der so sonderbar kontrapunktiert war von ihrer dünnen, altklugen Gescheitheit, hatte Gustav angezogen. Sie fühlte sich geschmeichelt durch die offensichtliche Neigung des gefestigten, angesehenen Herrn. Rasch entstand zwischen dem Mädchen und dem zwanzig Jahre älteren Mann eine große, ungewöhnliche Vertrautheit.

Er war ihr Liebhaber und Onkel zugleich.«[368] Die literarische Skizze mit Realitätsentsprechung zeigt: Dies ist keines der üblichen sexuellen Abenteuer. Mit Eva Boy verbindet Lion eine tiefe freundschaftliche Beziehung, die partnerschaftliche Qualitäten besitzt. Liebe? Das Wort »Liebe« ist im Grundwortschatz des Privatmenschen Feuchtwanger eigentlich nicht existent. Eine seltene längere Auslassung zu diesem höchstpersönlichen Thema findet sich lediglich in den Tagebüchern des jungen Lion, später sucht man vergeblich nach Reflexionen über private Gefühlswelten. 1906 schreibt der 21-Jährige:»Mein Ziel also sehe ich darin, ein möglichst intensives Leben zu führen – Intensität des Lebens ist nicht zu verwechseln mit Genuß. Der negative Pol dieser Intensität ist der Tod, der positive die Liebe. Liebe trifft dann zu, wenn eine Persönlichkeit sich völlig aufgibt zu Gunsten einer anderen Persönlichkeit, die ihrerseits wieder ihre ganze Individualität in die erste überströmen [sic!]: so daß jede beider Personen nicht ein, sondern zwei Leben lebt. (…) Der stärkste Affekt ist Tod in Liebe.«[369]

Wenn der erwachsene Lion später Liebe verspürt und dieses Gefühl abseits der literarischen Abstraktion ausdrücken möchte, bedient er sich meist der Verschlüsselung. Will er Eva Boy eine Liebeserklärung zukommen lassen, dann oft in der Form:»ich war in der letzten zeit ungefähr jeden zweiten tag für dich«, oder»ich denke viel an dich und nur selten unfreundlich«.[370] Die sich anbahnende Beziehung Evas zu dem wohlhabenden holländischen Musikwissenschaftler Anthony van Hoboken beobachtet Lion mit Misstrauen. Er möchte Eva nicht verlieren, ist sich aber bewusst, dass dieser Verlust nicht aufzuhalten ist, zumal er selbst eine Trennung von Marta nicht in Erwägung zieht. In seinem Tagebuch findet sich im Februar 1932 der aufschlussreiche Eintrag:»Mit Eva. Dann kommt Hoboken dazu und ich werde verdrießlich.«[371] Doch auch nach der Heirat Evas mit van Hoboken am 30. März 1933 kühlt das Verhältnis zwischen Lion Feuchtwanger und Eva Boy nicht ab. Selbst die Verlobungsfeier der van Hobokens ist von Marta und Lion in ihrem Haus in der Mahlerstraße ausgerichtet worden. Es fehlt jetzt zwar die sexuelle Komponente, aber der freundschaftliche Austausch und das vertrauliche Miteinander, notgedrungen per Post, bleiben bestehen. Nach der Emigration Lions trifft man sich erst 1946 und 1949 in Los Angeles wieder. Die Hobokens haben den Nationalsozialismus zunächst in Österreich und ab 1938 in der Schweiz (Lausanne) erlebt. Trotz der räumlichen Distanz führen Lion Feuchtwanger und Eva van Hoboken bis zu Lions Tod eine intensive Korrespondenz, die, im Gegensatz zu anderen Feuchtwanger-Briefpartnerschaften, meist sehr persönlich gehalten ist. Eine Edition der Briefe Feuchtwangers an Eva van Hoboken listet zwischen 1930 und 1958 255 Briefe aus der Hand des Schriftstellers. Mit kaum einem anderen Zeitgenossen, von seinem Freund Arnold Zweig abgesehen, hat Feuchtwanger derart konsequent und auf freundschaftlicher Ebene korrespondiert. In ihrem letzten Brief an Lion Feuchtwanger am 3. Dezember 1958 fasst Eva van Hoboken das Besondere, das ihr Leben mit dem von Lion Feuchtwanger verbindet, zusammen – so als ahnte sie, dass es die letzte Nachricht an den ihr nahestehenden Mann sein würde:»Ich habe Bilanz gemacht: viel gesehen, viel erlebt, es schwer und es gut gehabt. Aber erzogen zu alledem hast Du mich, und ich bin Dir dafür dankbar.«[372] Feuchtwanger als Lehrer, väterlicher Freund und Geliebter.

Als Lion am 19. Juli 1933 in der Villa »La Bastide Juliette«, dem gemeinsamen Haus von Sybille von Schoenebeck und Eva Herrmann, erstmals der zweiten Eva begegnet, ist ihm dieses denkwürdige Zusammentreffen einen Eintrag im Tagebuch wert. Eva Herrmann, zu diesem Zeitpunkt 32 Jahre alt, ist eine Frau von außerordentlicher Attraktivität. Klaus Mann spricht von»delikatem Liebreiz und von großen Gaben«[373]; sein Vater Thomas nennt sie »die Gemme«. Sie übt sofort eine große, zweifellos auch erotische Faszination auf Lion Feuchtwanger aus, der seit dem Ende seiner Beziehung zu Eva Boy zwar wechselnde sexuelle Kontakte hat, aber keine dauerhaft tragfähige Liebesbeziehung aufbauen kann. Die 1901 in München geborene Zeichnerin stammt aus einer wohlhabenden jüdischen Familie; ihr Vater ist der Maler Frank S. Herrmann. Eva ist eng verbunden mit der Familie Mann: Sie ist mit Klaus und Erika befreundet und wird später Patin des 1940 geborenen Thomas-Mann-Enkels Frido. In München ist Eva Herrmann zu Beginn der 1920er Jahre mit Johannes R. Becher liiert, mit dem wiederum auch Lion Feuchtwanger bekannt ist. Später ist sie eng befreundet mit Richard Hallgarten, dem Sohn der Pazifistin Constanze Hallgarten, ein intimer Freund von Erika und Klaus Mann. Er nimmt sich im Mai 1932 das Leben, was für Eva Herrmann und noch mehr für Klaus Mann eine kaum zu verwindende Tragödie ist. Ob sich Feuchtwanger und Herrmann bereits in München begegnet sind, ist unklar und eher unwahrscheinlich. Nach Sanary kommt sie im Sommer 1933, um mit ihrer lesbischen Freundin Sybille von Schoenebeck die Villa »La Bastide Juliette« zu beziehen. Durch von Schoenebeck, die enge Kontakte zu Maria und Aldous Huxley pflegt und in der deutschsprachigen Emigrantenkolonie gut vernetzt ist (sie hat dafür gesorgt, dass Thomas und Katia Mann die Villa »La Tranquille« mieten können), wird Eva Herrmann rasch Teil der Szene. Unter den deutschstämmigen Emigranten hat sie jedoch einen Sonderstatus, denn die binationale Künstlerin mit dem amerikanischen Pass ist keine von den Nationalsozialisten Vertriebene – Eva Herrmann ist freiwillig in Sanary. Sie hat auch keine Geldsorgen, wie sie einen Großteil der in Sanary Gestrandeten plagen. Von der kleinen, sich immer wieder neu formierenden deutschen Kolonie in und um Sanary wird sie mit einer Mischung aus Faszination und Misstrauen beobachtet. Nicht besonders schmeichelhaft ist die Personenbeschreibung, die Ludwig Marcuse gibt: Sie sei einst »Johannes R. Becher mit allen Schikanen anverlobt gewesen (...). Ihr Verhältnis zur deutschen Literatur bestand auch darin, daß sie, zeichnend, viele Literaten meisterhaft karikiert hatte. Dazu war sie sehr geeignet, weil sie karikierende Augen hatte und daneben auch noch einen hübschen, aber nicht immer sehr freundlichen Mund. Sie war sehr nüchtern und sah sehr poetisch aus. Ihr Gehen war ein Schreiten, das eine mädchenhafte Eleganz zum Vorschein kommen ließ; bei Mondschein-Spaziergängen entwickelte die fragile Dame einen Schritt, als wäre sie auf Dauermärsche trainiert worden. Sie war sehr rationell und glaubte an Geister«.[374] Marcuse spielt mit seiner kleinen Boshaftigkeit auf Eva Herrmanns Faible für Astrologie und Spiritismus an – esoterische Interessen, für die kaum jemand in Sanary Verständnis aufbringen kann, am wenigsten der sachlich-nüchterne Lion Feuchtwanger.

Zu einer zweiten Begegnung mit Eva Herrmann kommt es knapp drei Wochen später, am 8. August 1933, anlässlich einer großen »Gartenparty« (Thomas Mann) im Haus des rustikalen und trinkfreudigen amerikanischen Schriftstellers William Seabrook, bei der neben den Feuchtwangers und den Manns auch Arnold und Beatrice Zweig, René und Anna Schickele, Maria und Aldous Huxley sowie Sybille von Schoenebeck gegenwärtig sind. Und schließlich trifft man sich Anfang Oktober 1933 noch einmal: Von Schoenebeck und Herrmann sind zusammen mit Bertolt Brecht und Arnold Zweig Gäste der Feuchtwangers in der »Villa Lazare«. Es ist eine Annäherung auf Raten. Der eilige Verehrer Feuchtwanger, der bei weiblichen Wunschkandidatinnen stets schnell »das Klassenziel« erreichen möchte, muss sich bei Eva Herrmann lange gedulden. Man trifft sich zwar wieder, aber unverbindlich, ohne Weiterungen. Etwas gereizt notiert Lion am 31. Oktober 1933 in sein Tagebuch: »Mit Eva geflirtet, sie nachmittags vergeblich erwartet.«[375] Auch in den nächsten Monaten bleibt es bei freundlichen Begegnungen und gelegentlichen Briefkontakten. Noch ist man beim distanzierten »Sie«, aber Lion bemüht sich in seinen Briefen wortmächtig und unmissverständlich um Nähe. Seine Avancen sind klar:»wie stehn wir übrigens? (…) wir stehen glaub ich besser, als wir glauben.«[376] Doch erst im Sommer 1935 wird Eva Herrmann zur»Nebenfrau« des Schriftstellers. Man verbringt einige gemeinsame Tage in Cannes, besucht das Casino, und Lion erreicht endlich das ersehnte Ziel. Im Tagebuch findet sich für den 29. August 1935 freilich nur das sachliche Protokoll:»Eva gevögelt«.[377] Mit dieser Bestandsaufnahme beginnt eine leidenschaftliche Beziehung, die mehrere Jahre und einige Krisenmomente überdauert und die mit den üblichen Feuchtwanger-Affären, die meist den Charakter von unverbindlichen *One-Night-Stands* haben, kaum etwas gemein hat. Sogar ein verhaltenes Liebesbekenntnis entringt sich Feuchtwanger in seinem Tagebuch:»Ein Zettelchen von Eva Herrmann, in die ich ziemlich ernstlich verliebt bin«, notiert er am 28. Oktober 1935.[378] Und in einem Brief an Eva Herrmann wird er sogar das sperrige Wort zu Papier bringen:»Ich liebe sie fast«.[379]

Für den Schreiber ist der rauschhafte Sog, der ihn an diese zweite Eva bindet, eine intensive emotionale Erfahrung. Neu ist die oftmals nagende Eifersucht, die verzweifelte Sehnsucht, wenn über längere Zeit der persönliche, telefonische oder briefliche Kontakt zur Geliebten unterbrochen ist. Lion ist reizbar, wenn Eva – was immer wieder vorkommt – nichts von sich hören lässt, vermutet einen Nebenbuhler, leidet und macht der Schweigsamen Vorwürfe. Als Eva tatsächlich im Sommer 1936 eine Affäre mit Aldous Huxley beichtet, reagiert Lion verstimmt. Kurz vor der gemeinsamen Reise nach Moskau kommt es im November 1936 zu einer ersten heftigen Auseinandersetzung:»Ich bin verärgert, weil sie die letzten Tage meist mit Bekannten verbracht hat, die mir zuwider sind, und mich darüber grob vernachlässigt.« Die Folge:»Ich bin reichlich giftig. Verstimmung. Wir vögeln nicht. Am Morgen werde ich etwas besser.«[380] Marta toleriert die intensive und leidenschaftliche Beziehung Lions zu Eva Herrmann. Es kommt sogar vor, dass sie Lion zur Bahn bringt, wenn sich dieser auf den Weg zu einem Rendezvous mit Eva in Cannes oder Paris macht. Aber nicht immer ist das Verhältnis der Eheleute von Harmonie geprägt. Oft »strindbergelt« Marta und Lion ärgert sich über ihre »Hysterie«[381]. Und er zieht sich – wie es scheint – mehr und mehr von ihr zurück. In den Tagebüchern findet sie phasenweise kaum Erwähnung, er schläft nur noch selten mit ihr. Wenn er nicht mit Eva intim ist, trifft er sich mit anderen Frauen oder besucht Prostituierte. Im Tagebuch werden meist die unerfreulichen Momente dokumentiert:»Marta sehr schwierig«, liest man etwa am 8. Juni 1938.[382]

Die denkwürdige *Ménage-à-trois* nötigt Lion immer wieder zu organisatorischen Höchstleistungen, um alle Termine, Verpflichtungen und Sexualkontakte zu harmonisieren. Denn neben der emotionalen Energie, die für Marta und Eva aufzubringen ist, und den sexuellen Ressourcen, die für eine Reihe von amourösen Abenteuern erforderlich sind, gibt es ja auch noch diverse literarische Projekte – 1937 entsteht »Moskau 1937. Ein Reisebericht für meine Freunde« und die Arbeit an dem Roman »Exil« wird aufgenommen – und nicht zuletzt die tätige Mitwirkung in diversen Schriftsteller- und Emigrantengremien, die ebenfalls eine hohe Aufmerksamkeit, zumindest aber physische Präsenz erfordern. Dazu kommen gesundheitliche Probleme: die chronischen Magenprobleme, eine kräftezehrende Zahnbehandlung, die ihn regelmäßig nach Paris zwingt, und schließlich ärgerliche Prostatabeschwerden. Man darf mit Sicherheit vermuten, dass der Mann und Schriftsteller Feuchtwanger nach seiner Rückkehr von der Moskaureise im Frühjahr 1937 und dem Erscheinen seines umstrittenen Stalin-Hymnus eine durchaus anstrengende Lebensphase durchlebt. Im Sommer 1938 veranlasst eine neuerliche Affäre Evas den eifersüchtigen Feuchtwanger zu einer radikalen Maßnahme: »Endgültiger Entschluß, Eva auf mehrere Wochen nicht mehr zu vögeln und sie abzubauen.«[383] Eine befremdliche Sprache, mit der hier das Ende einer engen Beziehung angekündigt wird. Aber: Die Vorsätze bleiben folgenlos, die emotionale Bindung ist zu stark, die Beziehung wird schon nach wenigen Tagen fortgesetzt und intensiv gepflegt, bis Eva sich Ende 1939 entschließt, wegen der bedrohlichen Lage in Mitteleuropa in die USA zu übersiedeln. Ihre Bemühungen (im Einklang mit Marta), auch Feuchtwanger noch Anfang September 1939 von einer Ausreise nach Amerika zu überzeugen, bleiben fruchtlos. Im Oktober 1939 verlässt Eva Herrmann Frankreich.

In der eng vernetzten Emigrantenwelt von Sanary bleibt die Beziehung zwischen dem berühmten Lion Feuchtwanger und der schönen Eva Herrmann nicht verborgen. In der illustren Runde von Intellektuellen, Künstlern und Literaten, die nach Gesprächsstoff gieren, sind aufsehenerregende zwischenmenschliche Konstellationen kein Thema der Diskretion. Abgesehen von besorgniserregenden politischen Neuigkeiten gibt es in der kleinen Kolonie kaum Berichtenswertes. Daher besitzen Gerüchte und verbürgte Informationen über sexuelle und sonstige Exzesse einen hohen Nachrichtenwert. Gerade das unkonventionelle, lustvolle Privatleben des erfolgreichen Lion Feuchtwanger bietet vielfältige Ansatzpunkte für hingebungsvollen Emigrantentratsch. Die wiederholten Ausflüge nach Cannes ins Spielcasino, die dubiosen Reisen nach Marseille oder Paris, in Begleitung oder alleine, die lebensfrohe Sinnlichkeit, die Freude am kulinarischen Genuss – willkommene Themen für eine nachrichtenarme kleine Gemeinde. Kein Wunder, dass bei manchen Beobachtern die Liaison Feuchtwanger/Herrmann auf Unverständnis und Irritation stößt. Auffällig ist allein schon die unterschiedliche körperliche Attraktivität: Lion Feuchtwanger »hatte, zerknitterter kleiner Mann, der er war, eine schöne und sehr sympathische Freundin, eine Malerin, er machte die Beziehung zu diesem dekorativen, diskreten Mädchen so öffentlich, als wäre sie Maîtresse-en-Titre und er Sa Majesté le Roi, und erfreute sich, Körperliches betreffend, ganz allgemein einer liebenswerten Blindheit sich selbst gegenüber, die nicht von schlechten Eltern war«, so der Schriftsteller Robert Neumann, der zeitweise in Sanary lebte.[384] Wenig schmeichelhaft liest sich auch der Kommentar von Klaus Mann, den er im April 1937 seinem Tagebuch anvertraut: »Eva erzählt über russische Reise, über Feuchtwanger u.s.w. Merkwürdig, daß sie einfach die Geliebte des garstigen kleinen F. ist.«[385] Die Beispiele zeigen: Selbst in der Zwangsgemeinschaft von Sanary praktizieren die Schicksalsgenossen oft nur eine äußerlich gelebte, eine formale Solidarität. Die psychosozialen Fliehkräfte, die Kollektive von innen heraus zersetzen und defragmentieren, wirken auch in den Emigranten-Milieus. Womöglich entfalten sich Missgunst und Eifersucht in von außen bedrohten Kollektiven am Ende sogar stärker als in »gemäßigten Klimazonen«. Das Zusammenleben der Emigranten an der südfranzösischen Küste ist faktisch ein einziger großer Kompromiss: Man braucht sich (weil sonst niemand da ist), aber man hätte es eigentlich lieber, wenn dem nicht so wäre. In einem Brief an Arnold Zweig wird Lion Feuchtwanger diese groteske Situation später auf den Punkt bringen. Los Angeles, wo viele Emigranten ab 1941 wieder versammelt sind, ist ihm »eine Art gigantisches Sanary. (…) Die weitaus meisten unserer gemeinsamen Bekannten leben jetzt hier (…). Glücklicherweise sind die Entfernungen so weit, daß man sich nur relativ selten sieht.«[386]

Frappierend ist die Ähnlichkeit der zwei Nebenfrau-Konstellationen Feuchtwanger-Boy und Feuchtwanger-Herrmann. In beiden Fällen handelt es sich um erheblich jüngere, äußerlich attraktive, künstlerisch veranlagte Frauen. Dass sie das Herz eines älteren Herrn hochschlagen lassen, ist nicht ungewöhnlich. Dass es aber beiden gelingt, den hochpromisk lebenden Lion Feuchtwanger in eine dauerhafte emotionale Bindung – das Wort »Liebe« darf hier durchaus gesetzt werden – zu verstricken, ist bemerkenswert. Es ist denkbar, dass von Seiten Feuchtwangers ein möglicherweise unbewusster Aspekt mitspielt, der über das körperliche Begehren hinausgeht. Beiden Frauen ist er, wie er es seinem literarischen Gegenstück Dr. Gustav Oppermann zuschreibt, »Liebhaber und Onkel zugleich«. Dieser Befund gilt für Eva Boy mehr, für Eva Herrmann weniger. Aber er gilt. Lion Feuchtwanger entwickelt zu beiden Evas neben dem sexuellen Begehren und seiner Rolle als Mentor und Lehrer auch eine väterliche Fürsorge. Ist es abwegig, hier eine Sehnsucht zu unterstellen, die ins Jahr 1912 zurückführt, als im italienischen Pietra Ligure die neugeborene Tochter Elisabeth Marianne nach nur wenigen Wochen stirbt? Der Traumatisierung des jungen Vaters stellt Lion Feuchtwanger in seinen literarischen Werken immer wieder deutlich herausgearbeitete Vater-Tochter-Beziehungen entgegen. Eine Form der selbsttherapeutischen Aufarbeitung? Vor diesem Hintergrund gewinnen auch die real gelebten Beziehungen zu Frauen, die seine Tochter sein könnten, eine spezielle Konnotation. Womöglich hat Lion die innigen Vater-Tochter-Konstellationen eben nicht nur als Romanstoff bearbeitet, sondern auch für sein eigenes Leben gesucht – und gefunden. Die Bindung der beiden jungen Evas an den älteren Mann ist gleichermaßen erklärungsbedürftig. Ein Hinweis ist in beiden Fällen unter Umständen die problematische Vater-Tochter-Beziehung, die sich sowohl für Eva Boy wie auch für Eva Herrmann nachweisen lässt. Eva Boy wächst hauptsächlich bei ihrer Mutter auf und hat kaum Kontakt zu ihrem Vater (der 1883 geboren wird, also nur ein Jahr älter ist als Lion). Und auch Eva Herrmann hat vor allem in ihrer frühen Kindheit nur wenig Kontakt zum Vater. Nach der Trennung der Eltern im Alter von acht Jahren lebt sie bei der ungeliebten Mutter, während ihre vier Geschwister beim Vater bleiben können. Ihre Schulzeit an Internaten ist geprägt von häufigen Ortswechseln. Wird vor diesem Hintergrund, angesichts der schwierigen Verhältnisse beider Evas zum leiblichen Vater, der väterliche Freund Feuchtwanger zum emotionalen Sehnsuchtsort?

Nach dem Auszug aus der »Villa Lazare« und dem provisorischen winterlichen Interim im Hotel finden die Feuchtwangers im März 1934 ein geeignetes Haus, das zur Miete steht: die großzügige und elegante »Villa Valmer«. Das Anwesen ist ein kleines Paradies, nicht ganz billig, aber dank des internationalen Erfolgs der »Oppermanns« durchaus erschwinglich, ein »Haus mit drei Stockwerken und einer wunderbaren Aussicht übers Meer und die Inseln. (…) Im ersten Stock befanden sich nur das Arbeitszimmer und die Bibliothek – Lion hatte sofort angefangen, mit den neuen Einnahmen Bücher zu bestellen. Hinter dem Haus

lag ein riesiges Gelände von Wiesen, Baumgruppen, Obst- und Nuß-
bäumen, und im Hintergrund ragten hohe Berge auf.«[387] Am 5. Mai
1934 beziehen die Feuchtwangers ihr neues Zuhause. Die wachsende
Bibliothek des eifrigen Sammlers Feuchtwanger umfasst bald 2000 Bücher – jedes Exemplar ein wertvolles Stück geistige Heimat. Zu den
Hausbewohnern gehören auch einige Katzen, die – anders als die trä-
gen Schildkröten im Grunewald – für kurzweilige Unterhaltung sorgen. Thomas Mann wird den Feuchtwangers später neidlos zu diesem
Zuhause gratulieren:»Ich glaube, Sie waren der erste, der sich in der
Emigration ein mehr als würdiges, ein glänzendes Heim zu schaffen
wußte (…). Ich hätte gern den Goebbels durch Ihre Räume geführt und
ihm die Aussicht gezeigt, damit er sich gifte.«[388]

Unter den gegebenen Umständen durchleben Lion und Marta
Feuchtwanger in Südfrankreich zufriedene, im Großen und Ganzen
glückliche Jahre. Natürlich wiegen Heimatverlust, die mit den Jahren
zunehmenden Zukunftssorgen, die nach Kriegsausbruch wachsenden
Schikanen der französischen Bürokratie schwer und lassen die Sehnsucht nach einem dauerhaft geschützten Zuhause wachsen. Und doch
ist man umgeben von einer Lebensqualität, die den Alltag nicht zu
einem permanenten Überlebenskampf werden lässt. Die wirtschaftlichen Verhältnisse sind die meiste Zeit über solide und gesichert, bisweilen exzellent, so dass immer wieder auch andere von der solidari-
schen Unterstützung der Feuchtwangers profitieren können. Dennoch
sind auch der Feuchtwanger'schen Hilfsbereitschaft Grenzen gesetzt.
Fast verzweifelt klingt Martas Klage über Lions Großzügigkeit, die sie
ihrem Freund Arnold Zweig anvertraut:»Lion wird von allen Seiten
angepumpt, wenn er schüchtern mahnt, sind die Leute empört. Aber er
kann's nicht lassen, das Verleihen mein ich. Mich ärgert nur, daß es
meist Leute sind, die nicht ohne Zimmer mit Bad im Hotel wohnen.
Wirklich Hilfsbedürftigen hilft man viel zu selten, die sind schüchtern
und begnügen sich mit 20 M.«[389] Auch Lion berichtet seinem Freund
Zweig von der»Flut von Briefen, die alle etwas von einem wollen«. Die
Folge sei,»daß man hilflos darin versinkt, und die allgemeine Hoff-
nungslosigkeit ringsum nimmt einem den Atem, selbst wenn es einem
selber ganz leidlich geht.«[390] Diese Zustandsbeschreibung ist freilich
eine milde Untertreibung. Immerhin leistet man sich ein repräsentati-
ves Automobil (nach dem klapprigen Renault sorgt seit Frühjahr 1934
ein silbergraues achtzylindriges Talbot-Cabriolet für standesgemäßes
Vorwärtskommen), beschäftigt Bedienstete, empfängt viele Gäste,
erträgt Verluste im Casino, kann reisen. Nicht in alle Teile der Welt,

aber doch – vor 1939 – innerhalb Frankreichs; auch nach England, London. Allerdings ist die Beschaffung der nötigen Papiere mit gelegentlich unerfreulichen Begegnungen mit »Amtspersonen« verbunden. Die Einheimischen an der Küste haben zwar nicht ihre Distanz, aber doch ihr Misstrauen längst abgelegt. Dass Fremde, zumal Künstler und Schriftsteller, sich gerne an der Côte d'Azur aufhalten, sich hier auch dauerhaft niederlassen, ist ein vertrautes Phänomen. Die englische Schriftstellerin Katherine Mansfield hatte sich schon 1915 in die Gegend um Bandol und Sanary verliebt, schwärmte davon gegenüber D. H. Lawrence, der daraufhin ebenfalls an die Côte d'Azur kommt. Lawrence wiederum lockt Ende der 1920er Jahre Aldous Huxley in den idyllischen Ort Sanary; Huxley verfasst hier seinen beklemmend prophetischen Roman »Brave New World«. Erwin Piscator, der Held des epischen Theaters aus Berlin, verbringt 1926 im nahegelegenen Bandol einen Sommer. Der aus dem Elsass stammende Schriftsteller René Schickele ist seit November 1932 mit seiner Familie hier und schreibt an seinem Sanary-Roman »Die Witwe Bosca«. Und auch den beiden Mann-Kindern Klaus und Erika ist Sanary schon um 1930 ein Begriff als »die erklärte große Sommerfrische des Café du Dôme, der sommerliche Treffpunkt der pariserisch-berlinerisch-schwabingerischen Malerwelt«.[391] Seit Frühjahr 1933 finden etwa 50 deutschsprachige Emigranten den Weg nach Sanary und bleiben hier unterschiedlich lange. Unter ihnen sind international renommierte Autoren wie Thomas Mann, Franz Werfel, Bruno Frank, Arnold Zweig, aber auch weniger bekannte Intellektuelle und Publizisten wie Ludwig Marcuse, Hermann Kesten, Franz Hessel oder Wilhelm Herzog. Viele von ihnen sind gezwungenermaßen sparsam, manche aber außerordentlich wohlhabend, daher für die örtliche Wirtschaft hochwillkommen. Der lokale Immobilienmarkt genießt einen kleinen Boom. Manche Neubürger beschäftigen Einheimische als Hausangestellte; auch die Gastronomie profitiert, denn einige Emigranten verbringen viel Zeit in den Cafés an der Küstenstraße. Aber: Die Emigranten bleiben Fremde, wenngleich ihre Präsenz akzeptiert wird. Zu dieser Außenwahrnehmung tragen sie natürlich selber bei. Sie suchen nicht die Zugehörigkeit zu den lokalen Milieus, zu den Dorfgemeinschaften, den örtlichen Vereinen, Kirchengemeinden. Sie werden von ihren eigenen Sorgen und Nöten in Atem gehalten. Für die in Sanary Angekommenen ist das Leben in dem kleinen Fischerort ein Provisorium. Denn dauerhaft bleiben möchte kaum einer. Sie gehen zuversichtlich davon aus, dass das Hitler-Regime bald abgewirtschaftet haben und so eine Rückkehr in die alte Heimat wieder möglich wird.

Das Leben in Sanary ist nur eine Zwischenstation, ein Ort, der denen ein Lebensrecht zugesteht, denen alles genommen und auch die Existenzberechtigung abgesprochen wurde. Das berauschende Klima, die provenzalische Landschaft mit ihren aufregenden Extremen, die Nähe zu Gleichgesinnten und Freunden, der intellektuelle Austausch ermöglichen lange Zeit ein Leben, das kein Morgen, nur ein Heute kennt. In diesem hochkarätigen Milieu der exilierten Zwangsgemeinschaft in und um Sanary kann sich der schöpferische Mensch Lion Feuchtwanger entfalten. In diesen südfranzösischen Jahren scheint die Ideenkraft und Produktivität des Schriftstellers unerschöpflich. Der intensive Gedankenaustausch mit kreativen und gebildeten Gesprächspartnern wirkt befruchtend für das eigene Schaffen. Und im Gegenzug lässt man die anderen teilhaben an Ideen, äußert Kritik und regt an. Nicht ohne Stolz bemerkt Lion Feuchtwanger 1957 in einer biographischen Skizze, dass er auf die Entstehung von Heinrich Manns zweibändigem »Henri Quatre«, der zwischen 1933 und 1938 geschrieben wird, »nicht ohne Einfluss« war.[392] Er selbst hat sicherlich ebenfalls profitiert von den ausführlichen Gesprächen mit Heinrich Mann, Bruno Frank und Franz Werfel, von dem intensiven brieflichen Gedankenaustausch mit dem in Palästina lebenden Arnold Zweig und dem durch die freie Welt irrenden Bertolt Brecht. So gibt es im Leben des vertriebenen deutschen Staatsbürgers Feuchtwanger verschiedene reale und virtuelle Orte, die ihm als Bezugssysteme Heimat sind. Die Feuchtwanger'schen Heimatkoordinaten müssen auf materiellen, emotionalen und auch intellektuellen Ebenen gesucht werden. Konkret erlebt und unmittelbar schmerzhaft wird der materielle Heimatverlust durch den Entzug des lebensräumlichen Umfelds. Die Vertreibung aus dem eigenen Zuhause und aus dem eigenen Land ist gleichbedeutend mit dem Verlust des gewohnten, vertrauten Lebensrhythmus. Materiell und geographisch befindet sich der Emigrant an seinem neuen Zufluchtsort auf schwankendem Boden. Ideell und emotional schmerzhaft ist der Verlust liebgewordener Objekte. Die Bibliothek gehört dazu, Möbel, Bilder, Kleidung, kurz: das Verschwinden von Gegenständen, die Erinnerungswert in sich tragen, mit Personen und Ereignissen verknüpft sind. Was am Ende als einzige tragfähige Konstante bleibt, ist die intellektuelle Heimat. Diese ist höchstpersönlich und kann durch äußeren Entzug nur marginal beeinträchtigt werden. Gedankliche Reflexionen, literarische Diskurse, intellektuelle Frage- und Antwortsysteme sind jeder Person eigen und nicht übertragbar. Auf dieser letzten Ebene sind es die menschlichen, aber auch die dinglichen »Gesprächspartner«, die dem exilierten

Schriftsteller zum Zuhause werden. Oder mit Lion Feuchtwangers
Worten: »Eines Schriftstellers Heimat sind zweifellos auch die Buecher,
die er liest.«[393] Mit welchen Büchern hat der Emigrant und Sanary-Neu-
bürger Lion Feuchtwanger seine intellektuelle Heimat möbliert? Wie
sieht der Feuchtwanger'sche Literaturkanon aus? Denn diese Lektüre ist
es, die den inneren Monolog des Schreibens aufbricht, die oft autisti-
sche Selbstbezogenheit beim Verfertigen von literarischen Texten zum
Dialog und zur Diskussion öffnet. Aus den Tagebüchern können wir
uns einen Eindruck von Feuchtwangers bisweilen exzessivem Lesehun-
ger verschaffen:

Lektüre 1938

u.a. Jonathan Swift »Gullivers Reisen«
Louis Aragon »Les Beaux Quartiers« (erschienen 1936)
Robert Neumann »Eine Frau hat geschrien« (erschienen 1938)
Alfred Döblin »Der blaue Tiger« (erschienen 1938)
Sinclair Lewis »Work of Art« (erschienen 1934)
Iwan Gontscharow »Oblomow«
Maxim Gorki »Die Mutter«
Hermann Kesten »Die Kinder von Guernica«
(erschienen 1939; Lektüre im Manuskript)
Nikolai Ostrowski »Wie der Stahl gehärtet wurde«
(erschienen 1932)
Stefan Wendt »Insel im Vaterland« (erschienen 1938)

Lektüre 1939

u.a. Ilja Ehrenburg »Der zweite Tag« (erschienen 1933)
Elisabeth von Heyking »Briefe, die ihn nicht erreichten«
(erschienen 1903)
Guy de Maupassant »Bel Ami«
Annette Kolb »Das Exemplar« (erschienen 1913)
Gottfried Keller »Grüner Heinrich«
Ernst Weiß »Der arme Verschwender« (erschienen 1936)
Aldous Huxley »Point Counter Point« (erschienen 1928)
Klaus Mann »Der Vulkan« (erschienen 1939;
Lektüre im Manuskript)
Stefan Zweig »Maria Stuart« (erschienen 1935)
William Shakespeare »Der Sturm«

Ein Lektüremuster ist dabei nicht erkennbar, keine ausgesprochenen Vorlieben, keine Antipathien. Was meist fehlt, sind die Klassiker, die nur gelegentlich auftauchen. Wir dürfen davon ausgehen, dass er die meisten bereits kennt. Feuchtwanger liest bevorzugt moderne Autoren; die Zeitgenossen genießen Wertschätzung und, natürlich, auch die Leidensgefährten in der Emigration.

1936/37: Moskau

»Furchtbar schlecht geschlafen infolge Erkältung.
Morgens ruft man an, ich soll mittags zu Stalin.
Außerordentlich unangenehmer Tag dafür, da ich
ein Abführmittel genommen; nicht geschlafen habe,
und erkältet bin. (…) Ich spreche drei Stunden mit
Stalin, erst gewundenes Zeug über die Freiheit des
Schriftstellers, schwierig auch durch Übersetzung,
dann über den Stalinkult, dann über ›Demokratie‹,
dann über den Prozeß. Dann fahre ich sehr
erschöpft zurück. Mit Eva zu Abend gegessen.«[394]

Nach 1933 konzentriert sich der Aktionsradius Feuchtwangers neben
seiner literarischen Produktivität auf zwei Hauptthemen: Er ist prominenter und aktiver Teil der komplexen Welt der Emigranten. Und er
bezieht sich immer wieder auf die weltpolitischen Probleme der Gegenwart. Viele seiner Aktivitäten und Reisen in den 1930er Jahren
dienen dazu, die politische und argumentative Wirkungskraft der
Emigranten-Organisationen zu festigen. Er möchte zur Konsolidierung
der politisch fragmentierten Gemeinschaft nach innen beitragen und
gleichzeitig das Gewicht der Emigration nach außen stärken. Die Bin-
nenperspektive der Emigration wird aber erst komplett durch die
Außenperspektive des Kampfes gegen die nationalsozialistische Diktatur. Dieser Herausforderung stellt sich Feuchtwanger mit großem persönlichen Einsatz. Beide Aktionsfelder stehen in einem direkten Wech-
selspiel. Und beide Zielsetzungen tragen dazu bei, dem politischen
Profil des Schriftstellers Lion Feuchtwanger schärfere, bisweilen aber
auch tragische Konturen zu geben.

Zwischen 1933 und 1939 wird Feuchtwanger Sanary immer wieder
vorübergehend verlassen. London, Paris und Moskau sind die Reise-
ziele, die er ansteuert, um Gespräche mit Verlegern zu führen, literarische Projekte vorwärtszubringen oder in Gremien Exilfragen zu erörtern. Häufig reist er nach Paris, wo sich deutsche und französische
Schriftsteller bei Kongressen versammeln, wo die exilierten Literaten

keineswegs immer konfliktfrei um einen gemeinsamen Standpunkt gegenüber dem nationalsozialistischen Deutschland, aber auch gegenüber ihren Gastländern ringen. In diesen Zirkeln ist man bemüht, eine wahrnehmbare Position im unübersichtlichen diplomatischen Getümmel der mitteleuropäischen Konflikte zu finden. Eine Position, von der aus die Stimme der vertriebenen Intellektuellen auch tatsächlich gehört wird. Und es geht – selbstverständlich – auch hier um Politik, um entsprechend wirkungsvolle Gestaltungsmöglichkeiten. Die Szenerie der vertriebenen Intellektuellen ist in zwei große Lager gespalten: ein bürgerlich-konservatives, für das stellvertretend Thomas Mann und Franz Werfel stehen. Und ein linkes Segment, das sich freilich wiederum in ein ambivalentes Mosaik zergliedert: auf der einen Seite Intellektuelle wie Heinrich Mann und Lion Feuchtwanger, die mit sozialistischen Ideen sympathisieren; auf der anderen Seite dezidiert politische Akteure wie Johannes R. Becher oder Bertolt Brecht, die sich offen zum Kommunismus und dessen Moskauer Linie bekennen. Es gelingt nicht immer, die Standpunkte der versammelten intellektuellen Wortführer auf einen gemeinsamen Nenner zu bringen.

Wie Heinrich Mann ist auch Lion Feuchtwanger in dieser Szenerie ein Aktivposten. Sein Name ist international bekannt, seine Stimme hat Gewicht. So ist Feuchtwanger mit Max Herrmann-Neisse, Ernst Toller und Rudolf Olden einer der Gründen eines Exil-P.E.N., der Ende 1933 in London ins Leben gerufen wird. Intensiv bemüht sich Feuchtwanger, seinen Sanary-Nachbarn, den Nobelpreisträger Thomas Mann, für dieses Unternehmen zu gewinnen. Mann lehnt jedoch ab, obwohl der Exil-P.E.N. stärker bürgerlich ausgerichtet ist als etwa der Exil-SDS – der »Schutzverband Deutscher Schriftsteller im Ausland« –, der vornehmlich von links-intellektuellen Akteuren getragen wird. Dieser Exil-SDS wird am 30. Oktober 1933 in Paris von emigrierten deutschen Schriftstellern als Reaktion auf die schockierenden Bücherverbrennungen gegründet. Mitglieder sind neben Rudolf Leonhard, Anna Seghers, Alfred Kantorowicz und Johannes R. Becher auch Ludwig Marcuse und Heinrich Mann. Auch hier ist Lion Feuchtwanger präsent. Seit 1935 engagiert er sich im Vorstand, seit 1938 im Präsidium der Vereinigung. Im Souterrain des »Café Mephisto« am Boulevard St. Germain organisiert der SDS regelmäßig kleine Veranstaltungen und Lesungen, bei denen immer wieder auch Feuchtwanger über seine Projekte berichtet. Den Vorsitz des Exil-P.E.N. übernimmt 1934 Heinrich Mann. Später wird sich auch der zunächst zögerliche Thomas Mann dieser Organisation anschließen.

1934 finden wir Lion Feuchtwanger als Gründungsmitglied des
»Initiativkomitees zur Gründung der Deutschen Freiheitsbibliothek«,
deren Ehrenpräsidentschaft er später gemeinsam mit André Gide und
Romain Rolland übernehmen wird. Mitglieder dieser vom SDS ins
Leben gerufenen Bibliothek sind unter anderen Bruno Frank, Ernst
Bloch, Emil Julius Gumbel, Hanns Eisler, Alfred Kerr, Egon Erwin
Kisch, Kurt Rosenfeld und Joseph Roth. Am 10. Mai 1934 – ein Jahr nach
den Bücherverbrennungen in Deutschland – wird in Paris am Blvd.
Arago 65 die »Freiheitsbibliothek« eröffnet. In dieser »Bibliothek der
verbrannten Bücher« kommen nach und nach 13 000 Bücher zusam-
men, allesamt Werke von verfemten Autoren, die den Scheiterhaufen
und der Zensur der Reichskulturkammer zum Opfer gefallen sind.
Hier stehen die Bücher all jenen zur Verfügung, denen die Bewahrung
des geistigen Erbes der diskreditierten Schriftsteller ein Anliegen ist.
Finanziert wird das Unternehmen von Spendern und Mäzenen. Geleitet wird die Einrichtung von Alfred Kantorowicz, dem Generalsekretär
des SDS. Auch hier treffen sich Emigranten und interessierte Pariser zu
Lesungen und Vorträgen.

Im Herbst 1934 fährt Lion Feuchtwanger erneut nach London. Für
den 4. Oktober ist im Londoner Tivoli-Filmtheater die Premiere von
»Jew Süss« anberaumt. Knapp zeitversetzt wird der Film auch in der
New Yorker »Radio City Music Hall« und in Toronto der Weltöffentlichkeit vorgeführt. Dem erstaunten New Yorker Publikum werden per
Funk übermittelte Standbilder der Londoner Premiere präsentiert, eine
technische Meisterleistung und gelungene Überraschung, die in der
sensationsverwöhnten Neuen Welt für erhebliches Erstaunen sorgt.
Nicht nur die Londoner Premiere ist ein großes gesellschaftliches Ereignis. Auch in New York ist viel Prominenz zugegen: Ein berühmtes Foto
zeigt Albert Einstein, Berthold Viertel und Charles Chaplin. Veredelt ist
die Aufnahme durch eine handschriftliche Widmung Einsteins: »Dem
Meister von der Janze Lion Feuchtwanger, Albert Einstein 1934«.
Obwohl die Reaktionen der Presse überwiegend zustimmend ausfallen,
ist Lion skeptisch; er befürchtet, dass »der Film mit Recht ein Mißerfolg
ist«.[395] In Deutschland wird die Produktion erwartungsgemäß nicht gezeigt. Lediglich das österreichische Publikum kann sich ab 16. Oktober
1934 für einige Tage ein Urteil über den Film bilden, bevor er auch hier
verboten wird. Lions skeptische Prognose wird sich bewahrheiten.
Zwar orientiert sich das »philosemitische Kunstwerk« (Friedrich Knilli)
bei der positiven Zeichnung der jüdischen Protagonisten und seinem
Plädoyer für Menschlichkeit am literarischen Vorbild. Aber die diffe-

renziert durchkomponierte historische Szenerie des Romans ist im Film nicht darstellbar. Den Bemühungen der Engländer, mit einem aufwendig hergestellten, künstlerisch ambitionierten Ausstattungsfilm der übermächtigen amerikanischen und deutschen Filmindustrie Paroli zu bieten, bleibt der Erfolg versagt.

Im Sommer 1935 – Feuchtwanger arbeitet inzwischen an seinem neuen Buch »Der falsche Nero« – steht erneut eine Reise nach Paris auf dem Programm, dieses Mal in Begleitung von Eva Herrmann. Vom 21. bis 25. Juni findet hier der »1. Internationalen Schriftstellerkongreß zur Verteidigung der Kultur« statt, organisiert von Ilja Ehrenburg, André Malraux, André Gide, Paul Nizan, Johannes R. Becher und Jean-Richard Bloch. Für Lion Feuchtwanger ist der Auftritt ein persönlicher Erfolg. Er hält eine vielbeachtete Rede über »Sinn und Unsinn des historischen Romans«[396] und trifft mit zahlreichen Schriftstellerkollegen und Intellektuellen zusammen, darunter Tristan Tzara, Aldous Huxley, Bertolt Brecht, Heinrich Mann, Ernst Toller, Robert Musil und Anna Seghers. Kern seines Vortrags ist die These, dass auch der historische Roman eine wirkungsvolle Waffe im Kampf gegen die Unvernunft ist. Die rund 250 Teilnehmer aus 38 Ländern bieten ein eindrucksvolles Tableau der geistigen Intelligenz und bekräftigen die Solidarität der Literaturschaffenden. Eva Herrmann dokumentiert zeichnend und fotografierend die anwesende Prominenz. Der Trubel der Kongresstage, vor allem aber die erfreuliche Resonanz des Publikums beeindruckt Lion außerordentlich. Seiner Freundin Eva van Hoboken beschreibt er eine »imponierende mischung von literarischen vorträgen, politischem meeting und sechs-tage-rennen. es war trostreich zu sehen, dass sich in der heissesten zeit eine ganze woche lang jeden tag 3000 menschen fanden, die geld zahlten, um von 3 uhr nachmittags bis 1 uhr nachts literarischen vorträgen zuzuhören. es war überhaupt alles da, die franzosen und die russen vollzählig, von den amerikanern, engländern und deutschen sehr viele. ich sprach französisch, ins mikrophon, es war nicht ganz einfach. als ich sagte, dass mir die deutschen zwar meine deutsche nationalität, nicht aber meinen deutschen akzent hätten nehmen können, standen die dreitausend auf und klatschten minutenlang, was nicht für mein französisch spricht (…). die russen haben mich sehr fetiert. ›erfolg‹ hat dort, nachdem gorki einen hymnus darauf geschrieben hat, seinem namen ehre gemacht, und ich habe in russland schrecklich viel geld liegen und kann dort auf lebenszeit kaviar essen und pelze kaufen.«[397]

Feuchtwanger ist auch beteiligt, als am 1. und 2. Februar 1936 auf Initiative von Willi Münzenberg und Heinrich Mann im Pariser »Hôtel

Lutetia« eine Volksfrontkonferenz zusammentritt. Dieses Treffen mit annähernd 120 Teilnehmern ist bemerkenswert, denn neben Vertretern kommunistischer Gruppierungen (Franz Dahlem, Philipp Engel) und sozialdemokratischer Organisationen (Rudolf Breitscheid, Max Braun) sitzen auch zahlreiche politisch nicht gebundene Intellektuelle mit am Tisch, darunter Heinrich Mann, Ernst Toller, Klaus Mann, Ludwig Marcuse und Arnold Zweig. Am Ende bleibt es freilich bei einer Absichtserklärung und die Konferenz einigt sich auf die Verabschiedung eines »Appells an alle Menschen guten Willens«. Zwar kommt es noch im Dezember 1936 zu einem gemeinsamen Aufruf von mehr als 70 exilierten Politikern und Intellektuellen, die für die »Bildung einer deutschen Volksfront« plädieren. Zu den Unterzeichnern gehört neben Feuchtwanger auch der junge sozialistische Emigrant Willy Brandt, der maßgeblichen Anteil an der Verleihung des Friedensnobelpreises an Carl von Ossietzky hat. Bei dem Aufruf handelt es sich freilich um ein Kompromisspapier, das allzu pointierte Aussagen vermeidet, um allen Unterzeichnern die Mitwirkung zu ermöglichen. Das Volksfront-Projekt ist bereits in der Phase der Gründungseuphorie zum Scheitern verurteilt, denn außer der Gegnerschaft zum NS-Regime verbindet die jeweiligen Gruppierungen und Einzelpersonen kaum etwas, wie auch Lion Feuchtwanger feststellen muss. Anlässlich eines Besuches in Paris konstatiert er in einem Brief an Heinrich Mann im Oktober 1937 enttäuscht: »Alles in allem finde ich hier leider die Dinge der Volksfront noch verworrener, als ich geglaubt habe. Jeder zerrt nach einer anderen Seite, keiner will den anderen anhören, und wenn man ein praktisches Programm vorschlagen will, bekommt man nichts zu hören als verblasenes, ideologisches Gerede.«[398]

Am 11. November 1936 macht sich Lion in Sanary auf eine mehrwöchige Reise gen Osten, die für sein weiteres Leben Konsequenzen von geradezu antiker Tragödienhaftigkeit haben wird. Marta bringt ihn zur Bahn. In Marseille trifft er Eva Herrmann, die ihn nach Moskau begleiten wird. Am 27. November, nach einem längeren Aufenthalt in Paris zur Klärung der komplizierten Ausreise- und Visumangelegenheiten, besteigt man den Zug, der das Paar über Wien und Warschau in die Sowjetunion bringt. Später stoßen noch Ludwig und Sascha Marcuse dazu. Marcuse, mit dem Lion seit gemeinsamen Aktivitäten für Carl von Ossietzky bekannt ist, soll in Moskau von Willi Bredel das Redaktionssekretariat für »Das Wort« übernehmen – das Vorhaben zerschlägt sich jedoch, weil sich Marcuse als zu wenig linientreu erweist. Auch für Feuchtwanger endet das Unternehmen »Moskau« höchst unerfreulich.

Das unmittelbar nach der Reise veröffentlichte, hoffnungslos missratene Buch »Moskau 1937. Ein Reisebericht für meine Freunde« ist bereits für die meisten Zeitgenossen ein Skandalon erster Güte, das nicht nur Feuchtwangers Reputation als Schriftsteller empfindlich beschädigt, sondern auch Zweifel an seiner intellektuellen Souveränität und an seiner politischen Klugheit nährt. Bis heute wird Feuchtwangers Sowjetunion-Bild als blinde Fehleinschätzung charakterisiert, der Reisebericht gilt als »das egozentrische Glaubensbekenntnis eines parteigehenden Schriftstellers«[399], dessen hochproblematische Haltung mit »praktikabler Unwissenheit« (Manès Sperber) nur unzulänglich beschrieben ist. Für Feuchtwanger selbst hat »Moskau 1937« ganz persönliche und äußerst unangenehme Konsequenzen. Nach seiner Flucht in die USA wird er, der kommunistischen Konspiration verdächtig, von den amerikanischen Behörden mit großem Misstrauen beobachtet und mit paranoider Pedanterie überwacht. Die beantragte US-Staatsbürgerschaft wird ihm wegen seiner vermeintlichen politischen Unzuverlässigkeit bis ans Lebensende verweigert. Aus Angst, nach einem Verlassen der USA nicht wieder in seine dritte Heimat zurückkehren zu können, wird er es nach 1945 nicht wagen, die erste Heimat – Deutschland und München – noch einmal zu besuchen.

Was ist passiert? Auf Einladung des Sowjetischen Schriftstellerverbandes reist Feuchtwanger nach Moskau, wo er »als der größte ausländische Schriftsteller« eindrucksvolle Huldigungen erfährt, wo er über rote Teppiche geführt, vor blitzende Kameras gestellt und mit begeisterten und zufriedenen Sowjetmenschen sowie der *Crème de la Crème* der stalinistischen Kulturschickeria zusammengebracht wird. Die Reise ist komplett fremdfinanziert, das gesamte Programm ist akribisch organisiert und auch die mediale Verwertung des spektakulären Besuchs ist bestens vorbereitet. Feuchtwangers Aufenthalt in der Sowjetunion ist ein grandioser Coup der stalinistischen Propagandamaschinerie, die den Besuch als Imagekampagne für eine positive Außenwirkung des Sowjetsystems instrumentalisiert. Im Wesentlichen geht es darum, die verheerenden Eindrücke, die die Schauprozesse gegen in Ungnade gefallene Gefolgsleute bei der eigenen kommunistischen Klientel, aber auch im Ausland und bei den »bürgerlichen Sympathisanten« hinterlassen, zu korrigieren. Sowjetische Funktionäre bemühen sich bereits seit einiger Zeit um den emigrierten Schriftsteller, dessen Sympathie für linke und sozialistische Ideen kein Geheimnis ist. 1935 erhält Lion ein unwiderstehliches Angebot, dass man in der Sowjetunion alle seine Bücher verbreiten möchte. Im Frühjahr 1936 kommen Nachrichten, dass

man in Moskau über eine Verfilmung der »Oppermanns« nachdenke –
ein Projekt, das tatsächlich realisiert und für Feuchtwanger lukrativ
wird: Das Politbüro genehmigt im Juli 1936 für das Drehbuch eine
Auszahlung von bis zu 5000 Dollar an den Schriftsteller. Über den Pres-
sefunktionär Michail Kolzow, der auch in Frankreich akkreditiert ist,
erfolgen 1936 weitere Kontaktaufnahmen. Kolzow ist im Sowjetimperium ein »mächtiger Mann, bekannter Journalist, Leiter des Zeitschrif-
ten-Trusts Jourgaz und (…) geheimnisumwitterter Polit-Kommis-
sar«[400] – und Lion fühlt sich geschmeichelt. Er nimmt Kolzows Angebot an, gemeinsam mit Bert Brecht und dem nach Moskau emigrierten
Schriftsteller Willi Bredel die Herausgeberschaft einer neu zu gründen-
den internationalen Literaturzeitschrift zu übernehmen. Seit Juli 1936
erscheint in Moskau »Das Wort«, in dessen Geschicke Feuchtwanger
immer wieder gestaltend eingreift. Undogmatisches Ziel der Zeitschrift
ist es, laut Brecht, auch bürgerlichen, nicht-kommunistischen Autoren
eine Plattform anzubieten. Und schließlich: Am 1. Juni 1936 veranstaltet der Sowjetische Schriftstellerverband in Moskau in Abwesenheit des
Geehrten einen Feuchtwanger-Abend.

Das sind exquisite Appetithäppchen, die dem umworbenen Schriftsteller eine Reise in die Sowjetunion schmackhaft machen sollen. Im
August 1936 kommt es schließlich zu Begegnungen mit zwei Sowjetre-
präsentantinnen, die den eitlen und für weibliche Reize empfänglichen
Feuchtwanger geschickt für die geplante Reise einnehmen: Die attraktive Schriftstellerin Maria Osten ist die Geliebte Kolzows. Der Name
»Osten« ist ein Pseudonym, mit dem ein programmatisches Statement
abgegeben wird. Sie kommt Anfang August nach Sanary und soll den
zögernden Feuchtwanger von der Notwendigkeit einer Moskau-Reise
überzeugen. Man kennt sich bereits aus Paris. Die kluge und anziehende
Osten hinterlässt bei Lion bleibende Eindrücke; es kommt wiederholt
zu intimen Begegnungen. Kurz darauf kündigt sich Lilo Dammert in
Sanary an, eine Schauspielerin, Kinderbuchautorin und Bekannte aus
Berliner Zeiten, die nun für eine sowjetische Filmfirma arbeitet und für
das geplante Oppenheimer-Projekt zuständig ist. Dammert hinterlässt
bei Lion gemischte Gefühle, sie erscheint ihm »recht selbstgefällig, fast
größenwahnsinnig«[401]. Dennoch – womöglich sogar deshalb – hat er
auch mit der androgynen Filmfrau später eine Affäre. Noch im Vorjahr,
mitten in den Arbeiten für den zweiten Teil des »Josephus«, zögerte
Lion, sich auf eine Russland-Reise einzulassen. Seinen Freund Brecht
ließ er damals wissen, dass er »noch 1233 Romane, 413 Dramen und
12748 Essays zu schreiben habe, und wenn ich das in den 24 Jahren

erledigen will, die mir noch bleiben, heißt es organisieren«.[402] Jetzt, im Sommer 1936, nimmt er die Einladung an.

Am 1. Dezember 1936 kommen Lion Feuchtwanger, Eva Herrmann und die Marcuses in einem komfortablen Salonwagen, in den die kleine Reisegesellschaft an der russischen Grenze umgestiegen ist, am »Weißrussischen Bahnhof« in Moskau an. Der Empfang mit Funktionären und Journalisten gibt einen ersten Eindruck von dem, was in den nächsten Wochen folgt: großes Kino mit einem deutschen Schriftsteller in der Hauptrolle. Willi Bredel ergießt sich im Jargon des linientreuen Apparatschik: »Für Lion Feuchtwanger wird dieser Besuch bei den befreiten Völkern der Sowjetunion von größter Bedeutung sein. Er wird die schöpferische Produktivität und den Kulturhunger der vom kapitalistischen Joch befreiten Massen sehen. Sieht er in Spanien und im heutigen Deutschland den Arbeiter als todesverachtenden Kämpfer für Freiheit, Kultur und Menschenrechte, so lernt er ihn jetzt in unserer sozialistischen Heimat als frohen, glücklichen, zukunftsgewissen Erbauer einer sozialistischen Gesellschaft kennen.«[403] Bredels Optimismus ist voreilig, die verwöhnten Gäste werden mit kleineren Enttäuschungen konfrontiert. Die Standards im Moskauer Hotel »Metropol« entsprechen nicht den Erwartungen, und Lion notiert, nicht ohne Ironie, in sein Tagebuch: »Viel Ehre und wenig Komfort.«[404] Vor allem Eva Herrmann nörgelt angesichts der mangelhaften Unterbringung, was wiederum bei Lion zu gereizter Stimmung führt – ein Eindruck, von dem das Miteinander der beiden Sowjet-Touristen in den nächsten Wochen immer wieder überschattet wird.

Der Sowjetische Schriftstellerverband und die rivalisierende »Allunionsgesellschaft für kulturelle Verbindungen mit dem Ausland« übernehmen Feuchtwangers Betreuung; für Eva Herrmann gibt es eine Art Damenprogramm. Lion wird von Termin zu Termin gejagt: Neben Begegnungen mit Kollegen wie Willi Bredel, dem Regisseur Eisenstein und anderen Kulturschaffenden stehen auch Verabredungen mit Funktionären und Verlagsvertretern auf dem Plan. Trotz der anstrengenden Agenda freut sich Lion über die nicht enden wollenden Huldigungen: »Ich werde viel beachtet und fotografiert«, schreibt er in sein Tagebuch.[405] Dann wieder Ernüchterung. Im Anschluss an eine Rezitation des kommunistischen Sängers Ernst Busch wird Lion »wild gefeiert, muß sprechen. Mach es ganz gut. Hernach langweiliges Zusammensein mit vielen Menschen.«[406] Die Errungenschaften des Sozialismus sind zu besichtigen, darunter die moderne Druckerei der »Prawda« und die Autofabrik »Stalinwerk«. Kulturelle Veranstaltungen – Oper, Kino und

Theater – sind genauso obligatorisch wie Museumsbesuche. Mit Eva Herrmann wird Lion durch eine große Rembrandt-Ausstellung geführt. Auf dem Programm stehen zudem ein Aufenthalt in einem Erholungsheim in der Nähe von Moskau und Exkursionen in die Ukraine. Mit dem Staatsverlag wird ein Vertrag über die russischen Ausgaben der Feuchtwanger-Werke abgeschlossen. Der Filmvertrag wird ausgehandelt. Und auch die Politik kommt nicht zu kurz. Die »Prawda« bittet Feuchtwanger um einen Artikel über André Gide – gewissermaßen eine Gide-Replik, hatte sich doch der französische Schriftsteller nach einer enttäuschenden Russlandreise 1936 mit dem Büchlein »Au retour de l'URSS« mit scharfen Worten vom Sowjetsystem distanziert. Im kommunistischen Lager, auch bei zahlreichen Sympathisanten in den Emigrantenmilieus, hat Gides Pamphlet einen Sturm der Empörung ausgelöst. Von Feuchtwanger, dem Augenzeugen und Treuhänder der Wahrheit vor Ort, erhofft man sich nun eine wirkungsvolle Richtigstellung des undankbaren Franzosen. Der Artikel erscheint am 30. Dezember 1936 in der »Prawda«, und zwar – wie Lion zufrieden anmerkt – »ohne Zensurstriche«.[407] In einem Brief an seinen Freund Brecht wird er später bedauernd zugeben: »Übrigens haben mir die hundert Zeilen, die ich über Moskau schrieb – achtzig über Gide und zwanzig über den Prozeß –, mehr Angriffe eingebracht als ›Erfolg‹ oder die ›Oppermanns‹.«[408]

Meist wird Feuchtwanger bei seinen offiziellen Terminen von Maria Osten begleitet. Die überzeugte Kommunistin wird 1942 wegen angeblicher Spionage zum Tode verurteilt und kurzerhand von einem NKWD-Kommando liquidiert. Michail Kolzow, Ostens langjähriger Lebensgefährte, mit dem sich Lion Feuchtwanger noch einmal 1937 in Sanary trifft, um über heikle Inhalte seines »Moskau«-Buches zu sprechen, fällt bereits 1938 den stalinistischen Säuberungsaktionen zum Opfer. Alle Tagesereignisse, Gespräche und Äußerungen Feuchtwangers werden von einer stets anwesenden Dolmetscherin protokolliert und an den sowjetischen Geheimdienst berichtet. Trotz des eng getakteten Programms und der akribischen Überwachung des prominenten Gastes kommt es auch zu unerquicklichen Vorkommnissen. So gelingt es Zenzl Mühsam, der Witwe von Erich Mühsam, in Feuchtwangers Hotelzimmer vorzudringen. Mühsam, gerade erst aus monatelanger Lubjanka-Haft entlassen, ist in Sorge um den Nachlass ihres Mannes, den sie – arglistig getäuscht vom sowjetischen Geheimdienst – 1935/36 nach Moskau übergeben hat. Die Mühsam-Papiere enthalten brisante Informationen über zahlreiche kommunistische Akteure in Deutschland während der Weimarer Republik und sind daher im Zusammenhang mit den Säuberungsaktionen für den sowjetischen Geheimdienst von enormem Interesse. Zenzl Mühsam möchte Feuchtwanger als Fürsprecher für die Veröffentlichung der literarischen Werke ihres ermordeten Mannes im Moskauer Staatsverlag gewinnen – was von diesem aber wegen Mühsams »trotzkistischer Aktivitäten« abgelehnt wird. 1938 wird Zenzl Mühsam erneut verhaftet und verschwindet für viele Jahre in sowjetischen Lagern und in der Verbannung.

Am 8. Januar 1937 kommt es zum Höhepunkt der Reise: einem kurzfristig anberaumten Gespräch mit Josef Stalin. Drei Stunden nimmt sich der Diktator Zeit für das Treffen mit dem berühmten deutschen Schriftsteller, der wegen einer Erkältung und der Einnahme eines Abführmittels eigentlich unpässlich ist. Die Moskauer Tageszeitungen berichten am nächsten Tag in großer Aufmachung und in der üblichen Sowjetprosa von dem Ereignis. Aus einem fragmentarisch überlieferten Gesprächsprotokoll ist ersichtlich, worüber sich der Diktator und der Schriftsteller unterhalten haben. So spricht Feuchtwanger den Sowjetherrscher auf den ihm befremdlichen Personenkult an und nötigt Stalin zu einer Antwort, die nicht im gängigen Parteijargon gestanzt ist: Der Kult sei ihm vor allem in seinen geschmacklosen Übertreibungen unangenehm, so Stalin. Allerdings feiere die Bevölkerung damit stellvertretend die »Befreiung von der Ausbeutung«; es gehe nicht um ihn als Person, sondern um die Huldigung der Menschen für die Werte des Systems. Feuchtwanger thematisiert auch die Prozesse. Darauf angesprochen, reagiert Stalin erregt und redet »sich regelrecht in Rage«.[409] Die Maßnahmen rechtfertigt er mit verschwörungstheoretischen Begründungen, unterstellt den Trotzki-Anhängern Sabotage, ein Paktieren mit den Faschisten, und versteigt sich in einem apokalyptischen Szenario endlich zu der These, dass der Verrat der Konterrevolutionäre Trotzki, Radek und ihrer Mitverschwörer auch in deren jüdischer Herkunft zu suchen sei: »Das sind keine gewöhnlichen Verbrecher, keine Diebe. Sie haben einen Rest Gewissen bewahrt. Auch Judas hat sich, nachdem er Verrat begangen hat, erhängt.«[410]

Die Begegnung mit dem Diktator ist kalkuliert. Das Treffen mit Stalin ist eine außergewöhnliche Ehre, die nicht jedem zuteilwird. Durch die seltene Begegnung wird dem deutschen Gast eine Exklusivität suggeriert, die seinen kritischen Blick verschleiern soll. Mit der generösen Nähe zu dem mächtigen Mann wird Feuchtwangers Loyalität erkauft. Unklar ist, ob sich der deutsche Schriftsteller durch die operettenhafte Inszenierung tatsächlich wunschgemäß beeindrucken lässt.

Denn zumindest gegenüber seiner Dolmetscherin weist Lion Feuchtwanger immer wieder diskret auf Missstände hin, die ihm während seines Aufenthalts auffallen. Die Gegenprobe folgt Ende Januar. Denn der eigentliche Grund für Feuchtwangers Präsenz in Moskau ist nicht das Treffen mit dem Diktator, ist nicht das intime Kennenlernen der Errungenschaften des Sowjetsystems, sondern der zweite Moskauer Schauprozess, der im Januar 1937 gegen ein »antisowjetisch-trotzkistisches Zentrum«, namentlich die prominenten KP-Funktionäre Karl Radek und Georgi Pjatakow, inszeniert wird. Die insgesamt vier Moskauer Schauprozesse der Jahre 1936 bis 1938 dienen dazu, Angehörige der alten bolschewistischen Parteielite auszuschalten und durch die vermeintlich rechtmäßige Beseitigung parteiinterner Kritiker und Konkurrenten die Alleinherrschaft von Josef Stalin abzusichern. Lion Feuchtwanger ist – gewissermaßen als inoffizieller Beobachter und personifiziertes Weltgewissen – an vier Prozesstagen im Gerichtssaal. Durch seine Anwesenheit soll der internationalen Öffentlichkeit der Eindruck einer korrekt arbeitenden Justiz vermittelt werden, die nichts zu verbergen hat. Feuchtwanger ist bewusst, dass jede seiner Äußerungen auf die Goldwaage gelegt wird. Nach dem ersten Prozesstag registriert er feinnervig die unterschiedlichen Erwartungen seitens der Medien. Die Suche nach angemessenen Antworten auf Journalistenfragen erweist sich als Eiertanz: »Bei dem Prozeß Pjatakow-Radek. (…) Ich mache etwas unvorsichtige Äußerungen einer amerikanischen Journalistin gegenüber, sehr geschickte für die russische Presse.«[411] Am Ende geht für die Moskauer Strategen die Rechnung auf. Feuchtwanger wird sowohl gegenüber der Sowjetpresse wie auch später in seinem »Moskau«-Buch den fatalen Eindruck beglaubigen, dass in dem Verfahren gegen Radek (der zwar nicht zum Tode, aber zu zehn Jahren Lagerhaft verurteilt wird, während der er unter ungeklärten Umständen sein Leben verliert) und die anderen Angeklagten alles mit rechten Dingen zugegangen sei. Am letzten Prozesstag ist er bis zur Verkündung des Urteils in den frühen Morgenstunden anwesend. Seine Empathie mit den Angeklagten hält sich in Grenzen. Im Tagebuch liest man:»Reden der Angeklagten eindrucksvoll. (…) Kleinen Artikel für die Sowjetpresse über den Prozeß geschrieben. Ewiges Warten auf das Urteil in der Nacht. (…) Dann das Urteil. Die Begnadigung Radeks macht alles zweifelhaft und zur Farce. Es wird morgens 4 Uhr.«[412]

Es existiert ein berühmt gewordenes Foto, das anlässlich des Treffens Feuchtwanger-Stalin aufgenommen wird und das ein beredtes Zeugnis von der befremdlichen Begegnung eines pazifistischen intellektuellen

Schöngeists mit einem der größten Massenmörder des 20. Jahrhunderts, ja der Menschheitsgeschichte ablegt. Man sieht die beiden Protagonisten sitzend nebeneinander und doch weit voneinander entfernt; der zierliche Feuchtwanger, verschüchtert, fast knabenhaft wirkend im großen Jackett, den Blick kontemplativ nach innen gerichtet, spürbar abgerückt von dem mächtigen Diktator. Daneben Stalin, groß, breit, aufrecht, entschlossen, selbstgefällig. Von Karl Schlögel stammt eine treffliche Interpretation der Aufnahme: »Wie sie auf dem Photo aneinander vorbeiblicken, sieht man Feuchtwanger und Stalin an, dass jeder seine eigenen Absichten hatte: ein Intellektueller, der nichts aufzubieten hatte gegen den Faschismus als die Hoffnung auf eine wirkliche antifaschistische Gegenmacht und der dafür seine Autorität und Integrität aufs Spiel setzte – und zwar seine ganze. Ein Diktator, der sich auch zu einem Gespräch mit einem Intellektuellen bereitfand, den er für einen nützlichen Idioten gehalten haben mag, der ihm aber in der drohenden Gefahr für sich und die Sowjetunion nutzen konnte.«[413] Für die NS-Propaganda ist die Aufnahme ein willkommener Anlass, erneut gegen den verhassten Feuchtwanger zu hetzen. Man hat den Verfasser von »Erfolg« noch nicht vergessen. Im Begleitbuch zur antisemitischen Ausstellung »Der Ewige Jude« wird das Foto 1937 großformatig reproduziert und mit einem perfiden Begleittext hinterlegt: »Josef Stalin, der jüdisch verheiratete Diktator von Sowjet-Judäa, mit seinem Hofdichter Lion Feuchtwanger.«[414]

Am 5. Februar 1937 reisen Feuchtwanger und Eva Herrmann aus Moskau ab. In seinem Reisegepäck etwa 40 unterschriebene Verträge, darunter einer für den »Oppermann«-Film – eine reiche Ernte für den Schriftsteller. Stalin lässt er in einem Abschiedstelegramm wissen: »Ich kam, ich sah, ich werde schreiben.«[415] Feuchtwanger verlässt die Sowjetunion, jenes unwirtliche Land, in dem er einem diskreten Bekenntnis zufolge nicht leben möchte, mit einem euphorischen Grundgefühl. Man hat ihm, dem Verstoßenen, Verleumdeten, Verfolgten im »Mutterland der Revolution« gehuldigt, hat ihn in den Mittelpunkt gerückt, von der Peripherie der südfranzösischen Küste ins Zentrum geholt und seiner Literatur, seiner Person eine Bedeutung zugesprochen, wie er sie bislang nicht erfahren hat. In diesem Zusammenhang von Personenkult zu sprechen, ist nicht übertrieben. Lion ist für die ihm zuteilgewordene Aufmerksamkeit durchaus empfänglich. Schon im Dezember 1936 lässt er seine frühere Geliebte Eva Boy wissen: »in moskau empfing man mich so triumphal, dass man viel gleichgewicht braucht, um nicht grössenwahnsinnig zu werden. das ganze war furchtbar anstrengend«.[416] Kaum hat Feuchtwanger die sowjetische Grenze hinter sich gelassen, ändert sich das Klima. In Prag wird er wegen seiner Moskau-Aktivitäten frostig empfangen. Der eigentlich vorgesehene Empfang bei Staatspräsident Edvard Beneš entfällt. Auch die geplante Einbürgerung Feuchtwangers, die dem Staatenlosen endlich wieder einen regulären Reisepass verschaffen soll, wird nicht vollzogen. Dem Emigranten Thomas Mann ist schon im November 1936 die tschechoslowakische Staatsbürgerschaft verliehen worden; auch Feuchtwanger wollte man dieses Privileg zuteilwerden lassen. Immerhin gibt es Gelegenheit zu einem kurzen Treffen mit dem berühmten tschechischen Autor Karel Čapek. Auch Lions Bruder Martin, der 1933 in die Tschechoslowakei ausgewandert ist, hält sich in der Nähe auf, und die in Österreich lebenden van Hobokens nutzen die Gelegenheit zu einer Begegnung mit dem Freund.

Endlich, am 20. Februar 1937, nach annähernd drei Monaten, ist Lion wieder in Sanary. In den nächsten Wochen erfüllt er sein Versprechen an Stalin, arbeitet an dem »russischen Buch«, dem Anti-Gide, in dem er seine Eindrücke der Reise zusammenfasst. Die politische Blindheit und gläubige Naivität, die bereits während der Wochen in Moskau erkennbar waren, werden jetzt einer breiten Öffentlichkeit zugänglich gemacht. Während der Niederschrift muss Lion feststellen, dass sein Kenntnisstand über die Verhältnisse in dem Land, das er als privilegierter Tourist bereist hat, unzureichend ist: »Etwas Lektüre über russische Gegenstände. Sehe, wie wenig informiert ich bin.«[417] Aber auch das Nachrecherchieren trägt nicht zu einer Schärfung des getrübten Blicks bei. Anders ist nicht erklären, dass sich in dem 1937 bei Querido erschienenen Hymnus auf Stalin und das Sowjetimperium (von dessen Veröffentlichung Fritz Landshoff im Übrigen abgeraten hat) das erschreckend eindimensionale Bekenntnis findet: »Es tut wohl, nach all der Halbheit des Westens ein solches Werk zu sehen, zu dem man von Herzen Ja, Ja, Ja sagen kann.«[418] In einem Brief an Eva Boy zeigt sich das ganze Dilemma des Autors, der nicht erkennen kann, dass sein »Moskau«-Buch die Frucht einer erfolgreichen suggestiven Manipulation ist. So reklamiert er am 11. Mai 1937 noch allen Ernstes: »das buch habe ich rasch geschrieben, mit viel freude, beflissenheit und ungeheurem bemühen, objektiv zu bleiben. das ist mir wohl auch gelungen, und so werde ich mich wohl mit hörbarem plump zwischen sämtliche stühle setzen.«[419] Und so geschieht es. Mit dem Erscheinen von »Moskau 1937« (in der Sowjetunion mit einer Startauflage von 200 000 Exemplaren) bricht ein Sturm der Entrüstung los, der sich über den willfährigen Apologeten der stalinistischen Diktatur ergießt. Nur die streng Linientreuen reichen dem Verfasser in einem Akt tätiger Solidarität die Hand, darunter Ernst Bloch und Bert Brecht (»Ich bin sehr froh, daß Sie das geschrieben haben.«[420]). Die meisten schütteln den Kopf (Klaus und Erika Mann), rätseln über die Gründe für die politische Naivität des Freundes (Arnold Zweig) oder gehen in die Offensive und unterziehen das schmale Werk einer scharfen Kritik (Leopold Schwarzschild). Der antikommunistische Emigrant Schwarzschild schmäht Feuchtwanger gar als »Laureatus unter den deutschen Sowjet-Agenten«. Selbst der Feuchtwanger-Freund und Reisebegleiter Ludwig Marcuse wird Jahre später bilanzieren: »Wer dieses Jahrhundert durchlebt hat, auch nur mit einem Mindestmaß von Gedächtnis – und ist kein Skeptiker geworden: dem ist nicht zu helfen.«[421]

Es sind wohl auch die Erfahrungen mit solchen Reaktionen, die Lion Feuchtwanger 1940 zu einer gleichermaßen selbstkritischen wie selbstzufriedenen Einschätzung veranlassen: »Ich kann den Mund nicht halten, auch wenn es gefährlich ist. (…) Daß ich nicht das Talent habe, zur rechten Zeit den Mund zu halten, hat mir viele Gegner verschafft und mich in manche peinliche Situation gebracht. (…) Auf alle Fälle ist dieser Vorwitz oder Bekennermut eine meiner hervorstechendsten Eigenschaften und eine, die mich von den meisten Zeitgenossen unterscheidet.«[422] Im Grunde bieten sich zwei sich ergänzende Erklärungen für »Moskau 1937« an: Blendung und Hoffnung. Die enorme Aufmerksamkeit, die dem Schriftsteller Feuchtwanger in der Sowjetunion entgegengebracht wird, der inszenierte Rummel um seine Person und um sein literarisches Werk vernebeln die Wahrnehmungsfähigkeit und verringern die Distanz zum Gegenstand, der eigentlich einer kritischen Bestandsaufnahme bedarf. Wie ein hochdosiertes Sedativ betäuben die Huldigungen die Analysefähigkeit des sonst so tiefgründigen Beobachters. Seine Eitelkeit tut ein Übriges. Und die Hoffnung? In einem Europa, das angesichts der faschistischen Bedrohung in höchster Not ist, sieht Feuchtwanger wohl nur eine Möglichkeit zur Rettung. Die Sowjetunion ist ihm die einzige Macht, die Hitler aufhalten kann. Vor diesem Hintergrund überlagern die Sympathien für das stalinistische Großreich alle, auch Feuchtwanger geläufigen, Kritikpunkte. Selbst als später die Gräuel der stalinistischen Herrschaft bekannt werden, distanziert sich Feuchtwanger nicht von seinem prosowjetischen »Anti-Gide«.

Das Jahr 1937 wird zu einem kräftezehrenden Jahr für den Menschen und Schriftsteller Lion Feuchtwanger. Die Konflikte um das »Moskau«-Buch setzen ihm zu, er fühlt sich missverstanden, zu Unrecht kritisiert und beschimpft. Politischen Initiativen, die auf seine Person, auf seinen Namen setzen, begegnet er mit wachsender Zurückhaltung. Man findet ihn seltener bei den Sitzungen der Emigrantengremien. Immerhin nimmt er in Begleitung von Marta im Juni 1937 als Leiter der deutschen Delegation am Internationalen Kongress des P.E.N. in Paris teil. Der Kongress steht ganz unter dem Eindruck des deutschen Bombardements auf Guernica, der Ermordung des Schriftstellers Federico García Lorca in Spanien und des dortigen Bürgerkriegs. Lion trifft sich mit Anna Seghers, Bruno und Liesl Frank, Rudolf Hilferding, Claire Goll, Franz Werfel, Erwin Piscator, Karel Čapek und vielen anderen. Mit der Organisation des Kongresses ist er sehr unzufrieden: »Viel Arbeit wegen meiner Rede. Schlecht organisiertes Sekretariat. Keinerlei Auskünfte. Eine schlechte Übersetzerin (…). Viele Menschen, furchtbar lärmende Massen in der Ausstellung. Ich rede schließlich ganz gut, bin aber so plaziert, daß meine Rede ziemlich verpufft. Dann nach Hause gegangen, mit Marta gegessen.«[423] Der Kongress schließt mit einer Resolution des P.E.N. gegen die Gewalt in Deutschland und Spanien. Inzwischen bereitet sich das nationalsozialistische Deutschland darauf vor, mit der Unterstützung des Faschisten Franco, dem »Anschluss« Österreichs und der Besetzung des Sudetenlandes die innereuropäische Machtbalance weiter zu seinen Gunsten zu verschieben.

Im Mai 1937 entwickelt Lion erste Skizzen für einen neuen Roman mit dem Arbeitstitel »Emigranten«. Im Juli beginnt die Arbeit am Manuskript. 1939 wird das Buch unter dem Titel »Exil« bei Querido erscheinen; es ist der letzte Band der »Wartesaal«-Trilogie. Konzeptionell schließt das Projekt an die erfolgreichen Bücher »Erfolg« und »Die Geschwister Oppermann« an. Erneut entwirft Lion einen Zeitroman, in dem die Gegenwart zum Hauptakteur wird. Eigene Erfahrungen, Gehörtes und Erlebtes, werden in »Exil« zu einem vielschichtigen Panorama der Pariser Emigration verdichtet, angereichert durch Charakterstudien von Protagonisten, die realen Akteuren nachempfunden sind, und die Beschreibung von authentischen Ereignissen. Am Ende steht die Erkenntnis, dass zur Überwindung des nationalsozialistischen Unrechts mehr nötig ist als flammende Appelle und intellektuell abgesicherte Argumente. Der Autor Feuchtwanger hat einen Schritt in die Realität vollzogen und – aus eigenem schmerzlichen Erleben – sein Konzept für die Verbesserung, für die Heilung der Welt modifiziert: Anders als noch bei seinem Vortrag »Sinn und Unsinn des historischen Romans« vom Jahr 1935 wird nicht mehr die geistige Waffe als geeignetes Instrument beschworen, um den Ungeist zu besiegen. Der Pazifismus ist durch den Gang der Ereignisse diskreditiert, ein stumpfes

Schwert. Es bedarf anderer Mittel, um der »Raubgier und Brutalität« der deutschen Machthaber ein Ende zu setzen. Auch in »Exil« findet sich ein *Alter Ego* des Verfassers. Dessen Haltung spiegelt den Wandel im Denken Feuchtwangers. Den vertriebenen Komponisten Sepp Trautwein lässt Feuchtwanger resümieren: »Es ist leider ein Schmarrn, wenn man behauptet, Geist ohne Gewalt könne sich durchsetzen. Eine gerechte Ordnung auf der Welt läßt sich ohne Gewalt nicht herstellen. Diejenigen, die Interesse haben an der ungerechten Ordnung geben nicht klein bei, wenn man sie nicht mit Gewalt dazu zwingt. Das hab' ich mittlerweile begriffen.«[424]

Gesundheitliche Probleme hemmen den Fortschritt des Manuskripts. Vor allem eine äußerst unangenehme Zahnbehandlung, die im Oktober 1937 in Paris durchgeführt wird, beeinträchtigt Lion erheblich. In Sanary geben sich unterdessen die Gäste die Klinke in die Hand. Wenn Lion nicht am neuen Roman arbeitet oder mit Eva Herrmann unterwegs ist – die Spielbank von Cannes ist ein beliebtes Ziel für gelegentliche Ausflüge –, werden Freunde und Bekannte aus der südfranzösischen Emigrantenkolonie oder Besucher auf Durchreise empfangen. Nicht immer findet der gesellige Feuchtwanger die Anwesenheit von Fremden erfreulich. Am 21. August notiert er in sein Tagebuch: »Nachmittags große Gesellschaft: die Sforzas, die Rothschild, (…), Holländer, etliche 40 Personen. Ich langweile mich ziemlich und stelle mich ungeschickt, Eva desgleichen. Ärger über Marcuse.«[425] Lediglich der Besuch von Brecht, der im Oktober mehrere Tage an der Küste weilt, ist für Lion ein Lichtblick. Mit dem ebenfalls anwesenden Erwin Piscator erörtert man Möglichkeiten für gemeinsame Projekte. Erfreut ist Lion über ermutigende Signale aus der Sowjetunion. Wenigstens dort stößt das »Moskau«-Buch auf Zustimmung. Seine Sorge, dass die ausführliche Auseinandersetzung mit dem Renegaten Trotzki Ärger machen werde, ist unbegründet. Zufrieden konstatiert er: »Post aus Rußland. Ziemlich beruhigend. Ich bin doch nicht in Ungnade.«[426]

1939: Les Milles

»Den ganzen Tag standen Schlangen vor den
Latrinen. Es gab da vier Holzverschläge an dem
einen, drei am andern Ende des Areals. Manchmal
warteten bis zu hundert Menschen vor jeder dieser
beiden Gelegenheiten. Es gab kein Wasser, man
konnte sich vor dem Kot nicht retten und nicht vor
den dicken Schwärmen von Fliegen. Man wartete
grimmig und machte Witze. Viele waren krank, alle
wurden es. Wen die Nahrung nicht krank machte, der
steckte sich an beim Geschäfte der Entleerung.«[427]

1938 ist für die deutschen Emigranten ein Schicksalsjahr, in dem sich
bedrohliche Schatten über die fragile Sicherheit in den Exilländern
Europas legen. Immer klarer schält sich aus den aggressiven Absichtserklärungen der NS-Elite der brutale Wesenskern des nationalsozialistischen Regimes heraus: Krieg ist keine *Ultima Ratio* des deutschen
Vormachtstrebens, sondern ein willkommenes Mittel zum Zweck und
daher nur mehr eine Frage der Zeit. Mit angehaltenem Atem beobachten die Emigranten, wie der machtbesessene Diktator im Schicksalsjahr
1938 einen außenpolitischen Erfolg an den anderen reiht, sich an
ungeheuerlichen Übergriffen gegen internationales Recht berauscht –
ein politischer König Midas, dem alles zu gelingen scheint. Auf den
»Anschluss« Österreichs im März 1938 folgt die ernüchternde Demütigung der europäischen Großmächte während der Sudetenkrise. Die
»Appeasement«-Politik von England und Frankreich ist gescheitert,
und viele vermuten zu Recht, dass das demokratische Europa für dieses
Versagen einen hohen Preis wird zahlen müssen. Im November 1938
sorgt ungezügelte Gewalt gegen Juden jenseits der deutschen Grenzen
für Entsetzen. Aber ein wirksames Signal der internationalen Gemeinschaft bleibt aus. Mit den Ereignissen vom November 1938 wird die Tür
nach Auschwitz aufgestoßen.

All diese Ereignisse werden von den Emigranten überall in Europa
mit größter Konzentration und anhaltender Sorge beobachtet. Das

Leben im Exil ist ohnehin ein Wechselbad der Gefühle. Als Fremde geduldet, oft in wirtschaftlich unsicheren Verhältnissen lebend, manchen Ressentiments der einheimischen Bevölkerung und einer verständnislosen Bürokratie ausgeliefert, erlebt und erleidet man das eigene Dasein auf schwankendem Boden. Gerade in Frankreich wandelt sich das innenpolitische Klima; die Vertriebenen werden zunehmend als unerwünschte Fremde gesehen, denen eine Mitschuld an den desaströsen innen- und außenpolitischen Entwicklungen zugeschrieben wird. Im Juni 1937 tritt die kurzlebige Volksfrontregierung unter dem sozialistischen Politiker Léon Blum, in die viele Emigranten Hoffnung setzen, zurück. Zwischen Hoffen (auf einen Zusammenbruch der NS-Herrschaft) und Bangen (angesichts der Erfolge des Regimes) verdichtet sich bei vielen Emigranten die Ahnung, dass ein Krieg unmittelbar bevorsteht. Und man ist sich im Klaren, dass diese Wendung auch für die eigene Lebenssituation von entscheidender Bedeutung sein wird. Auch im sonnigen Idyll von Sanary-sur-Mer wird die Veränderung der weltpolitischen Lage mit großer Sorge verfolgt. Die französischen Zeitungen und der Rundfunk berichten ausführlich über die Entwicklungen. Trotz der bedrückenden Neuigkeiten bemüht man sich in der kleinen Welt des Exils um Haltung, um die Bewahrung von Alltagsnormalität. Weiterhin besucht man die vertrauten Cafés an der Küstenstraße, unternimmt Ausflüge, trifft sich zum literarischen oder politischen Meinungsaustausch beim gemeinsamen Abendessen. All diese Momente werden jedoch vom Abwägen und oft erregten Prüfen verschiedener Überlebensszenarien überschattet. Permanent schmiedet man Pläne, lotet Möglichkeiten aus. Der Austausch untereinander ist wichtig. Die Information über Fluchtwege, über hilfreiche Einrichtungen und den trickreichen Umgang mit französischen Behörden wird vielfach über den »kleinen Dienstweg« vermittelt. Von allergrößter Bedeutung ist dabei stets die eigene wirtschaftliche Lage. Denn egal welche Option man letztlich wählt – die Entscheidung ist immer abhängig von den finanziellen Möglichkeiten, die einem zur Verfügung stehen.

Mit wachsender Bedrückung hat auch Lion Feuchtwanger die »Erfolgsgeschichte« des NS-Regimes verfolgt. Er versucht, diese Erfahrung literarisch zu verarbeiten. Seit Mai 1937 arbeitet er intensiv an dem Roman »Exil«, in dem das Schicksal der Emigranten im Mittelpunkt steht – ein Sujet, das er aus erster Hand kennt, für das er keine umfangreichen akademischen Studien anstellen muss, wie dies bei den historischen Romanen der Fall ist. Hier weiß Lion aus leidvoller Erfahrung Bescheid, hier ist er Experte in eigener Sache: »Sua res agitur« ist das

Leitmotiv des geplanten Romans. Und er kennt viele andere Schicksale, weiß um die zermürbenden Erfahrungen der verarmten, verfemten Heimatlosen, um ihre Verzweiflung, und erkennt scharfsinnig, wie der Überlebenskampf ihre Persönlichkeit deformiert. All diese Beobachtungen sollen in dem Roman Platz finden, jedoch literarisch verfremdet, womöglich auch idealisiert. Seinen Freund Arnold Zweig lässt Feuchtwanger im November 1937 wissen: »An die wirklichen Emigranten, die mir in Paris über den Weg liefen, darf man freilich nicht denken; sonst würde der Roman statt einer schauerlichen Tragikomödie ein erbärmlicher Flohzirkus.«[428] Es ist nicht zuletzt die Nähe zum Thema, die das Schreiben zu einem quälenden Prozess macht: »Die Arbeit ist furchtbar schwer an den Emigranten«, lesen wir am 24. Januar 1938 in Lions Tagebuch.[429] Und am 3. September 1938 notiert er: »Abends Marta vorgelesen. Es gefällt ihr nicht. Ich sehe, daß noch viel zu tun ist.«[430]

Immer klarer wird 1938 die Erkenntnis, dass ein Verbleib in Frankreich gefährlich, ja lebensgefährlich werden kann. Nach dem »Anschluss« Österreichs schläft Lion schlecht, in Sanary macht das Wort vom bevorstehenden Krieg die Runde, und am 17. März 1938 notiert Lion in sein Tagebuch: »Zweifel, ob und wann man nach Amerika soll.«[431] Das Ehepaar Feuchtwanger geht zwischenzeitlich sogar daran, die erforderlichen Reisepapiere für die USA zu beantragen, erhält ein Besuchervisum, bucht Schiffspassagen. Ben Huebsch, Lions amerikanischer Verleger, ermutigt ihn zu diesem Schritt. Arnold Zweig erfährt von Lion Ende März 1938, dass dieser ernstlich an eine Übersiedlung in die Vereinigten Staaten im Herbst des Jahres denkt. Und wenig später wird der Plan bekräftigt: »Ich gehe schrecklich ungern hier weg, denn ich hatte gehofft, die Bücher ›Exil‹ und den dritten ›Josephus‹ noch in Sanary schreiben zu können, d. h. bis Frühjahr 1941 hier zu bleiben. Nach den Erfahrungen, die wir gemacht haben, hieße das aber doch wohl Gott versuchen.«[432] Am Ende entscheidet Lion jedoch anders. Die Fertigstellung von »Exil« im gewohnten Arbeitsumfeld hat für ihn Priorität. Auch die »innere Behaglichkeit«[433] der »Villa Valmer«, des liebgewordenen Zuhauses mit der Bibliothek, dem Garten, den Haustieren und den vertrauten Menschen ringsum hält ihn fest. Im Herbst 1938 werden alle Ausreisepläne verworfen: »Ich hatte mich übrigens, als die Situation gefährlich wurde, entschlossen, doch hier zu bleiben und lieber den Ausgang hier in Unsicherheit, aber den Ereignissen nahe, abzuwarten als in Sicherheit und Ferne. Jetzt sieht es mit meinen Plänen so aus: ich bleibe hier, bis ich den Roman ›Exil‹ zu Ende geschrieben habe.«[434] Eine fatale Entscheidung, wie sich bald zeigen wird. In Sanary führt die Kriegshetze Hitlers die Emigranten wieder näher zusammen. Nach wie vor ist die »Villa Valmer« Anziehungspunkt und Zentrum der kleinen Kolonie. In unterschiedlicher Konstellation kommt man hier zusammen, berät sich, tauscht sich aus, informiert sich, lenkt sich ab – nicht immer zur Erbauung des Hausherrn. Am 29. Juli 1938 notiert Lion nörgelnd in sein Tagebuch: »Abends bei uns Gesellschaft: Kantorowicz, Joachim, Marcuse, Gumbel, Gesindel. Marta strengt sich fruchtbar an, aber infolge Überorganisation und Ungeschicklichkeit stark mißglückt. Hernach, wie ich leise auf Fehlerquellen aufmerksam machte, strind-bergelt sie sehr.«[435]

Im November 1938 kommen erschütternde Nachrichten aus Deutschland. Die »Reichskristallnacht« bringt eine neue Welle der Gewalt über die deutschen Juden. Tausende jüdische Männer werden als »Aktions-häftlinge« in »Schutzhaft« genommen und in Konzentrationslager verschleppt. Unter den Betroffenen sind auch Lions Brüder Ludwig und Fritz, die in das KZ Dachau kommen. Lion, der in den letzten Jahren nur wenig Kontakt mit seiner Familie hatte, erfährt Ende November 1938 von der Inhaftierung. Er reagiert betroffen auf diese Nachricht und bemüht sich, für seine Brüder etwas zu erreichen. Man kann sich vorstellen, was es für die beiden »Schutzhäftlinge« bedeutet, als Brüder des verhassten Schriftstellers Lion Feuchtwanger in die Hände der SS zu fallen. Anfang Dezember notiert er in sein Tagebuch: »Schritte genommen, um Ludschi aus dem Konzentrationslager zu befreien. Diskussionen über Hilfsbereitschaft und private Charity.«[436] Ein naher Verwandter, jüdischer »Rechtskonsulent«, übernimmt die Vermittlung zwischen den NS-Autoritäten und dem Bruder in Südfrankreich. Es ist gängige Praxis, dass im KZ Inhaftierte durch materielle Zugeständnisse und generöse finanzielle Abgaben ihre Entlassung aus der Haft beschleunigen können. In München gibt es ein eingespieltes System zwischen der zuständigen »Arisierungsstelle«, der Staatspolizeileitstelle in der Brienner Straße und ortsansässigen Notaren bei der Abtretung und Übereignung von Immobilienbesitz. Das korrupte NS-System kennt vermutlich noch weitere Spielarten der Bestechung und Vorteilsnahme. Am 22. Dezember 1938 erreicht Lion ein »unangenehmes« Telegramm aus Deutschland »in Sachen meines Bruders. Ich soll viel Geld zahlen.«[437] Unverzüglich organisiert er eine größere Überweisung. Am 5. Januar 1939 kann er seinem Freund Arnold Zweig erleichtert berichten, dass seine Brüder anscheinend entlassen sind, »und es besteht gute Aussicht, sie endgültig aus Deutschland herauszuholen. (…) Leider erfordert die Geschichte erhebliche Geldopfer, und da mein letztes Jahr wirtschaftlich das schlechteste war seit 1924, ist das doppelt unangenehm.«[438] Im April 1939, kurze Zeit nach seiner Freilassung, emigriert Ludwig Feuchtwanger mit seiner Frau nach England. Aufgrund seiner prekären Finanzlage ist der Publizist und ehemalige Verlagsleiter von Duncker & Humblot zu einem Leben in bescheidenen Verhältnissen gezwungen. Der 14-jährige Sohn Edgar ist bereits seit Februar 1939 auf der Insel in Sicherheit. Trotz der Turbulenzen lässt es sich Marta Feuchtwanger nicht nehmen, ihre alljährliche »Skireise« anzutreten, die sie in diesem Jahr für dreieinhalb Wochen in die französischen Alpen nach Megève führt. Während ihrer Abwesenheit im Februar und März 1939 genießt Lion den Winterausklang an der Côte d'Azur an der Seite von Eva Herrmann, mit der er kleinere Reisen nach Avignon, Aix-en-Provence und ins Spielcasino von Cannes unternimmt.

Im Sommer 1939 trifft sich Lion immer wieder mit Franz Werfel, der ihm sein Manuskript »Der veruntreute Himmel« zur kritischen Lektüre überlassen hat. Obwohl Lion gerade intensiv an seinem eigenen Roman arbeitet, nimmt er sich viel Zeit für den Text, führt lange Gespräche mit dem Verfasser und gibt zu erkennen, dass er Werfels neuestes Werk ausnehmend positiv sieht. Der literarische Diskurs mit dem Kollegen wird freilich von aktuellen Entwicklungen überlagert. Auch gesellschaftliche Ablenkungen, wie ein sommerliches Kostümfest bei Eva Herrmann, oder gelegentliche Flirts mit der Bildhauerin Anna Mahler, der Tochter von Gustav Mahler und Alma Mahler-Werfel, sorgen nur kurz für Zerstreuung. Immer wieder notiert Lion das Wort »Kriegsgefahr« in sein Tagebuch. Sorge macht ihm vor allem der deutsch-sowjetische Nichtangriffspakt, den die beiden Außenminister Joachim von Ribbentrop und Wjatscheslaw Molotow am 24. August 1939 unterzeichnet haben. Lion ist klar, dass die diplomatische Annäherung der beiden politischen Gegenspieler vor allem für die Situation, wenn nicht sogar für die Sicherheit links stehender Emigranten problematisch werden kann. Er sieht auch, dass das überraschende Einvernehmen der beiden Diktatoren die Möglichkeit einer militärischen Eskalation gegenüber den Westmächten wahrscheinlicher macht. Die aktuelle Lage beeinträchtigt den Tagesablauf des Schriftstellers erheblich. Am 27. August 1939 vertraut er seinem Tagebuch an: »Schlecht gearbeitet infolge Kriegsgefahr.«[439] Wenige Tage später tritt das gefürchtete Ereignis ein. Am 1. September 1939 überfallen deutsche Truppen Polen. Am 3. September 1939 erklären Großbritannien und Frankreich Deutschland den Krieg. In Sanary spüren die Emigranten zwar die explosive Situation; welche unmittelbaren Folgen für die Einzelnen damit verbunden sein werden, ist aber noch unklar. »Alle halten sich relativ ruhig«, so Lions Beobachtung am Tag der Kriegserklärung.[440] Am nächsten Tag tauchen erstmals französische Offizielle auf, die prüfen, ob die im Zuge der Mobilmachung verfügten Maßnahmen, in diesem Fall die Verdunkelungsvorschriften, eingehalten werden. Noch zeigt die Kriegssituation keine spürbaren Auswirkungen, lediglich »viele kleine lächerliche Beschränkungen« erschweren den Alltag.[441] Polizei erscheint zur Kontrolle der Papiere. Andere Ausländer werden auf die Polizei zitiert und dort befragt. Und in der Nähe der »Villa Valmer« nimmt ein Wachposten Aufstellung. Ein verabredetes Treffen mit Franz Werfel kann nicht stattfinden, weil dieser von Uniformierten festgehalten wird. Verstärkt denkt Feuchtwanger nun darüber nach, ob es nicht doch besser und sicherer wäre, in die Vereinigten Staaten zu gehen. Auch Marta und Eva Herrmann teilen diese Auffassung und versuchen auf Lion einzuwirken. Unter den Emigranten wachsen die Nervosität und die Angst. Lion bewahrt sich weiter eine gewisse Gelassenheit, abschätzig kommentiert er die Aufregung, die sich unter den Betroffenen breit macht, und beobachtet eine »allgemeine Schreckhaftigkeit. Wilde Gerüchte von Verhaftungen, Erschießungen, jede Mücke wird ein Elefant. Allgemein unpraktische, weil lügenhafte Propaganda. (…) Schlechte Behandlung der Emigranten, die Asylrecht genießen.«[442] Am 15. September bringt Eva Herrmann schließlich die Nachricht, dass Lion mit einer Einweisung in ein Konzentrationslager rechnen müsse; gemäß einem Erlass der französischen Regierung seien alle männlichen Deutschen zwischen 17 und 65 Jahren von dieser Maßnahme betroffen. Die Folge: »Große Aufregung ringsherum.«[443] Tatsächlich wird Lion tags darauf mit anderen Deutschen zur Polizei bestellt und dort mit der Anordnung konfrontiert, dass er am nächsten Tag interniert werde. Wie boshafter Zynismus mutet ein Schild im Polizeilokal an, auf dem die Emigranten lesen können: »Bienvenue à tous«.

Am 17. September meldet sich Lion in Toulon und wird im »Centre de Rassemblement des Étrangers« im Stadtteil La Rode für die nächsten Tage in einer schmutzigen Garage untergebracht. Mit ihm sind der Schriftsteller Wilhelm Herzog und der Opernsänger Wilhelm Ulmer. Die Internierten schlafen auf Stroh; Lion leidet unter den erbärmlichen hygienischen Verhältnissen, schläft schlecht, wird aber von den anderen respektvoll behandelt. Sein Name ist bekannt, sein Wort hat Gewicht. Man hat nichts zu tun und vertreibt sich die Zeit mit Kartenspielen. Besuche sind verboten. Am Vormittag des 22. September wird die Gruppe unter scharfer Bewachung durch die Stadt zum Bahnhof geführt und von dort in einem engen, stinkenden Waggon nach Marseille transportiert. Dort – man darf den Waggon nicht verlassen – verbringt die Gruppe eine »endlose scheußliche Nacht«.[444] Von Marseille wird man am 23. September in das Camp Les Milles in der Nähe von Aix-en-Provence transportiert. Das Ganze ist eine improvisierte Maßnahme: Das Lager ist eine alte Ziegelei, die nicht im Entferntesten für die Aufnahme von einigen hundert Menschen geeignet ist. Die Verhältnisse sind katastrophal. Lion berichtet: »Schauerlich. Einlieferung ins Lager. Schrecklich. Militärischer Drill. Grauenvoll staubig und schmutzig. Die Insassen alle besonders hilfsbereit zu mir. Kleine politische Diskussion. Alle zu meinen Füßen. Ich werde sehr verehrt.«[445] Bis zum 27. September bleibt Lion in Les Milles. Er trifft hier auf Leidensgefährten, die er schon lange kennt: Rudolf Wassermann, Wilhelm Herzog, Walter Hasenclever, Emil Alphons Rheinhardt, Franz Hessel. Im Lager sind neben den Intellektuellen viele Kommunisten und auch orthodoxe Juden.

Lions Freilassung nach einigen Tagen erfolgt unvermittelt und wird nicht genau begründet. Es ist Marta, die seit der Internierung Lions unzählige einflussreiche Persönlichkeiten, auch in England, alarmiert hat, verbunden mit der Bitte, sich für seine Freilassung zu verwenden. Die Aktion ist erfolgreich, neben dem Vorsitzenden des Internationalen P.E.N.-Clubs Jules Romains setzt sich unter anderen Heinrich Mann für die Freilassung Feuchtwangers ein. Mann schreibt in einem Brief an den einflussreichen Kunsthistoriker und Literaturwissenschaftler Louis Gillet: »Erlauben Sie mir, Ihre Intervention zugunsten mehrerer antihitlerischer Schriftsteller zu erbitten, die zur Zeit interniert sind. Es handelt sich an erster Stelle um Herrn Lion Feuchtwanger, einen der bekanntesten Romanciers, Autor von ›Jud Süß‹, dessen Verfilmung um die Welt gegangen ist. In England und Amerika genießt mein Freund Feuchtwanger außerordentliche Berühmtheit. Ich würde mich wundern, falls man sich in diesen beiden Ländern für sein Schicksal nicht interessieren würde. Bereits 1933 hatte er die deutsche Staatsbürgerschaft verloren. Sicher hätte es nur an ihm selbst gelegen, sich eine andere auszusuchen. Leider hat er die sechs Jahre, während deren uns eine Frist vergönnt schien, ausschließlich mit Arbeit in seiner Villa in Sanary (Département Var) verbracht. Doktor Feuchtwanger ist 57 Jahre alt und schwächlich. Ein längerer Aufenthalt in einem Lager könnte fatal für ihn sein.«[446]

Nach der glücklichen Rückkehr nach Sanary konzentriert sich Lion ganz auf die Fertigstellung von »Exil«. Auch die Bemühungen für eine

Ausreise in die USA werden im Frühjahr 1940 noch einmal intensiviert. Aber es ist zu spät. Im Februar wird das USA-Visum zurückgenommen; am 4. April 1940 informiert Lion Feuchtwanger die Schifffahrtsgesellschaft, dass er eine bereits gebuchte Schiffspassage in die USA storniert. Als im Mai deutsche Truppen Holland und Belgien besetzen und in Frankreich eindringen, werden die deutschstämmigen Emigranten als »sujets ennemis«, als feindliche Ausländer, erneut von einer Internierungswelle überrollt. Am 21. Mai 1940 Mal müssen sich alle Betroffenen zwischen 17 und 55 Jahren melden; erstmals werden auch Frauen interniert. Lion liegt gerade noch innerhalb dieser Altersgruppe, in wenigen Wochen wäre er 56 Jahre alt. Gemeinsam mit dem Maler Anton Räderscheidt, dessen Sohn und Alfred Kantorowicz meldet sich Lion erneut in Les Milles, im Gepäck eine Dünndruckausgabe mit sechs Romanen von Honoré de Balzac. Marta wird wenige Tage später zunächst in Hyères, dann in Gurs interniert. In Les Milles herrschen für die anfänglich rund 1500 Internierten katastrophale sanitäre und hygienische Verhältnisse. Durch weitere Transporte, in denen sich auch Golo Mann befindet, steigt die Zahl der Bewohner der alten Ziegelei bald auf 3000 Männer. Unter ihnen finden sich alle Kategorien von Emigranten: politisch und rassistisch Verfolgte; Maler, deren Kunst als »entartet« diskreditiert ist; Intellektuelle, deren geistige Freiheit nicht mit dem kleinkarierten Spektrum der NS-Kultur in Einklang zu bringen ist. Aber auch Angehörige anderer Gruppen sind Teil der heterogenen Zwangsgemeinschaft: ehemalige Fremdenlegionäre; Deutsche, die mit Französinnen verheiratet sind; deutschstämmige Arbeiter aus dem Saarland. Zwar kommt es nicht zu gewalttätigen Übergriffen der französischen Wachmannschaften, aber die subtilen, schikanösen Formen alltäglicher Repression, die stupiden und nutzlosen Arbeiten in der alten Ziegelei, das entwürdigende Zusammenleben auf engstem Raum ohne jegliche Privatsphäre, die quälende Ungewissheit über die eigene Zukunft und die der nächsten Angehörigen, die staubtrockene Hitze und unzureichende Ernährung werden als enorme Belastung empfunden und lassen die Internierung in Les Milles zu einer Zeit des Schreckens werden. Nach vier schlimmen Wochen in der alten Ziegelei wird Lion im Juni 1940 auf einer beklemmenden Zugfahrt mit vielen anderen in das Lager San Nicolà bei Nîmes deportiert. Die unerträglichen Zustände, insbesondere aber die permanente Angst, den Deutschen in die Hände zu fallen, stürzen manchen in tiefe Depression. Der Dramatiker Walter Hasenclever, mit dem Lion Feuchtwanger immer wieder über die Situation im Lager, über die allgemeine Entwicklung und mögliche

Zukunftsperspektiven spricht, nimmt sich am 21. Juni 1940 aus Verzweiflung das Leben. Lion ist erschüttert und macht sich heftige Vorwürfe. Er glaubt, dass er Hasenclever mit einer optimistischeren Einschätzung ihrer Lage vom Suizid hätte abhalten können. In seinem autobiographischen Bericht über die Erfahrungen der Internierung wird Feuchtwanger vor allem die kaltherzige und hartleibige Perfidie der französischen Behörden und ihrer beamteten Vollstrecker hervorheben: »Niemals wurde geschlagen oder gestoßen oder auch nur geschimpft. Der Teufel in Frankreich war ein freundlicher, manierlicher Teufel. Das teuflische seines Wesens offenbarte sich lediglich in seiner höflichen Gleichgültigkeit den Leiden anderer gegenüber, in seinem Je-m'en-foutismus, in seiner Schlamperei, in seiner bürokratischen Langsamkeit. Immer klarer erkannten wir das Wesen des Teufels. Daß er solcher Art war, war schlimmer, als wenn er grausam und böse gewesen ware.«[44/]

Die größte Sorge Lions während seiner Internierung in Les Milles ist, dass er von den französischen Behörden an die deutsche Besatzungsverwaltung ausgeliefert werden könnte. Das würde ihn das Leben kosten. Es ist keine grundlose Befürchtung. Am 22. Juni 1942, nachdem bereits große Teile des Landes in deutscher Hand sind, kapituliert Frankreich. Das Land wird geteilt; der größte Teil des nördlichen und westlichen Territoriums wird unter deutsche Militärverwaltung gestellt. Der »freie« Süden bleibt als Rumpfstaat unter der Vichy-Regierung, die jedoch zum Vasallen der deutschen Besatzer wird. Im Waffenstillstandsabkommen zwischen Frankreich und Deutschland hat sich die französische Seite verpflichtet, alle vom Deutschen Reich gewünschten Personen auszuliefern. Ab 1942 betätigen sich die französischen Behörden als willfährige Komplizen bei der Verfolgung und Deportation der Juden. Davon kann im Sommer 1940 zwar noch keine Rede sein, aber die Sorge Lion Feuchtwangers ist dennoch evident: »Die Nazis waren wirklich verdammt nahe. Und selbst, wenn der Zug kommen, wenn wir abtransportiert werden sollten, auch dann war der Tag, da ganz Frankreich in der Hand der Nazis sein würde, nur hinausgeschoben. Und wo werden wir an jenem Tage sein? Werden wir wirklich jenseits der Grenze sein? Das war mehr als unwahrscheinlich.«[448] Trotz seiner Ängste, trotz der belastenden Umstände strahlt Lion im Lager eine souveräne Ruhe und überlegene Zuversicht aus. Für viele Mithäftlinge wird der prominente Schriftsteller zu einer »stillen Autorität« (Volker Skierka). Alfred Kantorowicz, der Leidensgenosse, beobachtet die Metamorphose des kleinen und unscheinbaren Mannes mit Erstaunen:

»Es erwies sich, daß der Besitzer von Luxusvillen im Grunewald und in Sanary die Widerwärtigkeiten und die physischen Strapazen des Konzentrationslagers mit einem Humor überkam, der ihn sehr bald zu einem Zentrum aller Gequälten und Geängstigten machte. Sie suchten sich an seiner Ruhe und seinem Rate aufzurichten. Er war vom Morgen bis in die Nacht hinein umlagert von Hilfesuchenden, denen er in seiner leisen, eindringlichen Weise Mut zuzusprechen suchte – wiewohl nur wenige so gefährdet waren, wie er selber. Er wurde unser Sprecher beim Kommandanten des Lagers. Es gehörte durchaus zu seinem Bilde, daß er sich in dieser recht schweren Probe durchaus als der vernünftige Humanist bewährte, den wir nach der Lektüre seiner Bücher und aus der Erfahrung persönlichen Umgangs im Alltagsleben in ihm erkannt hatten.«[449]

Die Befreiung Lion Feuchtwangers nach zweimonatiger Haft am 21. Juli 1940 aus dem Lager San Nicolà bei Nîmes ist abenteuerlich und spektakulär. Marta gelingt es – nach der eigenen erfolgreichen Flucht aus Gurs – mit Hilfe des »Emergency Rescue Committee« (ERC), einem informellen Netzwerk für Verfolgte, das sich seit August 1940 unter der Leitung des Journalisten und Quäkers Varian Fry in und um Marseille etabliert hat, eine erfolgreiche Befreiung Lions aus dem Lager zu arrangieren und seine weitere Flucht über die Pyrenäen nach Spanien vorzubereiten. Der amerikanische Karrierediplomat und Vizekonsul in Marseille Hiram Bingham ist dabei eine wertvolle Stütze. Im Gegensatz zur Linie des U.S. State Departement und der meisten Diplomaten, die daran interessiert sind, die Einwanderung in die USA möglichst einzudämmen und die erforderlichen Papiere nur restriktiv aushändigen, ist der Vizekonsul, der für die Visastelle zuständig ist, den Verfolgten gegenüber aufgeschlossen und hilfsbereit. Im Rahmen seiner Möglichkeiten stellt er Nansen-Pässe aus, die für die meist staatenlosen Emigranten eine erhebliche Verbesserung ihres Status darstellen. Dank Binghams Zusammenarbeit mit Varian Fry können prominente Flüchtlinge wie Marc Chagall oder Hannah Arendt erfolgreich gerettet werden. Das Unternehmen zur Rettung Lion Feuchtwangers kann freilich nur gelingen, weil sich auch Eleanor Roosevelt, die Frau des amerikanischen Präsidenten, persönlich für Hilfsmaßnahmen und die Befreiung Feuchtwangers einsetzt. Der Präsidentengattin wird über Lions Verleger Ben Huebsch ein Foto zugespielt, das – offenbar zufällig aufgenommen – den Autor hinter dem Stacheldraht von Les Milles zeigt. Eleanor Roosevelt hat Lion während dessen Vortragsreise durch die USA 1932/33 kennengelernt und sorgt nun für Hilfe. Als ältere Frau verkleidet kann

Lion am 21. Juli in einem Fahrzeug des Vizekonsuls Miles Standish – der den Fahrgast bei einer Kontrolle als seine Schwiegermutter bezeichnet – aus dem Lager bei Nîmes entkommen. In der Folgezeit wird er im Privathaus Binghams versteckt – ein Ort, der zwar keine diplomatische Immunität genießt, aber dennoch relativ sicher ist. Seine Freundin Eva van Hoboken lässt er am 7. August 1941 wissen: »da bin ich wieder einmal, immer in der gleichen, recht unbehaglichen situation, das heisst, es gibt bestimmt leute, die mich sehr beneiden. ich habe ein ganzes hübsches haus zu meiner verfügung, einen schattigen garten mit einem privaten schwimmbad, anständiges essen, zwei dienstboten. aber: ich kann nicht ausgehen, ich bin getrennt von marta, lola, meiner arbeit und meinem haus, und ich habe ein ungeheures bedürfnis, endlich einmal wieder freie luft zu atmen. es ist ein grosser trost für mich, dass sich sehr mächtige leute sehr intensiv für mich eingesetzt haben und weiter für mich einsetzen. ich rechne also damit, dass wir uns trotz allem ziemlich bald in amerika wieder sehen werden.«[450]

Trotz der Beeinträchtigungen versucht Lion im Haus Binghams in den nächsten Wochen, bis die weiteren Schritte geklärt sind, die Arbeit an seinem »Josephus« fortzusetzen. Varian Fry wirkt mit an der Vorbereitung der Flucht über die Pyrenäen, während Bingham für Lion ein »Emergency Rescue Visum« unter dem Namen J. L. Wetcheek ausstellt – das Papier ist für die Ausreise aus Frankreich obligatorisch, würde aber unter dem Namen Feuchtwanger zweifellos zu Problemen führen. Dank der Unterstützung durch Varian Fry glückt Mitte September 1940 Heinrich und Nelly Mann, Golo Mann sowie Franz Werfel und Alma Mahler-Werfel die abenteuerliche Flucht über die Pyrenäen. Nach dieser erfolgreichen Aktion signalisiert Fry grünes Licht für die Feuchtwangers. Auf Veranlassung von Eleanor Roosevelt sorgt ein amerikanischer Pastor der Unitarischen Kirche von Boston, Waitstill Hastings Sharp, mit seiner Frau Martha dafür, dass die Feuchtwangers Marseille ungesehen im Zug verlassen können. Sharp begleitet das Paar über Narbonne bis nach Cerbère am Fuß der Pyrenäen. Dort entscheidet man sich angesichts der Prominenz und der akuten Gefährdung Feuchtwangers für die Flucht über die »grüne Grenze«. Dies geht nur zu Fuß über die Berge; der konspirative Tagesmarsch bringt Lion und Marta Feuchtwanger nach Port Bou auf der spanischen Seite und endlich in die ersehnte Freiheit. Pastor Sharp sorgt für die Weiterfahrt über Barcelona nach Lissabon. In der portugiesischen Hauptstadt trifft das Paar auf die Gruppe um Werfel und Mann. Weil Martha Sharp auf ihre USA-Passage verzichtet, um dem gefährdeten Feuchtwanger eine rasche Abreise aus dem unsicheren Lissabon, wo es von Nazis nur so wimmelt, zu ermöglichen, kann sich Lion gemeinsam mit dem Pastor auf der »Excalibur« einschiffen. Es ist das letzte Mal, dass Lion Feuchtwanger europäischen Boden berührt. Von Bord des Schiffes schickt er seinem Freund Arnold Zweig ein Lebenszeichen: »Da wäre ich also nach vier Monaten heftigen Konzentrationslagers, vielen recht scheußlichen Abenteuern und lächerlichen und erbitterten Kämpfen auf dem Weg zwischen Lissabon und den Bermudas nach New York, ausgestattet nur mit einem Rucksack, recht schäbig angezogen, ohne Geld, aber glücklich.«[451] Und Eva van Hoboken lässt er am selben Tag mit hintergründigem Humor wissen: »[I]n 8 Tagen werde ich in New York sein. Marta ist noch in Lissabon, desgleichen Professor Unrat [Heinrich Mann] und Musa Dagh [Franz Werfel]; aber sie werden alle bald folgen. Es war recht abenteuerlich, furchtbar anstrengend und nicht ungefährlich. Aber nachdem ich mich einmal dazu entschlossen hatte, habe ich wirklich keinen Augenblick Angst gehabt, sondern zäh durchgehalten.«[452] Marta Feuchtwanger muss noch mehrere Wochen auf eine freie Schiffspassage warten, dann kann auch sie den Dampfer »Exeter« nach New York besteigen. Nach der erfolgreichen Flucht der Feuchtwangers kümmert sich Lola Humm-Sernau um die Hinterlassenschaften in Sanary. Sie stellt Unterlagen sicher und sorgt dafür, dass die Bibliothek – in 45 Bücherkisten verpackt – ihrem Eigentümer nach Lissabon nachgeschickt wird.

1940: New York – Los Angeles

»Es ist wohl so, daß Leiden den Schwachen
schwächer, aber den Starken stärker macht.
Manche unter uns hat das Exil eingeengt, aber
den Kräftigeren, Tauglicheren gab es mehr Weite
und Elastizität, es machte ihren Blick freier für
das Große, Wesentliche und lehrte sie, nicht am
Unwesentlichen zu haften.«[453]

Als der staatenlose Lion Feuchtwanger am 5. Oktober 1940 in New York
mit einem »Emergency Rescue Visa« und im Besitz eines Nansen-Passes von Bord der »SS Excalibur« geht, befindet sich seine Person bereits
im Fadenkreuz des FBI. Dessen Agenten registrieren, dass der Schriftsteller nicht nur von seinem amerikanischen Verleger Ben Huebsch,
sondern auch von einer Delegation der »League of American Writers«
empfangen wird – einer Organisation, die nach Lesart des FBI zu den
»front organisations« der Kommunistischen Partei zu rechnen ist. Notiert wird außerdem, dass der Schriftsteller unter dem obskuren Pseudonym »J. L. Wetcheek« reist, weil ihm die Passage unter seinem eigenen
prominenten Namen als zu gefährlich erscheint. Das akkurate FBI-
Screening des Neuankömmlings ist keine Momentaufnahme. Bis an
sein Lebensende im Jahr 1958, während seiner gesamten Zeit in den
USA, wird Feuchtwanger von verschiedenen amerikanischen Einrichtungen, insbesondere aber vom FBI, überwacht. Sein Umfeld wird durchleuchtet, die politische Einstellung wird evaluiert, private, ja, sexuelle
Kontakte werden ausgeforscht. Feuchtwanger, der vermeintliche Kommunist, der Verfasser von »Moskau 1937«, der in der Welt der Intellektuellen bestens vernetzte Schriftsteller, der areligiöse und unkeusche
Lebemann, ist ein Problemfall für das ultrakonservative und prüde
Amerika, das in der Paranoia des republikanischen Senators Joseph
McCarthy und den unheilvollen Aktivitäten des »Komitees für unamerikanische Umtriebe« kulminiert. Lion Feuchtwangers wiederholte Bemühungen um die amerikanische Staatsbürgerschaft scheitern an den
Verschwörungstheorien der antikommunistischen Hardliner in Politik

und Verwaltung, die in dem Antragsteller einen »tiefgläubigen« Marxisten« und Kommunisten vermuten. Trotz dieser amtlich legitimierten Knebelung des Emigranten Feuchtwanger, trotz der Kränkungen und Verletzungen, die mit FBI-Überwachung und politischer Denunziation verbunden sind, gibt es für den prominenten Zuwanderer keine Alternative zu einem Leben in den USA. Nach den Brüchen seines bisherigen Lebens und nachdem er sich zum zweiten Mal gezwungenermaßen für ein Land entscheiden musste, ist an einen erneuten Anfang außerhalb der USA nicht mehr zu denken. Lion Feuchtwanger ist zum Zeitpunkt seiner Ankunft in New York 56 Jahre alt.

Nicht nur die amerikanischen Behörden, auch die Medien sind an Feuchtwanger und seiner Geschichte interessiert. Die Nachrichten von der abenteuerlichen Flucht aus einem französischen Konzentrationslager und dem rettenden Marsch über die Pyrenäen sind ihm vorausgeeilt. Jetzt möchten die Zeitungen und Rundfunkstationen vom Betroffenen selbst die Geschichte hören. Auf die bohrenden Fragen der Journalisten, die sich in der schummrigen Bar der »Excalibur« versammelt haben, gibt Lion jedoch nur zurückhaltend Auskunft. Lediglich in groben Zügen schildert er die Ereignisse. Er weiß, dass nicht alle Details der Flucht, dass nicht jeder Name von an der Aktion beteiligten Personen ans Licht der Öffentlichkeit kommen dürfen. Es geht darum, die konspirativ tätigen Akteure und die Strukturen der Fluchthilfeorganisationen vor französischen und deutschen Nachstellungen zu schützen, damit auch künftig bedrohte und verfolgte Personen gerettet werden können. Auf die Frage, wer nach seiner Auffassung den Krieg gewinnen werde, antwortet er lakonisch: »Hitler hat den Krieg bereits verloren.«[454] Trotz seiner Diskretion wird man Feuchtwanger schon wenig später vorwerfen, er habe zu viel ausgeplaudert und durch seine Geschwätzigkeit das Leben von in Frankreich Zurückgebliebenen gefährdet. Er habe, so ist im »Philadelphia Ledger« zu lesen, »vielen deutschen und österreichischen Flüchtlingen nicht wiedergutzumachenden Schaden zugefügt. (…) Eine deutsche Militärkommission erschien an der französisch-spanischen Grenze und hat mit Untersuchungen in den im Interview genannten Orten begonnen. Französische Grenzbeamte wurden durch zuverlässigeres Personal ersetzt. Das Ergebnis war eine Katastrophe für die in Marseille befindlichen Flüchtlinge, die auf eine Gelegenheit zum illegalen Grenzübertritt nach Spanien warten. Es ist praktisch unmöglich, die Grenze zu überschreiten und alle Versuche der letzten Wochen waren zwecklos.«[455] Ähnliche Vorwürfe werden im Magazin »Time« erhoben. Dass Feuchtwanger lediglich die offenkundi-

gen und der deutschen Polizei ohnehin bekannten Fluchtoptionen benannt, im Übrigen aber alle heiklen Themen gemieden hat, scheint die
Berichterstatter nicht zu kümmern. Eine erste Lektion für den Neuan-
kömmling in Sachen amerikanischer *Publicity* und Medienkultur.

Als Lion Feuchtwanger in den USA eintrifft, ist er, nach Überzeugung
seines langjährigen Freundes Heinrich Mann, »schon lange ein amerikanischer Autor, ohne daß er aufhört, Europäer, sogar ein Deutscher des
biederen Schlages zu sein. Sein Publikum in den Vereinigten Staaten hat
staunend von ihm Geschichte gelernt, römische, jüdische und die großen
Augenblicke Münchens, als es Weltruf erhielt durch Hitler, seinen Erfolg
– und den Roman ›Erfolg‹, der mehr Dauer verspricht.«[456] Dieser aus
Deutschland vertriebene »amerikanische Autor« bezieht unmittelbar
nach seiner Ankunft ein Zimmer im exklusiven Hotel »St. Moritz« am
Central Park, das sein Verleger Huebsch reserviert hat, und stellt kurzent-
schlossen eine Sekretärin ein. Die aus Berlin stammende Jüdin Hilde
Waldo, 34 Jahre alt, ist 1940 über England nach New York gekommen und
hat bei Feuchtwanger wegen einer Anstellung angefragt. Sie kennt und
schätzt seine Bücher, hat Erfahrung in der Verlagsarbeit und spricht ausgezeichnet Englisch. Da mit einer Nachreise von Lola Sernau in den
nächsten Wochen nicht zu rechnen ist, Lion aber auf sein vertrautes Diktat nicht verzichten möchte, wird Hilde Waldo engagiert. Aus dem zunächst befristeten Arrangement wird eine Lebensstellung. Lola Sernau
bleibt in Europa und Hilde Waldo wird zum guten Geist der Feuchtwanger'schen Schreibwerkstatt. Sie ist mehr als eine Sekretärin, denn sie lässt
es sich nicht nehmen, die Arbeit des Schriftstellers zu kommentieren und
auch zu kritisieren. Nach Feuchtwangers Tod wird sie gemeinsam mit
Marta Feuchtwanger den Nachlass betreuen und das Erbe ihres verstorbenen Arbeitgebers bewahren helfen.

Noch im Hotel beginnt Lion mit der Arbeit an »The Devil in France.
My Encounter with Him in the Summer of 1940«, ein autobiographi-
scher Erlebnisbericht, in dem er die Jahre in Frankreich, insbesondere
aber die Erlebnisse in der Internierung schildert. Es ist das erste Werk
einer reichen amerikanischen Schaffensperiode, die aus sieben Romanen und zwei Dramen besteht. Im Dezember 1941 erscheint »The Devil
in France« in der Übersetzung von Elizabeth Abbott bei Viking Press.
Eine deutsche Ausgabe wird von dem von Walter Janka geleiteten mexikanischen Exilverlag »El Libro Libre« erst im Oktober 1942 unter dem
Titel »Unholdes Frankreich« herausgebracht (später: »Der Teufel in
Frankreich«). Feuchtwangers Frankreich-Erinnerungen sind nach Egon
Erwin Kischs »Marktplatz der Sensationen« die zweite Publikation des

noch jungen Verlags, der sich während der Kriegsjahre zu einem wichtigen Sprachrohr für die exilierte deutschsprachige Literatur entwickelt. Neben Kisch und Feuchtwanger werden auch Werke von Anna Seghers, Bodo Uhse, Paul Merker und Ludwig Renn in Mexiko-Stadt veröffentlicht. Neben dem Diktat des Erfahrungsberichts über Frankreich steht die »Überfeilung« des bereits weit fortgeschrittenen Manuskripts des dritten »Josephus«-Bandes auf der Agenda. Gleichzeitig bereitet Lion einige Vorträge vor, um die ihn New Yorker Wohlfahrtsorganisationen und jüdische Vereine gebeten haben. Einen ersten öffentlichen Auftritt absolviert er Mitte Oktober 1940 bei einem großen »Pan-American Dinner« für exilierte Schriftsteller des »Committee of Publishers« im New Yorker Hotel »Commodore«. Diese Termine sind oft auch als Spendensammlung für Verfolgte angelegt. Das Dinner im »Commodore«, an dem 1200 Personen teilnehmen, erbringt immerhin 15 000 Dollar für die Rettung gefährdeter Schriftsteller aus Europa. Zahlreiche weitere Empfänge, Auftritte und Vorträge folgen. Die Wochen im Hotel »St. Moritz« am Central Park sind arbeitsreich und anstrengend.

Es ist der dritte Neuanfang im Leben des Lion Feuchtwanger. Nach dem Hausbau in Berlin und der ersten Exilstation in Sanary nun also New York, das ruhelose, laute und eilige, überwältigende Manhattan, die »Neue Welt«. Die ersten Wochen in der Stadt, die Lion noch von seiner Vortragstour im Winter 1932/33 in guter Erinnerung hat, sind geprägt von unzähligen Gesprächen und Begegnungen mit Freunden, Bekannten und Fremden. Viele Emigranten sind mittlerweile in New York gestrandet. Die Feuchtwangers lernen den Theatermann Otto Preminger kennen, treffen mit dem Komponisten Kurt Weill und seiner Lebensgefährtin Lotte Lenya alte Bekannte aus Berlin, begegnen dem weltberühmten Pianisten Arthur Rubinstein, sprechen mit Maurice Maeterlinck, dem aus Belgien stammenden Verfasser von »Pelléas et Mélisande«. Jules Romains, der Vorsitzende des Internationalen P.E.N.-Clubs, der sich für Feuchtwangers Freilassung aus Les Milles verwendet hat, gibt ihm zu Ehren einen Empfang. Auch William Somerset Maugham lädt ein. Dorothy Thompson, Übersetzerin von »Pep« und Ex-Frau von Sinclair Lewis, bittet um persönlichen Rat in einer delikaten Angelegenheit. Durch Emigration und Krieg unterbrochene Kontakte werden aufgefrischt, neue Kontakte werden angebahnt. Viele wollen mit Feuchtwanger sprechen, sei es, weil sie an Informationen über Frankreich oder an Lions aufregenden Geschichten interessiert sind, sei es, dass sie ihn um ideelle oder finanzielle Unterstützung bitten möchten. Dabei hat Feuchtwanger selbst genug eigene Probleme. Er ist in

Sorge um die Hinterlassenschaft von Sanary, die Unterlagen, die Manuskripte, die Bibliothek. Letztere befindet sich dank Lola Sernau im einstweilen sicheren Lissabon, aber »sie verschlingt riesige Lagerkosten, und ich kann sie nicht herüberkriegen, da es maßlos kompliziert ist, die für die Verschiffung notwendigen Erlaubnispapiere zusammenzukriegen.«[457] Die französischen und amerikanischen Konten sind gesperrt und er kann nur in begrenztem Umfang über seine finanziellen Mittel verfügen. Die regulären Einkünfte sind zwar zufriedenstellend, aber er benötigt »irrsinnig viel Geld, erstens da ich ohne alles Gepäck hier angekommen bin und alles neu anschaffen muß, zweitens weil ich so vielen Leuten Fahrgeld nach Lissabon anweise.« Die New Yorker Aufgeregtheiten, die vielen Gespräche mit Journalisten, die Einladungen, Empfänge und sonstigen Verpflichtungen setzen Feuchtwanger zu. Es drängt ihn nach einer ruhigen Arbeitsatmosphäre, denn vor ihm liegen noch wichtige, unaufschiebbare literarische Projekt. Eva van Hoboken erfährt Anfang Dezember 1940 von Lion: »Ich bleibe noch etwa 2 oder 3 Wochen hier, dann geh ich wohl nach Kalifornien und suche mir irgendwo ein stilles Haus, wo ich arbeiten kann.«[458] Es gibt gute Gründe, über einen Wechsel an die Westküste nachzudenken. In Kalifornien sind die Lebens- und Klimaverhältnisse vertrauter, erinnern eher an das geliebte Südfrankreich, als dies in den klimatisch rustikalen Neuengland-Staaten der Fall ist. Hinzu kommt ein nicht zu unterschätzendes Argument: Die Lebenshaltungskosten sind im Westen nicht so hoch wie im mondänen New York.

Marta feiert ihren 50. Geburtstag am 21. Januar 1941 nicht mehr in New York. Es zieht sie, wie jedes Jahr, zum Skifahren. Dieses Mal sind es nicht die französischen Alpen, sondern die nordkalifornischen Berge von Yosemite. Lion bleibt noch an der Ostküste, bricht aber wenige Tage später seine Zelte ab und reist nach Los Angeles. Am 28. Januar 1941 erreicht er per Flugzeug die Westküsten-Metropole, besucht seine Freundin Eva Herrmann in West Los Angeles, wohnt bei ihr, macht womöglich sogar vage Zukunftspläne, in denen Marta nicht mehr die Hauptrolle spielt. Das intime Miteinander ist jedoch nur von kurzer Dauer. Für den 9. Februar 1941 sind Lion und Marta im mexikanischen Nogales, einer Grenzstadt zum US-Bundesstaat Arizona, verabredet. Gemeinsam möchte man von hier aus erneut und offiziell in die USA einreisen und sich auf diese Weise ein dauerndes Bleiberecht im Land sichern. Das »Emergency Rescue Visa«, das beide haben, erlaubt nur einen zeitlich begrenzten Aufenthalt. An diesem Tag sind beide voller Zuversicht. »Lion und ich gingen am frühen Morgen durch die leuchtende, kristallklare Hügellandschaft von Arizona. Die Luft war elektrisierend, es war sehr früh, wir waren noch allein. Lion sprach von der Hoffnung, bald in Los Angeles ein Haus zu finden, wo er seine Arbeit neu beginnen könne. Und er sprach von seinen Plänen, vom Hellseher Hanussen, von Benjamin Franklin. Er hatte sich das Erlebnis Frankreich von der Seele geschrieben, das ›Unholde Frankreich‹ lag hinter ihm«, erinnert sich Marta Feuchtwanger.[459] Zwar ist der im mexikanischen Teil von Nogales residierende US-Konsul ein begeisterter Leser von Lion Feuchtwangers Romanen und stolz, dass der berühmte Schriftsteller in seinem Büro die Einreise in die Vereinigten Staaten absolviert. Und doch erhalten die Feuchtwangers nur eine jederzeit widerrufbare Aufenthaltserlaubnis. Ein Antrag auf Einbürgerung kann erst nach einem fünfjährigen Aufenthalt in den USA gestellt werden. Die Unsicherheit bleibt. Während Marta ihren Skiurlaub fortsetzt, kehrt Lion in das Haus an der Mandeville Canyon Road zu Eva Herrmann zurück. Als schließlich Marta kommt, geht Eva Herrmann ihrerseits in Skiferien. Sie überlässt den Feuchtwangers ihr Haus und ihr Automobil, bis diese etwas Eigenes gefunden haben. Insgeheim rechnet sie damit, dass es zu einer Trennung des Ehepaares kommt und Lion bei ihr bleibt.[460] Es hat wohl Andeutungen und Gespräche gegeben, die diese Hoffnung nähren. Am Ende muss Eva Herrmann aber enttäuscht einsehen, dass Lion nicht an eine Trennung von Marta denkt. »Lion und Marta Feuchtwanger blieben zusammen, als hätte es nie eine andere Möglichkeit gegeben«, so Manfred Flügge, der Biograph von Marta Feuchtwanger und Eva Herrmann.[461]

In Los Angeles kommt Lion vorläufig zur Ruhe. Seinem Freund Zweig berichtet er im Frühjahr 1941 von den vielen Menschen, mit denen er in New York gesprochen hat, »wirklich Fluten von Menschen, Deutsche, Franzosen und Amerikaner, und ich bin jetzt der Menschen etwas müde. Auch hier sitzen natürlich ein paar Freunde und sehr viele Bekannte herum, doch die riesigen Entfernungen geben einem einen guten Vorwand, nicht allzu viele zu sehen«.[462] Obwohl die ersten Eindrücke von Los Angeles für den mit kleinräumigen Gegebenheiten und kurzen Distanzen vertrauten Europäer Feuchtwanger eher befremdlich sind, entscheidet man sich für den Verbleib in der »Stadt der Engel«. Ohne Marta, die gerne am Lenkrad sitzt, wäre der Autoverweigerer Feuchtwanger zu einem von Sozialkontakten abgeschnittenen autistischen Randdasein verurteilt: »alles in allem ist es nicht ganz leicht, eine vorstellung von los angeles zu geben. die stadt ist riesig gross, die ausgedehnteste stadt der welt, zum zahnarzt z b sind es 140 kilometer, das nächste restaurant ist eine halbe stunde mit dem auto entfernt. jeder hat sein auto, die beiden dienstmädchen, die sekretärin, der briefträger. im übrigen ist es eine mischung zwischen einem gigantischen sanary und einem berliner kostümfest. es gibt nur ganz wenig frauen, die nicht in hosen umlaufen«, fasst Lion seine ersten Eindrücke zusammen.[463]

Die Suche der Feuchtwangers nach einem eigenen Domizil gestaltet sich dank der Unterstützung von Liesl Frank, die bereits seit 1937 mit ihrem Mann Bruno in Los Angeles lebt, nicht weiter schwierig. Bruno Frank hat nicht nur als Schriftsteller einen international klangvollen Namen; in Los Angeles gelingt ihm – im Gegensatz zu vielen anderen emigrierten Intellektuellen – der Anschluss an das System Hollywood. Er erhält 1938 einen lukrativen Vertrag als Drehbuchautor für die Universal Studios, arbeitet an erfolgreichen Filmprojekten mit und kann sich den Kauf eines Anwesens in Beverly Hills leisten, in dem zuvor Charles Chaplin gewohnt hat. Liesl Frank wiederum engagiert sich im »Emergency Rescue Committee« und anderen Hilfsorganisationen, die für die Betreuung von Flüchtlingen gegründet werden. Mit ihrer Hilfe finden die Feuchtwangers im Juni 1941 in Pacific Palisades am 1650 North Amalfi Drive ein ansprechendes Haus in einer akzeptablen Lage und zu einer erschwinglichen Miete. Als der Eigentümer, der Filmproduzent Dudley Murphy, nach wenigen Monaten wieder einziehen möchte, findet sich im November 1941 ein Anwesen an der bereits vertrauten Mandeville Canyon Road – unweit des Hauses von Eva Herrmann. »die gegend in der ich wohne, ist herrlich, berg und meer und alles, was man will. das haus ist gross und überaus komfortabel, das klima höchst angenehm, wir haben eigentlich jetzt den achten Monat frühsommer, um meine gesundheit steht es nicht schlecht, ums wirtschaftliche mässig, aber die aussichten sind gut«, erfährt Eva van Hoboken im November 1941.[464] Um die Jahreswende 1941/42 gelingt endlich die Verschiffung der Bibliothek von Lissabon an die amerikanische Westküste. Lion kann sich wieder mit seinen sehnsüchtig vermissten Büchern umgeben. Glücklich lässt er seinen Freund Zweig an diesem lange erwarteten »Lichtblick« teilhaben: »Ich habe meine Bücher gekriegt. Da stehen sie ringsum und sind mir eine rechte Freude. Auch die Bücher, die Sie geschrieben haben sind da, allesamt.«[465] Das Haus an der Mandeville Canyon Road ist freilich auch nur eine vorübergehende Bleibe; im Herbst 1942 müssen sich die Feuchtwangers erneut auf Wohnungssuche machen. Die nächste Adresse – 13827 Sunset Boulevard – liegt jedoch ganz in der Nähe des inzwischen vertrauten Wohnumfelds.

Endgültig zur Ruhe kommen die Feuchtwangers aber erst im Herbst 1943 mit dem Kauf des Anwesens am Paseo Miramar.

Trotz der unsteten Lebenssituation, die vor allem mit den häufigen Wohnungswechseln zwischen 1941 und 1943, der Überwindung bürokratischer Ärgernisse und nervenaufreibender »sinnloser kleinarbeit«[466] zu tun hat, lässt Feuchtwanger seine literarische Arbeit nicht ruhen. Erneut praktiziert er ein literarisches Verfahren, das sich für ihn bewährt hat: aus einer dramatischen Fassung heraus die große epische Form zu entwickeln. Bereits seinem Erfolgsroman »Jud Süß« war eine Bühnenfassung vorausgegangen. Auch der 1941 abgeschlossene Roman »Die Brüder Lautensack« knüpft an eine dramatische Blaupause an. Das Stück handelt von der authentischen und aufsehenerregenden Lebensgeschichte eines Wahrsagers und Zauberers, der vom Aufstieg der NS-Bewegung profitieren möchte, aber den Wirren und Intrigen der korrupten politischen Emporkömmlinge zum Opfer fällt. Es sind Filmleute aus seinem Bekanntenkreis, die Lion Feuchtwanger von dieser Methode überzeugen. Seinem amerikanischen Verleger Ben Huebsch teilt er im Juli 1941 mit: »Auf den Rat hiesiger Filmleute schreibe ich zuerst ein Stück über diesen Gegenstand, die jüdische Abstammung des Helden lasse ich weg. Das Stück ist eine Art Outline für den Roman, ich werde mir dabei über die Handlung klar, so wie mir das Stück ›Jud Süß‹ sehr dienlich war für den späteren Roman. Ich habe mich für diesen Stoff vor allem deshalb entschlossen, weil ich dafür so gut wie kein Material brauche. Weiter beschäftige ich mich mit den Vorarbeiten für einen Roman ›Goya‹. Auch da wollen Filmleute, daß ich ihnen zuerst ein Stück oder einen Film ›Goya‹ schreibe.«[467] Die Vermutung liegt nahe, dass einige der in Kalifornien entstandenen Romane Feuchtwangers konzeptionell so angelegt werden, dass auch eine filmische Adaption der Handlung ohne großen Aufwand realisiert werden kann. Auch bei dem späteren Projekt »Simone« ist dieser Ansatz erkennbar.

So formt sich aus einem Theaterstück der Roman »Die Brüder Lautensack«. Vorbild für Feuchtwangers Protagonisten Oskar Lautensack ist der Hellseher Erik Jan Hanussen, der in den Jahren der Weimarer Republik mit spektakulären Auftritten von sich reden macht, unter anderem den Brand des Reichstages vorhersagt und 1933 unter ungeklärten Umständen ums Leben kommt. Auch in diesem Buch thematisiert Feuchtwanger die Atmosphäre vor und nach der nationalsozialistischen »Machtergreifung«, liefert ein atmosphärisches Panorama der zusammenbrechenden ersten deutschen Demokratie. Ähnlich wie in »Erfolg« arbeitet er erneut mit den Mitteln des Schlüsselromans und macht eine Reihe von Persönlichkeiten der Zeitgeschichte zu Akteuren des Buches. Hitler und Hindenburg wirken mit Klarnamen mit, was den dokumentarischen Charakter des Romans unterstreicht. Gemessen an den Maßstäben bisheriger Feuchtwanger-Romane ist das innerhalb eines Jahres entstandene Buch weder besonders gut komponiert, noch wird es zu einem nennenswerten Erfolg. Es ist, als ob sich die unsicheren Lebensumstände des Autors in dem hastig niedergeschriebenen, grob geschnitzten und vergleichsweise wenig differenziert gestalteten Buch widerspiegeln. Im Frühjahr 1943 erscheint es als englische Erstausgabe unter dem Titel »Double, Double Toil and Trouble« 1943 bei Viking Press in den USA und nahezu zeitgleich bei Hamish Hamilton Ltd. in London, wo 1944 unter dem Titel »Die Brüder Lautensack« auch die erste deutsche Ausgabe veröffentlicht wird. Ein lukrativer Vorabdruck in der amerikanischen Wochenzeitschrift »Collier's« hilft Lion im Januar 1943 aus einer »ziemlich argen Klemme«[468] und ermöglicht ihm »in Ruhe« die Vorbereitung eines Wunschprojekts: ein großes Buch über den spanischen Maler Goya.

Ende 1942 kommt es erneut zu einer engen Zusammenarbeit der beiden Freunde Brecht und Feuchtwanger. Brecht hat nach einer aufreibenden Odyssee durch zahlreiche europäische Länder dank tatkräftiger, auch finanzieller Unterstützung Feuchtwangers endlich eine Einreiseerlaubnis für die USA erhalten und lässt sich auf Anraten seines alten Freundes im Juli 1941 in Santa Monica nieder. Unweit des Wilshire Boulevard mietet er ein schlichtes Haus an. Über das Wiedersehen der Freunde notiert Brecht am 22. Juli 1941 in sein Arbeitsjournal: »feuchtwanger wohnt in santa monica, in einem großen haus in mexikanischem stil. er ist im wesen unverändert, sieht jedoch gealtert aus. er arbeitet an einem stück über einen deutschen astrologen und scharlatan für das hiesige theater. sein rat ist, hier zu bleiben, wo es billiger ist als in NY und wo mehr aussichten zu verdienen bestehen.«[469] Hier, an der Westküste, schlägt das Herz der amerikanischen Filmindustrie, und Brecht hofft, sich als Drehbuchautor für Hollywood zu etablieren. Diese Hoffnung teilen viele deutschsprachige Emigranten, darunter Schriftsteller wie Alfred Polgar, Walter Mehring, Leonhard Frank und Alfred Döblin. Nicht wenige dieser Hollywood-Lohnschreiber sind bereits nach einiger Zeit wieder mittellos und geraten in eine prekäre wirtschaftliche Situation. Denn falls es überhaupt zu einem Engagement bei den großen Filmstudios kommt, ist dieses meist nur von kurzer Dauer. Die Studiobosse betrachten die Verträge vor allem als moralische Verpflichtung, als befristete karitative Hilfsmaßnahme für in Not geratene Literaten. Die Ideen, Entwürfe und Exposés der Exil-Autoren werden selten ernsthaft in Betracht gezogen und kaum einmal verwirklicht. Diese sitzen einsam in ihren Büros, »ohne Englisch zu können, ohne das Filmemachen zu Kennen, voller Verachtung für dies Gewerbe – und auch ohne eingeladen zu werden, etwas Ernstliches zu unternehmen«.[470] Viele leben nach der Auflösung der Kontrakte von der Hand in den Mund. »Die ökonomischen Nichtigkeiten, die nicht aufhören, sind das äußere Kennzeichen des Exils. Viele Schriftsteller sind davon zermürbt worden, viele zogen den Selbstmord dem tragikomischen Leben im Exil vor«, so die beklemmende Bilanz von Lion Feuchtwanger.[471] Besonders Heinrich Mann, der einstmals in Deutschland, in Europa gefeierte Autor, der Verfasser des »Professor Unrat«, dessen Verfilmung Marlene Dietrich zum Weltstar gemacht hat, durchlebt in Kalifornien Phasen der tiefen Erniedrigung. Von seinem reichen Bruder Thomas, mit dem ihn eine komplizierte Hassliebe verbindet, gnädig alimentiert, von wohlwollenden Freunden wie Lion Feuchtwanger immer wieder unterstützt, muss der inzwischen 70-Jährige sehen, wo er bleibt. Bitter und empört notiert Brecht in sein Arbeitsjournal: »er geht allwöchentlich stempeln, holt sich 18 $ 50 arbeitslosenunterstützung ab (…). sein bruder thomas baut sich eben eine große villa.«[472] Um die in ihrer Existenz akut gefährdeten Emigranten aufzufangen und zu stützen, werden Hilfsorganisationen wie der von Fritz Lang und William Dieterle gegründete »European Film Fund« ins Leben gerufen, die wiederum auf Zuwendungen und Spenden von großzügigen Amerikanern oder einigermaßen wohlhabenden Emigranten angewiesen sind. Auch Lion Feuchtwanger engagiert sich immer wieder für die Hilfsstellen und unterstützt spontan in Not geratene Schicksalsgenossen. Die Emigrantin Grete Weiskopf erinnert sich an einen guten, hilfsbereiten Mann »voll warmer Anteilnahme am persönlichen und beruflichen Wohlergehen seiner Mitmenschen und Kollegen. Er organisierte nicht nur Hilfe, er griff zuerst immer in die eigene Tasche.«[473]

Im Gegensatz zu bereits etablierten deutschsprachigen Emigranten wie Fritz Lang, William Dieterle, Billy Wilder, Robert Siodmak oder Josef von Sternberg hat auch Brecht in den USA keinen Erfolg. Sein exzentrisches Gebaren und seine kompromisslose künstlerische Haltung wirken auf die erfolgs- und ertragsorientierten Filmleute befremdlich. Brecht wiederum fühlt sich unwohl in der auf Hochglanz polierten, auf Fassade, Attitüde und Gewinnmaximierung abzielenden südkalifornischen Welt. Rasch durchschaut er die auf dramatischen Effekt und oberflächliche Wirkung fixierten Hollywood-Maximen und beklagt das niedrige künstlerische Niveau der amerikanischen Filmindustrie: »immer wieder staune ich über die primitivität des filmbaus. diese ›technik‹ kommt mit einem erstaunlichen minimum an erfindung, intelligenz, humor und interesse aus. man klettert von situation zu situation und setzt beliebige figuren ein. (…) es wird damit gerechnet, dass die schauspieler nicht spielen und die zuschauer nicht denken können«, notiert er im August 1942 in seinem Arbeitsjournal.[474] Dennoch bemüht er sich um Aufträge, meist jedoch vergeblich. Bescheidenen Erfolg erzielt er mit dem Projekt »Hangmen Also Die«, für das er im Sommer 1942 mit dem Regisseur Fritz Lang am Drehbuch arbeitet – freilich mit Unlust und beträchtlicher innerer Distanz. So erstaunt es nicht, dass Brecht bereits nach kurzer Zeit wegen künstlerischer Differenzen tief mit Lang zerstritten ist, obwohl Lang entscheidenden Anteil an der Erteilung seines USA-Visums hat und sich auch finanziell für Brecht engagiert. Es kann Brecht nicht gefallen, dass sich Lang den kommerziellen Prinzipien des Studiosystems von Hollywood anzupassen versteht, während er selbst die künstlerisch eindimensionale und politisch diffuse Praxis der Filmindustrie kompromisslos und mit wachsender Verachtung ablehnt. Seine finanziellen Sorgen werden indessen nicht kleiner. In dieser Situation versucht Lion Feuchtwanger zu helfen. Bereits in den 1920er Jahren hatten Brecht und Feuchtwanger in einer symbiotischen, für beide fruchtbaren Allianz für die Bühne geschrieben. Nun schlägt Lion Brecht ein Theaterstück über die NS-Besetzung Frankreichs und die kompromittierende Politik der Vichy-Regierung vor. Brecht, der gerade erst Lions autobiographisches Buch über dessen Exil in Frankreich gelesen hat, ist begeistert. Unter dem Titel »Die Gesichte der Simone Machard« wollen die Freunde die fiktive Geschichte eines jungen Mädchens, Simone, erzählen, die sich – inspiriert durch die Lektüre von Büchern über die Freiheitsheldin Jeanne d'Arc und traumhafte Weisungen – als eine von wenigen Franzosen mutig zum Widerstand gegen das nationalsozialistische Besatzungsregime und gegen geldgierige, opportunistische Kollaborateure entschließt. Der Widerstand kostet Simone zwar nicht das Leben, aber – was für die beiden Verfasser mindestens genauso schwer wiegt – die Freiheit. Das Theaterstück (und auch der wenig später von Feuchtwanger geschriebene Roman »Simone«) ist ein ergreifendes Plädoyer für Zivilcourage und eine bittere Klage gegen Anpassung, Willfährigkeit und Opportunismus. Ähnlich wie in anderen literarischen Werken Feuchtwangers steht auch hier die Protagonistin für eine Dynamik, deren Spannung zwischen den Polen Erkenntnis und

Aktion, Bewusstwerdung und Handlung, Nichts-Tun und Tun oszilliert. Simone sieht das Unrecht der deutschen Besatzung und ordnet es in einen übergeordneten Wertekanon ein, der sich an der ikonographischen Heldenfigur der Johanna von Orleans orientiert. Deren Handeln besitzt Vorbildcharakter für die Gegenwart und zwingt Simone, sich der Gleichgültigkeit ihrer Umwelt entgegenzustellen. Feuchtwanger baut in »Simone« geschickt eigene Erfahrungen aus dem französischen Exil ein. Die geschmeidige Hörigkeit der französischen Autoritäten gegenüber den nationalsozialistischen Besatzern hat ihn, den vertriebenen und heimatlosen Dichter, mehrfach in gefährliche Situationen gebracht. Die Erinnerungen an Schikanen, an Lageraufenthalte und an die abenteuerliche Flucht aus Südfrankreich sind noch frisch, als »Simone« entsteht: »Ich hatte, kurz bevor wir die Arbeit begannen, ein Buch ›Unholdes Frankreich‹ veröffentlicht. (…) Das Buch rührte Brecht sehr an, und wir waren uns, er und ich, als wir den Plan der ›Simone‹ entwarfen, darüber einig, zum Drehpunkt des Stückes die Erkenntnis der Jeanne d'Arc zu machen, dass sie nicht von Engländern, sondern von Franzosen verurteilt wird. Diese gleiche Erfahrung, dass nämlich die Leute, die sie verderben, nicht Landesfeinde, sondern reiche Franzosen sind – ›reich und reich gesellt sich gern‹–, sollte Simone machen.«[475]

Die Arbeitssitzungen finden im Haus der Feuchtwangers am Sunset Boulevard statt. Brecht kommt nahezu täglich und bleibt bis zur abendlichen Sperrstunde. Oft bringen ihn Hilde Waldo oder Marta mit dem Wagen nach Hause. Nach dem Kriegseintritt der USA im Dezember 1941 gelten die in den Staaten lebenden Deutschen als »enemy aliens« und unterliegen strikten Reglementierungen. Für sie gilt seit März 1942 zwischen 20 Uhr abends und 6 Uhr morgens eine Ausgangssperre, außerdem dürfen sie sich nicht weiter als fünf Meilen von ihrem Wohnsitz entfernen. Dem sozialen Leben der Emigranten sind somit schmerzhaft enge Grenzen gesetzt, wie Lion Feuchtwanger in einem Brief an seinen Verleger Ben Huebsch beklagt: »Es geht uns hier nicht sehr gut. Die Restriktionen gegen die Enemy Aliens sind sehr empfindlich. (…) In dieser sehr ausgedehnten Stadt, wo man sehr verstreut wohnt, heißt das, daß man praktisch mit einer Menge von Freunden nicht mehr zusammenkommen kann; im Grund ist man ein Gefangener. Aber es ist vorläufig nicht ganz so schlimm wie in Frankreich. Am meisten erbitternd ist die prinzipielle Torheit der Maßnahmen.«[476] Daher wird ab Frühjahr 1942 im Hause Feuchtwanger tagsüber gearbeitet, diskutiert, gestritten, entworfen und verworfen. Oft ist Marta zugegen, obwohl Lion dies nicht recht ist. Brecht jedoch, der ein Auditorium für seine Einfälle und sein aufgeregtes Deklamieren benötigt, legt Wert auf ihre Gegenwart: »Es inspirierte ihn, wenn jemand anwesend war. Es spielte vermutlich nicht einmal eine Rolle, ob dieser Jemand die Sprache verstand. Er brauchte einfach jemand. (…) Lion saß üblicherweise an seinem Schreibtisch, aber Brecht lief auf und ab, gestikulierend, er benötigte Zuhörer.«[477] Die Zusammenarbeit des lauten und egozentrischen Brecht mit dem stillen Intellektuellen Feuchtwanger gestaltet sich außerordentlich konstruktiv. Marta erinnert sich später an die wunderbare Kooperation, von der sogar Lion, »der gewöhnlich lieber an seinen Romanen arbeitete, immer sagte, dass die Zusammenarbeit mit Brecht eine großartige Erfahrung und sehr aufregend gewesen sei«.[478] Über Inhalte und Dramaturgie des Stücks gibt es keinen Dissens, in kontroversen Angelegenheiten wird stets Einvernehmen erzielt. Lediglich eine vermeintliche Bagatelle verhindert das völlige Einvernehmen der Autoren: Brecht, der an unkonventionellen theatralischen Konstruktionen und dramaturgischen Irritationen interessiert ist, möchte die Hauptfigur Simone als Kind – mit kindlicher Naivität, aber auch mit naiver Kraft – agieren lassen. Diesen Verfremdungseffekt lehnt Feuchtwanger, dessen Simone bereits eine gewisse Reife erkennen lassen soll, ab. Da beide in dieser Frage nicht zusammenfinden, einigen sie sich auf den Begriff »halbwüchsig«. Noch Jahre später, 1956, bricht diese Meinungsverschiedenheit wieder auf, als Brecht in Anbetracht der Möglichkeit einer US-Aufführung der »Simone« Feuchtwanger schriftlich darauf verpflichtet: »Das wichtigste für eine Aufführung der ›Simone‹ ist, daß die Hauptrolle unter überhaupt keinen Umständen von einer jungen Schauspielerin gespielt werden kann (auch nicht von einer, die wie ein Kind aussieht), sondern nur von einer Elfjährigen, und zwar einer, die wie ein Kind aussieht. Ich denke, darin stimmen Sie mir zu.«[479] Feuchtwanger ist freilich nach wie vor anderer Meinung. Nach Brechts Tod bemüht er sich, dessen Witwe und Nachlassverwalterin Helene Weigel umzustimmen. Weigel zeigt sich jedoch ähnlich kompromisslos wie Brecht. So kann die Uraufführung der »Gesichte der Simone Marchand« an den Städtischen Bühnen Frankfurt im März 1957 unter der Regie von Harry Buckwitz erst stattfinden, als für die Rolle der Simone ein talentiertes zehnjähriges Berliner Mädchen gefunden wird.[480] Die strikte Haltung der Brecht-Erben ist zweifellos mitverantwortlich, dass die »Gesichte der Simone Marchand« bis heute zu den eher selten aufgeführten Stücken Brechts zählen.

Der Disput über das Alter der Hauptfigur hindert die beiden Autoren nicht an einer einvernehmlichen Lösung hinsichtlich der Rechte an dem Stück. Brecht behält das Copyright für die Dramatisierung auf der Bühne, während sich Lion die Verwertung des Stoffes für einen von ihm geplanten Roman vorbehält. Dieses Buch entsteht 1943, erhält den Titel »Simone« und erscheint 1944 auf Englisch bei Viking Press, New York. Erst danach wird das Buch von Gustav Arlt und seiner Frau unter dem Pseudonym G. A. Hermann ins Deutsche übersetzt und im »Neuen Verlag« in Stockholm veröffentlicht. Etwa zur gleichen Zeit wird der einflussreiche Filmproduzent Samuel Goldwyn (MGM) auf den Roman aufmerksam. Für 50 000 Dollar erwirbt der Hollywood-Mogul von Lion Feuchtwanger die Filmrechte. Das Drehbuch soll der Autor Jo Swerling schreiben, auf den der Erstkontakt zwischen Feuchtwanger und Samuel Goldwyn zurückgeht und der erfolgreich Projekte mit Frank Capra (»Platinum Blonde«, 1931) und John Ford (»The Whole Town's Talking«, 1935) realisiert hat. Für die Rolle der Simone ist die 25-jährige Teresa Wright vorgesehen, eine Oscar-prämierte Darstellerin, die bereits mit Alfred Hitchcock, Gary Cooper und Joseph Cotton gedreht hat. Zu einer Verwirklichung des Projekts kommt es jedoch nicht: Teresa Wright wird noch vor Drehbeginn schwanger. Und Frankreich wird seit Juni 1944 von vorrückenden US-Truppen nach und nach vom Nazijoch befreit. In den Vereinigten Staaten lässt daher das Interesse an Geschichten aus dem besetzten Europa nach, und MGM nimmt Abstand von »Simone«. Dabei kann die Geschichte durchaus unabhängig vom konkreten Handlungsrahmen im besetzten Frankreich gelesen werden: »Simone« ist eine zeitlos gültige Parabel über menschliche Integrität, über moralische Haltung und ethische Grundsätze. Nicht von ungefähr legt Feuchtwanger seiner Protagonistin ein leicht verändertes Wort in den Mund, das dem talmudischen Rabbi Hillel zugesprochen wird: »Wer, wenn nicht du? Und wann, wenn nicht jetzt?«[481] Ein Hinweis auf die tiefe Verbundenheit der Freunde Feuchtwanger und Brecht ist, dass Feuchtwanger seinem Koautor die Hälfte des üppigen Honorars von MGM zukommen lässt – wozu er nicht verpflichtet ist. Brechts finanzielle Situation verbessert sich durch diesen Freundschaftsdienst erheblich und versetzt ihn in die Lage, in Santa Monica das seit August 1942 gemietete Haus unweit des Wilshire Boulevard zu kaufen. Er wird dort unter anderem den »Kaukasischen Kreidekreis« und »Schweyk im Zweiten Weltkrieg« schreiben.[482]

Wenn auch nicht auf der Leinwand, so findet der Stoff schließlich doch mediale Verbreitung im amerikanischen Radio. Der Rundfunksender NBC strahlt am 29. August 1944 eine gekürzte Hörspielfassung von »Simone« aus. Sendeplatz ist »Words At War«, eine von vielen Propagandasendungen, die die Amerikaner von der Notwendigkeit des Kriegseintritts der USA überzeugen sollen. »Words At War« nutzt dabei geschickt literarische Vorlagen, wie etwa den Kriegsroman »Here Is Your War: The Story of G. I. Joe« von Pulitzer-Preisträger Ernie Pyle. In »Reader's Digest«-Manier werden die Bücher in leicht konsumierbare Radio-Häppchen fragmentiert und auf eingängige Kernaussagen verdichtet. Die wöchentlich ausgestrahlten Hörspiele suggerieren Authentizität und erwecken den Eindruck, dass Handlung und Protagonisten realen Vorbildern nachempfunden sind. Auch die etwa 20-minütige »Simone«-Performance ist scharf auf das Rezeptionsvermögen eines durchschnittlichen amerikanischen Radiohörers zugeschnitten. Durch diese Glättung wird der komplexe Stoff auf ein schlichtes Gut-Böse-Tableau reduziert; das Hörspiel kontrastiert eindimensional gezeichnete Charaktere, die mit niederträchtigen bzw. heroischen Statements entsprechendes Pathos generieren und Antipathie bzw. Empathie der Hörer erzeugen. Feuchtwangers Jeanne-d'Arc-Idee wird im amerikanischen Radio zu trivialem Kitsch deformiert – unterbrochen von Werbeblöcken für Autowachs und andere kommerzielle Banalitäten. Feuchtwanger ist in diese problematische Hörfunkverwertung seines Buches nicht eingebunden. Denn nicht nur die Filmrechte, sondern auch die amerikanischen Theaterrechte sind bei dem Deal mit Samuel Goldwyn an MGM übertragen worden. Vermutlich hätte er seine Zustimmung zu einer derartigen Verstümmelung der »Simone« verweigert. Das Buch selbst wird in den USA mit verhaltenem Interesse aufgenommen. In der auflagenstarken Emigrantenzeitschrift »Aufbau« werden zwar wohlwollend die »farbenstarken Ausschnitte aus der Zeitgeschichte« erwähnt. Im gleichen Atemzug wird aber kritisch notiert: »Im Grunde liegt diesem in Vergangenheit und Zukunft weitschauenden Dichter das grosse epische Werk viel mehr als der kleine Roman, für den die Fülle seiner Gesichte viel zu stark und immer den Rahmen sprengend ist. Was bleiben wird, sind Panoramen wie die grossartige Josephus-Trilogie. Bücher wie ›Simone‹ sind reizvolle Abschweifungen, Tribute an heldenhafte Menschen der Zeit, mehr Uebungen und Skizzen zu grösseren Werken, als Meisterwerke selbst.«[483]

Endgültig zur Ruhe kommt Lion Feuchtwanger erst Ende 1943. Im Sommer des Jahres kann er dank der Einkünfte von »Double, Double Toil and Trouble« an den Kauf eines eigenen Hauses denken. Überlegungen, ein Haus zu bauen und endlich sesshaft zu werden, gibt es bereits seit Herbst 1941. Nach den kräftezehrenden Abenteuern und Umzügen der letzten Jahre sucht der Schriftsteller endlich einen stetigen Ort zum Leben und Arbeiten, der ihm Rahmen und Ressource für weitere literarische Projekte sein soll. Schon im Januar 1942 beschreibt er seiner Freundin Eva van Hoboken, wie unbefriedigend er seine aktuelle Lebenssituation sieht: »zeit zu richtiger konzentrierter arbeit, zeit, meine bücher zu genießen, wie ich es früher gewohnt war, hab ich überhaupt nicht mehr, der tag ist ein sinnloses gehetze.« Andererseits: »natürlich gibt es unbequemlichkeiten, aber wenn man an europa denkt, sind wir im paradies.«[484] 1943 entwickeln sich die Einkünfte Lions in einem Ausmaß, das an den Erwerb einer Immobilie denken lässt. Mit Unterstützung eines Maklers findet sich in der bereits vertrauten Nähe von Pacific Palisades ein Objekt, mit dem das Interesse der Feuchtwangers geweckt wird: ein großes Anwesen, das architektonisch einem spanischen Schloss nachempfunden und teilweise mit aus Europa importierten Baumaterialien errichtet ist. Die Geschichte des Hauses ist ungewöhnlich. Es entsteht 1927/28 im Auftrag des Bauunternehmers Arthur A. Weber als Musterhaus nach Plänen des Architekten Mark Daniels und soll solvente Bauherren und Investoren von den Vorteilen einer Wohnlage in diesem noch weitgehend unbesiedelten Gebiet, weit abseits der Innenstadt von Los Angeles, überzeugen. Die Baufortschritte und die Modernität des Hauses werden öffentlichkeitswirksam mit regelmäßigen Beiträgen in der »Los Angeles Times« dokumentiert. Tausende von Interessenten nutzen 1928 die Gelegenheit, das »Los Angeles Times Demonstration Home« mit seinen allerneuesten technischen Standards (elektrisches Garagentor, Kühlschrank, Geschirrspüler, Silberputzmaschine) zu besichtigen. Das Anwesen bietet in 14 Zimmern rund 600 m² Wohnfläche und wird in den 1930er Jahren vom Eigentümer Weber selbst bewohnt. Nach dem Zusammenbruch seines Unternehmens steht das Haus zeitweise leer. Als Lion und Marta Feuchtwanger das dreistöckige und einstmals repräsentative Anwesen am Paseo Miramar im Spätsommer 1943 besichtigen, ist es völlig heruntergekommen. Alle Fensterscheiben sind zerbrochen und »im Keller waren die Spinnweben so dicht, dass man eine Axt benötigte, um durchzukommen«, so Marta Feuchtwanger.[485] Der erbärmliche Zustand der Immobilie, die nicht existente soziale und kulturelle Infrastruktur in der Gegend und die Tatsache, dass die kriegsbedingte Rationierung von Benzin viele Interessenten vom Kauf eines abgelegenen Objekts abschreckt, sorgen dafür, dass das Haus für den vergleichsweise günstigen Preis von 9000 Dollar zu haben ist. Die Feuchtwangers lassen sich auf das Wagnis ein, denn mit dem Anwesen, »herrlich gelegen« und mit einem weiten Blick über die Bucht von Los Angeles, erfüllt sich für Lion und Marta ein Traum. »Die Landschaft ringsum erinnert sehr an die in Sanary. Das Haus ist groß, und ich konnte meine Bücher schön und übersichtlich aufstellen. Der Garten ist herrlich, und alles in allem arbeitet es sich sehr gut in diesem neuen Haus«, lässt Lion seinen Freund Zweig im Frühjahr 1944 wissen.[486]

Instandsetzung und Renovierung der heruntergekommenen Immobilie fordern insbesondere Marta einiges ab. Mit Hilfe eines Arbeiters, der über einen befreundeten Rechtsanwalt engagiert werden kann, säubert sie das Haus: »Ich kniete auf der einen Seite, er kniete auf der anderen Seite. Zuerst schaufelten wir den Dreck in Taschen und Fässer, dann trugen wir den Dreck auf die Terrasse und warfen ihn in den Garten. (…) In dem Dreck fanden sich tote Eidechsen, es war wie eine Ausgrabung. Und tote Mäuse. Alles, was man finden wollte.«[487] Da die finanziellen Verhältnisse eine Neumöblierung des Hauses nicht zulassen, beschafft Marta wie schon 1931 für das Haus im Grunewald viele Einrichtungsgegenstände günstig in Second-Hand-Läden. In der kurzatmigen Welt von Hollywood, wo sich ästhetische Trends innerhalb kürzester Zeit überleben, findet sich viel preiswerte Qualität, lustlos entsorgt im Gebrauchtwarenhandel am Santa Monica Boulevard. Marta macht reiche Beute in Möbeln, während Lion mit Buchhändlern Kontakte knüpft und Antiquariate aufsucht, um nun zum dritten Mal nach Berlin und Sanary seinen Lebensraum »Bibliothek« – in der sich neben seltenen Inkunabeln auch wertvolle Erstausgaben finden – aufzubauen und zu vervollständigen. Nach und nach wird auch der Garten von Marta hergerichtet: Gemüsebeete werden angelegt, Bougainvilleas und Rosensträucher, Eukalyptusbäume und Palmen finden in dem kleinen Park eine neue Heimat. Das Anwesen am Paseo Miramar ändert bald Gesicht und Charakter. Es wird zu Marta und Lion Feuchtwangers neuem und letztem Zuhause. Mehr noch: Es wird zu einem Mittelpunkt der deutschsprachigen Emigration in Los Angeles und zu einem der wenigen Orte, an dem deutsche und amerikanische Intellektuelle ungezwungen miteinander ins Gespräch kommen können.

Der Erwerb der Villa am Paseo Miramar in Pacific Palisades ist auch Außenstehenden, Bekannten und Freunden ein Beleg für Feuchtwangers gewachsenen Wohlstand und seinen Erfolg als Schriftsteller. Nicht alle Emigranten sind bereit, diesen Status neidlos anzuerkennen. Zu kurz Gekommene sticheln, Boshaftigkeiten und Spott machen die Runde. »So sollten Schriftsteller wohnen«, lästert Hermann Kesten, »in

einem Schloß am Meer, auf einem Hügel, mit lauter Rundblicke aufs
Meer und Gebirge, mit zwanzig Zimmern, mit 11 Tausend Büchern, darunter Erstausgaben, Bodonidrucken, Aldinischen Ausgaben etc., mit
Bananen-Orangen-Zitronenbäumen, Eukalyptusbäumen, einem hü-
geligen Park mit zwei acres, einer Sekretärin und einer Frau, die kocht,
gärtnert, bäckt, chauffiert und dem großen Dichter aufs ergebenste
dient, was für ein Leben. Eigene tropische Fischteiche, Waschbären,
Hunde, Katzen, Pumas, Rehe, Stinktiere, alles im eigenen Park. Terrassen, im Park Frühstückstische, Lunchtische, Autos.«[488] Und von Thomas Mann wird – in unterschiedlichen Variationen – ein Statement kolportiert, dessen Wahrheitsgehalt zwar höchst zweifelhaft ist, das aber
immerhin einen vielsagenden Eindruck vom Charakterbild des Über-
lieferers, George Tabori, vermittelt. Der erinnert sich an einen gemeinsamen Besuch mit Thomas Mann in der Villa am Paseo Miramar:
»Eines Abends, gingen wir zu Lion Feuchtwangers Haus, einer Villa,
von so protzender Vollkommenheit wie Wahnfried. Als ein Akt der
Rache, weil er nicht wie Mann den Nobelpreis bekommen hatte, las uns
Feuchtwanger zwei extrem lange Kapitel aus seinem Goya-Buch vor,
wobei er seine schrille Stimme kaum variierte. Thomas Mann allerdings
wollte nicht mit sich rächen lassen und schlief mit halboffenen Augen
ein, die kalte Zigarre zwischen seinen Lippen, die stets von den Spuren
eines Magenpulvers gezeichnet waren. Als wir später zum Auto zurück-
gingen, wandte er sich mir zu: ›Junger Mann‹, sagte er, ›haben Sie die
Perfektion der Einrichtung bemerkt, die 18 000 ledergebundenen Bücher, alle von ihm nicht nur gelesen, sondern auch verstanden und im
Gedächtnis behalten; die abwechslungsreichen Schreibtische, einer um
im Liegen zu schreiben, ein anderer, um sitzend zu schreiben, ein dritter zum Stehen, und die prächtigen Schreibutensilien, die verschiedenen Schreibmaschinen, die Batterie von Federn, Bleistiften, Radier-
gummis, die erlesene Qualität des Papiers, die raffinierte kleine Nische
für die Sekretärin, immer zur Hand, der Blick über den Pazifischen
Ozean, der Duft der exotischen Flora, diese riesige, diskrete, immer
hilfreiche Frau, die mich an einen Indianerhäuptling erinnert, und was
kommt bei all der Vollkommenheit heraus? Reine Scheiße.‹«[489] Abgesehen davon, dass die drastische Schlussbemerkung nicht gerade für
Thomas Manns Urheberschaft spricht, legen andere, auch vertraulich
geäußerte Respektsbekundungen in Richtung Feuchtwanger nahe, dass
in der zitierten Passage zwar viel Tabori, aber wenig Mann steckt.
    Los Angeles bildet die dritte lebensgeschichtliche Zäsur für den
Menschen und Schriftsteller Lion Feuchtwanger. Wie schon in Berlin,

wie in Sanary wird er auch hier, im »Weimar on the Pacific«, mit Gleichmut und Optimismus, mit unerschütterlicher Hartnäckigkeit und nur selten getrübter Lebensfreude den Neuanfang organisieren, sich ein neues Zuhause aufbauen, Möbel und Bücher beschaffen, mit Schildkröten zusammenleben, neue und alte soziale Beziehungen pflegen, aus einem unsicheren Provisorium eine Heimat entstehen lassen, die es ihm ermöglicht, nach den eigenen Vorstellungen zu leben und nach dem ihm gemäßen Rhythmus und Tempo zu arbeiten. Er bewältigt diese neuerliche Herausforderung ohne Ressentiments, mit stoischer Innerlichkeit, konzentriert auf den Prozess des Werdens und dessen Ergebnis. Lion Feuchtwanger lebt aus einem scheinbar unerschöpflichen Vorrat an Zuversicht. Heimat ist ihm weniger ein Ort oder eine konkrete Lebenssituation, sondern eher ein Gefühl, das sich aus der Harmonie von materiellen Gegebenheiten mit intellektuellen und schöpferischen Werten ableitet. Dieses Gefühl ist nicht geographisch, topographisch, national oder kulturell gebunden. Es kann überall entstehen, ist nur an die Person gekoppelt und daran, wie sich diese Person zur Welt und zur Umwelt, zu den Anderen stellt. Und doch bleibt ein sehnsuchtsvoller Grundakkord, der den Verlust beklagt und die physische wie emotionale Anstrengung der wiederholten Kompensation von Verlust benennt: »Ich bin (…) gegen meinen Willen immer wieder aus der Umgebung herausgerissen worden, die ich mit Liebe und Sorgfalt meinen Wünschen und Bedürfnissen gemäß gemodelt habe. Immer wieder umgab ich mich mit Dingen, die ich gern hatte, immer wieder stellte ich einen sehr großen Schreibtisch vor einen Ausblick in eine schöne Landschaft, immer wieder stellte ich ein paar tausend Bücher um mich herum, immer wieder zog ich ein paar Katzen groß und glaubte, sie hingen nun gerade an mir, immer wieder schaffte ich mir zwei oder drei Schildkröten an und schaute ihren langsamen, urweltlichen Bewegungen zu, immer wieder legte ich mir ein paar Flaschen ausgesuchten Weines in einen kellerigen Raum. Und wiewohl mich immer wieder äußere Umstände zwangen, dieses mein mit soviel Mühe eingerichtetes Gehäuse zu verlassen, ich ließ mich nicht belehren. Immer von neuem baute ich es mir auf, immer von neuem klammerte ich mich daran, innerlich und äußerlich, und glaubte, diesmal müsse es mir erhalten bleiben.«[490] Lion Feuchtwanger ist ein Mensch, dem die innere Balance nur selten abhanden kommt. Einer, der auch unter widrigen Umständen, in kritischen, ja gefährlichen Momenten meist im Einklang mit sich selbst bleibt und in bedrängten Lebensphasen nicht ausschließlich das Problem sieht, sondern auch die Lösung. Selbst der bedrückenden

Emigrationserfahrung kann er positive, befruchtende Aspekte abgewinnen: »Es strömt dem Schriftsteller im Exil eine ungeheure Fülle neuen Stoffes und neuer Ideen zu, er ist einer Fülle von Gesichten gegenübergestellt, die ihm in der Heimat nie begegnet wären.«[491] Das Leben von Lion Feuchtwanger kennt im Grunde kaum verlässliche Kontinuitäten. Einige wenige Menschen, denen er über Jahrzehnte verbunden bleibt, denen er vertraut, sich anvertraut, gehören dazu: Marta, Brecht, Arnold Zweig, Heinrich Mann, Eva Boy. Ein kleines, überschaubares Personaltableau. Feuchtwangers soziales Koordinatensystem besteht aus unzähligen Bekanntschaften und nur sehr seltenen, solitären Freundschaften. Doch diese sind in der Regel Lebensfreundschaften, enge, intime Kontakte, die sich über die Zeitläufte bewähren und auch aus der Distanz funktionieren. Ansonsten besteht die die »Vita Feuchtwanger« aus einer Chronologie von Wechselfällen, Überraschungen, Lebensrisiken. Das Unbeständige ist das Leitmotiv der annähernd acht Jahrzehnte von Feuchtwangers Leben. Er betrachtet dieses Leitmotiv nicht als lebensgeschichtliche Hypothek, nicht als quälende Belastung, sondern meist als Gewinn, als geistige Herausforderung, als emotionale Bereicherung. Die wohl einzige Unsicherheit, die den Menschen Feuchtwanger wirklich schmerzt, ist die viel zu kurze, letztlich unwägbare Lebenszeit, die seinen schöpferischen, seinen literarischen Plänen die natürliche Grenze zieht. Immer wieder erinnert er sich selbst und auch andere an die unfertigen Projekte, die noch ausstehenden Romane, die er verwirklichen möchte. Und mit gequältem Humor setzt er die Messlatte so hoch, dass sie auch in drei Feuchtwanger-Leben nicht übersprungen werden kann. Die schriftstellerische Phantasie versiegt auch in den amerikanischen Jahren nicht. In Lions Arbeitszimmer stapeln sich die Mappen mit Buchideen, Projektskizzen, Exposés und Stoffsammlungen, die darauf warten, geöffnet und abgearbeitet zu werden. Neugierigen Fragestellern, die sich nach den Plänen des Schriftstellers erkundigen, nennt er oft 14 Bücher, die er noch zu schreiben gedenkt. Gegenüber seinem Freund Arnold Zweig, der ihn auffordert, ein Buch über Michail Bakunin zu schreiben, bekennt er im Frühjahr 1956: »[I]ch ersticke geradezu in den Stoffen der Bücher, die ich noch schreiben möchte. Es sind nicht vierzehn, wie ich oft zu behaupten pflege, es sind hundertvierzig, und durchschnittlich erfordert ein Buch zwei Jahre strenger Arbeit.«[492]

Die stetig wachsende Kolonie der deutschsprachigen Emigration in der weitläufigen Millionenmetropole Los Angeles kennt im Grunde zwei Epizentren, um die sich die verschiedenen Individuen, Gruppen, Zirkel der Vertriebenen anlagern, wo sich die oft hermetischen Milieus der Linken und der Bürgerlichen, der Filmleute und der Literaten, der Erfolgreichen und der Gescheiterten öffnen und mischen: das Haus der Drehbuchautorin Salka Viertel an der Mabery Road in Santa Monica und das Anwesen der Feuchtwangers in Pacific Palisades am Paseo Miramar. Die 1889 unter dem k.u.k. Doppeladler im polnisch-ukrainischen Sambor als Salka Steuermann geborene Viertel kann bereits auf eine erfolgreiche Karriere als Theaterschauspielerin zurückblicken, als sie 1928 mit ihrem Mann, dem bekannten Lyriker, Schriftsteller und Regisseur Berthold Viertel in die USA emigriert. Viertel, der ursprünglich von der Bühne kommt und seit Mitte der 1920er Jahre auch als Filmregisseur arbeitet, hat in Hollywood auf Vermittlung von Friedrich Wilhelm Murnau ein dreijähriges Engagement bei der »Fox Film Corporation« angenommen. Mit Murnau, Ernst Lubitsch, Erich von Stroheim, Emil Jannings und anderen namhaften Filmschaffenden gehört er zur »ersten Generation« deutschsprachiger Künstler, die der kalifornischen Filmindustrie in und um Hollywood ihren Stempel aufdrücken. Die politische Entwicklung in Europa und der Aufstieg des Nationalsozialismus veranlassen die Viertels, nach Auslaufen des »Fox«-Vertrags in Los Angeles zu bleiben. Als Schauspielerin bleibt Salka Viertel der Erfolg in Hollywood versagt. Auf Rat ihrer Freundin Greta Garbo wendet sie sich jedoch dem Schreiben von Drehbüchern zu und kann sich in diesem Metier rasch einen Namen machen. In dem für Hollywood-Verhältnisse kleinen und schlichten Haus der Viertels an der Mabery Road in Santa Monica, nur wenige Minuten vom Meer entfernt, etabliert Salka Viertel in den 1930er Jahren einen Salon, der ebenso legendär wird wie die Zusammenkünfte im Hause Feuchtwanger. Im Gegensatz zum Paseo Miramar, wo sich vor allem deutschsprachige Emigranten treffen, gelegentlich aufgelockert durch einige »einheimische« Prominente wie Edward G. Robinson, Charles Laughton oder Charles Chaplin, ist das Publikum im »Salon Viertel« bunt gemischt, international und – vor allem – sozial heterogen. Das in der Hollywood-Szenerie sonst übliche Kastensystem, das ein gesellschaftliches Miteinander nur »auf Augenhöhe« kennt, wird hier durchbrochen. Der Salon von Salka Viertel kommt ohne Inszenierungen und Selbstdarsteller, ohne *Dress Code* aus. »Alle genossen es, dort zu sein. Jeder fühlte sich dort sofort zu Hause. Es war nicht sehr elegant, aber sehr angenehm – das Haus war sehr geschmackvoll«, so Marta Feuchtwanger.[493] Erfolgreiche und Erfolglose, Gut- und Besserverdiener, Stars und Unbekannte sind an der Mabery

Road gleichermaßen willkommen und genießen die unprätentiöse Atmosphäre. Beim sonntäglichen *Jour fixe* versammelt man sich zum Diskutieren und Debattieren, zum Tischtennisspielen und kulinarischen Genießen am schlichten Buffet mit Bier und Wurstsuppe. Natürlich sind auch Lion und Marta Feuchtwanger, die Salka noch aus Münchner Tagen kennen, immer wieder Teil der bunten Gesellschaft im gastlichen Hause Viertel, jener »Zufluchtstätte, Stätte herzlicher Hilfe und eine Art Oase in der immer weiter sich erstreckenden Wüste der Geistes- und Herzensverödung, des impotenten und leider nur zu potenten Hasses«, wie Christopher Isherwood, zeitweise Untermieter im Hause Viertel, warmherzig schreibt.[494] Lion Feuchtwanger und Salka Viertel verbindet auch die enge Freundschaft mit Bert Brecht und mit Heinrich Mann. Ein Höhepunkt im Hause Viertel ist die verspätete Geburtstagsfeier für den siebzigjährigen Mann im Mai 1941. Da Heinrich nicht ohne seinen Bruder Thomas feiern möchte, dieser aber im März 1941 in Berkeley mit der Ehrendoktorwürde ausgezeichnet wird, muss der Ehrentag von Heinrich Mann nachgefeiert werden. Wegen Manns desolater Finanzlage richtet man ihm das Dinner im Hause Viertel aus. Neben Thomas Mann, Lion Feuchtwanger und Franz Werfel sind auch Alfred Döblin, Ludwig Marcuse, Bruno Frank und Alfred Polgar unter den illustren Gästen. Die langen Reden und ausschweifenden Respektsbekundungen der beiden Brüder veranlassen Bruno Frank zu der spöttischen Bemerkung: »Solche Essays schreiben sie alle zehn Jahre und lesen sie einander vor.«[495]

Das zweite Zentrum der deutschsprachigen Emigration im »Weimar on the Pacific« ist die spanische Villa der Feuchtwangers am Paseo Miramar. Der Hausherr, nun bereits im sechsten Lebensjahrzehnt, nimmt nicht mehr so oft wie früher gesellschaftliche Termine wahr. Vorträge, Lesungen, Salons, Konzerte und Ausstellungseröffnungen müssen immer öfter ohne den berühmten deutschen Schriftsteller auskommen. Lion zieht es vor, die Zeit in seiner großen Bibliothek, »ein gewaltiges Mausoleum aus den Werken der Dichter«, zu verbringen. Der oberflächliche *Small Talk*, das beflissene Herumstolzieren, das gelangweilte Herumsitzen mit dem Cocktailglas in der Hand sind ihm leichtfertige Verschwendung kostbarer Lebenszeit, in der besser drängende literarische Projekte abgeschlossen oder auf den Weg gebracht werden. Feuchtwanger »hatte keine Sehnsucht, häufiger als gelegentlich einmal gesellig zu sein«. Aber er empfängt immer noch oft Gäste, »lud auch ein. Nicht zu eifrig«, wie Ludwig Marcuse bemerkt.[496] Die Leseabende im Hause Feuchtwanger, die mehrmals im Jahr stattfinden, sind legendär. Es sind akribisch geplante und präzise vorbereitete Hochämter der Literatur. Die Gästeliste ist genau festgelegt – auch, weil im Haus nur knapp 50 Sitzgelegenheiten zur Verfügung stehen. Hollywood-*Celebrities* wie Ingrid Bergman, George Zukor, William Wyler, Charles Laughton, Edward G. Robinson und Charles Chaplin finden sich ebenso auf den Gästelisten der 1950er Jahre wie die Namen der kulturellen Elite jenes »Weimar on the Pacific«: Schriftsteller (Alfred Döblin, Franz Werfel, Bruno Frank, Gina Kaus, Hans Habe, Thomas und Heinrich Mann, Vicki Baum), Filmproduzenten, Schauspieler, Drehbuchautoren und Regisseure (Paul Kohner, Ernst Lubitsch, Oskar Homolka, Alexander Granach, Peter Lorre, Paul Henreid, Salka Viertel, William Dieterle), Architekten (Richard Neutra), Musiker und Komponisten (Bruno Walter, Arthur Rubinstein, Arnold Schönberg, Erich Wolfgang Korngold), Künstler (Anna Mahler). Man beginnt in der Regel pünktlich um acht Uhr abends, zumal wenn Thomas Mann den Gastgebern die Ehre gibt. Denn der »Kaiser aller deutschen Emigranten« (Ludwig Marcuse) legt Wert darauf, pünktlich um 23 Uhr wieder in seinem Zuhause am sieben Meilen entfernten San Remo Drive zu sein.

Wenn Thomas Mann, der bis Juni 1952 in Los Angeles lebt, die Abende am Paseo Miramar veredelt, lässt ihm der Hausherr den Vortritt beim Lesen. Ansonsten ist es Lion Feuchtwanger, der nach einer kurzen, gut vorbereiteten Einführung aus seinem neuesten Roman vorträgt, aus dem »Goya«, aus »Jefta« und aus »Raquel«, der »Spanischen Ballade«, die später unter dem Titel »Die Jüdin von Toledo« erscheinen wird. Nach der obligatorischen Lesung im großen Arbeitszimmer folgen Gespräche und Diskussionen; in der Bibliothek im Erdgeschoß stehen Erfrischungen und Snacks bereit. Oft wird Martas selbstgemachter Apfelstrudel mit Schlagsahne gereicht, für die gesundheitsbewussten Gäste gibt es Salat. Es sind Abende der Harmonie und Wertschätzung, ohne spitzfindigen Spott über andere, ohne Boshaftigkeiten über Abwesende: »Im Hause Feuchtwanger wurde nie üble Nachrede gehalten. Er hatte nicht das Bedürfnis, sich ein bißchen zu rächen, weil ihn niemand und nichts auch nur ein bißchen hatte treffen können«, so Ludwig Marcuse über das innere Gleichmaß des Hausherrn.[497] Es ist wohl vor allem diese Gelassenheit, die fehlende Bereitschaft Feuchtwangers, dem oft emotionalen Reizklima innerhalb der Welt der Emigranten einen zu hohen Stellenwert einzuräumen, die seine allgemeine Beliebtheit ausmacht. Fast liebevoll liest sich die kleine Skizze von Alma Mahler-Werfel: »Feuchtwanger ist ein kleines komisches Männchen. Ich nenne ihn ›Klein Zack‹ – nach dem Lied in ›Hoffmanns

Erzählungen‹, und diese Benamsung ist leider schon ziemlich populär geworden. Er geht mir bis zur Schulter. Vielleicht ist eine Bedeutung in ihm. Er ist Kommunist und Brechts und Heinrich Manns Freund. Aber wir haben ihn gern, obgleich er oft brennt wie Salzsäure.«[498] Und Katia Mann erinnert sich:»Wir waren damals oft bei Feuchtwangers; an Weihnachten und bei anderen Gelegenheiten kamen sie auch oft zu uns in unser Haus in Pacific Palisades. Feuchtwanger war ein sehr intelligenter und auch drolliger Mensch. Er war sehr eitel, aber auf völlig entwaffnende Art. (…) Thomas Mann hat seine Bücher geschätzt. Sie waren auch wirklich mit großer Sachkenntnis geschrieben und in ihrer Art ausgezeichnet, grad die späteren, ›Goya‹ und ›Spanische Ballade‹.«[499]

Die Arbeit an diesen Romanen steht im Mittelpunkt von Feuchtwangers amerikanischem Dasein, seinem dritten Leben. In ihnen zieht er gleichermaßen die Summe seines literarischen Könnens, sie sind Ausdruck einer gereiften schriftstellerischen Souveränität. An der Verfertigung der Manuskripte hat sich seit den Tagen von Sanary kaum etwas geändert. Im geräumigen Arbeitszimmer der hoch über der Küste gelegenen spanischen Villa, mit einem grandiosen Ausblick über die Bucht von Santa Monica, entstehen die Manuskripte an einem riesigen Schreibtisch beim Diktat, das Hilde Waldo in die Schreibmaschine hämmert. Nach wie vor schält sich das druckfertige Ergebnis erst nach mehreren Ausbaustufen heraus, die wie gewohnt auf verschiedenfarbigem Papier markiert sind. Dazwischen stehen kritische Diskurse mit der Sekretärin und mit Marta, die immer noch die erste und wichtigste Qualitätskontrolle für jedes neue Werk darstellt. Am Ende, bevor das Manuskript in die Druckerei geht, steht das »Überfeilen«, die sorgfältige Abschlusslektüre und Endredaktion des Textes. Stets aufs Neue wird die Arbeit unterbrochen von anderen Verpflichtungen: Wahrnehmung von Terminen in Sachen Exilliteratur, Beiträge für Zeitschriften, Interviews mit Journalisten, Stellungnahmen zu Tagesereignissen in einer zunehmend kälter werdenden Welt, Erledigen der umfangreichen Korrespondenz, Abschiednehmen von liebgewordenen, wertvollen Freunden. Bruno Frank stirbt 1945, Heinrich Mann 1950, Brecht 1956. Zwischenzeitlich wechselt der Autor Lion Feuchtwanger sogar die Seiten und wird zum Mitbegründer eines Verlags. Gemeinsam mit Bertolt Brecht, Ernst Bloch, Berthold Viertel, Ferdinand Bruckner, Alfred Döblin, Ernst Waldinger, Oskar Maria Graf, Heinrich Mann und Franz Carl Weiskopf steht er hinter dem im April 1944 in New York ins Leben gerufenen Exilverlag »Aurora«. Die Initiative für diese Gründung geht zurück auf den Verleger Wieland Herzfelde, der mit »Aurora« an seine Arbeit mit dem Malik-Verlag anknüpfen und der notleidenden deutschen Exilliteratur auch in Nordamerika ein Forum schaffen möchte. Bis 1947 veröffentlicht der kleine »Aurora«-Verlag zwölf Bücher aus dem illustren Kreis der Gründer, darunter Grafs »Unruhe um einen Friedfertigen« und Feuchtwangers »Venedig (Texas)«, ein schmaler Band mit Erzählungen.

Einen entsagungsvollen Freundschaftsdienst leistet Lion im Jahr 1945 dem Kollegen Arnold Zweig bei der Optimierung von dessen Roman »Das Beil von Wandsbek«. Die beiden Freunde pflegen seit den 1930er Jahren einen intensiven Briefwechsel, der neben persönlichen Angelegenheiten auch vom kritischen Diskurs über die jeweiligen literarischen Projekte geprägt ist. Man schickt sich Manuskripte, teilt Lektüreeindrücke, übt Kritik, lobt und verwirft, alles in einer bemerkenswerten Offenheit, wie sie nur unter Freunden möglich ist. Für Zweigs neuestes Werk interessiert sich dank Feuchtwangers Fürsprache der amerikanische Verleger Ben Huebsch von Viking Press. Als Feuchtwanger das umfangreiche Manuskript endlich in Händen hält, ist er erschüttert. Zweig, der durch eine Augenkrankheit kaum lesen und schreiben und das Diktierte nicht nachkontrollieren kann, hat Feuchtwanger einen Text in desolatem Zustand übermittelt. Das Buch in dieser Verfassung einem Verleger anzubieten, wie es Zweig versprochen ist? Undenkbar. Also macht er sich, unterstützt von Marta, Hilde Waldo und gelegentlich auch Brecht, daran, das »Beil von Wandsbek« in mühevoller Kleinarbeit zu überarbeiten, Rechtschreibung und Interpunktion in Ordnung zu bringen, die schlimmsten Ungereimtheiten zu beseitigen. Es ist eine zeitraubende Arbeit. Gegenüber Zweig klagt er: »Es wird schwerlich einen zweiten deutschen Roman geben, der so viele Anakolutha [Satzbrüche] enthält. (…) Ich habe, nachdem ich über die Meinung vieler Sätze lange gegrübelt habe, Brecht herangezogen; auch er konnte mir nicht weiterhelfen. Nächst der Apokalypse kenne ich kein Werk, das den Leser vor so viele Rätsel stellt.«[500] Trotz der zahlreichen Mängel hält Feuchtwanger das »Das Beil von Wandsbek« für »das Beste«, das Zweig seit dem »Streit um den Sergeanten Grischa« (1927) geschrieben hat. Und nimmt wohl gerade deshalb im Frühjahr 1945 kein Blatt vor den Mund. Die gründliche Überarbeitung erscheint ihm unverzichtbar: »Was mich weiter an dem Roman gestört hat, war, daß seine Menschen so schrecklich gebildet sind. Es wird so furchtbar viel zitiert und diskutiert, es ist ein Bildungsroman und häufig ein Verbildungsroman. (…) Ich weiß natürlich, daß Sie diktieren, daß sie das Diktierte nicht überlesen, und ich weiß, daß durch den Aufenthalt im fremdsprachlichen Land wir alle zur Schlamperei im Sprachlichen verführt werden. Trotz all dem möchte ich Ihnen herzlich wünschen, daß Sie in künftigen Romanen kürzere und einfachere Sätze bauen und nicht immerzu eins ins andere schachteln. (…) Ich will wahrhaftig nicht schulmeistern, ich bin von Brecht allerhand gewöhnt, und ich begreife es, wenn ein Schriftsteller sich auf den gleichen Standpunkt stellt wie der Kaiser Sigismund: ›Ego imperator romanus supra grammaticos sto.‹ Aber doch in Grenzen und nicht mit jedem Satz.«[501] Trotz der Optimierung lehnt Viking Press das Manuskript am Ende ab. Huebsch glaubt nicht mehr an einen Erfolg des Romans, so dass dieser erst 1947 im »Neuen Verlag« in Stockholm erscheint.

Das intensive Lektorat am Manuskript des Freundes Zweig nötigt Lion im Frühjahr 1945 zwar eine Zwangspause auf. Die eigene Produktivität wird aber nur kurz unterbrochen. Die sechs Romane, die zwischen 1943 und 1957 in den USA entstehen, sind thematisch nicht auf einen Nenner zu bringen und spannen zeitlich einen weiten Bogen, der von alttestamentarischen und mittelalterlichen Sujets bis in die jüngste Gegenwart reicht. Die Bücher beschreiben die Lebens- und Leidensgeschichten ganz unterschiedlich angelegter Protagonisten – vom biblischen Jefta bis zum französischen Aufklärer Rousseau und dem nordamerikanischen Republikaner Benjamin Franklin –, sind aber immer mit dem Blick auf aktuelle Gegebenheiten konzipiert und nötigen den an gehobener literarischer Unterhaltung interessierten Leser stets auf subtile Weise, den eigenen, schwer zu durchmessenden Gegenwartsraum in einer glänzend komponierten Vergangenheit zu entdecken. Was das amerikanische »Spätwerk« auszeichnet, ist eine Reife in der Behandlung von Stoffen, in der Zeichnung der Akteure, in der sprachlichen Bewältigung komplexer historischer Sachverhalte. Dabei sind die sechs Romane, die in den USA entstehen, durchaus heterogen: Der appellative Charakter ist bei »Simone« am offensichtlichsten. Das Beispiel der jungen Französin Simone, die den korrupten Kollaborateuren im eigenen Land mutig die Stirn bietet, ist ein Plädoyer für Integrität und Aufrichtigkeit, gegen Anpassung und Opportunismus, und konfrontiert den Leser mit der Forderung, sein eigenes Handeln auf den Prüfstand zu stellen. Ganz anders der zwischen 1944 und 1946 entstandene Roman »Waffen für Amerika«. Im Mittelpunkt des Buches steht ein *Clash of Cultures*, das fulminante Aufeinandertreffen zweier politischer Welten, die gegensätzlicher nicht sein könnten, sich ausschließen und doch zusammenfinden: das absolutistische *Ancien Régime* Frankreichs und die nordamerikanischen Revolutionäre, die sich 1776 gerade mit der »Declaration of Independence« vom Kolonialdiktat des englischen Mutterlandes zu befreien versuchen, dies aber nur mit französischer Unterstützung verwirklichen können. Das Buch thematisiert das politische Dilemma der absolutistischen französischen Monarchie, dass die Koalition mit den Aufständischen zwar die eigene Position im Dauerkonflikt mit England stärkt, gleichzeitig aber ein Sieg der nordamerikanischen Republikaner den Sieg der Aufklärung und damit den eigenen Untergang besiegeln kann. »Seit Jahrzehnten«, so Lion Feuchtwanger, »hatte mich die merkwürdige Erscheinung beschäftigt, daß so verschiedene Menschen wie Beaumarchais, Benjamin Franklin, Lafayette, Voltaire, Ludwig der Sechzehnte und Marie-Antoinette, ein jeder aus sehr andern Gründen, zusammen helfen mußten, die Amerikanische Revolution zum Erfolg zu führen, und durch sie auch die Französische. Als das Amerika Roosevelts in den Krieg gegen den europäischen Faschismus eingriff und den Kampf der Sowjetunion gegen Hitler unterstützte, wurden mir die Geschehnisse im Frankreich des ausgehenden achtzehnten Jahrhunderts leuchtend klar und sie erleuchteten mir die politischen Geschehnisse der eigenen Zeit.«[502] »Waffen für Amerika« ist nicht nur eine Hymne auf die Freiheit, sondern auch ein literarisches Denkmal für die historische Leistung der amerikanischen Demokraten, die mit ihrer Revolution den Grundstein für den Sieg der europäischen Aufklärung über den Absolutismus gelegt haben. Das Buch ist gleichermaßen eine literarische Danksagung des Autors Feuchtwanger an die USA, die nicht nur dem Hegemonialstreben des deutschen Aggressors in Europa Einhalt gebieten, sondern auch den entheimateten Intellektuellen Aufnahme gewähren: »Ich empfand es als Pflicht, diesen Roman jetzt zu schreiben, als Pflicht gegenüber dem Europa, in dem ich zu Hause war, und gegenüber dem Amerika, ich dem ich lebte.«[503] Nach Missverständnissen in der Sowjetunion, wo das Buch als Huldigung an den amerikanischen Imperialismus gebrandmarkt wird, kommt es zu einer Entschärfung des Titels in »Die Füchse im Weinberg«. Erst positive Besprechungen von Bert Brecht und Heinrich Mann sorgen schließlich dafür, dass Feuchtwangers Reputation im marxistischen Einflussbereich wiederhergestellt wird.

Feuchtwangers nächstes Projekt rückt wieder einen einzelnen Protagonisten ins Zentrum. Schon seit Jahren plant er einen großen historischen Roman über Francisco de Goya, der an der Schwelle zum 19. Jahrhundert mit einer neuen Bildsprache und einer bislang nicht gesehenen Technik die Malerei revolutioniert und als Hofmaler in Madrid zu Ruhm und Reichtum gelangt, dann aber durch verstörende kirchen- und sozialkritische Grafiken in Ungnade fällt und ins Fadenkreuz der Inquisition gerät. Als Feuchtwanger im Januar 1943 seinem Freund Zweig von dem Projekt berichtet, rechnet er mit anderthalb Jahren Arbeit am Manuskript. Doch mit voller Kraft und Konzentration wird er sich erst ab 1948 dem Projekt widmen, das er schließlich im Jahr 1950 abschließt. Goya ist ein Protagonist, der Feuchtwangers schöpferischer Lust am sinnlich-prallen, atmosphärisch-farbigen Erzählen entspricht: ein von genialem künstlerischen Talent begnadeter *Selfmademan*, ein Widerspenstiger und ein Opportunist, ein Frauenliebhaber, den Mächtigen und Reichen gefällig. Einer, der zuerst durch einen schmerzhaften Reifeprozess zum Wesenskern von Menschlichkeit und Kunst vordringt, dann aber kompromisslos seiner eigentlichen Bestimmung folgt und mit seiner Malerei, mit seinen »Caprichos« die Heuchelei und Boshaftigkeit der Gegenwart entlarvt. Goya ist ein in sich widersprüchlicher Charakter, ein gebrochener Held, somit ein Protagonist, der Raum gibt für Entwicklung und Veränderung – eine ideale Folie für die Erzählkunst Lion Feuchtwangers. »Goya oder der arge Weg der Erkenntnis« wird zu einem der erfolgreichsten Werke Feuchtwangers – nicht zuletzt aufgrund der sprachlichen Kraft des Romans, die den Leser in das Madrid während der Napoleonischen Kriege hineinzieht. In den USA wird der Roman vom »Book-of-the-Month Club«, dem weltweit größten Buchclub, ausgewählt und in der Folgezeit in 24 Sprachen übersetzt. Trotz der lustvollen Schilderungen des Lebens am spanischen Hof sind auch im »Goya« die Analogien zur Gegenwart ohne Weiteres zu identifizieren. Die mächtige Inquisition, die nicht nur die Gedankenfreiheit blockiert, sondern auch eine lebensbedrohliche Gesinnungsschnüffelei betreibt, findet ihr Äquivalent in einem politischen Reizklima, das in den 1940er und 50er Jahren zu den Aktivitäten des berüchtigten »Komitee für unamerikanische Umtriebe« führt. Im Zuge der antikommunistischen »Hexenjagd« werden auf Verdacht Privatsphären ausspioniert, wird Rufschädigung betrieben, werden Karrieren zerstört und Menschen ruiniert. Auch Lion Feuchtwanger ist ein Opfer dieser modernen Form der Inquisition. »Goya« – Feuchtwangers erfolgreichster »amerikanischer« Roman – wird von Thomas Mann geradezu hymnisch gelobt: »[E]s ist ›ganz Spanien darin‹, Spanien ganz, wie ich es auf einer Reise einmal schnell und ungefähr erlebt habe – ungeheuer viel genauer und historischer fundiert natürlich, gründlich studiert, ein düster glänzendes Riesengemälde, (…) es ist alles ganz vorzüglich, packend, belehrend, reich und stark, und man kann Sie nur beglückwünschen zu dem Werk, dessen Erfolg bei den Leserschaften dort und hier, hic et ubique, mir sicher zu sein scheint.«[504]

Unmittelbar nach der Fertigstellung des »Goya« wendet sich der Schriftsteller – historisch folgerichtig – der französischen Revolution zu. Sowohl »Waffen für Amerika« als auch »Goya« können als Vorstufen und auch als Vorstudien zu der Auseinandersetzung mit einem der Schlüsselphänomene der Moderne gelesen werden: der Aufklärung und der gewaltsamen Abschaffung des feudalistischen Ständestaates. Der zwischen 1950 und 1952 entstandene Roman »Narrenweisheit oder Tod und Verklärung des Jean-Jacques Rousseau« ist eine Hommage an den Verfasser des »contrat social«, des Gesellschaftsvertrags, der mit seiner bahnbrechenden Staatsphilosophie, mit dem Postulat des »volonté générale«, des Gemeinwillen, zu einem der Vordenker der Moderne wird. Für Oskar Maria Graf ist die »Narrenweisheit« ein Meisterwerk; der Autor Feuchtwanger gilt ihm als »erstaunlich sicherer Sprachschöpfer. (…) Seine Menschenkenntnis ist bestürzend, seine Klugheit funkelt aus jeder Zeile.«[505] Indem Feuchtwanger die Wirkungsgeschichte der Rousseau'schen Gedanken betont, vollzieht er gewissermaßen die Revision einer These, die er zum Ausgang der 1930er Jahre in seinem Roman »Exil« proklamiert hatte: dass nämlich gegen das Unrecht in der Welt nicht die intellektuellen, sondern allein die physischen Waffen etwas auszurichten vermögen. In der »Narrenweisheit« wird diese ernüchternde Feststellung nicht *in toto* widerrufen, aber erweitert, modifiziert. Die geistigen Waffen tun doch ihre Wirkung. Im Abgesang auf den großen Denker Rousseau liest man: »Er war kein General gewesen und kein Staatsmann, er hatte keine siegreichen Schlachten geschlagen und keine großartigen Verträge geschlossen, er war nur ein Schriftsteller gewesen, ein Philosoph, und sie wußten nicht recht, was das war, und kaum einer unter hundert hatte seine Bücher gelesen. Aber ein paar Worte von ihm, ein paar Sätze von ihm hatte man ihnen in die Ohren und ins Herz gerufen in der Stunde ihrer Unschlüssigkeit, und es waren solche Worte, daß man marschieren und zuschlagen mußte, wenn man sie hörte. Und sie *waren* marschiert, und sie *hatten* zugeschlagen. Und sie hatten gesiegt. Und folglich taugten die Bücher dieses Toten mehr als die Kanonen der Generäle und die Federn der Staatsmänner.«[506]

Die beiden letzten Romane Lion Feuchtwangers sind sowohl eine Rückkehr zu jüdischen Themen wie auch eine intensive Auseinandersetzung mit einer schmerzhaften persönlichen Erfahrung. In den Büchern »Die Jüdin von Toledo« (entstanden in den Jahren 1952 bis 1954) und »Jefta und seine Tochter« (entstanden 1955 bis 1957) treten zwei Leitmotive in den Vordergrund: die Problematik jüdischer Selbstbehauptung und Identität angesichts einer feindlich gesinnten Umwelt und die Leidenserfahrung des Vaters, der durch eigenes Verhalten den Tod der geliebten Tochter verschuldet. Beide Erzählstränge stehen in einer wechselseitigen Beziehung. Die Bemühungen der beiden jüdischen Protagonisten, des biblischen Jefta und des mittelalterlichen Jehuda, sind in weiten Zügen kongruent: Ihr ehrgeiziges Ziel ist es, das Judentum politisch-militärisch (Jefta) oder wirtschaftlich (Jehuda) in einer aggressiven Lebenswelt zu etablieren, ohne durch Anpassung an den jeweiligen Wertekanon der Mehrheitsgesellschaften den eigenen Glauben in Frage zu stellen. Bescheidenheit ist beiden nicht eigen. Die ehrgeizigen Protagonisten sind zuversichtlich, dass sich ihr militärischer bzw. wirtschaftlicher Erfolg am Ende auch in größerem Rahmen auszahlen muss. Jefta macht Gott ein leichtfertiges Angebot und verspricht zu opfern, was ihm bei seiner siegreichen Rückkehr aus dem Krieg als Erstes begegnet: Es ist seine geliebte Tochter. Und Jehuda verliert seine Tochter an den christlichen König Kastiliens, mit dem er sich zur Steigerung seines Reichtums auf fragwürdige Allianzen einlässt. Die Botschaft beider Romane ist, dass die Bewahrung jüdischer Identität zwar nicht ohne persönliche Opfer zu haben ist, diese Opfer aber entscheidende Etappenziele auf dem Weg zur menschlichen Vernunft, sprich: zur harmonischen Koexistenz der Religionen sind. Am Ende regiert in Kastilien ein weiser König, der, durch schmerzvolle Erfahrungen geläutert, einen inneren Frieden gewährleistet. Und Jefta herrscht als Richter sechs Jahre über ein vereinigtes jüdisches Volk. In diese historischen Rahmenhandlungen um Jefta und Jehuda ist ein Vater-Tochter-Motiv eingeschrieben, das mit dem persönlichen Drama Lion Feuchtwangers verknüpft ist: dem traumatisierenden Tod der eigenen Tochter im Jahr 1912 an der italienischen Küste. Marta und Lion Feuchtwanger sind seitdem kinderlos geblieben. Eine Abtreibung hat zur Folge, dass Marta keine Kinder mehr bekommen kann. Dass dieser unerfüllte Kinderwunsch für das Paar zu einer belastenden Erfahrung wird, darf vermutet werden, wenngleich die vorhandenen Quellen zu diesem Thema meist schweigen. In den autobiographischen Zeugnissen der Feuchtwangers werden der tragische Tod der kleinen Elisabeth Marianne im Jahr 1912 und die spätere Kinderlosigkeit entweder überhaupt nicht (Lion) oder als lebensgeschichtliche Marginalie (Marta) abgehandelt. Lediglich das sich wiederholende Vater-Tochter-Motiv in den Werken Feuchtwangers lässt erahnen, wie sehr der Schmerz über das tote Kind zum dauerhaften Lebensbegleiter des Schriftstellers geworden ist.

Trotz aller Annehmlichkeiten des kalifornischen Alltags, trotz eines beruhigenden Wohlstands und trotz der erfreulichen Wertschätzung als Schriftsteller durch eine große amerikanische Lesegemeinde: Heimat sind die Vereinigten Staaten dem vertriebenen Intellektuellen Lion Feuchtwanger nie geworden. Anders als sein Freund Brecht bringt er zwar keine galligen Kommentare über das Gastland zu Papier. Feuchtwanger hat viel Respekt vor den USA, die den Emigranten, wenngleich zögerlich, die rettende Tür geöffnet haben. Die dank ihres militärischen Eingreifens die europäische Katastrophe beendet und das nationalsozialistische Deutschland niedergerungen haben. Dennoch bleibt Feuchtwangers Verhältnis zu den USA sachlich und kühl. Der amerikanische *Lifestyle* ist ihm befremdlich, die Schnelllebigkeit und Oberflächlichkeit der Kultur sind ihm unverständlich, die trockene Spießigkeit vieler Amerikaner, jener unzähligen, angepassten »Babbitts« in den Unternehmen, Anwaltskanzleien und Verwaltungen, die wie ihre literarischen Klischees bei Sinclair Lewis in eintönigen mittelständischen Wohngegenden leben, stoßen ihn ab. Trotz seiner Bemühungen um die amerikanische Staatsbürgerschaft wird er dem Land immer fremd bleiben. Und das Land ihm. Der Wunsch nach einem amerikanischen Pass ist keine Sache des Herzens, sondern der Vernunft. Das Dokument verschafft Sicherheit, garantiert Unabhängigkeit. Der Inhaber eines US-Passport muss nicht mit Ausweisung rechnen, er kann ins Ausland reisen und wieder an seinen amerikanischen Wohnort zurückkehren. Der geduldete Staatenlose Lion Feuchtwanger hat diese Garantie nicht. Er muss damit rechnen, dass er nach einer Auslandsreise nicht mehr in die USA gelassen wird und damit sein drittes Zuhause verliert. Er leidet unter dem Misstrauen, das ihm die amerikanischen Behörden entgegenbringen.

In den USA hat sich seit der zweiten Hälfte der 1940er Jahre ein gespenstischer Wandel vollzogen. Der »Kalte Krieg« wirft seine Schatten voraus. Unter der Präsidentschaft des Roosevelt-Nachfolgers Harry S. Truman spitzt sich der Ost-West-Konflikt bedenklich zu. Innenpolitisch steht der Demokrat Truman zwar für einen liberalen Aufbruch in der festgefahrenen Rassenfrage; auf seine Initiative erfolgt 1948 die Aufhebung der Rassentrennung in den amerikanischen Streitkräften. Gleichzeitig erlebt in jenen Jahren ein antikommunistischer Fundamentalismus eine ungeahnte Blüte. Das »Federal Bureau of Investigation« entwickelt sich unter seinem Direktor J. Edgar Hoover, einem erzreaktionären Hardliner, zu einer der Schnittstellen bei der Aufdeckung und Verfolgung vermeintlicher »unamerikanischer Umtriebe«. Mit tatkräftiger FBI-Unterstützung kann vor allem das berüchtigte »House Committee on Un-American Activities« des Repräsentantenhauses rechnen, das wiederum politischen Flankenschutz von Seiten des ultrakonservativen Senators Joseph McCarthy erhält. Natürlich ist auch Lion Feuchtwanger, der Verfasser von »Moskau 1937«, der linke Intellektuelle und vermeintliche Kommunist, den Sicherheitsorganen von Anfang an suspekt. Schon in dem Moment, in dem Feuchtwanger amerikanischen Boden betritt, wird er zum Gegenstand einer engmaschigen polizeilichen, einer konspirativen geheimdienstlichen Überwachung. Der Immigrant Feuchtwanger erhält das FBI-Aktenzeichen 100-5143 und wird zu einem politisch zwielichtigen »subject« deklariert. Seit seiner Ankunft in New York sammelt das FBI fleißig Informationen, durchleuchtet das Privatleben, will alles wissen über den Menschen und Autor Feuchtwanger. Neben dem FBI hat auch der »Immigration and Naturalization Service« (INS) wegen der möglichen Einbürgerung ein Auge auf Lion geworfen. FBI und INS kooperieren eng und tauschen Informationen auf dem kleinen Dienstweg aus.[507] Zur Sammlung intimer Informationen über die Zielperson Feuchtwanger werden nicht nur »vertrauenswürdige Informanten« befragt, sondern auch Bekannte und Freunde ausgehorcht. So wird etwa der mit den Feuchtwangers bekannte Theater- und Filmmann Albrecht Joseph, eine Zeitlang Mitarbeiter und rechte Hand von Emil Ludwig, Thomas Mann und Franz Werfel, von den neugierigen Datensammlern konsultiert: »Zweimal erhielt ich Besuch von Beamten des FBI, die mich über beide ausfragten, und zwar wollten sie merkwürdigerweise nichts über Lion Feuchtwangers politische Haltung wissen, sondern etwas darüber, wie es mit seiner Moral bestellt sei, ob er zum Beispiel Verabredungen mit jungen Mädchen habe.«[508] Im Umfeld der Villa am Paseo Miramar treiben sich immer wieder FBI-Agenten herum, Besucher werden observiert, vor dem Haus abgestellte Fahrzeuge werden registriert. In einem Bericht vom November 1942 notiert der ermittelnde Beamte – offenbar erstaunt –, dass der Kommunist Feuchtwanger ein »very beautiful home« angemietet hat.[509]

Selbst Telefonleitungen sind vor den amtlichen Nachstellungen nicht sicher; Post und Telegramme werden immer wieder geöffnet und ausgewertet. Zudem wird das soziale Umfeld Feuchtwangers ausgeleuchtet. Personen, die mit ihm in näherem Kontakt stehen, werden routinemäßig auf ihre politische Zuverlässigkeit untersucht. Nicht nur der enge Freundeskreis – insbesondere Bertolt Brecht und Heinrich Mann – gerät so immer wieder in den Schlagschatten der FBI-Ermittler, sondern auch andere, die nur gelegentlich im Umfeld der Feuchtwangers auftauchen: Peter Lorre, Upton Sinclair, Dorothy Thompson, Charles Chaplin, Bruno Frei. Im Juli 1955 kommt das FBI zu dem Ergebnis:»Subjekt ist sowohl in Europa wie auch in den US bestens als Schriftsteller bekannt. Seit seiner Ankunft in den US hatte er, in unterschiedlichen Zeitabschnitten, Verbindungen mit schätzungsweise 15 Vorfeldorganisationen der Kommunistischen Partei, hauptsächlich als ›Unterstützer‹. Es gibt keine Hinweise auf eine aktuelle Mitgliedschaft in der US-amerikanischen KP. Trotzdem haben zahlreiche befragte Personen ihn als dem Kommunismus und der Sowjetunion nahestehend, als zuverlässig aus Sicht der KP und, in seiner Funktion als Schriftsteller, als hilfreich für die KP beschrieben.«[510] Eine für Nachgeborene harmlos klingende politische Evaluation; unter den damaligen Umständen jedoch hochbrisant und mit fatalen Folgen für den Betroffenen. Lion Feuchtwanger bleibt bis zu seinem Tod (und selbst darüber hinaus) unter Beobachtung des FBI; zwischenzeitlich findet sich sein Name sogar auf einer brisanten»FBI Watch List«. Im Sicherheitsranking wird er nicht zurückgestuft. Noch im März 1956 empfiehlt eine interne FBI-Vormerkung:»Es wird empfohlen, Feuchtwanger aufgrund seiner anhaltenden pro-sowjetischen Verlautbarungen und seiner Einschätzung als Befürworter pro-sowjetischer Aktivitäten auf dem Sicherheitsindex zu belassen.«[511]

Wie nah der FBI der Zielperson Feuchtwanger kommt, dass sein Umfeld engmaschig ausgespäht und seine Post geöffnet wird, ist dem Betroffenen vermutlich nicht bewusst. Aber er weiß, dass er sich im Fadenkreuz der Behörden befindet. Im Zuge seiner Einbürgerungsanträge wird er mehrfach zu seiner Person, zu seiner Haltung gegenüber den USA und der Sowjetunion, ja sogar zu den politischen Einstellungen von Bekannten und Freunden befragt. Er erkennt jedoch schnell die Fallstricke, die die INS-Beamten auslegen, und äußert sich zu brisanten Fragen indifferent und nichtssagend. Belastende Aussagen über Dritte sind ihm nicht zu entlocken. Gegenüber seinem Verleger Huebsch ärgert sich der gesundheitlich angeschlagene Feuchtwanger im Dezember 1958 über die Penetranz und Dummheit der Beamten:»Seit elf Jahren kann ich keine Antwort erhalten auf meine Petition für Einbürgerung. Vor einem Jahr hatte ich ein Verhör von zehn Stunden, in dem mir mehrere hundert Fragen gestellt wurden, die meisten ungewöhnlich töricht: ›Kennen Sie den oder jenen? Glauben Sie, daß diese oder jene Organisation kommunistische Neigungen hat? Würden Sie es begrüßen, wenn in England wieder die Labour-Party ans Ruder käme …‹

Jetzt, ein Jahr später, kamen die gleichen Herren wieder, und zwar, da ich mich nicht für wohl genug erklärte, kamen sie in mein Haus. Sie waren voll äußerster Rücksicht und Höflichkeit und fragten den gleichen Unsinn.«[512] Was er nicht weiß: Nicht nur J. Edgar Hoover, sondern auch Richard Nixon, einer der Hauptakteure der antikommunistischen Hexenjagd und seit 1953 Vizepräsident der USA, schaltet sich in den »Fall Feuchtwanger« ein. Dem FBI gelingt es jedoch nicht, noch mehr belastendes Material gegen den Schriftsteller zusammenzutragen, so dass das angestrebte Ziel einer Ausweisung Feuchtwangers aus den USA nicht realisiert werden kann. Enttäuscht muss der zuständige Special Agent des FBI im Dezember 1953 nach Washington melden, dass das INS-Büro in Los Angeles zwar ausreichend Beweise habe, um Feuchtwangers Einbürgerungsversuche zu blockieren, dass aber »zur gegenwärtigen Zeit die Beweislage nicht ausreiche, um ihn zu deportieren«.[513] So wird auch der letzte Antrag Lion Feuchtwangers auf Erteilung des US-Staatsbürgerschaft im Dezember 1957 abschlägig beschieden: Der Antragsteller habe nicht glaubwürdig machen können, dass er den Grundsätzen der Verfassung sowie der guten Ordnung und dem Wohl der Vereinigten Staaten in ausreichendem Maß anhänge.

Lion Feuchtwangers Wunsch, seine verlorene Heimat noch einmal zu sehen, ist groß. Seine über die ganze Welt verstreuten Freunde und Korrespondenzpartner lässt er immer wieder wissen, wie wichtig ihm eine zumindest temporäre Rückkehr ist. »Ich sehne mich oft sehr heftig nach Europa, das ich jetzt dreizehn Jahre lang nicht gesehen habe«, schreibt er dem inzwischen in der Schweiz lebenden Thomas Mann im Mai 1953.[514] Es mangelt nicht an guten Gelegenheiten für eine Europareise. Die Verleihung des Münchner Literaturpreises im Jahr 1957 ist so ein Anlass. Und auch die großformatig inszenierte 800-Jahr-Feier der bayerischen Landeshauptstadt München bietet sich an. Im März 1949 wird Feuchtwanger sogar als Zeuge im Prozess gegen Veit Harlan, der bei dem antisemitischen NS-Machwerk »Jud Süß« Regie geführt hat, nach Hamburg geladen. Und selbst die Münchner Stadtspitze unterstreicht wiederholt, dass man sich über einen Besuch Feuchtwangers freuen würde. Aber die von den US-Behörden aufgestellten bürokratischen Hindernisse lassen Feuchtwanger kein Risiko eingehen. Der staatenlose Schriftsteller könnte zwar bei Verlassen des Landes ohne Probleme ein »Re-Entry-Permit« beantragen. Dieses Dokument »verbürgt aber keineswegs die Erlaubnis, wieder in Amerika einzureisen. Mehrere Freunde von mir haben diese Erfahrung machen müssen, mit recht unangenehmen Folgen«, lässt Lion den Chefredakteur der

Münchner »Abendzeitung« Rudolf Heizler wissen, der sich intensiv um eine Reise Feuchtwangers nach München bemüht. Und weiter:»Glauben Sie mir, ich würde nichts lieber tun als München wiederzusehen. Aber eine solche Reise ist vorläufig mit der Gefahr sehr bitterer innerer und äusserer Verluste verknüpft.«[515] Ganz anders verhält es sich mit dem Thema Remigration, einer Grundsatzfrage, die – einmal entschieden – kaum noch korrigiert werden kann. Zweifellos spielt Lion Feuchtwanger hin und wieder mit dem Gedanken, nach Deutschland zurückzukehren. Er spielt. Denn ernsthaft und konkret erwägt er diese Option nicht. Aber es ist verlockend, sich die Rückkehr in die alte Heimat vorzustellen. Vor allem die DDR macht dem Autor Avancen und würde ihm bei einer Rückkehr im wahrsten Wortsinn den roten Teppich ausgelegen. Hier werden seine neuen Bücher verlegt, noch bevor sie im Westen in die Buchhandlungen kommen; hier wird der Autor mit Ehrungen überschüttet, während sein Name in der Bundesrepublik allmählich in Vergessenheit gerät; hier leben inzwischen Freunde, deren Nähe und intellektuelle Inspiration er schmerzlich vermisst: Bert Brecht, Arnold Zweig, Alfred Kantorowicz. Vor allem Zweig, der vom Staat Israel enttäuschte Zionist, versucht immer wieder, Feuchtwanger eine Übersiedlung nach Ost-Berlin schmackhaft zu machen. Lion selbst gibt dem Optimismus der Freunde hin und wieder Nahrung. Zweig erfährt in einem Brief vom August 1955, dass Feuchtwanger »die Vorstellung, ich sollte Europa und Sie und Brecht nicht wiedersehen, innerlich scharf abweise. Ich halte mein Haus hier nach wie vor für ein Provisorium«.[516] Zweig reagiert sofort auf dieses Statement, das er als Rückkehrbereitschaft interpretiert, und will Näheres wissen:»Können Sie schon skizzieren, wohin Sie möglicherweise zurückkehren wollen? (…) gerne wüßte ich mehr von den Erwägungen, die hinter diesem Wort ›Provisorium‹ stehen.«[517] Und als Feuchtwanger auf die Frage nicht näher eingeht:»Liebster F., warum bleiben Sie so zäh in Pacific Palisades? Es ist sicher viel schöner als Pankow, aber hier verfließen die paar Lebensjahre, die uns (verflucht noch mal!) geblieben sind, in Nachbarschaft und persönlichem und telefonischem Austausch wie einst.«[518] Vergeblich, das dringende Insistieren nützt nichts. Der lebenskluge Lion Feuchtwanger ist nicht zu überreden, das sonnige Kalifornien gegen das graue und triste Pankow einzutauschen. Abgesehen von der allgemeinen Lebensqualität weiß Feuchtwanger natürlich um die Schwierigkeiten eines Daseins in der DDR, weiß um die dort herrschende Meinungsdiktatur sowjetischer Prägung, die unter der Kuratel eines gewissen Walter Ulbricht steht, den schon der kluge Heinrich Mann im Oktober 1937 in Paris als »armselige Gestalt«, als »vertracktes Polizeigehirn«, das über seine Intrigen nicht hinaussieht, entlarvt hat.[519] Eine Übersiedlung nach Ost-Berlin kommt für Lion Feuchtwanger nicht in Frage. Feuchtwangers letztes Werk bleibt Fragment. Der große Essay, an dem er 1957/58 arbeitet, gilt seinem liebsten Genre, dem historischen Roman. »Das Haus der Desdemona oder Größe und Grenzen der historischen Dichtung« ist als Erläuterung und Klarstellung angelegt. Es ist auch Rechtfertigung der literarischen Methode und Plädoyer für den geistigen Wert des geschichtlichen Romans, für dessen Wahrhaftigkeit trotz der dichterischen Freiheit im Umgang mit historischen Fakten. Missverständnisse müssen ausgeräumt, Irrtümer beseitigt werden: »Ich muß mir von der Seele schreiben, was mich immer wieder bedrängt. Ich muß gewisse Wahrheiten aussprechen.«[520] Lediglich ein Drittel des geplanten Manuskripts kann Feuchtwanger bis Juli 1958 fertigstellen. Dann verhindern besorgniserregende gesundheitliche Probleme die Weiterarbeit. Schon im September 1957 legen ihm die Ärzte eine Operation nahe. Von den Strapazen erholt er sich nur langsam. Im Frühjahr 1958 beeinträchtigen neue Schmerzen und Schwindelanfälle seinen Alltag. Im Juni verschlechtert sich der Zustand des 74-Jährigen deutlich, die Ärzte sind ratlos. Bei einer Klinikuntersuchung im August wird auf der Niere eine Zyste entdeckt. Die Ärzte raten zur sofortigen Operation. Diagnose: Krebs. Eine Niere wird entfernt, der Zustand ist lebensbedrohlich. Ende September kehrt ein geschwächter Lion Feuchtwanger zurück in sein Haus am Paseo Miramar, sammelt noch einmal Kraft und Lebensmut, macht Pläne, schreibt. Aber die angegriffene Gesundheit erholt sich nur langsam, regelmäßige Bluttransfusionen sind notwendig. Am 20. Dezember kommt es zu einer Magenblutung und zur sofortigen Einweisung ins Krankenhaus. Hier stirbt Lion Feuchtwanger am Nachmittag des 21. Dezember 1958 um 17:30 Uhr. Die mit Lion seit gemeinsamen Tagen in Sanary befreundete Bildhauerin Anna Mahler nimmt dem Verstorbenen die Totenmaske ab. Seine letzte Ruhestätte findet er in einem Grab auf dem Woodlawn Cemetery in Santa Monica. Die Trauerfeier im Beisein der Generalkonsuln von Israel und Deutschland am 23. Dezember ist einfach und schlicht. Musiker eines befreundeten Streichquartetts spielen zwei Adagios von Haydn. Die Trauerreden halten Robert Kirsch, Literaturredakteur der »Los Angeles Times«, Dr. Max Nussbaum, Rabbiner von Los Angeles, Stephen Fritchman, Reverend der Unitarischen Kirche, und Dr. Sanford Golden von der Yiddish Cultural

Community of New York. Am Ende spricht Rabbiner Nussbaum das jüdische Totengebet Kaddisch.

In einem Brief an die Schwestern von Lion schließt Marta Feuchtwanger mit dem Satz: »Wenn ihr seine Buecher wieder lest, werdet ihr seinen Verlust nicht so brennend fuehlen, er hat uns allen einen Teil von sich zurueckgelassen.«[521]

Epilog: München 1957

> »Ich hatte bis zuletzt gehofft, ich würde es möglich
> machen, zur Achthundert-Jahrfeier nach München
> zu kommen; aber es ist mir nicht geglückt, den
> Widerstand einer bösartigen Bürokratie zu beseitigen.
> Ich brauche Ihnen nicht zu sagen, dass ich meiner
> Vaterstadt von Herzen Glück wünsche zu diesem
> gloriosen Ereignis. (…) Ich hoffe, dass es mir trotz
> allem noch glücken wird, meine Vaterstadt wieder-
> zusehen.«[522]

In München schließt sich der Kreis. Es ist kein versöhnlicher lebensge-
schichtlicher Zirkelschluss. Es ist ein letzter Akt mit bitterem Beige-
schmack, ein Abschluss, der nach Versäumnis schmeckt. Der Vorhang
der Lebensbühne von Lion Feuchtwanger fällt, ohne dass Kränkungen
und Verletzungen, die die alte Heimat zugefügt hat, geheilt sind. Die
Stadt, in der die Wurzeln von Feuchtwanger liegen, die Stadt, die sich
in den Lebenslauf des Emigranten eingeschrieben hat und die trotz aller
Bitterkeit ein Sehnsuchtsort für ihn geblieben ist, zeigt dem vertriebenen Bürger an dessen Lebensende die kalte Schulter. Der Mensch und
der Schriftsteller Feuchtwanger werden 1957 zum Gegenstand einer
peinlichen Kontroverse, in deren Mittelpunkt die Frage steht: Ist einer
wie Feuchtwanger ehrenwert genug, einen angesehenen städtischen
Literaturpreis zu bekommen? Nicht wenige in der Stadt sind der
Meinung: Nein. Und so kommt es zu einem Gezerre um Lions Integrität, zum öffentlich ausgetragenen Streit, an dessen Ende der Preisträger
beschädigt ist und die Stadt München als unverbesserlich gestrige und
nachtragende Kommune dasteht. Der Konflikt ist ein beschämender
Akt der Verleumdung. Und dass der Gekränkte nicht schmollend alle
Kontakte beendet, nicht mit dem Ort bricht, der ihm einmal Heimat
war, zeigt die Großzügigkeit und Souveränität des Weltbürgers Lion
Feuchtwanger.

Der Eklat um den Literaturpreis hat ein Vorspiel, das zeigt, wie
schwer sich ein Gemeinwesen und seine Repräsentanten auch eine

Dekade nach dem Zusammenbruch des Nationalsozialismus damit tun, die ungeheuerlichen Zerstörungen des »Dritten Reichs« anzuerkennen, wie gerne man den quälenden Fragen nach Verantwortung und Schuld ausweichen möchte. Es ist den Münchnern immerhin anzurechnen, dass sie Fehlverhalten einräumen und sich bereit erklären, Unrecht zu korrigieren. Aber diese Bemühungen kommen oft nicht auf eigene Initiative zustande, sondern folgen Impulsen von außen, bleiben halbherzig. Und diese Halbherzigkeit vergrößert schließlich das Dilemma der Münchner im Fall Feuchtwanger. Mit dem ungeliebten Sohn ihrer Stadt wissen sie nichts anzufangen; daher setzen sie sich auch nur notgedrungen, ja zähneknirschend mit ihm auseinander. Und erkennen nicht das Problem, dass alle Versuche um Verständigung und Versöhnung letztlich scheitern müssen, wenn sie als Pflichtübung empfunden werden oder aus rein sachlichen Erwägungen angestoßen werden.

Das »Vorspiel« beginnt mit einem Irrtum. Im September 1952 erreicht die Leitung der Münchner Ludwig-Maximilians-Universität (LMU) ein Schreiben aus der sowjetischen Besatzungszone. Absender ist Karl Dietz, Inhaber des Greifenverlags in Rudolstadt, der die Rechte für Feuchtwangers deutschsprachige Publikationen hält und die Münchner auf eine heikle Angelegenheit aufmerksam macht: Ob es nicht an der Zeit wäre, dem Vertriebenen den seinerzeit vom NS-Regime entzogenen Doktortitel zurückzugeben? Nach neuerlichem Nachhaken von Dietz reagiert die Universitätsverwaltung im November 1952 pflichtschuldig. Zwar finden sich in der Universitätsregistratur keine Hinweise auf den Titelentzug. Aber daran, dass die gleichgeschaltete Universitätsbürokratie nach 1933 dem verhassten Dr. phil. Lion Feuchtwanger den Titel aberkannt hat, kann es eigentlich keinen Zweifel geben. Es erscheint ausgeschlossen, dass ausgerechnet der emigrierte Jude Lion Feuchtwanger, der vielgeschmähte Verfasser des Romans »Erfolg«, seinen akademischen Grad während der NS-Zeit behalten konnte. So kommt es, dass Feuchtwanger im Jahr 1952 – gewissermaßen im Rahmen einer selbstreinigenden Rehabilitationsmaßnahme auf sanften Druck von außen – von der Münchner Universität den Titel eines »doctor philosophiae« wieder zugesprochen bekommt. Eine Neuausfertigung der Urkunde wird Lion Ende November 1952 kommentarlos per Einschreiben in sein kalifornisches Exil übersandt. Ein Begleitschreiben der Universität hält man für unnötig. Ein bemerkenswertes Verhalten. Der Geehrte freut sich dennoch über die bizarre Geste und lässt die »sehr geehrten Herren« (einen namentlich bekannten Ansprechpartner hat er ja nicht) der Philosophischen Fakultät am 10. Februar 1953 wissen: »Sie haben die Freundlichkeit gehabt, mir den Grad eines Doktors der Philosophie, der mir im Jahre 1933 entzogen worden ist, erneut zu verleihen. Ich freue mich sehr darueber und wuensche der Universitaet, der ich viel verdanke, von Herzen Wachstum und Bluete.«[523] Mit humorvoller Gelassenheit nimmt Lion zudem zur Kenntnis, dass die Urkunde einen fatalen Fehler enthält: Im Titel seiner Dissertation wird Heines kleines Opus über den »Rabbi von Bacherach« zum »Rabbi von Biberach«. Erst im Sommer 1953, aufgeschreckt durch einen Artikel in der Münchner »Abendzeitung«[524], entdeckt man bei der Universität das peinliche Missgeschick und bittet Lion um Rücksendung der Urkunde. Zerknirscht entschuldigt sich der Dekan der Philosophischen Fakultät: »Da die Akten von 1907 und den folgenden Jahren hier verbrannt sind, besass die Fakultät keine Möglichkeit, die Angaben der Universitätsbibliothek nachzuprüfen und musste sich auf die Mitteilung derselben verlassen. Ich bitte Sie, dieses Versehen gütigst entschuldigen zu wollen.«[525] Im Oktober 1953 erhält Lion eine korrigierte Urkunde, für die er sich wieder freundlich beim Dekan bedankt: »Ich habe mittlerweile erfahren, dass die Angelegenheit Ihnen allerlei Aerger gebracht hat. Das tut mir ehrlich leid. Mit herzlichen Wuenschen fuer das Bluehen der Muenchener Universitaet, der ich vieles verdanke.«[526]

Damit ist aber noch nicht die letzte Station von Feuchtwangers Urkunden-Irrwegen erreicht. Anlässlich des Goldenen Promotionsjubiläums im Jahre 1957 erhält er von seiner Alma Mater eine weitere Urkunde »über die Erneuerung des Doktorgrades«, die im Titel der Dissertation sogar zwei missliche Fehler enthält: Aus dem »Rabbi« wird ein »Rabi«, der nun nicht mehr in »Bacherach«, sondern in »Bacharach« lebt. Ohne Verärgerung nimmt Lion diese erneute Verschlimmbesserung hin. Vermutlich ist ihm bewusst, dass das mangelhafte Dokument auf die hastige, gleichgültige und oberflächliche Abwicklung zurückzuführen ist. Die erneuten, leicht vermeidbaren Fehler erwecken jedenfalls nicht den Anschein, als ob es der Universität um aufrichtige Wiedergutmachung in Sachen Feuchtwanger zu tun war. Aufschlussreich ist auch, dass der Dekan der Philosophischen Fakultät Joachim Werner die in seinem Begleitschreiben enthaltene rückkoppelnde Ironie nicht bemerkt. Bezugnehmend auf einen möglichen Besuch Feuchtwangers in München heißt es: »Sie würden bei einem solchen Besuch sicherlich mit einigem Schmunzeln feststellen, dass sich seit den 20ziger [sic] Jahren in der Oberbayerischen Hochebene so gut wie nichts verändert hat.«[527] Das unglückliche Agieren der Universität ist der treffliche Beweis für diese These.

Dabei hätte sich die LMU die Peinlichkeiten sparen können, wenn nur der Sachverhalt 1952 genauer geprüft worden wäre – denn wie wir inzwischen wissen, gab es gar keinen offiziellen Titelentzug im Falle Lion Feuchtwanger während der NS-Zeit.[528] Zwar wird in der reichhaltigen Feuchtwanger-Literatur die Aberkennung des Doktortitels als fest verbürgte Tatsache gehandelt. Wilhelm von Sternburg datiert den Akt sogar präzise auf den 7. November 1933 – den Quellennachweis dafür bleibt er jedoch schuldig.[529] Und auch Feuchtwanger selbst ist wohl zeit seines Lebens davon ausgegangen, das die NS-Bürokratie bei ihm keine Ausnahme gemacht hat. Der vermeintliche Titelentzug steht in der Forschung paradigmatisch für die Perfidie eines totalitären Regimes, das aus niederen Beweggründen die akademische Leistung von politischen Gegnern, unangepassten Künstlern und rassistisch stigmatisierten Männern und Frauen pauschal diskreditiert. Doch inzwischen müssen wir davon ausgehen, dass Feuchtwanger eine der ganz wenigen an deutschen Universitäten promovierten und seit 1933 ausgebürgerten Personen war, denen das NS-Regime bzw. die gleichgeschalteten Hochschulverwaltungen den Titel nicht entzogen haben. Angesichts der Prominenz Lion Feuchtwangers wirft dieses Phänomen Fragen auf. Ein bewusster Akt der Opposition gegen die Ausgrenzung jüdischer Doktoren kann vor dem Hintergrund des systemloyalen Verhaltens der Münchner Universitätsleitung, der akademischen Gremien und der Verwaltung ausgeschlossen werden. So bleibt nur die Erklärung, dass ausgerechnet der berühmte und vielgeschmähte Dr. phil. Lion Feuchtwanger durch das engmaschige Netz der nationalsozialistischen Unrechtsbürokratie gerutscht ist: Feuchtwangers Titel wurde bei der »Arisierung« der Münchner Alma Mater schlicht und einfach übersehen. Ein Indiz für dieses Verwaltungsversagen ist die Ausbürgerungsliste vom 23. August 1933, auf der Feuchtwanger zusammen mit 32 anderen Betroffenen angeführt ist. Während Doktoren wie Alfred Kerr, Rudolf Breitscheid oder Kurt Tucholsky mit ihrem Titel genannt werden, fehlt dieser bei Lion Feuchtwanger. Man hat offensichtlich unterstellt, dass Lion Feuchtwanger kein Dr. ist. So erhält dieser 1952 einen Titel neu zugesprochen, der ihm nie entzogen worden ist.

Auf das »Vorspiel« folgt das eigentliche Drama. Im Sommer 1957 beschließen die politischen Repräsentanten der Stadt, den Münchner Literaturpreis an den weltberühmten »Sohn« Lion Feuchtwanger zu verleihen. Es ist eine richtige, aber keine ehrliche Entscheidung. Die heftigen Turbulenzen, die der Name des Geehrten auslöst, zeigen, dass die Entscheidung keine allgemeine Herzensangelegenheit ist. Die Wahl

Feuchtwangers folgt keinem tieferen Verständnis seiner Literatur, keiner warmherzigen Sympathie für die humanitäre, für die politische Position, für die diese Literatur steht. Die Entscheidung, den »großen Sohn« in die Stadt seiner Jugend zurückzuholen, ist zunächst ein Tribut an die Prominenz Feuchtwangers. Wer einen Preis vergibt, schmückt sich auch mit der Bedeutung des Geehrten. Für München ist die Wahl Feuchtwangers ein Akt der Anbiederung: Lion Feuchtwanger ist in der Tat ein »Schriftsteller, mit dem man sich literarisch überall sehen lassen kann«.[530] Und doch gibt es in den 1950er Jahren Stimmen, die gegen einen Preisträger Lion Feuchtwanger lautstark protestieren.

Schon 1956 hat man im Münchner Stadtrat über Lion Feuchtwanger als möglichen Träger des angesehenen Münchner Literaturpreises debattiert. Formal erfüllt dieser die wichtigsten Kriterien: Er ist Schriftsteller, ein berühmter zumal. Und er hat mindestens fünf Jahre in München verbracht. Es gibt wenige große Namen auf der Agenda, die in dieses enge Profil passen. Und deren literaturgeschichtliche Bedeutung den Preis veredeln könnte. So bescheidet man sich zunächst mit Autoren aus der zweiten Reihe: Ernst Penzoldt (1948), Eugen Roth (1952), Mechtilde von Lichnowsky (1953), Wilhelm Hausenstein (1954) gehören dazu; allenfalls Annette Kolb (1950) und Erich Kästner (1955) sind Autoren mit überregionaler Bedeutung. Dagegen ist Feuchtwanger ein Schriftsteller, dessen Namen die Welt kennt. Die Debatte um die Preisverleihung ist hitzig – und verläuft ergebnislos. Deutlich wird jedoch: An diesem Namen scheiden sich die politischen Geister. Die Figur Feuchtwanger ist nicht so gefällig, nicht so mehrheitskompatibel wie die meisten bisherigen Preisträger. Für konservative Ratsmitglieder ist der Verfasser des München-Romans »Erfolg« ein rotes Tuch, eine Reizfigur, die mit geradezu fundamentalistischem Furor abgelehnt wird. Undenkbar, einen Autor zu ehren, der derart boshaft das Milieu München aufs Korn genommen hat, der sich erdreistet, die Münchner Wesensmerkmale in dem Dreisatz »Bauen, brauen und sauen« zu verdichten. Für die rechtschaffenen und wahrhaftigen Münchner ist Feuchtwanger kein Freund der Stadt, kein echtes Münchner Gewächs. Im Gegenteil: Er ist ein unbeliebter Außenseiter, ein Nestbeschmutzer. Man ist Feuchtwanger nach mehr als einem Vierteljahrhundert immer noch gram, dass er mit seinem Zeitroman »Erfolg« eine schmerzhafte tiefenpsychologische Gesamtansicht der Stadt publiziert und die biertrunkene Trachtlerseligkeit, die selbstgerechte »Mia san mia«-Mentalität als bedauernswerten, ja gefährlichen kulturellen Verfall demaskiert hat. Nein, dieser Feuchtwanger ist kein würdiger Preisträger. Er ist frech, böse und, hinter vorgehaltener Hand, auch noch Jude und Kommunist. Dass er 1953 den Nationalpreis I. Klasse für Kunst und Literatur der DDR zugesprochen bekam, seit 1954 Ehrendoktor der juristischen Fakultät der Humboldt-Universität zu Berlin und seit 1955 Korrespondierendes Mitglied der Akademie der Künste der DDR ist, ist seinem Ansehen in der bayerischen Hauptstadt ebenfalls nicht förderlich. Fazit: Der Literaturpreis kann nur einem Dichter verliehen werden,»dessen geistiges Gesamtschaffen von dem künstlerischen Wesen Münchens und seiner geistigen Tradition nachweisbar befruchtet wurde.«[531] Aber trifft nicht genau dies im Fall Feuchtwanger präzise zu? Ist er nicht durch das Milieu München sozialisiert, ist er nicht durch die lokale geistige Tradition geprägt, ist er nicht auch durch die vier Jahrzehnte, die er in München gelebt (und gelitten) hat, zu dem geworden, der er ist?

Im Sommer 1957 werden die Hassprediger erneut aktiv. Der Literaturbeirat, ein Expertengremium des Stadtrats, empfiehlt trotz der Querelen aus dem Vorjahr die Verleihung des Literaturpreises an Lion Feuchtwanger. Und wieder bildet sich eine große Koalition der Aufrechten: CSU, FDP, Bayernpartei und der rechtsextreme »Bund der Heimatvertriebenen und Entrechteten« (BHE) zeigen Flagge gegen den Schriftsteller, die SPD ist zunächst indifferent. Am Ende der Debatte spricht sich der Kulturausschuss Anfang Juli 1957 mit knapper Mehrheit für Lion Feuchtwanger aus. Der Preisträger in spe erfährt zunächst nur über Dritte von dieser Entscheidung. In einem Telegramm vom 11. Juli 1957 gratuliert bereits der Schriftstellerverband der DDR; am selben Tag schließt sich auch Lions westdeutscher Verleger Heinrich Maria Ledig-Rowohlt den Glückwünschen an. Eine offizielle Mitteilung der Stadt München erreicht den Autor erst am 24. Juli – verbunden mit der Bitte um eilige Rückmeldung, ob Feuchtwanger den Preis überhaupt anzunehmen gedenke.[532] Der wiederum reagiert noch am selben Tag und zeigt sich dankbar für die Auszeichnung. Den Münchner Kulturreferenten Herbert Hohenemser lässt er wissen:»Es ist mir eine Herzensfreude, daß mir meine Heimatstadt nach so vielem Auf und Ab den Literaturpreis zuerkannte; daß die Wahl auf mich fiel, scheint mir ein Zeichen wachsender innerer Befriedung und ich nehme den Preis mit warmem Dank an. Ich freue mich darauf, München bald wieder zu sehen.«[533] Nachdem nun eine Entscheidung gefallen ist, glätten sich die Wogen. Die feierliche Preisverleihung ist für September 1957 vorgesehen. Aus den bekannten Gründen kann Feuchtwanger aber nicht nach München kommen, um den Preis persönlich entgegenzunehmen. Die

Urkunde wird ihm per Post zugestellt. Das Preisgeld in Höhe von 3000 DM stiftet Feuchtwanger zu gleichen Teilen an den »Schutzverband Deutscher Schriftsteller« und an die linksintellektuelle Münchner Studentenzeitschrift »profil«. Zwischenzeitlich beruhigen sich die Gemüter.

Als jedoch im Oktober 1957 bekannt wird, dass Feuchtwanger anlässlich des 40. Jahrestages der Oktoberrevolution der Sowjetunion in einem Glückwunschtelegramm an die »Literaturnaja Gazeta« gratuliert hat, schlagen die Wellen wieder hoch. Es wird kolportiert, Feuchtwanger habe seine Adresse mit dem Nachsatz »Literaturpreisträger der Stadt München« signiert. Der »Kalte Krieg« zieht seine Kreise bis ins ehrwürdige neogotische Münchner Rathaus. Empört fordert die CSU-Fraktion im Stadtrat eine Distanzierung von Feuchtwangers politischer Haltung. Der Streit eskaliert und spaltet das kulturelle München. Der Schriftsteller sieht sich zu einer Klarstellung genötigt. Hohenemser teilt er telegraphisch mit: »Verstaendigung mit Sowjet-Union der einzige Weg zur Wiedervereinigung Deutschlands. Bin froh um jede Gelegenheit dazu beitragen zu koennen. Habe Glueckwunsch gesandt.«[534] Und die Münchner »Abendzeitung« lässt er am 8. November 1957 wissen, dass er den »Aufruhr im Münchner Stadtrat« wegen seines Briefes an die Moskauer Literaturzeitschrift nicht verstehe: »Soviel ich weiss, haben zahllose Schriftsteller von Rang aus allen Ländern den Lesern dieser sehr angesehenen Zeitung zum Vierzigsten Jahrestag der Oktober-Revolution gratuliert. (…) Natürlich hab ich nicht unterzeichnet: Literatur-Preisträger der Stadt München. Ich habe niemals ein Buch, einen Artikel oder ein Schriftstück anders unterzeichnet als schlecht und recht: Lion Feuchtwanger.«[535] Dennoch eskaliert Anfang November 1957 der Konflikt. Trotz eines leidenschaftlichen Plädoyers des Sozialdemokraten Hohenemser für die Unabhängigkeit der Literatur und die persönliche Freiheit des Schriftstellers Feuchtwanger erklärt der Münchner Stadtrat nach stürmischer Debatte einstimmig (!), »daß der Literaturpreis der Stadt München nur die künstlerische Leistung, nicht die politische Haltung des Geehrten anerkennt, von der wir uns entschieden distanzieren«.[536] Die Stellungnahme der Münchner Honoratioren und die chirurgische Abtrennung des literarischen Lion Feuchtwanger von seiner nicht-literarischen Person ist der Höhepunkt einer Provinzposse, die von der deutschen Presse begierig aufgegriffen wird und erst allmählich abklingt. Noch Wochen später muss sich Kulturreferent Hohenemser, der sich unverbrüchlich zu dem Preisträger bekennt, mit der Affäre befassen: »[I]ch bin immer noch sehr heftigen

Angriffen von Seiten des gegnerischen Lagers ausgesetzt, aber das muß man eben durchstehen«, lässt er Feuchtwanger am 22. November 1957 wissen.[537]

Die Brüskierung Feuchtwangers durch den Stadtrat der ehemaligen »Hauptstadt der Bewegung« ist kein singuläres Phänomen, es ist auch durchaus keine regionale oder lokale Spezialität, kein Stück der Münchner Folklore. Überall in Deutschland tut man sich in den 1950er und 60er Jahren schwer mit den Emigranten, den »verlorenen Töchtern und Söhnen«. Als Thomas Mann 1949 erstmals in das geteilte Deutschland zurückkehrt, um in Frankfurt und in Weimar Goethepreise entgegenzunehmen, wird dieser Besuch zum Höhepunkt einer Kontroverse um den Schriftsteller und dessen prominente Rolle in der »äußeren Emigration«. Mann wird mit Schmähungen und Protesten konfrontiert, die die Verleihung des Frankfurter Goethepreises an den »Ausländer« und »amerikanischen Staatsbürger« als schlimme kulturpolitische Entgleisung beklagen. Den Deutschen sind ihre vertriebenen, geflüchteten Landsleute in einer Zeit eigener schwerer Nöte und Entbehrungen nicht willkommen. Der Blick nach vorn, die Konzentration auf den Wiederaufbau des zerstörten Landes genießt Priorität vor der Auseinandersetzung mit der Vergangenheit – wohl auch deshalb, weil die Präsenz der Geflüchteten und Vertriebenen die Dagebliebenen an das eigene beschämende Mitmachen, mehr noch: an das eigene moralische Versagen unter der Hitler-Diktatur erinnert. Stellvertretend für diese Haltung steht die arrogante Distanz, mit der der Emigrant Willy Brandt immer wieder konfrontiert wird und die 1961 in der perfiden Frage des CSU-Politikers Franz Josef Strauß gipfelt: »Eines wird man Herrn Brandt doch fragen dürfen: Was haben Sie zwölf Jahre lang draußen gemacht? Wir wissen, was wir drinnen gemacht haben.«[538]

Zeitsprung: 2014. Einer »Rehabilitierung« Lion Feuchtwangers bedarf es in München inzwischen nicht mehr. Die Stadt ist im 21. Jahrhundert angekommen. Und Feuchtwanger ist ein unumstrittener Teil des kulturellen Erbes der bayerischen Metropole, wie Orlando di Lasso, Leo von Klenze, Paul Heyse, Franz von Lenbach, Thomas Mann und Oskar Maria Graf. Als Mensch und als Schriftsteller genießt er Respekt, Anerkennung, Wertschätzung. Die lokalen Buchhandlungen haben seine Bücher vorrätig, am St.-Anna-Platz verweist eine Tafel auf den berühmten ehemaligen Bewohner, in Schwabing besuchen Schülerinnen und Schüler das Städtische Lion-Feuchtwanger-Gymnasium, und im Norden erinnert ein Sträßchen an den »großen Sohn«. Sogar der »Erfolg« sorgt mittlerweile nicht mehr für empörten kulturellen Exorzismus. Die

Münchner Kammerspiele veranstalten im Herbst 2010 einen Lesemarathon im Monatsrhythmus, an dem das gesamte Ensemble mitwirkt. Karten sind begehrt und kaum zu bekommen. Der Zuschauersaal wird zum Zuhörersaal, zum Resonanzkörper eines gigantischen Hörbuchs (mit musikalischer Untermalung). Die Inszenierung beschränkt sich nicht auf den Bühnenraum. Die gesamte Möblierung im Parkett ist entfernt. Statt auf gepolsterten Theatersesseln mit beschränkter Beinfreiheit nimmt das Publikum an unbequemen Biergartengarnituren Platz. Durch die engen Reihen eilen Bedienungen, die Bier und Brezn reichen. Das Theatererlebnis wird zur sinnlichen Erfahrung. Der Transfer in das München der 1920er Jahre gelingt. Das Ensemble schlüpft gekonnt in die vielschichtigen Rollen des Münchner Panoptikums, das Lion Feuchtwanger wortgewaltig und plastisch der damaligen Realität abgewonnen hat. Es ist eine originelle Idee, den epischen Feuchtwanger mit seinen entlarvenden Einblicken in das präfaschistische München auf die Jugendstilbühne des renommierten Münchner Schauspielhauses zu stemmen. So erlebt die literarische Methode Feuchtwangers 2010 ein erfrischendes Revival. Und dem Zuschauer stockt immer wieder der Atem, wenn er erkennen muss, wie vertraut ihm die Geyer, Klenk, Flaucher, Pröckl, Krain, Tüverlin, Hierl, Pfisterer usw. vorkommen. Das »Milieu München« aus der Zeit Lion Feuchtwangers existiert nicht mehr, aber manche Versatzstücke und Phänotypen jener vergangenen Welt haben überlebt, sind gegenwärtig und vital. Man kann ihnen bisweilen in den Straßen der Stadt, in den Amts- und Wirtsstuben, in den Biergärten begegnen. Lediglich der bösartige Rupert Kutzner ist nur mehr auf der Bühne der Kammerspiele präsent. In der realen Welt der Gegenwart hat dieser Protagonist des Ungeistes keine Chance mehr. Dass dem so ist, ist auch ein Verdienst von Lion Feuchtwanger.

Danksagung

Verantwortung für ein Manuskript ist nicht teilbar.
Sie liegt stets beim Verfasser. Dank ist teilbar.
Er gilt denjenigen, die ihren Anteil am Entstehen
dieses Buches haben:

*Elisabeth Angermair, Anett Baumann, Robert Bierschneider,
Anke Blume-Brauser, Inga Fesl, Adrian Feuchtwanger,
Edgar Feuchtwanger, Stephan Gruber, Dirk Heißerer, Herbert Krill,
Anton Löffelmeier, Christiane Picard, Ernst Piper, Barbara Seebald,
Michael Stephan, Karina von Tippelskirch, Elisabeth Tworek,
Michaela Ullmann*

Anhang

Anmerkungen

1 Lion Feuchtwanger, Die Geschwister Oppermann, Berlin ⁹2011, 41.

2 Lion Feuchtwanger, Rezension von 1934 über Ernst Toller, Eine Jugend in Deutschland, nachgedruckt in: Lion Feuchtwanger, Centum Opuscula. Eine Auswahl, Rudolstadt 1956, 557 (im Folgenden: Centum Opuscula).

3 Lion Feuchtwanger, Vom Sinn und Unsinn des historischen Romans, in: Moskau. Internationale Literatur Nr. 9, September 1935, nachgedruckt in: Centum Opuscula, 513f.

4 Johann Christoph Freiherr von Aretin, Geschichte der Juden in Baiern, Landshut 1803, 13.

5 Martin Feuchtwanger, Zukunft ist ein blindes Spiel. Erinnerungen, München 1989, 12 (im Folgenden: Feuchtwanger, Zukunft).

6 Volker Skierka, Lion Feuchtwanger. Eine Biographie, Berlin 1984, 19 (im Folgenden: Skierka, Feuchtwanger).

7 University of Southern California (im Folgenden: USC) – Lion Feuchtwanger Papers (Box A4a, Folder 14), Excerpts from an interview with Ralph Friedmann, April 1958 (Übersetzung Andreas Heusler).

8 Ludwig Feuchtwanger, Gang durch die Geschichte, in: Israelitisches Familienblatt vom 25. 3. 1937 (Sonderbeilage).

9 Rahel Straus, Wir lebten in Deutschland, Erinnerungen einer deutschen Jüdin 1880–1930, Stuttgart 1962, 19.

10 Ebd., 123.

11 Feuchtwanger, Zukunft, 14f.

12 Marta Feuchtwanger, An Émigré Life. Munich, Berlin, Sanary, Pacific Palisades, 79f. (im Folgenden: Feuchtwanger, Émigré Life; Übersetzung aus dem Englischen – auch die folgenden wörtlichen Zitate – durch Andreas Heusler).

13 Feuchtwanger, Zukunft, 22.

14 Leo Baerwald/Ludwig Feuchtwanger (Hrsg.), Festgabe 50 Jahre Hauptsynagoge 1887–1937, München 1937, 80.

15 N.N., Die gesetzestreue Minorität in den bayerischen Kultusgemeinden, in: Jeschurun [Alte Folge] 52 (1887), 820–822, hier 821.

16 Lion Feuchtwanger, Aus meinem Leben, in: Neue Texte 3. Almanach für deutsche Literatur (Herbst 1963), 409.

17 Feuchtwanger, Zukunft, 48.

18 Ernst von Wolzogen, Wie ich mich ums Leben brachte, Braunschweig 1922, 165.

19 Marta Feuchtwanger, Nur eine
Frau. Jahre. Tage. Stunden, Berlin
und Weimar 1984, 7 (im Folgenden: Feuchtwanger, Frau).

20 Lion Feuchtwanger, Aus meinem
Leben, in: Neue Texte 3. Alma-
nach für deutsche Literatur
(Herbst 1963), 408.

21 Feuchtwanger, Émigré Life, 67.

22 Feuchtwanger, Zukunft, 17ff.

23 Lion Feuchtwanger, Der Autor
über sich selbst, in: Centum
Opuscula, 374.

24 Feuchtwanger, Zukunft, 12f.

25 Ebd., 13.

26 Lion Feuchtwanger, Aus meinem
Leben, in· Neue Texte 3. Alma-
nach für deutsche Literatur
(Herbst 1963), 408.

27 Feuchtwanger, Zukunft, 30f.

28 Lion Feuchtwanger, Aus meinem
Leben, in: Neue Texte 3. Alma-
nach für deutsche Literatur
(Herbst 1963), 407.

29 Jahreszeugnis 1899/1900, in: Rolf
Selbmann, »Hat in der Geschichte
nicht immer entsprochen.« Lion
Feuchtwanger als Schüler des
Münchner Wilhelms-Gymnasi-
ums, in: Dietz-Rüdiger Moser
(Hrsg.), »Federleichte Mädchen
…«, München 1991, 207 (im Fol-
genden: Selbmann, Geschichte).

30 Jahreszeugnis 1899/1900, Archiv
des Wilhelmsgymnasiums
München.

31 Jahreszeugnis 1900/1901, Archiv
des Wilhelmsgymnasiums
München, abgedruckt in:
Selbmann, Geschichte, 208.

32 Lion Feuchtwanger, Wie ich
meine erste Dichtung schrieb, in:
Die literarische Welt vom 20. 4.
1928, nachgedruckt in: Centum
Opuscula, 382f. – Feuchtwanger
irrt sich hier. Das Lustspiel wurde

zu Ehren des 80. Geburtstags
des Prinzregenten am 12. 3. 1901
erarbeitet. Lion war zu diesem
Zeitpunkt bereits in der 7. (= 11.)
Klasse und 16 Jahre alt.

33 Ebd., 383.

34 Lion Feuchtwanger, Centum
Opuscula, 624 (Anm. 63).

35 Lion Feuchtwanger, Aus meinem
Leben, in: Neue Texte 3. Alma-
nach für deutsche Literatur
(Herbst 1963), 408.

36 Jahreszeugnis 1901/1902,
Archiv des Wilhelmsgymnasiums
München, abgedruckt in:
Selbmann, Geschichte, 209f.

37 Lion Feuchtwanger, Aus meinem
Leben, in: Neue Texte 3. Alma-
nach für deutsche Literatur
(Herbst 1963), 407.

38 Lion Feuchtwanger, Selbstdarstellung, in: Die literarische Welt
vom 27. 1. 1933, nachgedruckt in:
Centum Opuscula, 365f.

39 Selbmann, Geschichte, 209f.

40 Bruno Walter, Thema und
Variationen. Erinnerung und
Gedanken, Stockholm 1947, 310.

41 Brief von Thomas Mann an
seinen Bruder Heinrich Mann
vom 27. 2. 1904, in: Hans Wysling
(Hrsg.), Thomas Mann –
Heinrich Mann. Briefwechsel
1900–1949, Frankfurt am Main
1984, 26f.

42 Lion Feuchtwanger, Das münchner Theaterjahr, in: Die Schaubühne vom 17. 6. 1909.

43 Lion Feuchtwanger, Selbstdarstellung, in: Die literarische Welt
vom 27. 1. 1933, nachgedruckt in:
Centum Opuscula, 365.

44 Lion Feuchtwanger, Aus meinem
Leben, in: Neue Texte 3. Alma-
nach für deutsche Literatur
(Herbst 1963), 409.

45 Vermerk des Untersuchungs-
richters am Landgericht München
vom 4. 1. 1910, Staatsarchiv
München, Polizeidirektion
München 12291.

46 USC-Lion Feuchtwanger Papers
(Box A19b, Transkriptionen),
Tagebucheintrag vom 20. 9. 1906.

47 USC-Lion Feuchtwanger Papers
(Box A19b, Transkriptionen),
Tagebucheintrag vom 23. 9. 1906.

48 USC-Lion Feuchtwanger Papers
(Box A19b, Transkriptionen),
Tagebucheintrag vom 24. 9. 1906.

49 Hanns Arens, Unsterbliches
München. Streifzüge durch 200
Jahre literarischen Lebens der
Stadt, München/Esslingen 1968,
678.

50 Feuchtwanger, Zukunft, 60.

51 Ebd.

52 USC-Lion Feuchtwanger Papers
(Box A19b, Transkriptionen),
Tagebucheintrag vom 26. 12. 1906
bzw. 13. 1. 1907.

53 Erschienen am 18. 11. 1909 im
»Kultur-Echo«, zit. nach:
Skierka, Feuchtwanger, 36.

54 Zit. nach: Jürgen Kolbe, Heller
Zauber. Thomas Mann in München 1894–1933, Berlin 1987, 68.

55 Erich Mühsam, Unpolitische
Erinnerungen, Leipzig 1949, 166.

56 Thomas Mann, Gladius Dei, in:
Thomas Mann, Die Erzählungen 1,
Frankfurt am Main 1975, 151.

57 Ernst von Wolzogen, Wie ich
mich ums Leben brachte,
Braunschweig 1922, 150.

58 Hanns von Gumppenberg,
Lebenserinnerungen. Aus dem
Nachlass des Dichters, Zürich
1929, 299f.

59 Lujo Brentano, 1894, zit. nach:
Friedrich Prinz/Marita Krauss
(Hrsg.), München – Musenstadt

mit Hinterhöfen. Die Prinzregentenzeit 1886 bis 1912,
München 1988, 9.

60 E.W. Bredt, München als Kunst-
stadt. München unter Europas
Städten, Berlin 1905/07, 1, zit.
nach: Kirsten Gabriele Schrick,
Die Münchner Kunststadt-
Diskussion, Holzhausen 1994, 3.

61 Lion Feuchtwanger, Aus meinem
Leben, in: Neue Texte 3. Alma-
nach für deutsche Literatur
(Herbst 1963), 411.

62 Schreiben an Hanns von Gump-
penberg vom 17. 10. 1904,
Akademie der Künste Berlin-
Archiv, EHS Lion Feuchtwanger
28/48 (Kopie). Gemeint sind
die Schauspieler Margarete
(Gretchen) Swoboda (1872–1921),
Heinz Salfner (1877–1945) und
Friedrich Basil (1862–1938).

63 Münchner Neueste Nachrichten
vom 27. 9. 1905.

64 Münchener Post vom 28. 9. 1905.

65 Feuchtwanger, Émigré Life, 99ff.

66 Lion Feuchtwanger, Aus
München, in: Die Schaubühne
vom 22. 4. 1909.

67 Hanns von Gumppenberg,
Lebenserinnerungen.
Aus dem Nachlass des Dichters,
Zürich 1929, 338.

68 Münchener Schauspiel-Premièren,
Heft 1, 1905.

69 Ebd.

70 USC-Lion Feuchtwanger Papers
(Box A19b, Transkriptionen),
Tagebucheintrag vom 23. 5. 1906.

71 USC-Lion Feuchtwanger Papers
(Box A19b, Transkriptionen),
Tagebucheintrag vom 25. 1. 1906.

72 USC-Lion Feuchtwanger
Papers (Box A19b, Transkriptionen), Tagebucheintrag vom
26. 8. 1906.

73 USC-Lion Feuchtwanger Papers
    (Box A19b, Transkriptionen),
    Tagebucheintrag vom 31. 12. 1906.
74 USC-Lion Feuchtwanger Papers
    (Box A19b, Transkriptionen),
    Tagebucheintrag vom 2. 1. 1907.
75 Staatsarchiv München,
    Polizeidirektion 555.
76 USC-Lion Feuchtwanger Papers
    (Box A19b, Transkriptionen),
    Tagebucheinträge zwischen dem
    22. 11. und 4. 12. 1906.
77 Aufruf zugunsten eines deutschen
    Heine-Denkmals, Januar 1908,
    Stadtarchiv München Plakat-
    sammlung 202/1908/21100.
78 Hans von Gumppenberg in den
    Münchner Neuesten Nachrichten
    vom 21. 1. 1908.
79 Zit. nach: Dietmar Goltschnigg/
    Hartmut Steinecke (Hrsg.), Heine
    und die Nachwelt. Geschichte
    seiner Wirkung in den deutsch-
    sprachigen Ländern. Texte und
    Kontexte, Analysen und
    Kommentare, Band 2: 1907–1956,
    Berlin 2008, 18.
80 Kurt Tucholsky in: Die Weltbühne
    vom 9. 7. 1929.
81 Hanns von Gumppenberg über
    die Veranstaltung, in:
    Münchner Neueste Nachrichten
    vom 26. 2. 1908.
82 Allgemeine Zeitung vom 27. 2.
    1908.
83 Münchener Zeitung vom 15. 2. 1909.
84 Feuchtwanger, Émigré Life, 352.
85 Heike Specht, Die Feuchtwangers.
    Familie, Tradition und jüdisches
    Selbstverständnis, Göttingen
    2006, 260f.; Zitate: Münchener
    Post vom 10. 4. 1909, 15. 2. 1909,
    28. 4. 1909.
86 Lion Feuchtwanger,
    Aus München, in: Die Schau-
    bühne vom 22. 4. 1909.
87 USC-Lion Feuchtwanger Papers
    (Box A19b, Transkriptionen),
    Tagebucheintrag vom 10. 1. 1906.
88 USC-Lion Feuchtwanger Papers
    (Box A19b, Transkriptionen),
    Tagebucheintrag vom 18. 1. 1906.
89 USC-Lion Feuchtwanger Papers
    (Box A19b, Transkriptionen),
    Tagebucheintrag vom 24. 1. 1906.
90 USC-Lion Feuchtwanger Papers
    (Box A19b, Transkriptionen),
    Tagebucheintrag vom 8. 1. 1906.
91 Richard M. Meyer, Philologische
    Aphorismen, in: Germanisch-
    Romanische Monatsschrift 2
    (1910), 642.
92 USC-Lion Feuchtwanger Papers
    (Box A19b, Transkriptionen),
    Tagebucheintrag vom 21. 1. 1906.
93 Der Humorist vom 10. 6. 1899.
94 USC-Lion Feuchtwanger Papers
    (Box A19b, Transkriptionen),
    Tagebucheintrag vom 27. 1. 1906.
95 USC-Lion Feuchtwanger Papers
    (Box A19b, Transkriptionen),
    Tagebucheintrag vom 23. 2. 1906.
96 USC-Lion Feuchtwanger Papers
    (Box A19b, Transkriptionen),
    Tagebucheintrag vom 7. 5. 1906.
97 USC-Lion Feuchtwanger Papers
    (Box A19b, Transkriptionen),
    Tagebucheintrag vom 14. 5. 1906.
98 USC-Lion Feuchtwanger Papers
    (Box A19b, Transkriptionen),
    Tagebucheintrag vom 25. 9. 1906.
99 Lion Feuchtwanger, Der Fetisch.
    Schauspiel in fünf Akten,
    München 1907, 12.
100 Arie Wolf, Lion Feuchtwanger
    und das Judentum, in: Bulletin des
    Leo Baeck Instituts 62 (1982), 63.
101 USC-Lion Feuchtwanger Papers
    (Box A19b, Transkriptionen),
    Tagebucheintrag vom 11. 11. 1909.
102 Lion Feuchtwanger, Aus meinem
    Leben, in: Neue Texte 3. Alma-

nach für deutsche Literatur (Herbst 1963), 410.

103 Feuchtwanger, Frau, 7.

104 Lion Feuchtwanger an Fritz Feuchtwanger, Brief vom 9. 7. 1907, Leo Baeck Institute, Lion Feuchtwanger Collection.

105 Ebd. (Hervorhebungen im Original).

106 Feuchtwanger, Zukunft, 49.

107 Theodor Lessing, Der jüdische Selbsthaß, Berlin 1930, 16.

108 Der Spiegel. Münchener Halbmonatschrift für Literatur, Musik und Bühne, Heft 1/2 (30. 4. 1908).

109 Lion Feuchtwanger, Aus meinem Leben, zit. nach: Skierka, Feuchtwanger, 32.

110 Feuchtwanger, Émigré Life, 144f.

111 USC-Lion Feuchtwanger Papers (Box A19b, Transkriptionen), Tagebucheintrag vom 28. 10. 1910.

112 Lion Feuchtwanger, Maß für Maß, in: Die Schaubühne Nr. 3, 21. 1. 1909.

113 Lion Feuchtwanger, Das Erlebnis und das Drama, in: Die Schaubühne vom 18. 2. 1909.

114 Lion Feuchtwanger, Selbstdarstellung, in: Die literarische Welt vom 27. 1. 1933, nachgedruckt in: Centum Opuscula, 367.

115 Lion Feuchtwanger, Schillers Dramaturgie, in: Die Schaubühne vom 13. 5. 1909.

116 Lion Feuchtwanger, Noch einmal: Falckenbergs ›Schiller‹, in: Die Schaubühne vom 1. 7. 1909.

117 Otto Falckenberg, Schlußwort, in: Die Schaubühne vom 1. 7. 1909.

118 Lion Feuchtwanger, Oberammergau, in: Die Schaubühne vom 2. 6. 1910, nachgedruckt in: Centum Opuscula, 248.

119 Lion Feuchtwanger, Der Retter Oberammergaus, in: Die Schaubühne vom 12. 5. 1910.

120 Erich Mühsam, Unpolitische Erinnerungen, Leipzig 1949, 177.

121 Lion Feuchtwanger, Das münchner Theaterjahr, in: Die Schaubühne vom 17. 6. 1909.

122 Lion Feuchtwanger, Aus München, in: Die Schaubühne vom 22. 4. 1909.

123 Lion Feuchtwanger, Zur Psychologie der Bühnenreform, in: Der Spiegel. Münchener Halbmonatschrift für Literatur, Musik und Bühne, Heft 5/6 (15. 6. 1908), nachgedruckt in: Centum Opuscula, 137.

124 Münchener Zeitung vom 24. 9. 1908.

125 Feuchtwanger, Émigré Life, 132.

126 Briefwechsel zwischen Hugo von Hofmannsthal und Elsa Bruckmann vom Januar 1909, zit. nach: Wolfgang Martynkewicz, Salon Deutschland. Geist und Macht 1900–1945, Berlin 2009, 170f.

127 Lion Feuchtwanger, Reinhardts Feldzug an der Isar, in: Der Spiegel. Münchner Halbmonatschrift für Literatur, Musik und Bühne, Heft 7 (15. 7. 1908).

128 Max Reinhardt, Meine Absichten, in: München 1909. Festspiele des Deutschen Theaters zu Berlin, München o.J. (1909), 22.

129 Stadtarchiv München, Stadtchronik vom 30. 8. 1909.

130 Lion Feuchtwanger, Selbstdarstellung, in: Die literarische Welt vom 27. 1. 1933, nachgedruckt in: Centum Opuscula, 366.

131 Allgemeine Zeitung des Judentums, Nr. 13 vom 31. 3. 1911.

132 Feuchtwanger, Frau, 5.

133 Ebd., 13.

134 Feuchtwanger, Émigré Life, 12.
135 Ebd., 180.
136 USC-Lion Feuchtwanger Papers (Box A19b, Transkriptionen), Tagebucheintrag vom 19. 1. 1910.
137 Feuchtwanger, Frau, 9.
138 Ebd., 18.
139 Feuchtwanger, Émigré Life, 161.
140 Feuchtwanger, Frau, 19.
141 Ebd., 19f.
142 Ebd., 20f.
143 Lion Feuchtwanger, Montsalvat und Monte Carlo, in: Berliner Tageblatt vom 30. 1. 1913, nachgedruckt in: Centum Opuscula, 301f. Gemeint ist Léon Jehin (1853–1928), der als Komponist und Dirigent besonders eng mit der Oper von Monte Carlo verbunden war.
144 Marta Feuchtwanger, Leben mit Lion, Göttingen 1991, 13f.
145 Feuchtwanger, Frau, 26.
146 Ebd. 27.
147 Ebd., 28.
148 Feuchtwanger, Émigré Life, 233.
149 Lion Feuchtwanger, Gedanken an Gorkis Todestag (1936), in: Das Wort, Nr. 3, September 1936, nachgedruckt in: Centum Opuscula, 516.
150 Hellmut Flashar, Inszenierung der Antike. Das griechische Drama auf der Bühne. Von der frühen Neuzeit bis zur Gegenwart, München 2009, 130.
151 Lion Feuchtwanger, Aischylos, Syrakus und Reinhardt (1914), in: Die Schaubühne vom 14. 5. 1914, nachgedruckt in: Centum Opuscula, 180–182, hier: 180.
152 Lion Feuchtwanger, Die Ahnfrau des modernen Feuilletons, in: Vossische Zeitung vom 23. 9. 1913, nachgedruckt in: Centum Opuscula, 82.
153 Lion Feuchtwanger, Flucht aus Tunis, in: Die Schaubühne vom 1. 10. 1914, nachgedruckt in: Centum Opuscula, 359.
154 Ebd., 360.
155 Ebd., 361.
156 Lion Feuchtwanger, Das Erlebnis und das Drama, in: Die Schaubühne vom 18. 2. 1909.
157 Lion Feuchtwanger, Selbstdarstellung, in: Die literarische Welt vom 27. 1. 1933, nachgedruckt in: Centum Opuscula, 368.
158 Feuchtwanger, Émigré Life, 175.
159 Feuchtwanger, Frau, 91.
160 Schreiben Lion Feuchtwanger an den Münchner Polizeipräsidenten vom 28. 8. 1914, Staatsarchiv München, Polizeidirektion München 12291.
161 Lion Feuchtwanger, München und der Krieg, in: Die Schaubühne vom 19. 11. 1914.
162 Lion Feuchtwanger, Aus meinem Leben, in: Neue Texte 3. Almanach für deutsche Literatur (Herbst 1963), 413.
163 Feuchtwanger, Frau, 92.
164 Lion Feuchtwanger, Selbstdarstellung, in: Die literarische Welt vom 27. 1. 1933, nachgedruckt in: Centum Opuscula, 368.
165 Oskar Maria Graf, Theresienwiese November 1918. Eine Erinnerung an Felix Fechenbach, in: Süddeutsche Zeitung vom 9. 11. 1968.
166 Feuchtwanger, Zukunft, 73f.
167 Michael Brenner, Warum München nicht zur Hauptstadt des Zionismus wurde – Jüdische Religion und Politik um die Jahrhundertwende, in: ders./Yfaat Weiss (Hrsg.), Zionistische Utopie – israelische Realität, München 1999, 39–52, hier: 39.

168 Lion Feuchtwanger über Judentum, in: Jüdische Rundschau, 21. 12. 1927 (Bericht über ein in London geführtes Interview eines Mitarbeiters von »New Judaea« mit Lion Feuchtwanger).

169 Lion Feuchtwanger, Nationalismus und Judentum, in: Lion Feuchtwanger/Arnold Zweig (Hrsg.), Die Aufgabe des Judentums (Europäischer Merkur), Paris 1933, nachgedruckt in: Centum Opuscula, 490.

170 USC-Lion Feuchtwanger Papers (Box A19b, Transkriptionen), Tagebucheintrag vom 27. 2. 1915.

171 Lion Feuchtwanger, Versuch einer Selbstbiographie, in: Die Literatur, 29. Jg., nachgedruckt in: Centum Opuscula, 363f.

172 Lion Feuchtwanger, Lied der Gefallenen (Auszug), in: Die Schaubühne vom 25. 2. 1915, nachgedruckt in: Centum Opuscula, 583.

173 Literarisches Echo 1915/16, Heft 12, Sp. 621, zit. nach: Gerd Uekermann, Renaissancismus und Fin de siècle. Die italienische Renaissance in der deutschen Dramatik der letzten Jahrhundertwende, Berlin/New York 1985, 253.

174 Lion Feuchtwanger, Selbstdarstellung, in: Die literarische Welt vom 27. 1. 1933, nachgedruckt in: Centum Opuscula,

175 Lion Feuchtwanger, Aus meinem Leben, in: Neue Texte 3. Almanach für deutsche Literatur (Herbst 1963), 414.

176 Alfred Döblin, Die drei Sprünge des Wang-lun, Berlin 1915, 51.

177 Lion Feuchtwanger, Alfred Döblins Roman, in: Die Schaubühne vom 12. 9. 1916.

178 Lion Feuchtwanger, Vorwort zu »Vasantasena«, in: Lion Feuchtwanger, Dramen I, Berlin und Weimar 1984, 46f.

179 Feuchtwanger, Frau, 109.

180 Staatsarchiv München, Amtsgericht München NR 1916/241.

181 Alfred Kantorowicz, Meine Kleider, Frankfurt am Main 1993, 15.

182 Lion Feuchtwanger, Warren Hastings (Selbstanzeige), in: Vossische Zeitung vom 22. 10. 1916, nachgedruckt in: Centum Opuscula, 385.

183 Ebd., 386.

184 USC-Lion Feuchtwanger Papers (Box A19b, Transkriptionen), Tagebucheintrag vom 23. 9. 1916.

185 Münchener Post vom 28. 9. 1916.

186 Schreiben vom 2. 12. 1917 an Ludwig Ganghofer, Akademie der Künste Berlin, EHS Lion Feuchtwanger 28/49 (Kopie).

187 Lion Feuchtwanger, Über »Jud Süß«, in: Freie Deutsche Bühne (Das blaue Heft) vom 5. 1. 1929, nachgedruckt in: Centum Opuscula, 390.

188 Lion Feuchtwanger, Jud Süß. Schauspiel in drei Akten, München 1918, 141.

189 Münchener Post vom 16. 10. 1917.

190 Lion Feuchtwanger, Aus meinem Leben, in: Neue Texte 3. Almanach für deutsche Literatur (Herbst 1963), 414.

191 Lion Feuchtwanger, Vorwort zu »Die Perser des Aischylos«, April 1916, in: Lion Feuchtwanger, Dramen I, Berlin und Weimar 1984, 11.

192 Ebd.

193 Feuchtwanger, Frau, 114.

194 Lion Feuchtwanger, Vorwort zu »Der König und die Tänzerin«, in: Lion Feuchtwanger, Dramen I, Berlin und Weimar 1984, 139.

195 Ebd.

196 Münchner Neueste Nachrichten
     vom 6. 3. 1917.

197 Lion Feuchtwanger, Selbstdar-
     stellung, in: Die literarische Welt
     vom 27. 1. 1933, nachgedruckt in:
     Centum Opuscula, 369.

198 Feuchtwanger, Émigré Life, 171.

199 Lion Feuchtwanger, Vorwort
     zu den »Drei Stücken«, in:
     Die Sammlung, Juli 1934
     (Amsterdam), nachgedruckt in:
     Centum Opuscula, 400.

200 Lion Feuchtwanger, Erfolg. Drei
     Jahre Geschichte einer Provinz,
     Frankfurt am Main 1975, 145f.

201 Rahel Straus, Wir lebten in
     Deutschland, Erinnerungen einer
     deutschen Jüdin 1880–1930,
     Stuttgart 1962, 224.

202 Thomas Mann, Tagebücher
     1918–21 (herausgegeben von
     Peter de Mendelssohn),
     Frankfurt am Main 1979, 58, 63, 65.

203 Münchner Neueste Nachrichten
     vom 15. 11. 1918.

204 Lion Feuchtwanger, Moskau 1937.
     Ein Reisebericht für meine
     Freunde, Berlin 1993, 78.

205 Karl Alexander von Müller,
     Im Wandel einer Welt.
     Erinnerungen 1919–1931 (Band 3),
     München 1966, 135.

206 Feuchtwanger, Émigré Life, 390.

207 Lion Feuchtwanger, Vorwort zu:
     Thomas Wendt. Ein dramatischer
     Roman, München 1920, 7.

208 Feuchtwanger, Émigré Life, 391.

209 Thomas Mann, Tagebücher
     1918–21 (herausgegeben von
     Peter de Mendelssohn),
     Frankfurt am Main 1979, 389.

210 Lion Feuchtwanger, Bertolt Brecht.
     Dargestellt für Engländer, in: Die
     Weltbühne vom 4. 9. 1928, nachge-
     druckt in: Centum Opuscula, 559.

211 Zit. nach: Wolfgang Gruner,
     »Ein Schicksal, das ich mit sehr
     vielen anderen geteilt habe«.
     Alfred Kantorowicz – sein Leben
     und seine Zeit von 1899 bis 1935,
     Diss. Univ. Kassel 2005, 113f.

212 Lion Feuchtwanger, Bertolt
     Brecht. Dargestellt für Engländer,
     in: Die Weltbühne vom 4. 9. 1928,
     nachgedruckt in: Centum Opus-
     cula, 558.

213 Ebd., 556.

214 Bertolt Brecht, Tagebücher 1920
     bis 1922, Frankfurt am Main 1978,
     16.

215 Lion Feuchtwanger, Bertolt
     Brecht. Dargestellt für Engländer,
     in: Die Weltbühne vom 4. 9. 1928,
     nachgedruckt in: Centum Opus-
     cula, 557.

216 Berliner Börsen-Courier Nr. 467
     vom 5. 10. 1922.

217 Bertolt Brecht, Begegnung
     mit Adolf Hitler, zit. nach:
     Der Spiegel vom 9. 12. 1996.

218 Feuchtwanger, Frau, 153f.

219 Lion Feuchtwanger, Bertolt
     Brecht. Anlässlich seines Todes,
     zit. nach: Skierka, Feuchtwanger,
     85.

220 Münchner Neueste Nachrichten
     vom 8. 12. 1920.

221 USC-Lion Feuchtwanger Papers
     (Box A19b, Transkriptionen),
     Tagebucheintrag vom 7. 12. 1920.

222 Bayerische Staatszeitung vom
     25. 3. 1922.

223 Münchner Neueste Nachrichten
     vom 25./26. 3. 1922.

224 USC-Lion Feuchtwanger Papers
     (Box A19b, Transkriptionen),
     Tagebucheintrag vom 24. 3. 1924.

225 New York Times vom 20. 10. 1940.

226 Thomas Mann, »Freund
     Feuchtwanger«, in: Weltwoche
     vom 2. 7. 1954.

227 Berliner Tageblatt vom 21. 11. 1928,
zit. nach: Wilhelm von Sternburg,
Lion Feuchtwanger. Ein deutsches
Schriftstellerleben, Berlin 1994,
334 (im Folgenden: Sternburg,
Feuchtwanger).

228 Lion Feuchtwanger, Über »Jud
Süß«, in: Freie Deutsche Bühne
(Das blaue Heft), vom 5. 1. 1929,
nachgedruckt in: Centum Opuscula, 390.

229 Lion Feuchtwanger, Vom Sinn
und Unsinn des historischen
Romans, in: Moskau.
Internationale Literatur Nr. 9,
September 1935, nachgedruckt in:
Centum Opuscula, 515.

230 Lion Feuchtwanger, Über
»Jud Süß« (1929), nachgedruckt
in: Centum Opuscula, 391.

231 Zit. nach: Friedrich Knilli/Sieg-
fried Zielinski, Feuchtwangers
»Jud Süß« und die Filme von
Lothar Mendes und Veit Harlan,
in: Lion Feuchtwanger. Text +
Kritik 78/89, Oktober 1983, 102f.

232 Times Literary Supplement 1927,
zit. nach: Friedrich Knilli/Sieg-
fried Zielinski, Feuchtwangers
»Jud Süß« und die Filme von
Lothar Mendes und Veit Harlan,
in: Lion Feuchtwanger. Text +
Kritik 78/89, Oktober 1983, 104.

233 Zit. nach: Oliver Classe (Hrsg.),
Encyclopedia of Literary Trans-
lation Into English. A–L, London
2000, 438.

234 Frankfurter Allgemeine Zeitung
vom 11. 11. 1981.

235 Lion Feuchtwanger, Die häßliche
Herzogin Margarete Maultasch,
Berlin 1965, 16.

236 Grete Weiskopf, Der
»häßlichste Mann der Welt«,
in: Sonntag Nr. 1, 1959.

237 USC-Lion Feuchtwanger Papers

(Box A19b, Transkriptionen),
Tagebucheintrag vom 5. 6. 1932.

238 USC-Lion Feuchtwanger Papers
(Box A19b, Transkriptionen),
Tagebucheintrag vom 13. 12. 1937.

239 Feuchtwanger, Frau, 154.

240 Münchner Neueste Nachrichten
vom 2. 4. 1924.

241 Berliner Tageblatt vom 5. 12. 1924.

242 Feuchtwanger, Frau, 163.

243 Bertolt Brecht, Gruß an Feucht-
wanger, zit. nach: Bertolt Brecht,
Arbeitsjournal. Erster Band
1938–1942 (hrsg. von Werner
Hecht), Frankfurt am Main 1993,
Anmerkungen 44.

244 Lion Feuchtwanger,
Der Autor über sich selbst, in:
Frankfurter Zeitung vom
18. 3. 1928, abgedruckt in:
Centum Opuscula, 378.

245 Lion Feuchtwanger, Erfolg.
Drei Jahre Geschichte einer Provinz, Frankfurt am Main 1975, 32.

246 Feuchtwanger, Frau, 163f.

247 Herbert Ihering, Begegnungen
mit Zeit und Menschen, Bremen
1965, 124f.

248 New York Times vom 8. 1. 1933
(Übersetzung des Autors).

249 Feuchtwanger, Frau, 166; auch
Manfred Flügge, Die vier Leben
der Marta Feuchtwanger,
Berlin 2008, 110, und Skierka,
Feuchtwanger, 78, stützen sich
auf diese Legende.

250 Bruno Walter, Thema und
Variationen. Erinnerungen und
Gedanken, Stockholm 1947, 351.

251 Lion Feuchtwanger,
Aus München, in:
Die Schaubühne, 22. 4. 1909.

252 Arnolt Bronnen, Tage mit Bertolt
Brecht. Die Geschichte einer
unvollendeten Freundschaft,
München 1998, 102.

253 Feuchtwanger, Frau, 166.
254 New York Times vom 11. 3. 1928.
255 Klaus Mann, Der Wendepunkt.
Ein Lebensbericht, Berlin und
Weimar 1974, 416.
256 Hermann Kesten, Meine Freunde,
die Poeten, Zürich 2006, 85.
257 Zit. nach: Sternburg,
Feuchtwanger, 22f.
258 USC-Lion Feuchtwanger Papers
(Box A19b, Transkriptionen),
Tagebucheintrag vom 1. 1. 1931.
259 Feuchtwanger, Frau, 1178f.
260 Lion Feuchtwanger an Eva Boy
vom 23. 8. 1930, in: Nortrud
Gomringer (Hrsg.), Lion
Feuchtwanger. Briefe an
Eva van Hoboken, Wien 1996, 79
(im Folgenden: Gomringer,
Briefe).
261 Hans Dahlke, Kalkutta, 4. Mai, in:
Lion Feuchtwanger, Dramen II,
Berlin 1984, 753.
262 New York Times vom 8. 1. 1933.
263 Peter Panter, Auf dem Nachttisch,
in: Die Weltbühne vom
17. 1. 1928.
264 New York Times vom 18. 8. 1929.
265 Brooklyn Daily Eagle vom 18. 11.
1932.
266 New York Times vom 20. 11. 1927.
267 Vossische Zeitung vom 1. 10. 1925.
268 Lion Feuchtwanger, Der Autor
über sich selbst, in: Frankfurter
Zeitung vom 18. 3. 1928, nachgedruckt in: Centum Opuscula, 378.
269 Freie Neue Presse vom 14. 7. 1926.
270 Berliner Börsen-Courier vom
1. 5. 1925.
271 Lion Feuchtwanger, Erfolg. Drei
Jahre Geschichte einer Provinz,
Frankfurt am Main 1975, 481.
272 Ebd., 483.
273 Ebd., 485.
274 Skierka, Feuchtwanger, 117.
275 Die Weltbühne vom 10. 5. 1932.

276 USC-Lion Feuchtwanger Papers
(Box A19b, Transkriptionen),
Tagebucheintrag vom 10. 5. 1932.
277 Lion Feuchtwanger, Der Film
»Potemkin« und mein Buch
»Erfolg«, in: Text + Kritik 78/89,
Oktober 1983, 76.
278 Lion Feuchtwanger, Antworten
auf Ihren Fragebogen vom
16. 6. 1957, USC-Lion Feuchtwanger Papers (Box A4a-28).
279 Lion Feuchtwanger, Erfolg. Drei
Jahre Geschichte einer Provinz,
Frankfurt am Main 1975, 500.
280 Ebd., 307.
281 Ebd., 145f.
282 Feuchtwanger, Frau, 201.
283 Lion Feuchtwanger, Erfolg. Drei
Jahre Geschichte einer Provinz,
Frankfurt am Main 1975, 524.
284 New York Times vom 9. 11. 1930.
285 Undatierter Brief Lion Feuchtwanger an Eva Boy (Oktober/
November 1930), in: Gomringer,
Briefe, 86.
286 Münchner Neueste Nachrichten
vom 7. 10. 1930.
287 UHU, Heft 5, Februar 1931.
288 Die Weltbühne vom 11. 11. 1930.
289 Völkischer Beobachter vom
17. 10. 1931.
290 USC-Lion Feuchtwanger Papers
(Box A19b, Transkriptionen),
Tagebucheintrag vom 29. 4. 1931.
291 Feuchtwanger, Frau, 219.
292 Welt am Abend vom 21. 1. 1931,
zit. nach: Sternburg,
Feuchtwanger, 355f.
293 Lion Feuchtwanger an Eva Boy
vom 25. 1. 1931, in: Gomringer,
Briefe, 90.
294 Undatierter Brief Lion Feuchtwanger an Eva Boy (Juli 1931), in:
Gomringer, Briefe, 95.
295 Lion Feuchtwanger, Die Geschwister Oppermann, Berlin 2011, 7.

296 USC-Lion Feuchtwanger Papers
(Box A19b, Transkriptionen),
Tagebucheintrag vom 30. 5. 1932.
297 Lion Feuchtwanger, Vom Sinn
und Unsinn des historischen Romans, in: Moskau. Internationale
Literatur, September 1935, nachgedruckt in: Centum Opuscula, 511.
298 Zit. nach: Karl Kröhnke, Der
Ästhet in der Sowjetunion: Lion
Feuchtwanger. Zu seinem Buch
›Moskau 1937‹, Frankfurt am
Main 1989, 49.
299 Lion Feuchtwanger an Eva Boy
vom 14. 5. 1932, in: Gomringer,
Briefe, 100.
300 Ebd., 103.
301 Ebd., 115.
302 Ebd., 106.
303 USC-Lion Feuchtwanger Papers
(Box A19b, Transkriptionen),
Tagebucheintrag vom 5. 8. 1932.
304 Lion Feuchtwanger an Eva Boy
vom 11. 8. 1932, in: Gomringer,
Briefe, 109.
305 Ebd., 108.
306 Ebd., 115.
307 USC-Lion Feuchtwanger Papers
(Box A19b, Transkriptionen),
Tagebucheintrag vom 4. 9. 1932.
308 Gomringer, Briefe, 117.
309 Ebd., 113.
310 Ebd., 118.
311 USC-Lion Feuchtwanger Papers
(Box A19b, Transkriptionen),
Tagebucheintrag vom 9. 11. 1932.
312 Heinrich Fraenkel, Unsterblicher
Film. Die große Chronik
vom ersten Ton zur farbigen
Breitwand, München 1957, 101.
313 USC-Lion Feuchtwanger Papers
(Box A19b, Transkriptionen),
Tagebucheintrag vom 10. 11. 1932.
314 USC-Lion Feuchtwanger Papers
(Box A19b, Transkriptionen),
Tagebucheintrag vom 17. 11. 1932.

315 Brooklyn Daily Eagle vom
18. 11. 1932.
316 Telegramm Lion Feuchtwanger
an Eva Boy, undatiert
(Ende November 1932), in:
Gomringer, Briefe, 124.
317 USC-Lion Feuchtwanger Papers
(Box A19b, Transkriptionen),
Tagebucheintrag vom 6. 12. 1932.
318 USC-Lion Feuchtwanger Papers
(Box A19b, Transkriptionen),
Tagebucheintrag vom 7. 12. 1932.
319 USC-Lion Feuchtwanger Papers
(Box A19b, Transkriptionen),
Tagebucheintrag vom 11. 1. 1933.
320 Ebd.
321 USC-Lion Feuchtwanger Papers
(Box A19b, Transkriptionen),
Tagebucheintrag vom 30. 1. 1933.
322 New York Times vom 9. 2. 1933.
323 New York Times vom 19. 2. 1933.
324 New York Times vom 2. 3. 1933.
325 USC-Lion Feuchtwanger Papers
(Box A19b, Transkriptionen),
Tagebucheintrag vom 1. 3. 1933.
326 Fritz H. Landshoff, Amsterdam,
Keizersgracht 333. Querido
Verlag. Erinnerungen eines
Verlegers, Berlin 1991, 34.
327 Telegramme vom 14. 3. und
17. 3. 1933, Staatsarchiv München,
Polizeidirektion München 12291.
328 Lion Feuchtwanger an Arnold
Zweig vom 11. 3. 1933, in: Lion
Feuchtwanger – Arnold Zweig.
Briefwechsel 1933–1958, Band 1,
Berlin 1984, 21 (im Folgenden:
Feuchtwanger-Zweig, Brief-
wechsel 1).
329 USC-Lion Feuchtwanger Papers
(Box A19b, Transkriptionen),
Tagebucheintrag vom 17. 3. 1933.
330 USC-Lion Feuchtwanger Papers
(Box A19b, Transkriptionen),
Tagebucheintrag vom
23. 3. 1933.

331 USC-Lion Feuchtwanger Papers
(Box A19b, Transkriptionen),
Tagebucheintrag vom
24. 3. 1933.

332 Bertolt Brecht an Bernard von
Brentano vom 27. 3. 1933, in:
Bertolt Brecht, Reisen im Exil
1933–1939, Frankfurt am Main
1996.

333 Lion Feuchtwanger an Arnold
Zweig am 25. 3. 1933, in:
Feuchtwanger-Zweig,
Briefwechsel 1, 22.

334 New York Times vom 21. 3. 1933
(Übersetzung Andreas Heusler).

335 USC-Lion Feuchtwanger Papers
(Box A19b, Transkriptionen),
Tagebucheintrag vom 30. 3. 1933.

336 Na'ama Sheffi, Jud Süß, in:
Etienne François/Hagen Schulze
(Hrsg.), Deutsche Erinnerungs-
orte, München 2009, 433.

337 Schalom Ben-Chorin, Jugend an
der Isar, München 1974, 185f.

338 Lion Feuchtwanger, Biographi-
sche Skizze vom 23. 3. 1956,
USC-Lion Feuchtwanger Papers
(Box A4a-11).

339 Volker Meid, Sachwörterbuch
zur deutschen Literatur,
Stuttgart 1999, 158.

340 USC-Lion Feuchtwanger Papers
(Box A19b, Transkriptionen),
Tagebucheintrag vom 18. 4. 1933.

341 Klaus Mann, Der Wendepunkt.
Ein Lebensbericht, Berlin und
Weimar 1974, 416.

342 Lion Feuchtwanger an Arnold
Zweig vom 24. 4. 1933, in:
Feuchtwanger-Zweig,
Briefwechsel 1, 26.

343 Lion Feuchtwanger an Bertolt
Brecht vom 16. 5. 1933, in:
Lion Feuchtwanger, Briefwechsel
mit Freunden 1933–1958,
Band 1, Berlin 1991, 17f.

344 Thomas Mann, Tagebücher
1937–1939 (herausgegeben von
Peter de Mendelssohn),
Frankfurt am Main 1980, 413.

345 Thomas Mann, »Freund
Feuchtwanger«, in:
Weltwoche vom 2. 7. 1954.

346 Therese Giehse, »Ich hab nichts
zum Sagen«. Gespräche mit
Monika Sperr, München/
Gütersloh/Wien 1973, 45.

347 Lion Feuchtwanger, Trübe Gäste,
in: Das Wort, Band 3 (1938),
Ausgaben 4–6.

348 Lion Feuchtwanger an Bertolt
Brecht vom 16. 5. 1933, in: Lion
Feuchtwanger, Briefwechsel mit
Freunden 1933–1958, Band 1,
Berlin 1991, 17.

349 Feuchtwanger, Frau, 244.

350 Lion Feuchtwanger,
Die Geschwister Oppermann,
Berlin 2011, 325.

351 Lion Feuchtwanger an Bertolt
Brecht vom 31. 7. 1933, in:
Lion Feuchtwanger, Briefwechsel
mit Freunden 1933–1958, Band 1,
Berlin 1991, 20.

352 Lion Feuchtwanger, Der Teufel in
Frankreich, Berlin und Weimar
1982, 14f.

353 Fritz H. Landshoff, Amsterdam,
Keizersgracht 333.
Querido Verlag. Erinnerungen
eines Verlegers, Berlin 1991, 21.

354 Lion Feuchtwanger, Briefwechsel
mit Freunden 1933–1958, Band 1,
Berlin 1991, 19f.

355 Fritz H. Landshoff, Amsterdam,
Keizersgracht 333.
Querido Verlag. Erinnerungen
eines Verlegers, Berlin 1991, 17.

356 USC-Lion Feuchtwanger Papers
(Box A19b, Transkriptionen),
Tagebucheintrag vom
24. 8. 1933.

357 Arnold Zweig an Marta
Feuchtwanger vom 1. 12. 1933, in:
Feuchtwanger-Zweig,
Briefwechsel 1, 30.

358 USC-Lion Feuchtwanger Papers
(Box A19b, Transkriptionen),
Tagebucheinträge vom 31. 7., 6. 8.
und 7. 8. 1934.

359 USC-Lion Feuchtwanger Papers
(Box A19b, Transkriptionen),
Tagebucheintrag vom 1. 1. 1932.

360 USC-Lion Feuchtwanger Papers
(Box A19b, Transkriptionen),
Tagebucheintrag vom 30. 9. 1937.

361 Lion Feuchtwanger, Goya oder
Der arge Weg der Erkenntnis,
Berlin 2012, 40.

362 USC-Lion Feuchtwanger Papers
(Box A19b, Transkriptionen),
Tagebucheintrag vom 31. 12. 1938.

363 Lion Feuchtwanger, Erfolg.
Drei Jahre Geschichte einer
Provinz, Frankfurt am Main 1975,
103.

364 Lion Feuchtwanger, Die Jüdin
von Toledo, Berlin 2008, 147f.

365 Feuchtwanger, Émigré Life, 836.

366 Lion Feuchtwanger an Eva Boy
vom 9. 4. 1931, in: Gomringer,
Briefe, 92.

367 USC-Lion Feuchtwanger Papers
(Box A19b, Transkriptionen),
Tagebucheintrag vom 16. 5. 1931.

368 Lion Feuchtwanger,
Die Geschwister Oppermann,
Berlin 2011, 16.

369 USC-Lion Feuchtwanger Papers
(Box A19b, Transkriptionen),
Tagebucheintrag vom 15. 6. 1922.

370 Lion Feuchtwanger an Eva Boy
vom 30. 8. 1930 und vom
28. 12. 1931, in: Gomringer,
Briefe, 81 und 99.

371 USC-Lion Feuchtwanger Papers
(Box A19b, Transkriptionen),
Tagebucheintrag vom 1. 2. 1932.

372 Zit. nach: Gomringer, Briefe, 47.

373 Klaus Mann, Der Wendepunkt.
Ein Lebensbericht, Berlin und
Weimar 1974, 253.

374 Ludwig Marcuse,
Mein Zwanzigstes Jahrhundert.
Auf dem Weg zu einer Auto-
biographie, Zürich 1975, 199.

375 USC-Lion Feuchtwanger Papers
(Box A19b, Transkriptionen),
Tagebucheintrag vom 31. 10. 1933.

376 Zit. nach Manfred Flügge, Muse
des Exils. Das Leben der Malerin
Eva Herrmann, Berlin 2012, 178.

377 USC-Lion Feuchtwanger Papers
(Box A19b, Transkriptionen),
Tagebucheintrag vom 29. 8. 1935.

378 USC-Lion Feuchtwanger Papers
(Box A19b, Transkriptionen),
Tagebucheintrag vom 28. 10. 1935.

379 Brief Lion Feuchtwanger an Eva
Herrmann, zit. nach: Manfred
Flügge, Muse des Exils.
Das Leben der Malerin Eva
Herrmann, Berlin 2012, 183.

380 USC-Lion Feuchtwanger Papers
(Box A19b, Transkriptionen),
Tagebucheintrag vom 11. 11. 1936.

381 USC-Lion Feuchtwanger Papers
(Box A19b, Transkriptionen),
Tagebucheintrag vom 9. 9. 1937.

382 USC-Lion Feuchtwanger Papers
(Box A19b, Transkriptionen),
Tagebucheintrag vom 8. 6. 1938.

383 USC-Lion Feuchtwanger Papers
(Box A19b, Transkriptionen),
Tagebucheintrag vom 26. 7. 1938.

384 Robert Neumann, Ein leichtes
Leben. Bericht über mich selbst
und Zeitgenossen, München u.a.
1963, zit. nach: Sternburg,
Feuchtwanger, 119.

385 Klaus Mann, Tagebücher 1936
bis 1937, München 1990, 122.

386 Lion Feuchtwanger an Arnold
Zweig vom 9. 7. 1941, in:

Feuchtwanger-Zweig,
Briefwechsel 1, 213f.

387 Feuchtwanger, Frau, 247f.

388 Thomas Mann an Lion Feucht-
wanger vom 17. 6. 1944
(Glückwunschbuch), in:
Lion Feuchtwanger, Briefwechsel
mit Freunden 1933–1958, Band 1,
Berlin 1991, 126.

389 Marta Feuchtwanger an Arnold
Zweig vom 21. 4. 1934, in:
Feuchtwanger-Zweig, Briefwech-
sel 1, 41.

390 Lion Feuchtwanger an Arnold
Zweig vom 25. 4. 1934, in: Ebd.,
43.

391 Erika Mann/Klaus Mann, Das
Buch von der Riviera, München
1931, zit. nach: Magali Laure
Nieradka, »Die Hauptstadt der
deutschen Literatur«. Sanary-sur-
Mer als Ort des Exils deutsch-
sprachiger Schriftsteller,
Göttingen 2010, 33.

392 Lion Feuchtwanger, Antworten
auf Ihren Fragebogen vom
16. 6. 1957, USC-Lion Feuchtwanger Papers (Box A4a-28).

393 Lion Feuchtwanger, Biographi-
sche Skizze vom 23. 3. 1956,
USC-Lion Feuchtwanger Papers
(Box A4a-11).

394 USC-Lion Feuchtwanger Papers
(Box A19b, Transkriptionen),
Tagebucheintrag vom 8. 1. 1937.

395 USC-Lion Feuchtwanger Papers
(Box A19b, Transkriptionen),
Tagebucheintrag vom 4. 10. 1934.

396 Nachgedruckt in: Centum
Opuscula, 508–515.

397 Lion Feuchtwanger an
Eva van Hoboken 30. 7. 1935, in:
Gomringer, Briefe, 152.

398 Lion Feuchtwanger an Heinrich
Mann vom 28. 10. 1937, in:
Lion Feuchtwanger, Briefwechsel

mit Freunden 1933-1958, Band 1,
Berlin 1991, 329 (im Folgenden:
Feuchtwanger, Briefwechsel mit
Freunden 1/2).

399 Claus Leggewie, Zurück aus Sow-
jetrußland? Die Reiseberichte der
radikalen Touristen André Gide
und Lion Feuchtwanger 1936/37,
in: Sinn und Form 44 (1992), 32.

400 Simone Barck, Ein »schwarzes
Schaf« mit »roten Stiefeln« – eine
unbekannte antifaschistische
Schriftstellerin. Maria Osten, in:
Margrid Bircken u. a. (Hrsg.),
Brüche und Umbrüche.
Frauen, Literatur und soziale
Bewegungen, Potsdam 2010, 337.

401 USC-Lion Feuchtwanger Papers
(Box A19b, Transkriptionen),
Tagebucheintrag vom 25. 8. 1936.

402 Lion Feuchtwanger an Bertolt
Brecht vom 16. 2. 1935, in:
Feuchtwanger, Briefwechsel mit
Freunden 1, 30.

403 Deutsche Zentral-Zeitung vom
2. 12. 1936, zit. nach: Skierka,
Feuchtwanger, 169.

404 USC-Lion Feuchtwanger Papers
(Box A19b, Transkriptionen),
Tagebucheintrag vom 2. 12. 1936.

405 USC-Lion Feuchtwanger Papers
(Box A19b, Transkriptionen),
Tagebucheintrag vom 6. 12. 1936.

406 USC-Lion Feuchtwanger Papers
(Box A19b, Transkriptionen),
Tagebucheintrag vom 10. 12. 1936.

407 USC-Lion Feuchtwanger Papers
(Box A19b, Transkriptionen),
Tagebucheintrag vom 30. 12. 1936;
Text in leicht veränderter Form
nachgedruckt in: Centum Opus-
cula, 519–522.

408 Lion Feuchtwanger an Bertolt
Brecht vom 27. 3. 1937, in:
Feuchtwanger, Briefwechsel
mit Freunden 1, 35.

409 Anne Hartmann, Abgründige Vernunft – Lion Feuchtwangers Moskau 1937, in: Norbert Otto Eke/Gerhard P. Knapp (Hrsg.), Neulektüren – New Readings. Festschrift für Gerd Labroisse zum 80. Geburtstag, New York 2009, 172.

410 Zit. nach: ebd., 173.

411 USC-Lion Feuchtwanger Papers (Box A19b, Transkriptionen), Tagebucheintrag vom 23. 1. 1937.

412 USC-Lion Feuchtwanger Papers (Box A19b, Transkriptionen), Tagebucheintrag vom 29. 1. 1937.

413 Karl Schlögel, Terror und Traum: Moskau 1937, München 2008, 125.

414 Hans Diebow (Hrsg.), Der Ewige Jude. 265 Bilddokumente, München/Berlin, 1937, 120.

415 Zit. nach: Anne Hartmann, Abgründige Vernunft – Lion Feuchtwangers Moskau 1937, in: Norbert Otto Eke/Gerhard P. Knapp (Hrsg.), Neulektüren – New Readings. Festschrift für Gerd Labroisse zum 80. Geburtstag, New York 2009, 159.

416 Lion Feuchtwanger an Eva Boy vom 8. 12. 1936, in: Gomringer, Briefe, 169.

417 USC-Lion Feuchtwanger Papers (Box A19b, Transkriptionen), Tagebucheintrag vom 7. 3. 1937.

418 Lion Feuchtwanger, Moskau 1937. Eine Reisebericht für meine Freunde, Berlin 1993, 111.

419 Lion Feuchtwanger an Eva Boy vom 11. 5. 1937, in: Gomringer, Briefe, 170.

420 Bertolt Brecht an Lion Feuchtwanger, August 1937, in: Feuchtwanger, Briefwechsel mit Freunden 1, 42.

421 Marcuse, Jahrhundert, 222.

422 Lion Feuchtwanger, Der Teufel in Frankreich. Erlebnisse, Berlin und Weimar 1982, 172f. (im Folgenden: Feuchtwanger, Teufel).

423 USC-Lion Feuchtwanger Papers (Box A19b, Transkriptionen), Tagebucheintrag vom 21. 6. 1937.

424 Lion Feuchtwanger, Exil, Frankfurt am Main 1979, 698.

425 USC-Lion Feuchtwanger Papers (Box A19b, Transkriptionen), Tagebucheintrag vom 21. 8. 1937.

426 USC-Lion Feuchtwanger Papers (Box A19b, Transkriptionen), Tagebucheintrag vom 8. 10. 1937.

427 Feuchtwanger, Teufel, 53.

428 Lion Feuchtwanger an Arnold Zweig vom 24. 11. 1937, in: Feuchtwanger-Zweig, Briefwechsel 1, 179.

429 USC-Lion Feuchtwanger Papers (Box A19b, Transkriptionen), Tagebucheintrag vom 24. 1. 1938.

430 USC-Lion Feuchtwanger Papers (Box A19b, Transkriptionen), Tagebucheintrag vom 24. 9. 1939.

431 USC-Lion Feuchtwanger Papers (Box A19b, Transkriptionen), Tagebucheintrag vom 17. 3. 1938.

432 Lion Feuchtwanger an Arnold Zweig vom 11. 5. 1938, in: Feuchtwanger-Zweig, Briefwechsel 1, 192.

433 Feuchtwanger, Teufel, 17.

434 Lion Feuchtwanger an Arnold Zweig vom 1. 10. 1938, in: Feuchtwanger-Zweig, Briefwechsel 1, 197.

435 USC-Lion Feuchtwanger Papers (Box A19b, Transkriptionen), Tagebucheintrag vom 29. 7. 1938.

436 USC-Lion Feuchtwanger Papers (Box A19b, Transkriptionen), Tagebucheintrag vom 1. 12. 1938.

437 USC-Lion Feuchtwanger Papers (Box A19b, Transkriptionen), Tagebucheintrag vom 22. 12. 1938.

438 Lion Feuchtwanger an Arnold
Zweig vom 5. 1. 1939, in:
Feuchtwanger-Zweig,
Briefwechsel 1, 201.

439 USC-Lion Feuchtwanger Papers
(Box A19b, Transkriptionen),
Tagebucheintrag vom 27. 8. 1939.

440 USC-Lion Feuchtwanger Papers
(Box A19b, Transkriptionen),
Tagebucheintrag vom 3. 5. 1939.

441 USC-Lion Feuchtwanger Papers
(Box A19b, Transkriptionen),
Tagebucheintrag vom 5. 9. 1939.

442 USC-Lion Feuchtwanger Papers
(Box A19b, Transkriptionen),
Tagebucheintrag vom 13. 9. 1939.

443 USC-Lion Feuchtwanger Papers
(Box A19b, Transkriptionen),
Tagebucheintrag vom 15. 9. 1939.

444 USC-Lion Feuchtwanger Papers
(Box A19b, Transkriptionen),
Tagebucheintrag vom 22. 9. 1939.

445 USC-Lion Feuchtwanger Papers
(Box A19b, Transkriptionen),
Tagebucheintrag vom 23. 9. 1939.

446 Zit. nach: Gomringer, Briefe, 32.

447 Feuchtwanger, Teufel, 86f.

448 Ebd., 119.

449 Brief von Alfred Kantorowicz
an Lion Feuchtwanger zum
60. Geburtstag, 1944, zit. nach:
Skierka, Feuchtwanger, 193.

450 Lion Feuchtwanger an Eva van
Hoboken vom 7. 8. 1940, in:
Gomringer, Briefe, 193.

451 Lion Feuchtwanger an Arnold
Zweig vom 27. 9. 1940, in: Feuchtwanger-Zweig, Briefwechsel 1, 219.

452 Lion Feuchtwanger an Eva van
Hoboken vom 27. 9. 1940, in:
Gomringer, Briefe, 195.

453 Lion Feuchtwanger, Der Schriftsteller im Exil, Vortrag gehalten
auf dem Schriftsteller-Kongreß in
Los Angeles 1943, nachgedruckt
in: Centum Opuscula, 552.

454 New York Times vom 20. 10. 1940.

455 Philadelphia Ledger vom 21. 10.
1940, USC-Lion Feuchtwanger
Papers (Box A4a – Folder 50).

456 Heinrich Mann, Ein Zeitalter
wird besichtigt, Reinbek bei
Hamburg 1976, 305.

457 Lion Feuchtwanger an
Arnold Zweig vom 9. 7. 1941, in:
Feuchtwanger-Zweig,
Briefwechsel 1, 232.

458 Lion Feuchtwanger an Eva van
Hoboken vom 1. 12. 1940, in:
Gomringer, Briefe, 196f.

459 Feuchtwanger, Frau, 316.

460 So jedenfalls Manfred Flügge,
Muse des Exils. Das Leben
der Malerin Eva Herrmann,
Berlin 2012, 258f.

461 Ebd., 260.

462 Lion Feuchtwanger an Arnold
Zweig vom 21. 3. 1941, in: Feuchtwanger-Zweig, Briefwechsel 1, 225.

463 Lion Feuchtwanger an Eva van
Hoboken vom 12. 2. 1941, in:
Gomringer, Briefe, 198.

464 Lion Feuchtwanger an Eva van
Hoboken vom 28. 11. 1941, in:
Gomringer, Briefe, 203.

465 Lion Feuchtwanger an Arnold
Zweig vom 21. 1. 1942, in:
Feuchtwanger-Zweig,
Briefwechsel 1, 249.

466 Lion Feuchtwanger an Eva van
Hoboken vom 14. 1. 1942, in:
Gomringer, Briefe, 205.

467 Zit. nach: Sternburg,
Feuchtwanger, 462.

468 Lion Feuchtwanger an Arnold
Zweig vom 6. 1. 1943, in:
Feuchtwanger-Zweig,
Briefwechsel 1, 265.

469 Bertolt Brecht, Arbeitsjournal.
Erster Band 1938–1942 (hrsg.
von Werner Hecht), Frankfurt am
Main 1993, 209 (22. 7. 1941).

470 Marcuse, Jahrhundert, 276.
471 Vortrag von Lion Feuchtwanger
über die Arbeitsprobleme des
Schriftstellers im Exil, 1943, zit.
nach: Skierka, Feuchtwanger, 218.
472 Bertolt Brecht, Arbeitsjournal.
Erster Band 1938–1942 (hrsg. von
Werner Hecht), Frankfurt am
Main 1993, 231f.
473 Grete Weiskopf, Der »häßlichste
Mann der Welt«, in: Sonntag
Nr. 1, 1959.
474 Bertolt Brecht, Arbeitsjournal.
Zweiter Band 1942–1955 (hrsg.
von Werner Hecht), Frankfurt
am Main 1993, 338 (20. 8. 1942).
475 Lion Feuchtwanger, Zur Ent-
stehungsgeschichte des Stückes
Simone, in: Neue Deutsche
Literatur, Hamburg 1957 (6), 56.
476 Lion Feuchtwanger an Ben
Huebsch vom 8. 4. 1942, zit. nach:
Skierka, Feuchtwanger, 221.
477 Feuchtwanger, Émigré Life, 440.
478 Ebd., 1173.
479 Bertolt Brecht an Lion
Feuchtwanger vom 3. 5. 1956,
in: Feuchtwanger, Briefwechsel
mit Freunden 1, 97.
480 Brecht-Premieren, in: Der
Spiegel 13/1957 vom 27. 3. 1957.
481 Lion Feuchtwanger, Simone,
Frankfurt am Main 1983, 132.
482 Feuchtwanger, Émigré Life, 1168.
483 Aufbau vom 9. 6. 1944.
484 Lion Feuchtwanger an Eva van
Hoboken vom 14. 1. 1942, in:
Gomringer, Briefe, 205.
485 Feuchtwanger, Émigré Life,
1147.
486 Lion Feuchtwanger an Arnold
Zweig vom 29. 4. 1944, in:
Feuchtwanger-Zweig,
Briefwechsel 1, 295.
487 Feuchtwanger, Émigré Life,
1152f.

488 Hermann Kesten an Franz
Schoenberner, zit. nach:
Reinhold Jaretzky, Lion
Feuchtwanger, Reinbek bei
Hamburg 1984, 107.
489 Zit. nach: Fritz J. Raddatz,
Weihnachten gingen wir zu
Brecht, in: Die Zeit vom
22. 12. 1978.
490 Feuchtwanger, Teufel, 17f.
491 Lion Feuchtwanger, Der Schrift-
steller im Exil, Vortrag gehalten
auf dem Schriftsteller-Kongreß in
Los Angeles 1943, nachgedruckt
in: Centum Opuscula, 551.
492 Lion Feuchtwanger an Arnold
Zweig vom 8. 3. 1945, in:
Feuchtwanger-Zweig,
Briefwechsel 2, 316.
493 Feuchtwanger, Émigré Life, 1188.
494 Zit. nach Thomas Bublacher,
Paradies in schwerer Zeit.
Künstler und Denker im Exil in
Pacific Palisades und Umgebung,
München 2011, 18.
495 Salka Viertel, Das unbelehrbare
Herz. Erinnerungen an ein Leben
mit Künstlern des 20. Jahrhunderts, Berlin 2012, 335.
496 Marcuse, Jahrhundert, 280.
497 Ebd., 281.
498 Alma Mahler-Werfel,
Mein Leben. Biographie,
Frankfurt am Main 1963, 346.
499 Katia Mann, Meine ungeschriebenen Memoiren, Frankfurt am
Main 1974, 105f.
500 Lion Feuchtwanger an Arnold
Zweig vom 8. 3. 1945, in:
Feuchtwanger-Zweig,
Briefwechsel 1, 315f.
501 Ebd., 324ff.
502 Lion Feuchtwanger, Die Füchse
im Weinberg. Der Preis.
Nachwort, Frankfurt am Main
1952, 340.

503 Lion Feuchtwanger, Zu meinem
Roman »Waffen für Amerika«, in:
Neue Deutsche Literatur 7, 1954,
nachgedruckt in: Centum
Opuscula, 408.

504 Thomas Mann an Lion
Feuchtwanger vom 6. 8. 1951, in:
Feuchtwanger, Briefwechsel mit
Freunden 1, 139f.

505 Oskar Maria Graf,
Feuchtwangers Meisterwerk, in:
Aufbau vom 7. 8. 1953.

506 Lion Feuchtwanger, Narrenweisheit, oder Tod und Verklärung des Jean-Jacques
Rousseau, Berlin und Weimar
1972, 458.

507 Dazu ausführlich: Alexander
Stephan, Im Visier des FBI.
Deutsche Exilschriftsteller in den
Akten amerikanischer Geheim-
dienste, Stuttgart/Weimar 1995,
232–264 (im Folgenden: Stephan,
FBI).

508 Albrecht Joseph, Porträts I. Carl
Zuckmayer – Bruno Frank,
Aachen 1993, 300.

509 FBI-Bericht vom 18. 11. 1942,
USC-Lion Feuchtwanger Papers
(Box A20).

510 FBI-Memorandum vom
27. 7. 1955, zit. nach: Stephan,
FBI, 242 (Übersetzung Andreas
Heusler).

511 FBI-Bericht vom 9. 3. 1956, zit.
nach: Ebd., 240 (Übersetzung
Andreas Heusler).

512 Lion Feuchtwanger an Ben
Huebsch vom 1. 12. 1958, zit. nach:
Reinhold Jaretzky, Lion Feuchtwanger, Reinbek bei Hamburg
1984, 139.

513 FBI-Memorandum vom
31. 12. 1953, zit. nach: Stephan,
FBI, 242 (Übersetzung
Andreas Heusler).

514 Lion Feuchtwanger an Thomas
Mann vom 26. 5. 1953, in:
Feuchtwanger, Briefwechsel mit
Freunden 1, 148.

515 Lion Feuchtwanger an Rudolf
Heizler vom 23. 7. 1958,
USC-Lion Feuchtwanger Papers
(Box A4c – Folder 7).

516 Lion Feuchtwanger an Arnold
Zweig vom 1. 8. 1945, in:
Feuchtwanger-Zweig,
Briefwechsel 2, 287.

517 Arnold Zweig an Lion
Feuchtwanger vom 3. 9. 1955, in:
ebd., 291.

518 Arnold Zweig an Lion
Feuchtwanger vom 13. 3. 1957, in:
ebd., 345f.

519 Heinrich Mann an Lion
Feuchtwanger vom 29. 10. 1937,
in: Feuchtwanger, Briefwechsel
mit Freunden 1, 330.

520 Lion Feuchtwanger, Das Haus
der Desdemona oder Größe und
Grenzen der historischen
Dichtung, zit. nach: Reinhold
Jaretzky, Lion Feuchtwanger,
Reinbek bei Hamburg 1984, 138.

521 Brief von Marta Feuchtwanger
vom 25. 12. 1958, USC-Lion
Feuchtwanger Papers
(Box A12 – Folder 41).

522 Lion Feuchtwanger an den
Münchner Kulturreferenten
Herbert Hohenemser vom
30. 5. 1958, USC-Lion Feuchtwanger Papers (Box A4c – Folder 3).

523 Schreiben vom 10. 2. 1953,
USC-Lion Feuchtwanger Papers
(Box A4c – Folder 1).

524 Die Abendzeitung vom 22. 7. 1953.

525 Schreiben vom 7. 8. 1953,
USC-Lion Feuchtwanger Papers
(Box A4c – Folder 2).

526 Schreiben vom 8. 10. 1953, ebd.

527 Schreiben vom 22. 7. 1957, ebd.

528 Stefanie Harrecker, Degradierte
     Doktoren. Die Aberkennung
     der Doktorwürde an der
     Ludwig-Maximilians-Universität
     München während der Zeit des
     Nationalsozialismus, München
     2007, 197–215.
529 Sternburg, Feuchtwanger, 360.
530 Erich Kuby, Bitterer Preis, in:
     Süddeutsche Zeitung vom
     6. 11. 1957.
531 Die Abendzeitung vom 4. 7. 1957.
532 Dazu ausführlich: USC-Lion
     Feuchtwanger Papers (Box A4c –
     Folder 7).
533 Telegramm von Lion Feuchtwan-
     ger an Herbert Hohenemser vom
     24. 7. 1957, zit. nach: Münchner
     Stadtanzeiger vom 26. 7. 1958.

534 Telegramm Lion Feuchtwanger
     an Herbert Hohenemser
     vom 31. 10. 1957, USC-Lion
     Feuchtwanger Papers
     (Box A4c – Folder 3).
535 Lion Feuchtwanger an die
     Redaktion der »Abendzeitung«
     vom 8. 11. 1957, ebd.
536 Münchner Merkur vom
     6. 11. 1957.
537 Herbert Hohenemser an Lion
     Feuchtwanger vom 22. 11. 1957,
     USC-Lion Feuchtwanger Papers
     (Box A4c – Folder 3).
538 Gunter Hofmann, Der andere
     Deutsche, in: Zeit Geschichte 4
     (2013).

Stationen

2. März 1854
Sigmund Feuchtwanger, Lions Vater, wird in München geboren

um 1880
Gründung der Kunstbutterfabrik Feuchtwanger in Haidhausen

Juli 1883
Sigmund Feuchtwanger heiratet Ida »Johanna« Bodenheimer

7. Juli 1884
Geburt von Jakob Lion in München; die Familie lebt in der Thierschstraße 9

29. September 1886
Umzug der Familie Feuchtwanger in die Hildegardstraße 9

28. Mai 1889
Umzug der Familie Feuchtwanger an den St.-Anna-Platz 2/0

1890
Lion besucht die St.-Anna-Volksschule

12. September 1900
Umzug der Familie Feuchtwanger in die Galeriestraße 15/I

21. Januar 1891
Marta Löffler wird in München geboren

1894
Besuch des Wilhelmsgymnasiums an der Thierschstraße

Februar 1902
Gründung des »Literarischen Vereins Phoebus«

1903
Abitur am Wilhelmsgymnasium; Erzählungen *Die Einsamen. Zwei Skizzen*

Herbst 1903
Studium an der Ludwig-Maximilians-Universität München

1904/05/06
Einakter *Joel, König Saul, Das Weib des Urias, Der arme Heinrich, Donna Bianca, Die Braut von Korinth*

22. Oktober 1904
Erste öffentliche Aufführung eines Feuchtwanger-Stückes: Rezitation von *Donna Bianca. Renaissancedrama in einem Akt* im Schlachtensaal des Café Luitpold

September 1905
Aufführung der beiden frühen Einakter *König Saul* und *Prinzessin Hilde*

am Münchener Volkstheater an der Sonnenstraße; Regiearbeit am Volkstheater: Strindberg und Gerhart Hauptmann »Und Pippa tanzt«

November 1905
Einmalige Ausgabe der »Münchener Schauspiel-Premièren«

1905/06
Studien-Intermezzo in Berlin

Juni 1906
Beginn der Arbeiten an *Ich*, später: *Der Fetisch*

1907
Promotion mit einer Arbeit über *Heinrich Heines Fragment ›Rabbi von Bacherach‹*
Beginn der Habilitationsschrift *Die Anfänge des deutschen Journalismus*

1908
Erzählung *Karneval von Ferrara*

Frühjahr 1908
Anmeldung eines Verlagsgeschäfts; erste Ausgabe des »Spiegel.
Münchener Halbmonatschrift für Literatur, Musik und Bühne«

6. April 1908
Lion bezieht ein Zimmer in der Hackenstraße 5/II

3. August 1908
Rückkehr in die elterliche Wohnung Galeriestraße 15

1. Oktober 1908
Umzug in die Gewürzmühlstraße 3/III

Ende 1908
Der »Spiegel« wird eingestellt; ständige Mitarbeit an »Die Schaubühne« (Berlin)

19. Januar 1909
Lion lernt Marta Löffler kennen

Februar 1909
Phoebus-Skandal

1910
Roman *Der tönerne Gott*

18. Juli 1911
Umzug in die Burgstraße 10/I

28. Juni 1912
Standesamtliche Trauung von Lion und Marta in Überlingen

11. September 1912
Geburt der Tochter Elisabeth Marianne in Lausanne

17. November 1912
Tod Elisabeth Marianne; Bestattung auf dem Friedhof von Pietra Ligure

1912–1914
Reise durch Südfrankreich, Italien, Sizilien, Nordafrika

1914
Arbeit an der Nachdichtung *Die Perser des Aischylos*

August 1914
Internierung und kurzzeitige Kriegsgefangenschaft in Tunis
abenteuerliche Rückkehr mit Marta nach München

27. August 1914
Pension Central, Prielmayerstraße 10/I

9. Februar 1915
Umzug des Ehepaars in die Prinzregentenstraße 6/III

1915
Arbeit an *Julia Farnese. Ein Trauerspiel in drei Akten* und an der Nachdichtung
Vasantasena. Ein Schauspiel in drei Akten; Arbeit an *Warren Hastings.*
Gouverneur von Indien. Schauspiel in vier Akten und einem Vorspiel

25. Februar 1915
Veröffentlichung des Antikriegsgedichts *Lied der Gefallenen* in der »Schaubühne«

10. Mai 1915
Umzug des Ehepaars in die Thierschstraße 14/IV

1916
Ende der regelmäßigen Mitarbeit für »Die Schaubühne«. *Pierrots Herrentraum.*
Pantomime in fünf Bildern; Musik: Adolf Hartmann-Trepka

1916/17
Arbeit an der Nachdichtung *Der König und die Tänzerin. Ein Spiel in vier Akten*

28. Januar 1916
Lions Vater Sigmund stirbt in München

1916/17
Arbeit an *Jud Süß. Schauspiel in vier Bildern und drei Akten*

Frühjahr 1917
Arbeit an der Nachdichtung *Friede. Ein burleskes Spiel.*
Nach Aristophanes

30. April 1917
Umzug in die Eigentumswohnung Georgenstraße 24/III

1918
Arbeit an *Die Kriegsgefangenen. Ein Schauspiel in fünf Akten*

1918
Arbeit an der Bearbeitung *Appius und Virginia. Trauerspiel in fünf Akten*
nach John Webster

1918/19
Arbeit an *Thomas Wendt. Ein dramatischer Roman*

1920
Arbeit an *Der holländische Kaufmann. Schauspiel* und *Der Amerikaner oder*
Die entzauberte Stadt. Eine melancholische Komödie in vier Akten

1921/22
Arbeit an dem Roman *Jud Süß* und an der Nachdichtung
Der Frauenverkäufer. Ein Spiel in drei Akten nach Calderón

1922/23
Arbeit an dem Roman *Die häßliche Herzogin*

1923
Arbeit an *Die Petroleuminsel. Ein Stück in drei Akten* und an *Wird Hill
amnestiert? Komödie in vier Akten*

1924
Mit Bertolt Brecht Arbeit an *Leben Eduards des Zweiten von England.
Historie nach Marlowe*

23. Januar 1925
Lions Mutter Johanna stirbt in München

März 1925
Lion und Marta melden sich ab nach Berlin, Hohenzollerndamm 34

1925
Mit Bertolt Brecht Arbeit an *Kalkutta 4. Mai. Drei Akte Kolonialgeschichte*

1924/25
Arbeit an *Pep. J. L. Wetcheeks amerikanisches Liederbuch*

1927–1930
Arbeit am Roman *Erfolg. Drei Jahre Geschichte einer Provinz*

1927
Reise nach England; Begegnung mit George Bernard Shaw, H. G. Wells,
Arnold Bennett und anderen; Reise nach Skandinavien; Begegnung mit Niels Bohr

6. April 1928
Martas Vater Leopold Löffler stirbt in München

16. September 1930
Vorabdruck von *Erfolg. Drei Jahre Geschichte einer Provinz* in der »Weltbühne«

Herbst 1930
Erfolg. Drei Jahre Geschichte einer Provinz erscheint im Gustav Kiepenheuer Verlag

27. Dezember 1930
Martas Mutter Johanna Löffler stirbt in München

Sommer 1931
Umzug in eine Villa an der Mahlerstraße 8, Grunewald (heute: Regerstraße 8)

1931/32
Beginn der Arbeit am Roman *Der jüdische Krieg – Josephus-Trilogie 1*

November 1932
Beginn einer Vortragsreise durch die USA

8. März 1933
Rückkehr nach Europa; Beginn des Exils; Plünderung des Hauses in der
Mahlerstraße; Beschlagnahme des Vermögens

10. Mai 1933
Bücherverbrennung

6. Juni 1933
Einzug in die »Villa Lazare« bei Sanary-sur-Mer

1933
Arbeit am Roman *Die Geschwister Oppermann*

23. August 1933
Aberkennung der deutschen Staatsangehörigkeit

Frühjahr 1934
Umzug in die »Villa Valmer«, Sanary-sur-Mer

4. Oktober 1934
Uraufführung des Films *Jew Süss* in London, New York und Toronto

1934/35
Arbeit am Roman *Die Söhne – Josephus-Trilogie 2*

1935/36
Arbeit am Roman *Der falsche Nero*

1936
Mit Bertolt Brecht und Willi Bredel Herausgeber von *Das Wort*

November 1936
Umstrittene Reise nach Moskau; Arbeit am Erinnerungsbericht *Moskau 1937. Ein Reisebericht für meine Freunde*

1937–1939
Arbeit am Roman *Exil*

1939–1941
Arbeit am Roman *Der Tag wird kommen – Josephus-Trilogie 3*

September 1939
10-tägige Internierung im Camp Les Milles bei Aix-en-Provence

Mai 1940
Erneute Internierung im Camp Les Milles bei Aix-en-Provence

Juni 1940
Deportation in das Lager San Nicolà bei Nîmes; Internierung von Marta Feuchtwanger im Lager Gurs; Flucht der Feuchtwangers über Marseille und die Pyrenäen nach Port Bou (Spanien), weiter über Portugal (Lissabon) in die USA

5. Oktober 1940
Ankunft in New York

1940/41
Arbeit am Erinnerungsbericht *Der Teufel in Frankreich*

28. Januar 1941
Übersiedlung nach Los Angeles

1941
Arbeit am Roman *Die Brüder Lautensack*

1942
Zusammenarbeit mit Bertolt Brecht am Drama *Die Gesichte der Simone Marchand*

1943
Arbeit am Roman *Simone*

Herbst 1943
Erwerb der Villa am Paseo Miramar in Pacific Palisades

1944–1946
Arbeit am Roman *Die Füchse im Weinberg* – ursprünglich: *Waffen für Amerika*

3. April 1944
Mitbegründer des Exilverlags *Aurora* in New York

1946
Arbeit an *Venedig (Texas) und vierzehn andere Erzählungen* und an *Wahn oder der Teufel von Boston. Ein Stück in drei Akten*

1947
Arbeit an *Die Witwe Capet. Ein Stück in drei Akten*

1948–1950
Arbeit am Roman *Goya oder Der arge Wege der Erkenntnis*

1948
Antrag auf US-amerikanische Staatsbürgerschaft wird erstmals abgelehnt

1950
Arbeit an *Odysseus und die Schweine und zwölf andere Erzählungen*

1950–1952
Arbeit an *Narrenweisheit oder Tod und Verklärung des Jean-Jacques Rousseau*

1952–1954
Arbeit an *Die Jüdin von Toledo* – ursprünglich: *Spanische Ballade*

1953
Nationalpreis I. Klasse für Kunst und Literatur der DDR

1954
Ehrendoktorwürde der juristischen Fakultät der Humboldt-Universität zu Berlin

1955
Korrespondierendes Mitglied der Akademie der Künste der DDR

1955–1957
Arbeit am Roman *Jefta und seine Tochter*

1957
Kultur- und Literaturpreis der Stadt München; Arbeit an dem unvollendeten Essay *Das Haus der Desdemona oder Größe und Grenzen der historischen Dichtung*

21. Dezember 1958
Lion Feuchtwanger stirbt im Mount Sinai Hospital Los Angeles
Bestattung auf dem Woodlawn Cemetery Santa Monica

25. Oktober 1987
Marta Feuchtwanger stirbt in Los Angeles; Bestattung auf dem Woodlawn Cemetery Santa Monica

Auswahlbibliographie

Biographische Darstellungen

Manfred Flügge, Die vier Leben der Marta Feuchtwanger, Berlin 2008

Manfred Flügge, Muse des Exils. Das Leben der Malerin Eva Herrmann, Berlin 2012

Reinhold Jaretzky, Lion Feuchtwanger, Reinbek bei Hamburg 1984

Wolfgang Jeske/Peter Zahn, Lion Feuchtwanger oder Der arge Weg der Erkenntnis, Stuttgart 1984

Joseph Pischel, Lion Feuchtwanger, Frankfurt am Main 1984

Volker Skierka, Lion Feuchtwanger. Eine Biographie, Berlin 1984

Heike Specht, Die Feuchtwangers. Familie, Tradition und jüdisches Selbstverständnis, Göttingen 2006

Wilhelm von Sternburg, Lion Feuchtwanger. Ein deutsches Schriftstellerleben, Berlin 1994

Erinnerungen von Zeitgenossen

Arnolt Bronnen, Tage mit Bertolt Brecht. Die Geschichte einer unvollendeten Freundschaft, München 1998

Edgar Feuchtwanger, Erlebnis und Geschichte. Als Kind in Hitlers Deutschland – ein Leben in England, Berlin 2010

Edgar Feuchtwanger/Bertil Scali, Als Hitler unser Nachbar war. Erinnerungen an meine Kindheit im Nationalsozialismus, München 2014

Marta Feuchtwanger, An Émigré Life. Munich, Berlin, Sanary, Pacific Palisades (Interview mit Lawrence M. Weschler, University of Southern California, Los Angeles 1975, online: https://archive.org/details/emigrelifeoralhio4feuc)

Marta Feuchtwanger, Nur eine Frau. Jahre. Tage. Stunden, Berlin und Weimar 1984

Marta Feuchtwanger, Leben mit Lion, Göttingen 1991

Martin Feuchtwanger, Zukunft ist ein blindes Spiel. Erinnerungen, München 1989

Hanns von Gumppenberg, Lebenserinnerungen. Aus dem Nachlass des Dichters, Zürich 1929

Alfred Kantorowicz, Meine Kleider, Frankfurt am Main 1993

Hermann Kesten, Meine Freunde, die Poeten, Wien / München 1953

Fritz H. Landshoff, Amsterdam, Keizersgracht 333. Querido Verlag. Erinnerungen eines Verlegers, Berlin 1991

Katia Mann, Meine ungeschriebenen Memoiren, Frankfurt am Main 1974

Klaus Mann, Der Wendepunkt.
Ein Lebensbericht, Berlin und
Weimar 1974

Ludwig Marcuse, Mein zwanzigstes
Jahrhundert. Auf dem Weg zu
einer Autobiographie, Zürich 1975

Erich Mühsam, Unpolitische Erinnerungen, Leipzig 1949

Robert Neumann, Ein leichtes Leben.
Bericht über mich selbst und
Zeitgenossen, München u. a. 1963

Rahel Straus, Wir lebten in Deutschland, Erinnerungen einer deutschen
Jüdin 1880–1930, Stuttgart 1962

Bruno Walter, Thema und Variationen.
Erinnerungen und Gedanken,
Stockholm 1947

Ernst von Wolzogen, Wie ich mich ums
Leben brachte, Braunschweig 1922

Autobiographisches

Lion Feuchtwanger, Moskau 1937.
Ein Reisebericht für meine Freunde,
Berlin 1993

Lion Feuchtwanger, Der Teufel in
Frankreich. Erlebnisse, Berlin und
Weimar 1982

Lion Feuchtwanger, Der Autor über
sich selbst, in: Frankfurter Zeitung
vom 18. 3. 1928

Lion Feuchtwanger, Aus meinem Leben,
in: Neue Texte 3. Almanach für
deutsche Literatur (Herbst 1963)

Lion Feuchtwanger, Wie ich meine
erste Dichtung schrieb, in: Die
literarische Welt vom 20. 4. 1928

Lion Feuchtwanger, Selbstdarstellung,
in: Die literarische Welt vom
27. 1. 1933

Lion Feuchtwanger, Flucht aus Tunis, in:
Die Schaubühne vom 1. 10. 1914

Lion Feuchtwanger, Versuch einer
Selbstbiographie, in: Lion Feucht-
wanger, Centum Opuscula. Eine
Auswahl, Rudolstadt 1956, 363–364

Gedruckte Quellen

Bertolt Brecht, Arbeitsjournal, 2 Bände,
hrsg. von Werner Hecht,
Frankfurt am Main 1993

Bertolt Brecht, Tagebücher 1920 bis 1922,
Frankfurt am Main 1978

Lion Feuchtwanger – Arnold Zweig.
Briefwechsel 1933–1958, hrsg. von
Harold von Hofe, 2 Bände, Berlin 1984

Lion Feuchtwanger, Briefwechsel
mit Freunden 1933–1958, hrsg.
von Harold von Hofe und Sigrid
Washburn, 2 Bände, Berlin 1991

Lion Feuchtwanger. Briefe an Eva van
Hoboken, hrsg. und kommentiert
von Nortrud Gomringer, Wien 1996

Klaus Mann, Tagebücher, Band 1–6
(1931–1949), München 1989ff.

Erich Mühsam, Tagebücher, Band 1–5
(1910–1916), Berlin 2011ff.

Thomas Mann, Tagebücher,
Band 1–10, (1918–1955).
Frankfurt am Main 1977ff.

Thomas Mann – Heinrich Mann,
Briefwechsel 1900–1949,
hrsg. von Hans Wysling,
Frankfurt am Main 1984

Hedwig Pringsheim, Mein Nachrichten-
dienst. Briefe an Katia Mann
1933–1941; hrsg. und kommentiert
von Dirk Heißerer, 2 Bände,
Göttingen 2013

Personenregister